Wandel-/autoroutes

D0347092

Eten en slapen   237–288

AFGESCHREVEN

Praktisch   289–306

Kaarten   307–330

Register   331–339

SCHOTLAND
IN VOGELVLUCHT

Schotland ligt in het noorden van Groot-Brittannië en was tot 1603 een afzonderlijk koninkrijk. Het heeft een oppervlakte van 77.080 km², ongeveer eenderde van de totale oppervlakte van Groot-Brittannië, maar er wonen maar 5 miljoen mensen, minder dan eentiende van de Britse bevolking. Schotland heeft de hoogste berg van het land, Ben Nevis (1343 m), en het diepste meer, Loch Morar (ruim 305 m). U kunt als het weer meezit waarschijnlijk in minder dan 24 uur van de ene kant naar de andere rijden – de eilanden meegerekend duurt het wat langer – maar er is genoeg te ontdekken om er een leven lang mee zoet te zijn.

Typisch Schotse beelden: Castle Fraser met zijn vele torens, links, en het schitterende Glen Affric, rechts

VOORBIJ DE CLICHÉS

Wie aan Schotland denkt, denkt aan nevelige bergen en grootse landschappen, romantische en tragische geschiedenis, geruite kilts en een vurig Keltisch hart. Wie er naartoe gaat om dit beeld bevestigd te zien, zal niet teleurgesteld worden — de bergen zijn onmiskenbaar majestueus, de geschiedenis is rijk en wordt goed verteld, en inderdaad, sommige Schotten dragen een kilt.

Maar natuurlijk heeft Schotland veel meer te bieden dan alleen de clichés, zoals iedereen die dit intrigerende gebied vol tegenstrijdigheden bezoekt zal ontdekken. Vooral de kleine persoonlijke ontdekkingen — een sprookjeskasteel verscholen tussen de bomen, de geur van de hei op een warme dag, de aanblik van een otter die rondscharrelt aan de kust, een ontmoeting met een paar wandelaars op een kale, verlaten berghelling, een strand van wit schelpenzand aan een turquoise baai, een uitstekende vismaaltijd in de pub van een dorp met een onuitsprekelijke Gaelic naam — maken een bezoek aan dit gebied gedenkwaardig.

LANDSCHAP EN ECONOMIE

Het grootste deel van de bevolking woont in de steden Edinburgh, Glasgow, Dundee en Aberdeen.

Ongeveer de helft van Schotland is bedekt met natuurlijke of semi-natuurlijke vegetatie en bestaat onder andere uit hei, veengrond en bos, zowel natuurlijk als aangeplant. Zo'n 11 procent wordt gebruikt voor landbouw (voornamelijk graangewassen en groenten), en iets meer dan dat voor veeteelt.

De zware industrie van de 19e en het begin van de 20e eeuw (zoals scheepsbouw) waar Schotland ooit beroemd om was, heeft plaatsgemaakt voor lichte industrie, waaronder elektronica en technologie, met name in Silicon Glen, het gebied tussen Glasgow en Edinburgh. Ook de textielindustrie speelt nog steeds een belangrijke rol. Daarnaast leveren de bierbrouwerijen en distilleerderijen, de visserij en het toerisme een grote bijdrage aan de economie. In de Noordzee wordt olie en gas gewonnen.

RELIGIE

De protestantse presbyteriaanse Kerk, de Church of Scotland, is de voornaamste (officiële) godsdienst. Anders dan bij de Church of England staat niet de koningin aan het hoofd, maar een Algemene Assemblee, geleid door een Moderator die steeds voor één jaar wordt gekozen.

BESTUUR

Koningin Elizabeth II is de erfelijke monarch van het Verenigd Koninkrijk, inclusief Schotland. De macht berust echter bij de Britse regering, die zetelt in Westminster in Londen. De regering komt voort uit de politieke partij met de meeste gekozen parlementsleden (MP's). Het parlement in Westminster, dat de Britse wetten maakt, telt tegenwoordig 59 Schotse MP's.

Sinds 1999 heeft Schotland ook een eigen parlement, dat in de hoofdstad Edinburgh zetelt en 129 gekozen leden (MSP's) telt. De Schotse regering (Scottish Executive) bestaat uit MSP's van de politieke partij met de meeste zetels. De rol van de First Minister (momenteel Jack McConnell) in Schotland komt ongeveer overeen met die van de Prime Minister (Blair) in het Verenigd Koninkrijk. De Schotse regering is ver-

antwoordelijk voor onderwijs, gezondheidszorg en milieubeheer in Schotland. Defensie, werkgelegenheid, buitenlandse zaken en nationale veiligheid vallen nog steeds onder Westminster.

Op lokaal bestuurlijk niveau telt Schotland 32 *unitary authorities*. De bijbehorende regio's zijn aangegeven op de kaart hieronder. De grootste regio is de Highland Region (2.611.906 ha, 206.900 inwoners) en de kleinste is de City of Dundee (5500 ha, 153.750 inwoners). De City of Glasgow heeft het grootste inwonertal (623.850 inwoners), Orkney het kleinste (19.760 inwoners).

DE SCHOTSE REGIO'S

SHETLAND ISLANDS

ORKNEY ISLANDS

1 EDINBURGH
2 GLASGOW
3 CLACKMANNANSHIRE
4 EAST DUNBARTONSHIRE
5 EAST RENFREWSHIRE
6 FALKIRK
7 INVERCLYDE
8 MIDLOTHIAN
9 NORTH LANARKSHIRE
10 RENFREWSHIRE
11 WEST DUNBARTONSHIRE
12 WEST LOTHIAN

WESTERN ISLES

HIGHLAND

MORAY

ABERDEENSHIRE

ABERDEEN

ANGUS

PERTH & KINROSS

DUNDEE

ARGYLL & BUTE

STIRLING

FIFE

EAST LOTHIAN

NORTH AYRSHIRE

SOUTH LANARKSHIRE

EAST AYRSHIRE

BORDERS

SOUTH AYRSHIRE

DUMFRIES & GALLOWAY

NOORD-IERLAND

ENGELAND

DE REGIO'S IN VOGELVLUCHT

Om u te helpen uw weg te vinden door de informatie in dit boek hebben we Schotland in zes gebieden verdeeld. Twee ervan worden gevormd door **Edinburgh** en **Glasgow**, steden met een totaal verschillende identiteit en aantrekkingskracht, de eerste met een elegante, verfijnde, 18e-eeuwse uitstraling, de tweede trots op zijn imago van robuuste Victoriaanse industriestad. **Zuid-Schotland** omvat de Borders en de Lothians-regio, met golvend heuvelland, brede groene valleien, aantrekkelijke plaatsjes en een geschiedenis die in het teken staat van strijd met de Engelse buren. **Midden-Schotland** strekt zich van het beboste hart oostwaarts uit over het vruchtbare boerenland van Perthshire tot aan Fife en kan bogen op fraaie buitenhuizen en vissersdorpen, moderne technologie en een verleden vol rebellie en strijd. **De Highlands en eilanden** omvat het ruige bergland van het Schotse vasteland en de schitterende eilanden voor de westkust, met afgelegen vestingen, verlaten glens en de grootste ongerepte natuurgebieden van Groot-Brittannië. De noordelijke eilanden van **Orkney en Shetland** hebben een heel eigen karakter, waarop Scandinavië en de Highlands in gelijke mate hun stempel hebben gedrukt.

DE BESTE ACCOMMODATIE

Cosses Country House, Ballantrae (blz. 248) Een buitenhuis in een bosachtig parklandschap vlak bij de kust, in het zuid-westen

Lochgreen House, Troon (blz. 255) Stijlvol hotel met een uitstekend restaurant dat door de Automobile Association is uitgekozen tot Hotel van het Jaar 2003–2004

Gleneagles, Auchterarder (blz. 264) Twee goede redenen om in dit tophotel te verblijven: golf en de sublieme kookkunst van Andrew Fairlie in het bijbehorende restaurant

Ballachulish House, Ballachulish (blz. 276) Voortreffelijke faciliteiten en service in een schitterend Highland-decor

Isle of Eriska (blz. 279) Geniet van alle luxe in dit fantastische hotel op een privé-eiland voor de westkust

De ruïne van een van de grote Border-abdijen, in Kelso

DE BESTE RESTAURANTS

Restaurant Martin Wishart, Edinburgh (blz. 258) Moderne Europese keuken in een piepklein, minimalistisch ingericht restaurant in het trendy Leith

The Peat Inn, in Peat Inn (blz. 267) Franse gastronomie in een voormalige herberg in het hart van Fife — een begrip

The Buttery, Glasgow (blz. 271) Geniet van de moderne Schotse keuken in dit bekroonde restaurant in het centrum

The Applecross Inn, Applecross (blz. 275) Voortreffelijk eten in een gezellige pub aan de kust, de spectaculaire autorit over een hoge bergpas meer dan waard

Three Chimneys Restaurant, Colbost (blz. 287) Culinaire hoogstandjes in een rustiek chic decor te midden van de ruige schoonheid van noordelijk Skye

Culinair genot: Schotse vis is onovertroffen

DE MOOISTE LANDSCHAPPEN

Loch Lomond en het Trossachs National Park (blz. 98) Klassieke landschappen met lochs en beboste heuvels in Schotlands eerste nationale park

Glen Coe (blz. 127) Een spectaculaire vallei met een bewogen geschiedenis en uitste-kende klim- en wintersportmogelijkheden

Lewis en Harris (blz. 135) Afgelegen stran-den van wit schelpenzand en een turquoise zee die haast Caribisch lijkt (maar kouder!)

De Cairngorms (blz. 122) De hoogste bergketen van Groot-Brittannië, met oude bossen, een ongewone fauna en alpiene planten

Grey Mare's Tail (blz. 61) Een klein, oogstre-lend gebied rond een waterval in de Borders

Lochs en glens bepalen het beeld: Loch Katrine, boven, en Glen Coe, links

DE MOOISTE KASTELEN

Edinburgh Castle (blz. 70–73) Het grootste en mooiste kasteel van Schotland, een icoon van de Schotse geschie-denis en identiteit, domineert de hoofdstad

Crathes (blz. 124) Fraaie torens en een schitterende tuin kenmerken dit oude kasteel in de Highlands

Blair Castle (blz. 90) Alles wat u zich voorstelt bij een romantisch kasteel in het hart van Schotland, met een fascinerende geschiedenis en een privé-leger

Culzean Castle (blz. 60) Een statig 18e-eeuws herenhuis boven op een klif in het zuidwesten, omgeven door een parkachtig landschap

Eilean Donan (blz. 126) Een plaatje — in een decor van lochs en bergen op een afgelegen locatie in het noordwesten

Edinburgh Castle, een symbool van macht in de hoofdstad

De Cuillin Mountains op Skye zijn een paradijs voor klimmers

DE MOOISTE EILANDEN

Skye (blz. 138–41) Spectaculaire bergen, traditionele boerderijtjes en een geschiedenis die onlosmakelijk verbonden is met de vlucht van Bonnie Prince Charlie

Arran (blz. 57) Een mooi en goed bereikbaar eiland dat wel 'Schotland in het klein' wordt genoemd en vaak over het hoofd wordt gezien tijdens de race naar de Highlands

Shetland (blz. 147–48) Een afgelegen en unieke groep eilanden, met hun eigen levendige tradities en cultuur

Lewis en Harris (blz. 135) Oude vindplaatsen en verstilde schoonheid aan de westelijke rand van Europa

Islay (blz. 131) Een geweldig museum, een grote rijkdom aan vogels en zeven distilleerderijen op één klein eiland

HET BESTE UIT DE STEENTIJD

Skara Brae (blz. 145) Een neolithisch dorp, van onder het zand van Orkney tevoorschijn gekomen

Kilmartin (blz. 132–34) Een unieke concentratie van *cairns* die teruggaan tot 3000 v.Chr., vlak bij de oude hoofdstad Dalriada

Mousa Broch (blz. 148) Schotlands mooiste *broch* (stenen toren), op een piepklein Shetland-eiland

Calanais (blz. 135) Een steenkring op Lewis, slechts overtroffen door die van Stonehenge

Sueno's Stone, Forres (blz. 126) Een Pictische stèle in het noordoosten, verfraaid met strijdtaferelen

Monolieten op Lewis, boven, en een oud dorp op Orkney, rechts; onder en rechts: exotische flora in Inverewe

DE MOOISTE TUINEN

Inverewe Gardens (blz. 133) Een opmerkelijke semitropische tuin aan de ruige noordwestkust

Logan Botanic Garden (blz. 63) Reusachtige gunnera's bieden natuurlijke beschutting in deze exotische tuin in het uiterste zuidwesten

Royal Botanic Garden, Edinburgh (blz. 86) Een groene oase vlak bij het centrum, met kassen en planten voor alle seizoenen

Crarae Gardens (blz. 123) In deze fraaie, bosachtige tuin verandert de Highland-glen in een Himalaya-kloof

Threave (blz. 66) De instructietuin van de National Trust for Scotland in het zuidwesten, beroemd om zijn bolbloemen in de lente

Vikingbeeld uit het Museum of Scotland, onder

DE MOOISTE MUSEA

Museum of Scotland (blz. 78–81) De nationale schatkamer van Schotland, in het hart van Edinburgh

Burrell Collection (blz. 106–109) Exquise kunstwerken van over de hele wereld, verzameld door één uitzonderlijke man uit Glasgow

National Gallery of Scotland (blz. 82) Een uitmuntende, internationale kunstverzameling, waarin de Schotse schilderkunst prominent vertegenwoordigd is

New Lanark World Heritage Site (blz. 65) Een dorp uit de tijd van de Industriële Revolutie nieuw leven ingeblazen

The Tenement House (blz. 117) Het dagelijks leven in een doodgewoon huurhuis in Glasgow onder de loep genomen

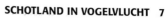

DE 20 BESTE ERVARINGEN

Maak een wandeling — het hoeft niet de hele West Highland Way te zijn, kies gewoon een stuk uit dat u aankunt en zie iets van het echte Schotland (blz. 199–236).

Eet een eersteklas maal uit de moderne Schotse keuken — de vis en het rundvlees zijn wereldberoemd (blz. 237–288).

Proef een glas single malt whisky. U kunt er desgewenst een beetje water bij doen, en mocht het uw eerste keer zijn: Cragganmore is goed om mee te beginnen (blz. 242–243).

Luister naar traditionele live muziek in een bar en kijk of u bij de accordeon en viool uw voet stil kunt houden (blz. 149–98).

Beklim de helling van Calton Hill voor een geweldig uitzicht over Edinburgh (blz. 69). Ook het kasteel en Salisbury Crags bieden een fraai uitzicht.

Prachtig uitzicht vanaf Calton Hill
Links: aan het eind van de zomer kunt u edelherten horen burlen

Bezoek een eiland, en gun u de tijd om tot rust te komen en ervan te genieten. Skye is tegenwoordig heel gemakkelijk met de brug, terwijl Harris en Lewis of Shetland iets meer moeite vergen (blz. 138–141, 135, 147–148).

Steek uw creditcard bij u en laat u verleiden door de ontwerperskleding in Glasgow en Edinburgh (blz. 150–151).

Geniet van een doedelzakband, nog steeds een van de grote spektakels van Schotland. Ze treden op bij Highland Games en andere evenementen, en tijdens de World Pipe Band Championships (blz. 158–159).

De rand van Orkney, afgelegen en prachtig

Verdwaal in het Museum of Scotland in Edinburgh. Het zal geen moeite kosten, en u komt in iedere zaal iets nieuws te weten over de rijke geschiedenis van het land (blz. 78–81).

Neem een kijkje bij een paar verre uithoeken op de kaart — de Rhinns of Galloway, de Mull of Kintyre, Cape Wrath, John o'Groats, Hermaness, Fraserborough — buiten de gebaande paden ziet u zoveel meer van het echte Schotland (blz. 55–148).

Doedelzakspelers op de Militaire Taptoe van Edinburgh

Zie de zon ondergaan boven de Western Isles, maar houd er rekening mee dat het uitzichtpunt vergeven kan zijn van de muggen (blz. 130–131).

Maak een treintochtje, ga er gemakkelijk voor zitten en geniet van het landschap — de West Highland-route van Fort William naar Mallaig is het beroemdst (blz. 157).

Beklim een *munro* (een Schotse berg van meer dan 3000 voet; blz. 15), maar zorg wel dat u goed voorbereid bent.

Laat u gaan tijdens een lokaal feest — of doe mee met een *ceilidh*; de Schotten weten wat feestvieren is (blz. 158–159).

Zoek een rustig plekje op om dieren te observeren – jan-van-gents en papegaaiduikers op de kliffen, edelherten en steenarenden in de heuvels, otters en zeehonden aan de kust (blz. 55–148).

Verken Edinburghs New Town met zijn open ruimten en 18e-eeuwse architectuur (blz. 84–85, 208–209).

Bekijk wat Schotse kunst – Raeburn en Ramsay in de National Gallery, de Schotse Coloristen in de National Gallery of Modern Art en de nieuwste lichting kunstenaars in de GoMA in Glasgow (blz. 82, 88, 105).

Volg het spoor van een beroemde Schot en ontdek de architectuur van Charles Rennie Mackintosh of de poëzie van Robert Burns (blz. 114–115, 58–59).

Drink een kop thee in een tearoom in Glasgow (blz. 188).

Zoek een mooie tartan uit als aandenken aan uw verblijf in Schotland (blz. 171, 306).

Ga op zoek naar verhalen over het leven van Robert Burns, en probeer Tam O'Shanter als u wilt kennismaken met zijn poëzie

Welcome!

Het monster van Loch Ness, een nationale grap

Billy Connolly, een internationale grappenmaker

Intense kleuren kenmerken John Lowrie Morrisons zeer Schotse schilderijen — dit is Tobermory, op Mull

clan en Familie

De hertog van Wellington gekroond met een pilon bij de GoMA: de Schotten hebben een gezond gebrek aan eerbied voor het gezag

Schotse namen zijn gemakkelijk te herkennen, net als het Schotse accent. Ze weerspiegelen familiewortels en migraties — Ewan MacGregor (Gaelic), Magnus Magnusson (Scandinavisch), Robert Bruce (Frans), Sean Connery (Iers), Alexander Fleming (Vlaams).

De helft van de Schotten heeft zijn wortels in de Highlands, de andere helft in de Lowlands. Familiebanden worden sterk gevoeld en men laat zich er graag op voorstaan tot een Highland-clan te behoren. Dat was 150 jaar geleden wel anders, toen *teuchters* (een scheldnaam voor Highlanders) amper status hadden. Moderne clanbijeenkomsten en reünies voorzien het platteland van broodnodige financiële injecties en maken het idee van de zich wereldwijd vertakkende families tot meer dan een mythe.

Veel Engelsen hebben in het noorden een thuis gevonden, van de radicale toneelschrijver John McGrath tot de romanschrijfsters Anne Fine en Kate Atkinson. Schrijvers William McIlvanney en John Byrne, acteur Sean Connery en komiek Billy Connolly zijn afkomstig uit de Ierse gemeenschappen in Schotland.

Nieuwe Schotten

Er zijn ook 'nieuwe Schotten', afkomstig van het Europese vasteland. Ze zijn een verrijking van de Schotse melange. Italianen uit Barga en Frosinone kwamen *fish and chips* en het beste ijs van Europa verkopen. Ze ontpopten zich tot commerciële en culturele dynamo's, van hotelmagnaat lord Forte en autocoureur Dario Franchitti tot beeldhouwer Eduardo Paolozzi, acteurs Tom Conti en Daniella Nardini, aartsbisschop Mario Conti en kunstondernemer Ricky Demarco. Tot de joodse migranten behoren de honderdjarige socialist Manny Shinwell en romanschrijfster Muriel Spark, om nog maar te zwijgen van de legendarische, grofgebekte stand-up comedian Jerry Sadowitz. In 1997 werd Mohammad Sarwar uit Glasgow de eerste Britse moslim-MP.

Morag, een opgezet schaap (voorloper van kloon Dolly), leest in het Royal Museum

Het succes van Harry Potter heeft de schrijfster uit Edinburgh schatrijk gemaakt

Voormalige melkboer Sean Connery, een van de bekendste exportproducten van Schotland

Al fresco: het moderne Glasgow ontwikkelt een reputatie als chique stad

Huis en huishouden

Schotse stedelingen zijn flatbewoners. De huizen variëren als *wally closes* (de spectaculaire Victoriaanse palazzo's van Glasgow, zo genoemd vanwege hun in art-nouveaustijl betegelde gangen) tot klassieke sloppen. Ook al groeit de bevolking niet, het aantal huishoudens neemt toe: van 1,9 miljoen in 1980 tot 2,6 miljoen in 1999. Het gaat veelal om alleenstaanden, door echtscheiding (een op de drie huwelijken loopt stuk), jongeren die het huis uitgaan, een sterk dalend geboortecijfer en de *coming-out* van homoseksuelen (illegaal tot in de jaren zeventig): vandaar het levendige stadsleven. In de buitenwijken van na 1918 staan bourgeois bungalows en '*cooncil hooses*' (huizen van de gemeente). Veel mensen dromen ervan de zomer door te brengen in een *but an' ben* (cottage met één kamer) op het platteland.

Religie

Nog in de jaren zestig van de 20e eeuw domineerde de Kirk (de Church of Scotland) de Schotse rustdag: in de 21e eeuw heeft de supermarkt het overgenomen. De presbyteriaanse Kirk ziet zichzelf graag als voorbeeld van Schotse democratie en koos zijn eerste vrouwelijke Moderator (leider) in 2003. De Algemene Assemblee in mei is nog steeds voorpaginanieuws, en de pastors hebben hun handen vol zodra een crisis de ontkerkelijkte samenleving treft. De katholieke Kerk, waartoe eenderde van de Schotse christenen behoort, groeide door immigratie uit Ierland na 1800. De katholieken hebben een eigen, zij het betwist, schoolsysteem. Piëtisme — met name in de Free Kirk en Free Presbyterian Kirk — houdt stand onder de Gaels. Ook alternatieve religies gedijen in Schotland, met boeddhisten in Eskdalemuir en Arran en New Agers in Findhorn.

Tolerantie

Haten de Schotten de Engelsen? Wat voor toon er ook in voetbalblaadjes wordt aangeslagen, er wordt volop onderling getrouwd. De vooroordelen gaan meer over klasse dan over nationaliteit: 'Hij is Engels, maar hij is geen *Yah*,' hoor je vaak zeggen. Een *Yah* is een rijke jonge Engelsman met een grote mond aan een Schotse universiteit. Hoe tolerant zijn de Schotten dan? Asielzoekers in Glasgow — de moderne migranten — maken moeilijke tijden door. Het nieuwe parlement haalde zich de woede op de hals van wijlen kardinaal Thomas Winning en de fundamentalistische busmiljardair Brian 'Stagecoach' Soutar omdat het anti-homowetgeving wilde afschaffen. Er is een tweespalt in Schotland, getuige ook schrijvers als Hugh MacDiarmid/Chris Grieve en Lewis Grassic Gibbon/James Leslie Mitchell, die twee stemmen nodig hadden om er te kunnen leven.

Pecunia

Rijkdom en armoede zijn hier altijd geweest, en er is niet veel verschil in comfort tussen de hutten van Skara Brae (2500 v.Chr.) en een 19e-eeuwse *croft* (boerderij van een keuterboertje). De 20e eeuw bracht auto's, telefoons en computers, en inmiddels ontwikkelt zich in Schotland een ondernemende middenklasse. Er wonen volgens een enquête in de *Sunday Times* 81 van de 1000 rijkste bewoners van Groot-Brittannië. Het grootste vermogen is dat van de Nederlander Paul Fentener van Vlissingen, woonachtig te Letterewe in Wester Ross en gerespecteerd om zijn inzet voor het behoud van de natuur. In Schotland zijn twee keer zoveel mensen als in de rest van het land rijk geworden in de sport of kunst — Sean Connery, Jackie Stewart, Annie Lennox, en niet te vergeten J. K. Rowling, die met Harry Potter een slordige £280 miljoen heeft verdiend.

De distel, al 500 jaar een stekelig symbool van Schotland

De hertenjacht is economisch van belang, maar hertenvlees wordt niet veel gegeten: het meeste wordt naar andere Europese landen geëxporteerd

Schotland biedt eindeloos veel mogelijkheden om te wandelen

landschap en
Natuur

Op een geologische kaart van Europa biedt de westkust van Schotland wel heel veel interessants. Geen wonder dat men hier komt voor het natuurschoon.

Het complexe landschap is altijd van grote invloed geweest op het leven van de Schotten, die rond 1780 aan de wieg van de geologie als wetenschap stonden. Bergen die tot de oudste ter wereld behoren ontstonden zo'n 300 tot 400 miljoen jaar geleden in de lava van vulkanen als Arthur's Seat (blz. 69), North Berwick Law en de Eildon Hills. De IJstijd liet U-vormige gletsjerdalen na, zoals Glen Coe (blz. 127) en Glen Rosa op Arran. De veenlaag in het moerasgebied van Caithness en Sutherland werd duizenden jaren geleden neergelegd en is het grootste overgebleven veengebied van Europa.

Economisch gezien is driekwart van Schotland onbruikbaar — loch, moeras, rotsgrond — maar op de rode klei van de Borders en Strathmore, in Perthshire, Aberdeenshire, Ayrshire en Fife, werden revolutionaire landbouwtechnieken ontwikkeld. Nu zijn deze gebieden vooral bekend om hun rijke graan- en aardappeloogsten en hun frambozen.

Natuursteen

In Schotland wordt met natuursteen gebouwd, dus elke plaats oogt weer anders. Behalve vulkanisch gesteente als graniet — grijs en roze — in het noorden gebruikt men ook afzettingsgesteenten als het oude rode zandsteen. Het 18e-eeuwse Edinburgh is opgetrokken uit oersterk zilvergrijs Craigleithzandsteen, dodelijk voor de mannen die het bewerkten. Glasgows rode Cairnpapple-zandsteen en het crèmekleurige Dunbartonʼ- of Lanark-zandsteen zijn zachter en worden donker. De daken werden eeuwenlang gedekt met stro en turf, daarna met dakpannen (als ballast meegevoerd op Nederlandse handelsschepen), en nog weer later met leisteen uit Ballachulish en Easdale, en golfplaat. Typisch Schots is een muurbedekking van beton en kiezels.

Windturbines, de groene energiebron van de toekomst, nemen het over van hydro-elektriciteit

Uit de grond

In de Victoriaanse tijd was de welvaart gebaseerd op steenkool en ijzererts uit Midden-Schotland en oliehoudend leisteen uit West Lothian. In zee gewonnen olie en gas — met als bijproduct plastic — spekten de Schotse kas in de jaren tachtig en negentig van de 20e eeuw. De moderne Schotten hebben hun eigen 'bodemschatten' gecreëerd: in 1998 werd er zo'n 12 miljoen ton afval gestort. Slechts 7 procent daarvan wordt gerecycled. Streven is om uit te komen op 25 procent in 2006.

Het sterke Schotse zwartkopschaap domineert de veeteelt in de Highlands

Verkeersbord bij de Famous Grouse-distilleerderij in Glenturret: het Schotse sneeuwhoen kan slechts overleven als de heidegebieden intact blijven

Milieukwesties

Natuurverenigingen zijn nergens zo populair als in Schotland, en de Amerikanen beschouwen John Muir uit Dunbar als pionier op het gebied van milieubescherming (blz. 62). Er gaat echter geen week voorbij of weer een nieuwe natuur- of milieukwestie roept heftige reacties op in de pers. Belangrijke controverses waren het parlementaire verbod op de vossenjacht met honden, en het slepende debat over het opnieuw uitzetten van wolven op het Schotse platteland. Een aanvraag van bouwreus Lafarge Redland voor het winnen van 550 miljoen ton anorthosietgruis bij Lingerbay op Harris ligt momenteel bij de rechter. Degenen die vóór zijn benadrukken dat de 'supersteengroeve' voor broodnodige werkgelegenheid zorgt, maar ironisch genoeg heeft een ecologisch twijfelachtige zalmkwekerij de lokale werkzoekenden al in dienst genomen.

Rovende egels

In 2003 was een van de meest controversiële ecologische kwesties die van de roofzuchtige egels op de Western Isles. De egels, die waren uitgezet om ongedierte uit tuinen te weren, werden ervan beschuldigd dat ze de eieren van op de grond nestelende zeevogels opvraten. De discussie laaide hoog op in de nationale pers: moesten de egels worden afgemaakt, of moesten ze worden gevangen en vrijgelaten op het vasteland? Besloten werd dat een dodelijke injectie te verkiezen was boven het trauma van een reis, en in april 2003 toog de Scottish Natural Heritage naar North Uist met de bedoeling om vóór het begin van het broedseizoen 200 egels af te maken. Het ziet er echter naar uit dat de egels er goed vanaf zullen komen: bij het schrijven van dit stukje waren er pas 50 gedood. Geschatte kosten van de operatie tot nu toe: £90.000.

Schotse bodem

De textuur van Schotland — lavasteen, zandsteen en graniet, hei, varens, zand en helmgras, zeewier, door schapen afgegraasd gras en wol — heeft altijd de verbeelding van de Schotten geprikkeld en wordt weerspiegeld in kunst, poëzie en architectuur. En het veen, dat voor boeren onbruikbaar is door zijn zuurte, is gedroogd een prima brandstof, die zowel Harris Tweed als whisky parfumeert.

Papegaaiduikers, ook wel de pinguïns van het luchtruim genoemd, nestelen in de zomer op de rotshellingen langs de Schotse kust

Een sportvissersdroom: vissen op wilde zalm in de Schotse rivieren

Haggis is een gerecht van orgaanvlees, ui, specerijen en havermout

In Schotse pubs wordt vaak zeer stevig gedronken

Kogelslingeren tijdens de Highland Games

Walkers produceert zo'n 10.000 ton zandkoek per jaar

Golfer Sam Torrance uit Largs vertegenwoordigde Europa negen keer in de Ryder Cup

Zomers straatvermaak in Dundee

Afdaling op de skies is een populaire wintersport

sport en
Vrije tijd

Het weer in Schotland is zeer veranderlijk en heeft enkele unieke woorden opgeleverd, zoals *'dreich'*, wat zoiets als 'koud, guur, grijs en vochtig' betekent. Houd niet alleen rekening met regen, maar ook met onverwachte heldere dagen, die het landschap onvergetelijk maken.

De noodzaak om de elementen te trotseren heeft zijn invloed gehad op het landschap. Verwarming in de huizen is altijd noodzakelijk geweest en houtkap door vroege bewoners heeft grote gebieden in veenmoeras veranderd. Na steenkoolwinning kwam de walvisvaart (voor potvisolie), en daarna William Murdochs gasverlichting en James Youngs paraffine uit schalie, maar pas na 1980 zorgden Noordzeeolie en kernenergie ervoor dat de Schotten op grote schaal centrale verwarming kregen.

De traditionele Schotse levensstijl paart zwaar werk in de buitenlucht aan drinken, vet eten en ruig vermaak: de militaire sporten van de Highland Games, en dansen voor mannen. Typische Highland-activiteiten als de hertenjacht en vissen wortelen onmiskenbaar in een oude jagerscultuur.

Balletje trappen

De Schotten zijn al *'fitba-daft'* (gek op voetbal) sinds 1860, toen er op zaterdagmiddag niet meer gewerkt hoefde te worden en een bal goedkoop was. De Glasgow Boys' Brigade organiseerde de grootste amateurcompetitie van Europa en veel spelers kwamen in grote clubs of het nationale elftal terecht. Oude cultuur- en klasseverschillen spelen nog steeds een rol bij het protestantse Glasgow Rangers en het katholieke Celtic, al hebben dure sterspelers uit het buitenland geen boodschap aan oud Schots zeer. Rugby is altijd een sport voor de hogere klassen geweest, maar in de Borders is het een arbeiderssport (de Gaels in het noorden spelen shinty, een soort hockey). In de lente bieden de Rugby Sevens een goede kennismaking met de sport.

Natuurtalent Stephen Hendry won in 1999 zijn zevende wereldtitel snooker

Celtic – Glasgow Rangers in Hampden Park, 2003

Irn-Bru: degenen die het kennen zweren erbij

Sporthelden

Golf wordt elders in het Verenigd Koninkrijk als een elitesport gezien, maar in Schotland, waar het is uitgevonden, is het altijd een tamelijk democratische aangelegenheid geweest. In het professionele golf, met coryfeeën als Sam Torrance en Sandy Lyle, gaat zeer veel geld om. Curling – gepolijste keien van graniet over het ijs laten glijden – is een typisch Schots tijdverdrijf dat zich in de 18e eeuw heeft ontwikkeld. In koude winters hielden de curlers hun *bonspiels* in de openlucht, nu gebruikt men een indoorbaan. De belangstelling voor curling is gegroeid sinds het Schotse damesteam op de Olympische Winterspelen in 2002 goud heeft gewonnen. Andere Schotse specialiteiten zijn snooker en autoracen. De Schot David Coulthard won drie keer een Grand Prix in de Formule 1-klasse.

Munro's en mobieltjes

Schotland is al sinds de Victoriaanse tijd, toen men naar het noorden ging om te jagen en vissen, populair als recreatiegebied. *Munrobagging* – het beklimmen van bergen van meer dan 3000 voet (914,4 m) – werd in de jaren dertig van de 20e eeuw populair in alle lagen van de bevolking. Het ruige, dunbevolkte land met zijn mist en regen vraagt om warme kleren, regenkleding, goede wandelschoenen, kaarten, kompas en noodrantsoenen. Niet minder dan 28 reddingsteams (vrijwilligers) staan klaar om hulp te bieden, maar het is goed om te beseffen dat een mobiele telefoon niet genoeg is om een sneeuwstorm in de Highlands te overleven. Wandelaars in Schotland hebben het recht overal vrij rond te lopen, maar zijn tevens verplicht rekening te houden met de rechten van andere gebruikers, zoals boeren en jachtopzieners.

Eten en drinken

Schotse vis is legendarisch en de viskwekerijen hebben nu een groter aandeel in de economie dan de scheepsbouw. Gegrilde haring met een korst van havermout en kruisbessensaus is voedsel voor de goden. En probeer ook eens het nationale gerecht, *haggis*, traditioneel geserveerd met *'bashed neeps and tatties'* (puree van koolraap en aardappel). In de pubs worden soepen met veel vlees en gerst of linzen geserveerd. De Schotse *fry-up* (bacon, eieren, worstjes, tomaat en champignons, met geroosterd brood of aardappelkroketjes) wordt wel gekscherend een hartaanval op een bord genoemd. En als u niet van whisky (blz. 242–243) houdt, probeer dan eens de sinasdrank Irn Bru, die hier zelfs populairder zou zijn dan Coca-Cola. Irn Bru was oorspronkelijk bedoeld als dorstlesser voor arbeiders in de ijzergieterijen — en helpt goed tegen een kater.

Winkelen

Volgens een peiling uit 2003 staan Edinburgh en Glasgow in de top-tien van meest trendy steden van Groot-Brittannië – op nr. 2 en nr. 7. Beide scoorden qua 'buzz' (mate waarin erover gesproken wordt) hoger dan Londen (nr. 9). Wie hier de winkels ziet, vraagt zich af hoe zoveel trendy designerboetieks zich staande kunnen houden in een gebied met maar 5 miljoen inwoners. Het antwoord schuilt deels in de vele buitenlandse bezoekers, die in 2001 alleen al aan kleren £240 miljoen uitgaven. Goedkope vluchten uit Noorwegen en Denemarken hebben voor een nieuwe vikinginvasie gezorgd en Glasgow is inmiddels de officieuze winkelhoofdstad van Scandinavië geworden.

De vlag met de klimmende leeuw stamt uit de 13e eeuw

Parlementsvoorzitter George Reid is het gezicht van het Schotse parlement

De Forth-spoorbrug, een Schotse icoon sinds 1890

samenleving en Bestuur

Common Riding, het bevestigen van de stadsgrenzen, is een oude traditie in de Borders

Schotland heeft een waardige traditie van onderwijs voor het individu ter verbetering van de gemeenschap en er bestaan al sinds 1872 wetten die voorzien in gratis verplicht onderwijs voor alle kinderen van 5 tot 16 jaar. In een land waar de dorpen vaak piepklein zijn en ver uit elkaar liggen, leidt dit tot bijzondere oplossingen, getuige Schotlands kleinste middelbare school in Scoraig, in Wester Ross, waar een handvol leerlingen les krijgt van twee parttimeleraren en vrijwilligers uit de lokale gemeenschap.

Het hoger onderwijs draagt vooral het stempel van de historische banden met het Europese continent. Terwijl de oudere universiteiten, gesticht in de 15e eeuw, zich toeleggen op de bekende wetenschapsgebieden, bieden hogere beroepsopleidingen allerlei praktische kwalificaties voor de 21e eeuw. Zo verzorgt het nieuwe UHI Millennium Institute op 15 locaties in de Highlands en Islands onderwijs op universitair niveau dat lokaal relevant is, met onder andere studies Gaelic, mediawetenschappen en *mariculture science* (zeevisteelt).

'Koningen van de glens'

Wie bezit Schotland? De hertog van Buccleuch, Bowhill en Drumlanrig (blz. 57) is de laatste grootgrondbezitter, met 81.000 ha. De staat, in de vorm van de Forestry Commission en het ministerie van Defensie, bezit grote stukken grond, evenals de banken en bouwfondsen die hypotheken verstrekken. In 1980 woonde ongeveer 60 procent van de huishoudens in *'cooncil hooses'*. Dat getal is nu gehalveerd, maar leegstand en achterstallig onderhoud maken deze huurkazernes in de steden er voor de resterende bewoners niet aantrekkelijker op. Velen hopen op een betere woning via woningcorporaties. Hun situatie wordt beschreven in de romans van James Kelman en Irvine 'Trainspotting' Welsh.

De in Glasgow geboren Lorraine Kelly presenteert de populaire GMTV-ochtendshow

De tuinlobby in het nieuwe gebouw van het Schotse Parlement naast Holyroodhouse

Parliament House

In dit gebouw achter St. Giles Cathedral in Edinburgh is sinds 1707 de Schotse rechterlijke macht gevestigd, van lokale Justices of the Peace (JP's) tot Sheriff Courts, het High Court en het Court of Session. Schotse rechters dragen een toga met een groot rood kruis en worden 'lord' genoemd. Ook na eeuwen van Britse wetgeving staat het Schotse recht nog dichter bij het Europese recht dan bij het Engelse. In het geval van een ernstig ongeluk of sterfgeval krijgt men te maken met de Procurator-Fiscal (een onderzoeksrechter), die geen Engelse tegenhanger heeft. Wie maar lang genoeg in hoger beroep gaat, eindigt uiteindelijk bij het House of Lords en steeds vaker ook bij het Europese Hof. Een advocaat die bij hogere rechtbanken pleit heet in Schotland *advocate* (in Engeland *barrister*). Een *writer* (in Engeland *solicitor*) is een advocaat die bij lagere rechtbanken pleit.

Nietsnut Oor Wullie is sinds 1936 in 3500 stripafleveringen verschenen

Adieu provost en bailie

Het lokale bestuur wordt in Schotland steeds minder lokaal. De oude *burghs* — waarvan er ooit 175 waren, met hun *provosts*, *bailies* en *councillors* — zijn inmiddels opgegaan in 32 councils. De regio's die ze vertegenwoordigen variëren van het piepkleine Clackmannan tot Highland (groter dan België). In tal van kleinere plaatsen opereren ook lokale gemeentebesturen, die zich bezighouden met zaken als parkeerbeheer en sportfaciliteiten. Sommige lokale besturen zijn zeer 'rood' (zo is 90 procent van de gemeenteraadsleden van Glasgow van Labour, dat echter maar 47 procent van de stemmen krijgt). Binnenkort zal een systeem van evenredige vertegenwoordiging hier verandering in brengen.

Westminster — hoezo?

De leiders van twee van de drie belangrijkste Britse politieke partijen — Tony Blair (Labour) en Charles Kennedy (Liberal Democrats) — zijn in Schotland geboren (Edinburgh en Inverness). Na de voorlaatste verkiezingen stuurde Schotland 72 gekozen vertegenwoordigers naar het parlement in Londen (56 Labour, 10 LibDem, 5 Scottish National Party, 1 Conservative), maar in 2005 is dat aantal verminderd tot 59, evenredig aan het inwonertal van Schotland. Hoewel het Schotse parlement beperkte wetgevende macht heeft (blz. 5), vallen defensie, buitenlandse zaken, economisch beleid en mediabeleid nog steeds onder Westminster, en het Britse kabinet heeft nog steeds een minister van Schotse Zaken. De Schotse eerste minister Jack McConnell zegt echter minder met Westminster te maken te hebben dan met Brussel...

Europa ahoy!

Het best bewaarde politieke geheim van Schotland zijn de acht leden van het Europese Parlement (MEP's), gekozen via een systeem van evenredige vertegenwoordiging. Het Comité van de Regio's van de Europese Unie is teleurstellend gebleken, maar het Scotland Europa-kantoor in Brussel (www.scotland europa.com) is een goed contactpunt. De gevoelens jegens de EU zijn gemengd — ontevredenheid over het visserijbeleid, afgunst op de handige manier waarop 'Keltische Tijger' Ierland extra fondsen uit Brussel weet los te krijgen — maar de Schotten voelen zich veel meer betrokken bij Europa dan de Engelsen. Sinds 2002 kan men rechtstreeks van Zeebrugge in België naar Rosyth varen. De overtocht is niet goedkoop en duurt 16 uur, maar de reis is comfortabel en maakt de Forth-brug letterlijk tot de 'poort naar het noorden'.

Percussioniste Evelyn Glennie, op de gamelan

Een moderne broche naar traditioneel ontwerp van Hector Russell, en (geheel rechts) een imitatieleren kilt voor de 21e eeuw, door Geoffrey Tailor Kiltmakers

21e-eeuwse variant op 19e-eeuws Wemyss-aardewerk, door Griselda Hill

Het avant-gardistische Scottish Exhibition and Conference Centre in Glasgow, bijgenaamd 'the Armadillo'

cultuur en
Kunst

Lokaal actief

In tal van gemeenschappen in heel Schotland worden allerlei culturele activiteiten ondernomen. Het gaat om meer dan alleen toneelvoorstellingen en muziekuitvoeringen. Er worden literatuur- en geschiedenisgroepen opgezet en schrijvers uitgenodigd, kunstnijverheid floreert, kleine uitgeverijen timmeren aan de weg en het aantal musea is sinds de jaren zestig van de 20e eeuw toegenomen van 150 tot 400. Het museumaanbod varieert van het vestingachtige Museum of Scotland (blz. 78–81) tot kleine parels als het Wick Heritage Centre (blz. 142). Scholen en dorpshuizen worden opengesteld voor gemeenschapsactiviteiten die de mensen dichter bij elkaar brengen, al doet niet iedereen zo gemakkelijk afstand van een avond voor de tv.

Er is eigenlijk geen sprake van zoiets als een 'Schotse cultuur'. Eén cultuur? Hugh MacDiarmid ontplofte haast: 'Schotland klein? Ons… complexe, veelvoudige Schotland klein?' De intens regionale volkscultuur kent veel meer variatie dan alleen Schots en Gaelic. De bewoners van de Lowlands hebben hun ballades, Common Ridings en dansavonden met viool- en accordeonbandjes en uitputtende *strathspeys* en *reels* (dansen). Scandinavische thema's, te beginnen met de sagen, hebben invloed uitgeoefend op Orkney en Shetland en staan centraal in het verbluffende Orkney Festival in de grote middeleeuwse kathedraal van Kirkwall en in Viking Up Helly Aa-festivals in heel Shetland.

Het ooit als 'ordinair' beschouwde Schotse dialect wordt nu angstvallig beschermd. Bizar genoeg zetelt de bewaker ervan, de Boord o' Braid Scots, in Noord-Ierland (waar de protestanten evenveel subsidie eisen als het Gaelic-geld dat nu naar de katholieken gaat). Doric, het Schotse dialect in zijn zuiverste vorm, wordt voornamelijk in het noordoosten gesproken en klinkt bijna als een andere taal.

Ed Fest

Aanvankelijk zag Edinburgh er niet veel heil in. Nog lang nadat het in 1947 van start was gegaan, haalde het festival het wat de bewoners betrof niet bij de Militaire Taptoe bij het kasteel, waar de melkpaarden van de Co-op de cavalerie uitmaakten. Men ging er anders over denken toen het jaarlijkse en inmiddels wereldberoemde festival grote aantallen toeristen trok en dus aanzienlijke extra inkomsten opleverde. Tegenwoordig omvat het officiële Edinburgh Festival een dertigtal grote producties, terwijl de Fringe er wel duizend telt, met *spin-offs* als het Book Festival (blz. 158–159). Glasgow heeft sinds het in 1990 Culturele Hoofdstad van Europa was zijn eigen culturele festivals, waaronder het folkfestival Celtic Connections in januari.

Het roodharige personage uit het werk van Mairi Hedderwick: Katie Morag (boven)

Ewan MacGregor in *Trainspotting* (1995)

Optreden tijdens de Fringe

Schilderkunst…

…bestond tot de 18e eeuw bijna niet in Schotland, maar ontwikkelde zich toen heel snel via Allan Ramsay, Henry Raeburn, David Wilkie, de Glasgow Boys van na 1880 en de Schotse Coloristen van na 1900, en is nu te zien in eersteklas musea in Glasgow en Edinburgh (Schotse schilderkunst is altijd meer beïnvloed door Europa dan door Londen). De hedendaagse schilderkunst kenmerkt zich door krachtige individuele stijlen, zoals die van Peter Howson, John Bellany of Stephen Campbell. Goede schilderijen van onder meer de Royal Scottish Academy zijn voor redelijke prijzen te koop in tal van galeries. Het grote succes van de jonge Engelse kunstenaars maakt op de Schotten weinig indruk: voor dat soort prijzen kun je immers ook een D.Y. Cameron, een Elizabeth Blackadder of een Stephen Conroy krijgen.

Geschreven voor kinderen

Schotland heeft een rijke traditie als het gaat om verhalen vertellen voor kinderen, van de grote avonturenverhalen van Robert Louis Stevenson tot J.M. Barrie's schepping Peter Pan. De historische fictie van Mollie Hunter en de aangrijpende verhalen van Joan Lingard voor oudere kinderen behoren tot de moderne klassieken. De bij kleine kinderen populaire, fraai geïllustreerde avonturen van Katie Morag op het eiland Struay, geschreven door Mairi Hedderwick, verschenen voor het eerst in 1984. Ze zijn losjes gebaseerd op de ervaringen van de schrijfster uit de tijd dat ze op het eiland Coll (blz. 131), een van de Hebriden, woonde. Ook populair zijn de plaatjesboeken over Maisie de kiltdragende kat, die in een allervriendelijkst Edinburgh woont. Volwassenen kunnen kiezen uit diverse geïllustreerde reisverslagen over Schotland.

Gaelic

Terwijl bijvoorbeeld het Welsh nog springlevend is, leidt het Schotse Gaelic, dat door minder dan 60.000 mensen wordt gesproken, een kwijnend bestaan. Of zullen projecten als voorschoolse speelgroepjes waar Gaelic wordt gesproken en Sabhal Mór Ostaig, het Gaelic college op Skye dat wordt gesteund door de nationalistisch georiënteerde financier Iain Noble, er misschien voor zorgen dat het weer volop in het leven komt te staan? Wie het Gaelic als natuurlijke, eerste taal gesproken wil horen, moet naar de Western Isles afreizen. De Gaelic cultuur staat elk jaar centraal op de Mod, een festival met schrijf- en zangwedstrijden dat van plaats naar plaats verhuist. Als u een indruk wilt krijgen van deze lyrische taal, kunt u de poëzie van de op Skye geboren Sorley MacLean (1911–1996) proberen — in Engelse vertaling dan.

Ian Rankin, schrijver van de Inspector Rebus-boeken, schetst een realistisch beeld van de Schotse misdaadwereld

De jonge Shetlandse band Fiddlers' Bid helpt de folktraditie vooruit voor de volgende generatie

Birling (ronddraaien) op een ceilidh-dansavond

Space age-architectuur: het Science Centre in Glasgow

Muziek

Robert Burns schreef zowel psalmvertalingen als seculiere – vaak schuine — ballades, die na 1945 door Hamish Henderson werden herontdekt, waarna vocalisten als Jeannie Robertson en Jean Redpath en folkgroepen als de Battlefield Band de traditie levend hebben gehouden. De hedendaagse muziek omvat onder andere een Atlantische jazzscene en populaire zangeressen als Annie Ross, Lulu, Annie Lennox en Sheena Easton. Folk-rockands als Runrig, Hue and Cry en The Proclaimers brengen politieke pop en op de Britse hitlijsten staan nummers van bands als Texas en Travis. De Schotten hebben geen grote traditie op het gebied van klassieke muziek, maar Schotland heeft wel componisten geïnspireerd, onder wie Hector Berlioz (*Waverley*) en Lerner en Loewe (*Brigadoon*).

Voor kinderen: de *Jacobite*-stoomtrein op de West Highland-lijn is de Zweinstein-expres uit Harry Potter

Bouwkunst

De gebouwen van Charles Rennie Mackintosh in Glasgow (blz. 114–115) vormen een mijlpaal in de architectuurgeschiedenis. Het met titanium beklede Science Centre in diezelfde stad, door het Building Design Partnership, kostte een slordige £75 miljoen (blz. 111) en getuigt van een nieuw zelfvertrouwen in de vormgeving van openbare gebouwen, net als Norman Fosters spectaculaire SECC (1997) in het centrum, bijgenaamd 'the Armadillo'. In Edinburgh zal het peperdure parlementsgebouw van wijlen Enric Miralles bij Holyrood iedereen versteld doen staan — wanneer het eindelijk voltooid is. Het opvallende, vestingachtige Museum of Scotland (blz. 9, 78–81) van Benson en Forsyth uit 1999 houdt ondertussen de gemoederen nog volop bezig.

Vikingpret tijdens het Up Helly Aavuurfestival, Shetland

Geschiedenis

van de oertijd tot
MacBeth

Het verleden heeft zich deels teruggetrokken uit het landschap, maar zich gehergroepeerd in de musea — Schotland heeft er ruim 400, de meeste opgericht na 1960. In het grote Museum of Scotland in Edinburgh (blz. 78–81) wordt snel duidelijk hoe complex de Schotse geschiedenis is geweest.

Om te beginnen is Schotland geen etnisch homogene natie geweest zoals Engeland. De menselijke bewoning gaat terug tot de tijd dat de ijskap zich terugtrok na 10.000 v.Chr., toen jager-verzamelaars hier in de zomer naar voedsel zochten. In een groot deel van Noord-Schotland waren geen bomen, dus er werd veel gebruiktgemaakt van steen. Oude bouwwerken — nederzettingen, tempels, ganggraven — getuigen van een ontwikkelde cultuur die in contact stond met Europa in de tijd van de piramides. In de Brons- en IJzertijd ontstonden er boerengemeenschappen.

Schotland is maar kort bezet geweest door de Romeinen en was na hun vertrek in de 5e eeuw het domein van de Britten in het zuidwesten, de Scoten (die ook in Ierland zaten) en de Picten in de Grampian-regio. De Angelen trokken naar het noorden langs de oostkust en in de 8e eeuw waren er invallen van vikingen, die zich op Orkney en Shetland en aan de westkust vestigden.

Toch was er in de 11e eeuw zoiets als een nationale eenheid, eerst onder de MacAlpins en ten slotte onder de MacMalcolms. Na 1066 werd dit koninkrijk geconfronteerd met de macht van de Normandische koningen van Engeland, maar het duurde nog bijna 250 jaar voor er een formele onafhankelijkheidsstrijd begon.

Oertijd

Schotse Normandiërs

Er was geen sprake van een Normandische verovering van Schotland, maar na 1066 moedigden Schotse heersers de immigratie van Normandische, Vlaamse en Bretonse ridders, kooplieden en monniken aan om hun eigen macht te vergroten en op goede voet te komen met Engeland (dat toen grote delen van Frankrijk bezat). Namen als Fraser, Bruce en Stewart stammen uit deze periode. Veel Schotse Normandiërs hadden bezittingen in Engeland, waarvoor ze leenplichtig waren aan de Engelse koning.

Onder: reconstructie van een *long-house* uit de IJzertijd boven het strand van Bosta op het eiland Lewis

Vroege stenen bouwwerken op Orkney: het dorp Skara Brae (boven) en Maes Howe (rechts)

Historische bronnen

De vroegste Schotse kronieken gaan niet verder terug dan de 14e eeuw. Tot die tijd waren kloosterarchieven de enige historische bronnen — de monniken hielden precies bij wanneer een gebied was overgenomen of een weldoener was gestorven. De onafhankelijkheidsoorlogen (blz. 24–25) waren later aanleiding voor kronieken met een meer nationaal karakter, zoals die van Walter Bower (1385–1449) en Andrew of Wyntoun (ca. 1350–1420), en *The Bru* (ca. 1375) van aartsdeken Barbour. Veel bronnen waarop ze teruggrepen, gingen in 1652 op zee verloren, toen Cromwell ze wilde overbrengen naar het zuiden.

Macbeth

William Shakespeare, die *Macbeth* schreef in 1606, had het verhaal van Wyntoun, via een vertaling van de kronieken van Wyntouns Franse tijdgenoot Jean Froissart. De echte Macbeth was *mormaer* van Moray in de tijd dat de Schotse koningen aanvaard moesten worden door deze hoge edelen. Hij werd in 1040 koning door Duncan I (lager in rang dan hij) in een veldslag te doden en heerste met enig succes. Hij voelde zich zelfs zeker genoeg om in 1050 een bezoek aan Rome te brengen. In 1057 werd hij op zijn beurt uitgedaagd en gedood door Malcolm Canmore, Duncans zoon, die Malcolm III werd. De overwinnaars schrijven de geschiedenis.

Links: illuminatie uit het *Book of Kells*, dat mogelijk op Iona is gemaakt, in een tijd dat het vastleggen van de geschiedenis tijdrovend werk was

Speciale dochter van Rome

In 663 n.Chr. verruilde Oswiu, koning van Northumbria, Keltisch heidendom voor het Romeinse christendom. Zijn voorbeeld werd in andere Schotse koninkrijken gevolgd. David I (ca. 1080–1153) breidde het aantal bisdommen uit van drie tot negen en nodigde kloosterorden uit, aangemoedigd door de paus, die toen sterk aan macht won. Er was in die periode een strijd gaande tussen pausen en koningen over de autonomie van de Kerk. In 1175 werd het bisdom Glasgow aan het gezag van de aartsbisschop van York onttrokken en werd een 'speciale dochter' van Rome, die rechtstreeks onder pauselijk gezag stond. De rest van de Kerk in Schotland volgde kort daarna.

Romeins masker, 80 n.Chr.

Pictische kruisen

Deze fraaie monumenten vindt u in de omgeving van Perth en rond de Moray Firth. De grootste, zoals Hilton of Cadboll, dragen aan de ene kant voorchristelijke symbolen en taferelen — schijven, gebroken lansen, jachttaferelen, veldslagen en feesten — en aan de andere kant christelijke. De Picten, in de 7e eeuw dominant in deze contreien, lieten niet veel anders na. In de 8e eeuw onderwierpen ze zich aan de Scoten, die door de vikingen naar het oosten waren gedreven.

Pictische reliëfs tonen Keltische en christelijke elementen — u vindt ze in Meigle (blz. 99)

1200

Kloostergang op Iona, waar in 563 de Ierse monnik Columba arriveerde (blz. 130–131)

Gestileerde Pictische decoraties op twee metalen platen uit 600–700 n.Chr., ontdekt in Norrie's Law, Fife

de prijs van vrijheid

De zogeheten onafhankelijkheidsoorlogen waren evenzeer een strijd om de macht in Schotland tussen verscheidene Schots-Normandische families als tegen Engeland. Op de achtergrond speelde de strijd tussen de steeds machtiger wordende Plantagenet-koning in Engeland en de heersers van Frankrijk, die hem uit zijn Franse bezittingen wilden verdrijven.

Edward I was een formidabele koning van Engeland: legalistisch, hervormingsgezind, maar ook de meedogenloze veroveraar van Wales en onder zijn eigen voorwaarden strevend naar opperheerschappij. De Schotse edelen waren hem niet per se vijandig gezind, maar wilden geen belasting betalen om zijn oorlogen in Frankrijk te bekostigen. Tussen 1295 en zijn dood in 1307 viel Edward Schotland vier keer binnen. Een lage edelman, William Wallace (ca. 1274–1305), bracht een leger op de been en versloeg de Engelsen in 1297 bij Stirling Bridge. Wallace zocht vervolgens steun van buitenlandse bondgenoten en werd uiteindelijk in 1305 gevangengenomen en in Londen opgehangen en gevierendeeld.

Robert Bruce, graaf van Carrick (1274–1329), begon nu een ambitieuze campagne om de Schotse troon te veroveren. Hij wist het nationale verzet te bundelen en schakelde de Schotse bondgenoten van Edward II uit. In 1314 werd Edward bij Bannockburn vernietigend verslagen. Bruce werd door de Schotten erkend als koning Robert I, en in 1328 legde ook Engeland zich hierbij neer.

William Wallace (links) was een van de eerste nationale helden van Schotland
Rechts: de Verklaring van Arbroath, 1320

Een verklaring

In 1320 vroegen de Schotse edelen, bisschoppen en 'rijksgemeenschap' paus Johannes XXII hun recht op onafhankelijkheid te steunen. Hun petitie was een van de fraaiste staaltjes van politieke retoriek aller tijden: *Wij geven hem (koning Robert) onze steun omdat hij rechtens en door verdienste onze vrijheid waarborgt en… wij zullen ons standvastig tonen. Maar als hij zou verzaken wat hij is begonnen, en als hij ons of ons koninkrijk zou willen onderwerpen aan de koning van Engeland of aan de Engelsen, dan zouden we hem dadelijk als onze vijand verdrijven… Want zolang er nog honderd van ons leven, zullen we ons nooit schikken in de Engelse heerschappij. Omdat wij niet vechten voor glorie, of rijkdom, of eer, maar alleen voor vrijheid…*

1200

Edward III voor de poorten van Berwick, uit de kroniek van Froissart

Een oud verbond

Schotlands speciale relatie met Frankrijk duurde van 1295 tot 1560 — de Schotse liefde voor Franse wijn, architectuur, filosofie en cultuur duurt echter nog steeds voort. Schotse pogingen om Engeland binnen te vallen op verzoek van de Franse bondgenoten liepen steevast op een mislukking uit, en slechts één keer, tijdens het bewind van Jacobus III (1460–1488), zijn er Franse troepen in Schotland gebruikt: ze waren niet populair. Clerus en chroniqueurs presenteerden het verbond als een natuurlijke zaak, misschien om onvrede onder de bevolking te smoren. De kloof tussen Engeland en Schotland werd breder en breder. Schotland leed minder dan Engeland onder de pest (1349-1350), maar financieel ging het steeds slechter met het land en de handel werd bedreigd door Engelse piraten.

Lords of the Isles

De relatie tussen de MacDonalds en de Campbells is nog steeds verre van hartelijk. In de Middeleeuwen leefde de helft van de Schotten in de Highlands, onder het gezag van de Clan Donald, wier macht zich uitstrekte van het Ierse Donegal tot Inverness en Lewis. Zij waren de Lords of the Isles. Na de Reformatie werd de protestantse Clan Campbell van Inveraray machtiger. De slachting van Glen Coe in 1692 was een smet op hun blazoen, maar desondanks behielden de Argathelians (volgelingen van de Campbell-hertog van Argyll) hun politieke macht, tot deze in de moderne tijd terechtkwam bij de advocaten in Edinburgh.

De Stewarts…

…(later Stuarts) waren een Bretonse familie die ondergeschikt was aan de Bruces, totdat één van hen met de dochter van Robert I trouwde en in 1371 Robert II werd. De Stewart-vorsten, als ze tenminste niet voor hun tijd stierven, waren even intelligent als vastberaden en hebberig. Ze versloegen de machtigste edelen, zoals de Douglases in het zuidwesten, en hun succesvolste koning, Jacobus IV (1488–1513), was een renaissancevorst die grotere autonomie voor de Schotse Kerk afdwong, die hij en zijn zoon vervolgens plunderden. Uit deze periode dateren de oudste bewaard gebleven niet-religieuze stenen gebouwen van Schotland: voor die tijd gebruikte men vooral hout en met leem opgevuld vlechtwerk.

Links: beeld van Robert the Bruce, Bannockburn

Border-ballades

De Schotse ballades zijn wel vergeleken met de Griekse heldendichten. Ze werden gezongen of voorgedragen in de zalen van de Border-woontorens en verspreid door zigeuners en rondtrekkende lieden. Ze bezongen de veldslagen, liefdes en tragedies van het 'betwiste land', en de taal kon binnen één lied variëren van moeizaam tot subliem. Sommige ballades zijn na 1720 opgeschreven door Allan Ramsay, en later door Walter Scott en James Hogg, wiens moeder voorspelde: 'als je ze opschrijft, zingen de mensen ze niet meer.' Dat leek ook inderdaad zo te zijn, al kwam de folklorist Hamish Henderson nog in 1946 het fenomeen Jeannie Robertson tegen — een ongeletterde woonwagenbewoonster die meer dan 100 grote ballades uit haar hoofd kende.

Jacobus III van Schotland (1452–1488), wiens politiek in 1480 tot oorlog met Engeland leidde

1513

In de film *Braveheart* uit 1995, waarin de geest van het Schotse nationalisme goed werd getroffen, speelde Mel Gibson (boven) de rol van William Wallace

Kastelen zoals dat van Caerlaverock (boven) en Duart (links) werden in deze tijd van oorlogen gebouwd

geloof en Politiek

Het oude verbond met Frankrijk stelde tegen 1513 niet veel meer voor. De bezittingen van de Kerk slonken, met corruptie tot gevolg. Frankrijk steunde de Contrareformatie (de radicale hervormingsbeweging binnen de katholieke Kerk als reactie op de Reformatie), terwijl Schotse intellectuelen zich aangetrokken voelden tot het protestantisme zoals Johannes Calvijn (1509–1564) dat in Genève vormgaf.

Opnieuw fungeerde een voortvarende en ongevoelige Engelse koning als katalysator: na zijn overwinning op Jacobus IV bij Flodden in 1513 viel Hendrik VIII herhaaldelijk Schotland binnen. Hij liet een spoor van verbrande steden en kloosters achter, maar wakkerde ook het verzet aan. De Fransen profiteerden nog van hun band met Schotland, maar uiteindelijk zou Marie de Guise (de weduwe van Jacobus V en moeder van Mary Stewart), die een fervent aanhangster van de Contrareformatie was, de Schotten van zich vervreemden. John Knox leidde in 1559 protestantse rellen in Perth en stichtte na het vertrek van de Fransen in 1560 de protestantse Church of Scotland (de Kirk).

Een jaar later arriveerde de katholieke Mary Stewart (1542–1587), koningin van Schotland sinds ze een week oud was en inmiddels weduwe van de Franse koning. Diens dood in 1559 had haar op 18-jarige leeftijd tot koningin van zowel Frankrijk als Schotland gemaakt. In 1561 keerde ze terug naar een protestants Schotland. Het contrast tussen de pracht en praal van het Franse hof en de 'zwarte Geneefse' Kirk was groot.

Onder: een veldslag uit de Burgeroorlog nagespeeld

Moeilijkheden met Mary

Mary, die het machtige Frankrijk achter zich had, was knap, intelligent en atletisch; ze was ook impulsief en onbesuisd. Ze trouwde met haar neef Henry Stewart, lord Darnley, die ze koning Hendrik I noemde. Hij was labiel en had waarschijnlijk syfilis, was katholiek, daarna twijfelend, en hij joeg zijn vrouw tegen zich in het harnas door haar geheime minnaar David Riccio te vermoorden. Mary nam wraak via haar nieuwe liefde, graaf Bothwell, die Darnley in 1567 liet vermoorden. Ze trouwde met Bothwell, maar de protestantse adel werkte het paar tegen. Mary werd gedwongen af te treden, haar pas geboren zoon werd in 1567 in Stirling tot Jacobus VI gekroond. Uiteindelijk werd Mary door Elizabeth I wegens verraad ter dood veroordeeld.

Mary Stewart (rechts) vestigde zich in kasteel Holyroodhouse in Edinburgh (onder)

1513

Highlanders in nood: *De slachting van Glen Coe* door James Hamilton (blz. 127)

Verlicht despoot

Jacobus VI (1566–1625) zou bijna 60 jaar regeren. Zijn jonge jaren werden gekenmerkt door intriges en onstabiele regentschappen, tot hij in 1583 formeel tot erfgenaam van Elizabeth van Engeland werd benoemd. Hij maakte de Church of Scotland ondergeschikt aan de staat, onderwierp de adel, en probeerde zelfs de Highlands in het gareel te krijgen. Hij was succesvol en verwaand, een verlicht despoot, die nadat hij in 1603 als Jacobus I de Engelse — zelf noemde hij het: 'Groot-Britse' — troon had bestegen, niet terugdeinsde voor favoritisme. Hij overschatte echter zijn macht over Schotland en zijn gevoel voor de Engelse politieke verhoudingen, want hij verzuimde de puriteinen in het Engelse parlement aan te pakken.

Jacobus VI en I

Kirk en Covenant

De Schotse calvinisten hadden een tamelijk politieke benadering van religie, die gesteund werd door covenanten: contracten tussen mens en God, en mens en heerser. Jacobus VI/I was ze te slim af geweest, maar zijn opvolger was trots, eigenwijs en niet erg intelligent. In 1638 leidden de pogingen van Karel I om de Kirk in een anglicaans jasje te steken tot het Nationaal Covenant en een militaire confrontatie. Karel verloor deze Bisschopsoorlog (1639–1640) en stond de macht af aan het Engelse parlement. Hij brak zijn woord en in 1642 brak de Burgeroorlog uit. De Schotten kozen de kant van de Parlementariërs, geleid door Oliver Cromwell, maar toen deze er niet mee instemde het presbyterianisme aan heel Groot-Brittannië op te leggen, kozen ze alsnog voor de koning, vergeefs.

De Killing Time

De 'Groot-Britse' monarchie werd in 1660 hersteld, en daarmee het parlement in Edinburgh. Hoewel de meeste predikanten zich bij het nieuwe regime neerlegden, deed een minderheid in het zuidwesten dat niet. Hun aanhang, de Covenanters, organiseerde opstanden en guerrilla-aanvallen, waarop de ordehandhavers van Karel II met geweld reageerden — de Killing Time. Het aantal slachtoffers was klein, maar evengoed schiepen martelaarschap en onderdrukking een blijvende verzetscultuur. In 1688 werd de katholieke koning Jacobus II verbannen. Een poging van de jacobieten om zijn macht te herstellen mislukte toen hun leider, burggraaf Dundee, bij Killiecrankie werd gedood (blz. 95). De nieuwe koning, Willem III van Oranje, herstelde met tegenzin de rechten van Kirk en parlement.

Links: leren masker, gedragen door een Covenanterpredikant die voor zijn leven vreesde tijdens de Killing Time

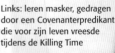

Darien, honger en unie

In de jaren negentig van de 17e eeuw eiste hongersnood veel slachtoffers. Een kwart van de schatkist ging op aan een mislukte poging een Schotse handelspost op de landengte Darien in Panama te stichten. Het parlement van Westminster was bezorgd over wat er zou gebeuren wanneer Anne, de laatste Stewart, zou sterven, terwijl het Schotse parlement een eigen buitenlandse politiek nastreefde. Dit leidde tot een grote politieke crisis (1701–1707), waarin de Schotse adel, handelsklasse en Kirk werden omgekocht tot een formele unie met Engeland.

1707

Het Darien-plan (boven) was veelbelovend, maar leidde tot een lege schatkist (links) De Slag bij Killicrankie (onder) was een nieuwe tegenslag voor de jacobieten

verlichting en **vooruitgang**

De unie was aangegaan voor profijt op korte termijn, maar het duurde meer dan twintig jaar voordat de voordelen zichtbaar werden. Het was een periode van relatieve rust. De jacobieten (volgelingen van de verbannen Stewarts) deden drie keer een poging tot een invasie, maar kregen weinig steun. Het culturele fundament voor latere sociale revolutie werd gelegd, met name door juristen, in de Kirk en op de universiteiten. Engeland had Schotland nodig, met zijn handelsroutes die niet door Franse piraten werden bedreigd en Glasgow dat de tabakshandel domineerde.

Schotland kreeg nieuwe mogelijkheden en de architectuur en kunst floreerden. Intellectueel was Schotland Engeland de baas met grote geleerden als William Robertson (1721–1793) en David Hume (1711–1776). Wetenschap en landbouwkundige verbeteringen werden verspreid via clubs en verenigingen. Er werden wegen aangelegd en er werd een Schotse militie in het leven geroepen. Rond 1780 merkte een Franse bezoeker op dat hij bij het tolhuis van Edinburgh kon gaan staan en 'binnen een half uur vijftig briljante mensen kon verzamelen'. Exponenten van de Verlichting waren de econoom Adam Smith (1723–1790) en de filosofen Thomas Reid (1710–1796) en Adam Ferguson (1723–1816). Schotland begon Engeland naar de kroon te steken qua industriële en stedelijke groei. De keerzijde van de medaille was dat de *crofters* vanaf 1745 wegtrokken uit de Highlands, die steeds meer het domein werden van grootschalige schapenteelt.

De laatste oorlog op Britse bodem

In 1745 bracht prins Charles Edward Stewart (1720–1788), zoon van de oude troonpretendent Jacobus III, een leger op de been bij Glenfinnan. Met Franse steun zou dit een serieuze bedreiging voor de regering in Londen vormen. De jacobieten namen Edinburgh in, maar toonden weinig animo om op te rukken naar Engeland. Een Franse invasie bleef uit en het leger trok zich terug naar Culloden (blz. 125), waar het werd verslagen door overwegend Schotse soldaten onder de zoon van George II, de hertog van Cumberland. De prins vluchtte.

1707

Op 19 augustus 1745 landde Bonnie Prince Charlie bij Glenfinnan (rechts) om een leger op de been te brengen

Links: *Prins Charles Edward Stewart,* door Antonio David, 1732

19e-eeuwse bedelpenningen

Nieuwe dorpen, New Town

New Pitsligo, Gavinton, Helensburgh: ongeveer 120 van dit soort dorpen werden door landheren gebouwd als middel om de bevolking weg te houden van de steden en te behouden voor grote boerenbedrijven, de linnenindustrie en de eerste fabrieken. De nieuwe dorpen waren bedoeld om de mensen op het platteland te houden, want de vermogende klasse was bang voor de sociale gevolgen van de groei van de steden. De in symmetrische rechthoeken aangelegde dorpen bevatten scholen, een kerk, een apotheek een bibliotheek – zaken die in het 17e-eeuwse Schotland zo opvallend hadden ontbroken. In de New Town in Edinburgh (blz. 84–85) werd hetzelfde principe gevolgd, maar dan op grotere schaal.

'Ossian' (1762)

De dichter James Macpherson (1736–1796), die wortelde in de Gaelic cultuur, beweerde manuscripten te hebben ontdekt van een 3e-eeuws Keltisch epos over de legendarische held Fingal, geschreven door diens zoon Ossian. Het sloeg in als een bom – maar kon het een vervalsing zijn? Deze vraag hield de gemoederen in Londen en Edinburgh volop bezig. De Engelse lexicograaf dr. Samuel Johnson was sceptisch en reisde in 1773 met zijn vriend James Boswell af naar het noorden (beschreven in Johnsons klassieker *A journey to the Western Isles of Scotland*). Hij had gelijk: Macpherson kon de 'originele' manuscripten niet laten zien. Toch werd 'Ossian' voor een hele generatie Europese schrijvers aan de vooravond van de Romantiek een bron van inspiratie.

Grand Tour en bouwkunst

De unie gaf Schotse ambachtslieden en kunstenaars toegang tot rijke Engelse opdrachtgevers en maakte de 'Grand Tour' door Europa populair bij de Schotse adel. Schotse intellectuelen die de aristocraten op hun Grand Tour vergezelden, maakten zich de regels van de klassieke bouwkunst eigen. Tegen het midden van de 18e eeuw verrezen er in Schotland landhuizen in Palladiaanse stijl en behoorden Schotse architecten als William Chambers (1726–1796) en de broers Robert (1728–1792) en James (1730–94) Adam, die naam maakten met hun stedenbouwkundige projecten in Londen, tot de beste van de wereld.

Geheel links: manuscript van Robert Burns' gedicht 'Queen Mary's lament'

Links: econoom en filosoof Adam Smith, die in Edinburgh begraven ligt op de Canongate Kirkyard (blz. 69)

Portret van een tijdperk

De grote portretschilder Henry Raeburn (1754–1823) kwam als wees in Edinburgh op een armenschool terecht. Hij ging in de leer bij Joshua Reynolds, maar verruilde diens grootse stijl voor intieme, psychologische studies van de landeigenaren, geestelijken, juristen en geleerden van het veranderende Schotland. Met portretten als dat van de schaatsende dominee Robert Walker of de violist Neil Gow toonde Raeburn zich de schilderkunstige tegenhanger van de literaire reus Sir Walter Scott.

Raeburns memorabele portret *Dominee Robert Walker op de schaats op Duddingston Loch*

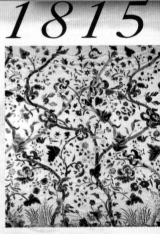

Adam Smiths baanbrekende *Wealth of nations* (1776) onderzocht de effecten die de verschillende economische groepen ondervonden wanneer ze het eigenbelang voorop stelden

Fijn borduurwerk uit 1719, in het Museum of Scotland

werkplaats van de *wereld*

In 1859 publiceerde de in Haddington geboren arts, radicale denker en spoorwegondernemer Samuel Smiles *Self-Help*, een collectieve biografie van vernieuwers en hervormers waarin gesteld werd dat succes meer afhing van morele integriteit en hard werken dan van intelligentie en wetenschappelijke scholing – iets wat van toepassing was op de industriële vooruitgang in Schotland tot dat moment.

De Napoleontische Oorlogen (1800–1815) waren goed voor de katoen-, wol-, linnen- en ijzerindustrie. De grote doorbraak voor Schotland kwam echter in 1828, toen J.B. Neilson (1792–1865) een manier ontwikkelde om het zogenaamde 'blackband' uit te smelten. Dit mengsel van ijzer en steenkool dat in het Monkland-district bij Glasgow werd gewonnen, leverde hoogwaardig ijzer op, dat heel nauwkeurig kon worden gegoten en gedraaid. Clydeside werd opeens een brandpunt van industrialisatie. Er werden stoommachines gebouwd, eerst voor de textielindustrie, later voor schepen en suikerrietverwerking. Vanaf 1848 was Schotland door twee spoorlijnen met Engeland verbonden. De locomotiefbouw kwam op gang en in 1900 had Glasgow na Philadelphia het grootste treinconstructiecomplex ter wereld.

Het industriële Schotland was echter verre van veilig. De huizen waren klein, met slechte sanitaire voorzieningen, en tussen 1832 en 1866 stierven duizenden mensen aan cholera. In 1871 woonde driekwart van de gezinnen in Glasgow in woningen van twee kamers of minder. Er was bittere armoede. Het schoolsysteem – goed naar Engelse maatstaven – wrong met de industrialisatie en werd in 1872 herzien.

Vrije Kerk

Het jaar 1843 werd gekenmerkt door een schisma in de Kirk, die in tweeën scheurde en de controle over armenzorg en onderwijs verloor. Omdat de overheid geen einde maakte aan het aanstellen van predikanten door landeigenaren, verliet eenderde van de predikanten de Kirk om de Free Church of Scotland te vormen. Religie speelde een cruciale rol in het sociale leven, dat zich grotendeels rond de kerken afspeelde. Voor de honderdduizenden slechtbetaalde en slecht behandelde Ierse gastarbeiders waren de priesters sleutelfiguren. Op initiatief van één van deze priesters, kapelaan Walfrid, werd in het door armoede geplaagde East End van Glasgow in 1888 een voetbalteam opgericht, het nu legendarische Celtic.

1815

GLASGOW DISTRICT SUBWAY
ROUND THE CITY IN HALF AN HOUR

Holyrood Glass Works, Edinburgh

GLASS CUTTING & ENGRAVING

Boven: jutearbeidsters in Dundee; rechts: productie in Edinburgh; rechtsboven: poster voor de ondergrondse van Glasgow (1896)

Vroege fotografen

De portretfotografie werd naar een nieuw plan getild door twee jonge Schotse pioniers. In 1831 vereeuwigde David Octavius Hill (1802–1870) de aankomst van de eerste stoomtrein in Glasgow in verf. Toen hij in 1843 opdracht kreeg de helden van de Schotse kerkscheuring (zie links) te portretteren, besloot hij, samen met zijn vriend de scheikundige Robert Adamson (1821–1848), hen eerst te fotograferen. Hij maakte gebruik van de calotype-methode die nog maar twee jaar daarvoor was uitgevonden door William Henry Fox Talbot. Het paar legde een bijzonder talent voor de nieuwe kunstvorm aan de dag en begon een fotostudio op Calton Hill. Hun portretten, landschapsfoto's en impressies van het dagelijks leven zijn nu te zien in de National Portrait Gallery (blz. 87).

Rechtsonder: naamplaat van een machinebouwer uit Glasgow

Onder: de beroemde Forth-spoorbrug van Arroll en Fowler

Stoom op zee

In 1802 maakte het eerste goed werkende stoomschip ter wereld een tochtje op het Forth and Clyde Canal. In 1812 nam Henry Bell uit Helensburgh het eerste commercieel geëxploiteerde stoomschip, *Comet*, in gebruik op de Clyde en in 1840 waren er al regelmatige transatlantische diensten. De stoommachines gebruikten echter zeewater, met een lage efficiëntie en hoog brandstofverbruik tot gevolg. Rond 1860 ontwikkelden de ingenieurs Randolph en Elder uit Glasgow samen met de wetenschapper James Thomson (broer van William, Lord Kelvin) een nieuw type machine dat veel minder brandstof verbruikte. Dertig jaar later had de vrachtstomer het volledig overgenomen van de klipper. Het eerste commerciële turbinestoomschip, *King Edward VII* (1901), vervoerde vakantiegangers uit Glasgow.

Bruggen en vuurtorens

De Schotse wegen waren primitief. In 1720 had men twee weken nodig om van Edinburgh naar Londen te reizen. Civiel ingenieurs als Thomas Telford (1757–1834) maakten fortuin met de aanleg van wegen en leidden de generatie op die de spoorwegen zou aanleggen. Telfords bruggen in Dean en Craigellachie waren de voorlopers van meesterwerken als de Forth-brug van Arroll en Fowler (1883–1890) en de West Highland Railway van Robert 'Concrete Bob' MacAlpine (1894–1901). Robert Stevenson (1772–1850), de grootvader van schrijver Robert Louis Stevenson (blz. 88), zag het belang van de spoorwegen, maar maakte zelf naam met de bouw – vaak onder extreme omstandigheden – van 23 krachtige vuurtorens, waaronder de Bell Rock, ter bescherming van de scheepvaart waarvan Schotland afhankelijk was.

Dokters als helden

Schotse universiteiten leverden de medische elite van Groot-Brittannië, zoals de Medical Officers of Health halverwege de 19e eeuw — Henry Littlejohn in Edinburgh en William Russell in Glasgow — die met grote projecten als de Loch Katrine-pijpleiding in Glasgow (1859) voor een goede afwatering en aanvoer van schoon water in de steden zorgden. Artsmissionarissen als David Livingstone (1813–1873) en onderzoekers als Ronald Ross (1857–1932) en Robert Philip (1857–1939), die belangrijk onderzoek naar respectievelijk malaria en tuberculose deden, werden rolmodellen. Robert Knox, de chirurg die rond 1820 de lijkenrovers William Burke en William Hare inschakelde om zijn ontleedkamer in Edinburgh van lijken te voorzien en die een 'wetenschappelijk' racisme predikte, werd dat niet.

1922

R.Y. PICKERING & Co Lᴅ
BUILDERS
WISHAW NEAR GLASGOW

Onder: fotografisch portret van Sandy Linton en zijn gezin door Hill en Adamson, 1845

Boven: aan boord van de nieuwe Clyde-stoomboten ging de bar zelden dicht – vandaar de uitdrukking *'steamin' drunk'*

een Schotse Wereld

De Schotten hebben altijd al carrière en fortuin in het buitenland gezocht, van de middeleeuwse filosoof Duns Scotus tot John Paul Jones (1747–1792) en Samuel Greig (1735–1788), aartsvaders van respectievelijk de Amerikaanse en de Russische marine. De enorme expansie van de Schotse economie in de 19e eeuw versterkte dit fenomeen: van bijna alle families vertrok tot eenderde naar het buitenland.

Het land is door deze ervaring getekend, van tastbare sporen als het Madras College in St. Andrews, gesticht met geld uit de handel op India, tot een diepe verbondenheid met overzeese handel en missiewerk. Alexander Duff (1806–1878) schiep het Engelstalige onderwijssysteem in India. De reputatie van David Livingstone bekroonde een gouden tijdperk van zendingswerk. In Nieuw-Zeeland vestigden zich Free Church-migranten onder leiding van predikant Norman MacLeod. Veel overzeese politici waren van Schotse komaf, zoals de eerste Australische federale premier Andrew Fisher (1862–1928), een voormalige mijnwerker uit Ayrshire.

Ondertussen bevorderden Thomas Blake Glover (1838–1911), bouwer van de eerste Japanse spoorlijn, en Richard Henry Brunton (1841–1901), die Japan van vuurtorens voorzag, de opkomst van een geduchte handelsconcurrent.

Emigratieposters uit 1920 (geheel rechts) en 1914 (onder); rechts: David Livingstone, zendeling en pionier

Nieuw Schotland

Het grootste aantal Schotse emigranten trok naar Canada, waar ze spoedig de heersende klasse vormden. Omstreeks 1830 was William Lyon Mackenzie uit Dundee een van de grote voorvechters van Canadees zelfbestuur, en de eerste federale premier na 1867 was John A. MacDonald uit Glasgow. Een aanzienlijke Gaelic populatie vestigde zich in de kustprovincies, met name in Cape Breton. De schrijver John Buchan was een populaire gouverneur-generaal (1935–1940), wiens laatste roman, *Sick Heart River* (1941), Canadees nationalisme ademde.

Urgently Wanted

600 MEN FOR **CANADA**

300 FOR WINNIPEG

300 FOR TORONTO

1850

ANCHOR LINE

GLASGOW & NEW YORK via Londonderry WEEKLY

Nabobs

De Schotten hebben veel geld verdiend in India, zowel door pure roofzucht als door handel. Als ze het overleefden konden ze in Schotland als koningen leven. De typisch Schotse voorkeur voor hete curry's gaat tot hen terug. Jute uit Calcutta leverde rijkdom op voor Dundee (blz. 93). Het Britse bestuur werd hervormd en een latere generatie verdiepte zich in de oosterse cultuur. In 1885 werd het naar onafhankelijkheid strevende Indiase Congres gesticht door een Schot, Allan Hume. Een latere aanhanger was Patrick Geddes (1854–1932), vriend van Gandhi en Nehru, wiens ideeën over ruimtelijke ordening in Schotland weer opgang maken, met name in een project om de hele centrale gordel één groot park langs het heropende Forth and Clyde Canal te geven.

Drugsbaronnen

Op een heuvel die uitziet op het dorp Lairg in Sutherland staat een Indiase tempel ter ere van John Matheson, de zoon van een pachter uit de omgeving van Loch Shin. Rond 1830 veroverde Matheson met zijn compagnon Robert Jardine een aandeel in de handel op de Oost, waarop tot dan toe de Londense East India Company het monopolie had. Ze verkochten opium aan de Chinezen en hadden twee oorlogen op hun geweten (1839–1842 en 1856–1860). Toch kregen ze weinig kritiek in eigen land, waar ze werden beschouwd als betere landheren dan de meeste andere. Tot kort geleden domineerden hun nazaten, bekend als de Taipans, de Royal Bank of Scotland.

Linksonder: Thomas Lipton (1850–1931) uit Glasgow richtte een thee-imperium op

Toeristen

De Highland-tocht van de 18e-eeuwer Dr. Johnson werd nagevolgd door Engelse kunstenaars uit de Romantiek, zoals de dichters William Wordsworth en Samuel Taylor Coleridge, de schilder William Turner en de filosoof John Ruskin. Mary Shelley voerde Schotland op in haar griezelklassieker *Frankenstein* (1818). De Duitse componist Felix Mendelssohn bezocht in 1829 Staffa en Fingal's Cave en schreef zijn *Hebriden-ouverture*. In 1833 bezocht de Amerikaanse dichter Ralph Waldo Emerson de schrijver Thomas Carlyle in Craigenputtoch, en de Engelse pionier van het toerisme Thomas Cook volgde koningin Victoria op de voet toen ze haar intrek nam in Balmoral (1848).

Rechts: toerist Mary Shelley

Selfmade man

De weverszoon Andrew Carnegie (1835–1919) uit Dunfermline vertrok in 1848 naar Amerika, waar hij telegrafist voor de spoorwegen werd. Daarna richtte hij een staalbedrijf op dat het grootste van het land zou worden. Hij kocht de concurrentie uit, maakte de vakbonden onschadelijk en kocht zichzelf uiteindelijk in 1901 uit voor $250 miljoen. Na zijn terugkeer naar Schotland liet hij een kasteel bouwen in Dornoch. Carnegie gaf beurzen aan Schotse studenten en stak geld in voortreffelijke bibliotheken en een internationaal vredesinstituut.

1914

Boven: Carnegie Hall werd vernoemd naar de grote filantroop Andrew Carnegie

Links: lord Strathcona en lord Mountstephen legden rond 1880 de Canadian Pacific Railway aan; materieel werd verscheept vanuit de haven van Glasgow

een moeilijk Land

Het aantal Schotse slachtoffers in de Eerste Wereldoorlog lag zo'n 40 procent boven het Britse gemiddelde. Bovendien had Schotland zich toegelegd op de oorlogsindustrie (oorlogsschepen, tanks, bommenwerpers) en had zijn reguliere scheepsbouw, banken en spoorwegbedrijven verkocht aan instanties in Londen, waardoor zijn concurrentiepositie enorm was verzwakt. In 1921 klom het werkloosheidscijfer tot boven de 20 procent – het kwam daar twintig jaar lang niet meer onder. Voor het eerst begonnen de Schotten vraagtekens te zetten bij zowel het kapitalistische systeem als de unie.

Een 'rood Clydeside' was het gevolg. Vóór 1914 had de Labour-beweging hier buiten de steenkoolmijnen weinig aanhang, maar onder de druk van de oorlogsindustrie radicaliseerde de beroepsbevolking van Glasgow, aangevoerd door charismatische mannen als sociale-woningbouwarchitect John Wheatley (1869–1930) en James Maxton (1885–1946), die de hele 20e eeuw voor velen een lichtend voorbeeld bleven.

Een ander gevolg was een opmerkelijke intellectuele beweging die bekendstaat als de Schotse Renaissance, met als belangrijkste voorman de nationalistische vuurvreter Hugh MacDiarmid (1892–1978). Diens lange, geestige en lyrische gedicht 'A drunk man looks at the thistle', geschreven tijdens de algemene staking van 1926, fungeerde als manifest. De Schotse wedergeboorte had niet zozeer met nationalisme te maken als wel met het afschudden van 19e-eeuwse religieuze beperkingen en met vrouwenemancipatie.

Rechts: de sociaal voelende James Maxton was leider van de Independent Labour Party

Vrouwen in de politiek

Begin 20e eeuw leverde Schotland een belangrijke bijdrage aan de vrouwenbeweging, met vrouwen als dr. Elsie Inglis, die in de Eerste Wereldoorlog verpleegster op de Balkan was, Marie Stopes (1880–1958), een pionier op het gebied van geboortebeperking, en de schrijfsters Rebecca West (1892–1983) en Naomi Mitchison (1897–1999). Het kiesrecht voor vrouwen kwam in 1918, maar er werden amper vrouwen in het parlement gekozen. In die situatie kwam pas echt verandering met de oprichting van het Schotse parlement in 1999: daar vindt men tegenwoordig het hoogste percentage vrouwelijke vertegenwoordigers van Europa.

1914

Rechts: de film Whisky Galore! kwam uit in 1949
Onder: rijdende bank in een afgelegen gebied in de jaren vijftig; boven: bankbiljetten uit 1969

Amerikaanse fabrieken…

…waren er al wel in Schotland, maar na 1945 begonnen meer Amerikaanse bedrijven fabrieken op te zetten in bepaalde ontwikkelingsgebieden, uit angst hun greep op de Europese markt te verliezen. Zo kwamen de Caterpillartractors en Hoover-stofzuigers naar Glasgow, vestigde Westclox zich in Dundee (Schotland heeft een tijdje meer uurwerken geproduceerd dan Zwitserland) en kwam IBM naar Greenock – het eerste elektronicabedrijf van 'Silicon Glen'. De banen waren welkom, vooral ook voor vakbondsleden, die vaak uit de fabrieken geweerd werden, en de positieve werksfeer was een wereld van verschil met die in de zware industrie van vroeger.

Weg spoor

De meeste Schotse spoorlijnen werden aangelegd tussen 1840 en 1880, toen ongeveer 50 procent van de bevolking op het platteland woonde. Rond 1900 kwam het treinverkeer onder druk te staan door de opkomst van trams en bussen in de centrale gordel. Rond 1950 was ongeveer eenderde van het spoorwegnet zwaar verlieslijdend, en toen premier Harold Macmillan dr. Richard Beeching van ICI aanstelde om het rendabel te maken, werd Schotland zwaar getroffen. De lijnen van de Borders, Buchan en Galloway verdwenen, en alleen dankzij fel politiek verzet werden de Highland-lijnen naar Wick, Kyle of Lochalsh, Oban en Mallaig – nu populaire toeristische routes – gespaard.

'New Towns'

De Labour-regering van 1945–1951 ging de overbevolking in de oude stadscentra te lijf met de bouw van 'New Towns'. Werk aan East Kilbride en Glenrothes begon eind jaren veertig, Cumbernauld, Livingston en Irvine volgden in de jaren zestig en zeventig. Anders dan de grote steden hadden deze nieuwbouwplaatsen geen gebrek aan scholen, winkels en sportfaciliteiten. Ze trokken nieuwe industrie aan, met name de hoogwaardige technologie van Silicon Glen. De grote steden begonnen leeg te lopen – Glasgow telde in 1945 meer dan een miljoen inwoners, in 2001 nog maar amper 600.000.

Onder en rechts: de architect Charles Rennie Mackintosh drukte begin 20e eeuw zijn stempel op Glasgow

Schotse kunst

Eind 19e eeuw verruilden Schotse schilders het Victoriaanse sentimentalisme voor de scherpte van de Franse Barbizon-school en, later, de postimpressionisten. Ze waren niet erg geïnteresseerd in stadse onderwerpen, ook al woonde inmiddels 75 procent van de Schotten in de grote steden. Die traditie werd volgehouden: de Schotse kunst van 1975 is net zo conservatief – of opwindend – als die van 1875. Een verschil met de Engelse schilderkunst is dat de Schotten altijd een voorkeur hebben gehad voor het figuratieve. Ze voelen zich meer verwant met Duits expressionisme dan met Franse of Amerikaanse abstractie, getuige het werk van Elizabeth Blackadder (1931–), John Bellany (1942–), Stephen Conroy (1964–) en Peter Howson (1958–).

1973

Linksboven: aan het werk bij IBM in Greenock in de jaren zestig

Links: het olie- en gascomplex van BP in Grangemouth

Tulips and Fruit, een schilderij van 'Schotse Colorist' Samuel John Peploe, ca. 1919

naar een Schots Bestuur

In 1945 stuurde de Scottish National Party (SNP) zijn eerste MP naar Westminster — en het zou 20 jaar lang zijn laatste zijn. Hoewel een voorstel voor zelfbestuur ruim 2 miljoen handtekeningen kreeg en enkele jonge nationalisten de Stone of Scone 'bevrijdden' uit Westminster Abbey, was zelfbestuur niet echt aan de orde. De economische neergang in de jaren zestig bracht daar verandering in. De SNP begon zo goed te scoren dat premier Harold Wilson een commissie instelde die de kwestie moest onderzoeken. Toen deze in 1973 haar rapport uitbracht, lagen de zaken heel anders.

Halverwege de jaren zestig had de regering delen van de Noordzee aan Schotland toegewezen voor oliewinning, zonder veel vertrouwen in de exploitatiemogelijkheden. In november 1973 was de prijs van ruwe olie door de Jom Kippoer-oorlog en de Arabische olieboycot met een factor vier gestegen, waardoor de Noordzee-olie opeens exploitabel werd. Alle aandacht ging uit naar Schotland, waar de aanhang van de SNP snel groeide. In 1979 werd een beperkte mate van decentralisatie per referendum weggestemd, maar de kwestie zelfbestuur was daarmee niet van de baan.

1973

Een Schots parlement

In 1989–1991 werd besloten dat een 129 leden tellend Schots parlement zou worden gekozen via een stelsel van evenredige vertegenwoordiging. In juli 1999 kwam dit parlement voor het eerst bijeen.

In datzelfde jaar gaf eerste minister Donald Dewar opdracht voor de bouw van een nieuw parlementsgebouw tegenover Holyrood Palace. Het zou £70 miljoen kosten. Eind 2003 waren de kosten gestegen tot £400 miljoen en was het gebouw nog steeds niet voltooid.

Ondanks veel kritiek hebben de Executive (regering) en het parlement goed werk gedaan. De mond-en-klauwzeercrisis is op een gecoördineerde manier aangepakt en men heeft de eerste stappen gezet op weg naar een schoner milieu en duurzaamheid. Of ook complexe problemen als het omgaan met de vergrijzing en industriële herprofilering worden opgelost, zal moeten blijken.

Links: demonstratie in de jaren tachtig; onder: het nieuwe Falkirk Wheel

2004

Ceud Mile Failte

Boven: koningin Elizabeth warm onthaald tijdens haar gouden jubileum, 2002

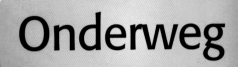

Onderweg

REIZEN NAAR SCHOTLAND

ONDERWEG

MET HET VLIEGTUIG

Vliegen naar het Verenigd Koninkrijk is de laatste jaren een stuk populairder geworden. Met de komst van budgetmaatschappijen als easyJet, Ryanair en bmi zijn de tarieven aanzienlijk omlaag gegaan, ook bij grote luchtvaartmaatschappijen.

Uit de grote Europese steden gaan er non-stop vluchten naar de luchthavens van Edinburgh, Glasgow (International en Prestwick) en Aberdeen.

Op de Londense luchthavens Heathrow en Gatwick komen vluchten uit alle grote steden ter wereld aan, en beide bestemmingen hebben via regelmatige, dagelijkse vluchten verbinding met Edinburgh, Glasgow, Inverness en Aberdeen. Vanaf de drie andere luchthavens van Londen — Stansted, Luton en London City — wordt ook op Schotland gevlogen, vooral door budgetmaatschappijen als ScotAirways, Ryanair en easyJet. Ook op andere luchthavens in het Verenigd Koninkrijk, zoals Birmingham International, Manchester en Leeds Bradford, komen internationale vluchten aan en zijn er verbindingen met Schotland.

Op de luchthavens van Glasgow, Edinburgh en Aberdeen treft u informatiebalies, een klein aantal souvenir- en gewone winkels (zoals een drogisterij), wisselkantoren, restaurants,

De BAA is eigenaar van de grote internationale luchthavens in Groot-Brittannië, waaronder Edinburgh en Glasgow.

autoverhuurbedrijven en faciliteiten voor verloren bagage.

Reizigers van buiten het Verenigd Koninkrijk moeten gewoon langs de douane en de paspoortcontrole. Reizigers binnen het Verenigd Koninkrijk hoeven geen paspoort te laten zien, maar sommige luchtvaartmaatschappijen (zoals Ryanair) kunnen bij het inchecken naar uw identiteitsbewijs vragen.

Contact:

- British Airways, www.ba.com
- bmi, www.flybmi.com
- easyJet, www.easyjet.nl
- Flybe, www.flybe.com
- Ryanair, www.ryanair.nl
- ScotAirways, www.scotairways.com

TIP

Op de grote luchthavens vindt u winkels waar u belastingvrij kunt winkelen. Als u binnen de Europese Unie vliegt, kunt u geld besparen op sterke dranken en tabakswaren in de blauwe sector van de winkels; in de groene sector vinden passagiers van buiten de EU nog grotere kortingen.

Edinburgh Airport

De internationale luchthaven van Edinburgh ligt in Ingliston, 9,6 km ten westen van de stad, een afslag van de A8.

Alle openbare bussen vertrekken vanaf de aankomsthal, vóór het terminalgebouw. Airlink heeft diensten naar het centrum van Edinburgh, op weekdagen elk kwartier, iets minder vaak in de weekends en 's avonds elk halfuur. Kaartjes zijn te koop bij de toeristeninformatie op de luchthaven, in de kiosk of in de (helderblauwe) bus. De busroute naar het centrum van Edinburgh voert langs de dierentuin en het sportstadion Murrayfield en dan de hele Princes Street af naar Waverley Bridge en het spoorwegstation. Bij de informatiebalie is een plattegrond verkrijgbaar waarop de haltes staan en in de bus zelf hangt een kaart van de route.

Op de luchthaven vindt u een klein aantal winkels, zoals een drogisterij (Boots) en winkels met souvenirs. Bij het wisselkantoor in de vertrekhal staan geldautomaten.

VAN			
Edinburgh naar stadscentrum			
Glasgow naar stadscentrum			
Glasgow Prestwick Internationaal naar stadscentrum			
Aberdeen naar stadscentrum			

● Edinburgh EH12 9DN, tel. 0131 333 1000 (algemene informatie)/0870 000 1000; www.baa.com

Glasgow International Airport

De hoofdluchthaven ligt in Paisley, ten noordwesten van het centrum van Glasgow.

Alle bussen vertrekken buiten voor de terminal. Bussen van CityLink en Fairline Coaches rijden naar het centrum van Glasgow, door de week elke 10 minuten, in de weekends iets minder vaak en 's avonds elk halfuur, vanaf bushalte 1. Koop uw kaartje aan de informatiebalie van het Travel Centre of in de bus. De bussen rijden naar het busstation op Buchanan Street in Glasgow. Bij de vervoersinformatiebalie is een plattegrond met daarop de haltes verkrijgbaar. Langeafstandsbussen rijden van en naar Bute Road via de internationale aankomsthal.

De luchthaven heeft een verbinding met het nationale fietsnetwerk, via een route die Paisley in loopt en op de National Route 7 (Inverness naar Carlisle) en de National Route 75 (Leith naar Gourock) aansluit. Bel voor informatie naar Sustrans, tel. 0117 929 0888.

Op de luchthaven bevindt zich een klein aantal souvenir- en gewone winkels, onder meer een drogisterij (Boots). Geldautomaten staan bij Thomas Cook op de eerste verdieping en in de lounge van de internationale vertrekhal. Wisselkantoren zijn altijd open. Op de eerste verdieping en in de lounge van de internationale vertrekhal vindt u een kinderspeelplaats. Er is ook een ruimte met werkplekken aanwezig, met telefoons en modempunten.

● Paisley PA3 2ST, tel. 0141 887 1111/BAA op 0870 000 1000; www.baa.com

TIP

Bij vertrek uit Glasgow: incheckbalies 2–37 bevinden zich in de hoofdterminal, maar 40–54 vindt u in het naburige St. Andrews Building; volg de borden.

De bus biedt een geweldige kennismaking met de stad

VAN DE LUCHTHAVEN NAAR HET STADSCENTRUM REIZEN

BUS	AUTO	TREIN	TAXI
Regelmatige dienst van Airlink naar het spoorwegstation Waverley in het centrum, 25 min., £3,30 enkele reis, £5 retour	Luchthaven in Ingliston, ten westen van het stadscentrum, afslag van de A8; 30 minuten–1 uur	Geen rechtstreekse verbinding	Vanaf de aankomsthal, buiten bij de hoofdterminal, circa £20
Regelmatige dienst van CityLink of Fairline nr. 905 (bushalte 1) naar het busstation Buchanan, 20 min., £3,30 enkele reis, £5 retour	Luchthaven in Paisley, 12,9 km ten westen van het stadscentrum via de M8, afslag 28; 30 minuten	Bus naar Paisley Gilmour Street Station, voor regelmatige verbindingen met Glasgow Central, 11 minuten, £2,20	Buiten bij deur 5, aankomsthal binnenlandse vluchten, 20 minuten, circa £17
Regelmatige dienst naar het spoorwegstation Glasgow Central, 50 min., £5,10	Luchthaven in Prestwick, 72 km ten zuidwesten van Glasgow via de A77; 40 minuten	Regelmatige busdienst naar spoorwegstation Glasgow Central, 50 minuten, £5,10	20 minuten, circa £14
Regelmatige dienst van First Aberdeen naar het stadscentrum, £1,30	Luchthaven bij Dyce, 11,5 km ten noordwesten van het stadscentrum via de A96; 15 minuten	Geen rechtstreekse treinverbinding	15 minuten, circa £14

ONDERWEG

Spoorwegstation Waverley in Edinburgh ligt tussen de oude en de nieuwe stad

Glasgow Prestwick International Airport

Glasgows tweede luchthaven ligt ver van het centrum, maar heeft een rechtstreekse spoorverbinding met de stad. Naar Prestwick vliegen vooral vakantiecharters plus budgetvluchten van Ryanair uit Londen (Stansted), Brussel, Dublin, Frankfurt, Oslo en Parijs. Faciliteiten zijn onder meer enkele winkels, een café, geldautomaten en een wisselkantoor.
● Prestwick KA9 2PL, tel. 01292 511000; **www**.gpia.co.uk

INTERNATIONALE LUCHT- EN VEERHAVENS

Orkney Islands
Kirkwall
Lerwick
Shetland Islands
Wick
Western Isles
Inverness
Aberdeen
Glasgow Edinburgh
Troon
Newcastle upon Tyne
Stranraer
Carlisle
Isle of Man
Douglas
Leeds Kingston upon Hull
Anglesey Liverpool Manchester
Holyhead
Norwich
Birmingham
Fishguard
Londen Luton
Londen Stansted
Cardiff Bristol Londen Heathrow LONDEN
Londen Gatwick
Southampton
Isle of Wight
Isles of Scilly
Penzance Plymouth

Aberdeen Airport

Aberdeen is bekend als de grootste commerciële helihaven ter wereld, dankzij zijn status als het belangrijkste vervoerscentrum van en naar de olieplatforms in de Noordzee. De luchthaven ligt 11,5 km ten noordwesten van de stad en is zowel op vluchten van en naar het Europese vasteland en Scandinavië als op binnenlandse vluchten gericht.

In de vertrekhal hebt u toegang tot internet. Het wisselkantoor bevindt zich tegenover de informatiebalie. Met een korte taxirit komt u bij Dyce, het dichtstbijzijnde spoorwegstation.
● Dyce, Aberdeen AB21 7DU, tel. 01224 722331; **www**.baa.com

MET DE TREIN

Theoretisch gesproken kunt u met gemak in één dag per trein van het ene naar het andere eind van Groot-Brittannië reizen. Intercitytreinen op hoofdroutes rijden 225 km/uur, dus een reis van Londen naar Edinburgh of Glasgow duurt maar een paar uur. Treinen naar kleinere bestemmingen rijden gewoonlijk trager en minder vaak.

Treinen van Virgin uit Engeland rijden langs de oostkust naar Edinburgh en langs de westkust naar Glasgow. GNER-treinen rijden langs de oostkant naar Edinburgh en gaan verder naar

Glasgow, Inverness en Aberdeen. Kaartjes voor beide maatschappijen zijn te koop op elk groot station, maar let op: op uw kaartje staat welke trein u moet nemen en kaartjes van de verschillende maatschappijen zijn gewoonlijk niet inwisselbaar.

De Eurostar-hogesnelsheidstrein uit Frankrijk (Parijs en Lille) en België (Brussel) arriveert in minder dan drie uur op Waterloo International Station in Londen. U dient een paspoort bij u te hebben en bij aankomst moet u langs de douane alvorens verder te reizen naar Schotland.

Edinburgh Waverley en Glasgow Central zijn de belangrijkste stations voor verdere treinreizen in Schotland. Beide zijn voorzien van toeristeninformatiebalies (met ook informatie over accommodatie), cafés, winkels en banken. Op elektronische schermen valt te lezen van welk perron uw trein vertrekt.

● National Rail Enquiry Service, tel. 08457 484950 *(24 uur per dag)*; **www**.nationalrail.co.uk

MET DE BUS

Als u per bus naar Groot-Brittannië reist, zult u waarschijnlijk aankomen op Victoria Coach Station in Londen. De belangrijkste busmaatschappij met verbindingen van Engeland en Wales naar Schotland is National Express. De bussen komen aan op de grote busstations St. Andrews Street in

De opvallende rode veerboot uit Zeebrugge op de Firth of Forth

Edinburgh en Buchanan Street in Glasgow.
● National Express, tel. 08705 808080;
www.nationalexpress.com

MET DE VEERBOOT

De enige rechtstreekse veerverbinding tussen Schotland en het Europese vasteland wordt onderhouden door Superfast Ferries. Deze dienst vaart 's nachts van Zeebrugge in België naar Rosyth, 21 km ten oosten van Edinburgh. De overtocht duurt 17 uur en 30 minuten.
● Superfast Ferries, tel. 020-6575657 (Nederland);
www.superfast.com

Er bestaan diverse veerdiensten over de Noordzee en Het Kanaal tussen havens in Noord-Europa en Engeland. Als u via het noorden van Engeland wilt reizen, kunt u de veerboot van P&O North Sea Ferries nemen, die van Rotterdam en Zeebrugge naar Hull vaart. DFDS Seaways

onderhoudt onder meer een veerdienst van IJmuiden naar Newcastle.
● P&O North Sea Ferries, tel. 020-2013333 (Nederland);
www.poferries.com
● DFDS Seaways, tel 0255-546666 (Nederland);
www.dfdsseaways.nl

MET DE AUTO

Als u van Engeland naar Schotland rijdt, zijn er twee hoofdwegen die u kunt nemen: de A1(M)/M1/A1 aan de oostkant van het land en de M6/A74(M) aan de westkant. Beide routes kunnen bij de steden zeer verstopt raken in de spits en rond vakantieweekends (blz. 301).

Als u van plan bent om van het Europese vasteland naar Groot-Brittannië te rijden, kunt u met auto, caravan of motor in Calais op de Eurotunneltrein, die in 35 minuten door de Kanaaltunnel naar Zuid-Engeland rijdt. Neem bij aankomst in Folkestone vanaf de terminal de M20 naar het noorden, waar u bij oprit 11a op komt, om vanaf deze weg aansluiting te vinden op de hoofdwegen naar Schotland.

Tweetalige bewegwijzering is in Noordwest-Schotland een vertrouwd beeld

REIZEN NAAR SCHOTLAND 41

REIZEN IN SCHOTLAND

Voor al uw vragen omtrent dienstregelingen van het openbaar vervoer binnen het Verenigd Koninkrijk kunt u bellen naar Traveline, tel. 0870 608 2608 (dag. 8–20 uur); www.traveline.org.uk. Als u van plan bent grote afstanden per openbaar vervoer te gaan afleggen, hebt u baat bij aanbiedingen als de Freedom of Scotland Travelpass, die te koop is op treinstations, bij reisbureaus, bij Europese vestigingen van Britrail of telefonisch bij Scotrail, tel 08457 550033. Met de Travelpass kunt u 8 of 15 dagen reizen voor £89 of £119 (volwassenen). Binnen die periode kunt u er in Schotland 4 of 8 dagen gratis mee reizen in alle treinen van Scotrail, Strathclyde Passenger Transport Service, GNER en Virgin, en op alle veerboten van Caledonian MacBrayne (CalMac). Sommige busdiensten van CityLink, Stagecoach en Highland Bus vallen er ook onder en bij andere diensten, zoals de veerboot naar Orkney, kunt u er korting mee krijgen.

VERVOER IN EDINBURGH

Lothian Buses is de grootste openbare busmaatschappij in de stad, herkenbaar aan de bruin of rood met witte bussen. Op bushaltes is de naam van de halte aangegeven (zoals Waverley Bridge) en er hangen lijsten van busmaatschappijen die er stoppen, van nachtdiensten en van gewone diensten met daarbij de busnummers.

Er bestaan veel verschillende kaartjes, maar u dient altijd gepast te betalen – er wordt geen wisselgeld teruggegeven. Het standaardtarief voor volwassenen is 60p, 80p of £1; studenten en 65-plussers betalen een vast tarief van 40p op ma.–vr. vóór 9.30 uur en reizen gratis op andere tijden. Kinderen van 5–15 jaar betalen 50p voor elke willekeurige afstand. Doe bij het instappen het gepaste bedrag in de automaat bij de chauffeur en trek uw kaartje uit het apparaat dat achter hem staat.
● Lothian businformatie, tel. 0131 555 6363
● Dienstregelingen en kaartjes zijn verkrijgbaar bij de Travel Shop, 27 Hanover Street (ma.–za. 8.30–18 uur), en op Waverley Bridge Station (ma.–za. 8.30–18, zo. 9.30–17 uur).
● Op een vergrote routekaart en dienstregeling op de brug buiten Waverley Station vindt u aanvullende informatie over nachtbussen naar de buitenwijken.

Autorijden hier is een kunst, met smalle straten, eenrichtingverkeer, 'rode' routes, parkeerplaatsen speciaal voor bewoners en aparte busbanen. Parkeren op straat is meestal betaald op

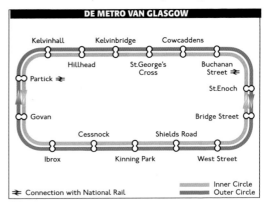

ma.–za. tussen 8.30 en 18.30 uur. Er zijn diverse parkeergebieden, vooral ten zuiden van Princes Street. Het grootste is op Greenside Place, bij Leith Street.

VERVOER IN GLASGOW

Voor informatie over bussen, lokale treinen en de metro binnen de stad kunt u terecht bij Strathclyde Passenger Transport (SPT) op het Buchanan Streetbusstation aan Killermont Street (ma.–za. 6.30–22.30, zo. 7– 22.30 uur; tel. 0141 333 3708). De SPT heeft ook informatie over de veerboot naar Kilcreggan en Helensburgh.

De metro van Glasgow (de 'clockwork orange') vormt een 9,7 km lange lus van het westen van de stad naar het centrum en Buchanan Street-busstation — vooral handig bij bezoek aan het Museum of Transport, Kelvingrove Art Gallery and Museum (Kelvinhall), het Hunterian Museum (Hillhead), het Rangersstadion (Ibrox) en het winkel-

centrum St. Enoch (St. Enoch). De metro rijdt ma.–za. vanaf ongeveer 6.30 uur en zo. vanaf 11 uur, en stopt ma.–za. rond 23 uur en zo. rond 17.30 uur. Kaartjes koopt u aan het loket of bij een kaartautomaat, te vinden op veel stations. Een enkele reis kost 90p, een retour £1,80, met korting voor kinderen. Met de Discovery Ticket kunt u een dag onbeperkt reizen voor maar £1,70, als u na 9.30 uur reist.

Glasgow wordt doorsneden door een snelweg en kent een regelmatiger stratenplan dan Edinburgh. Toch is rijden ook hier lastig en kunt u de auto beter achterlaten op een van de openbare parkeerplaatsen, zoals op Mitchell Street (NCP) of Albion Street (Universal Parking). 'Parkeren en reizen' is ook door het metrostelsel aantrekkelijk. Laat uw auto staan op Kelvinbridge ten noorden van het centrum (£3), of op Shields Road ten zuiden ervan (£2,80), en neem de metro naar de stad.

Met de veerboot

Naast de veerhavens Rosyth, Stranraer, Cairnryan en Lerwick voor veerboten van en naar overzeese bestemmingen zijn er ook havens voor boten van en naar de Schotse eilanden. De veren kunnen passagiers, fietsen, auto's, caravans en lokale vracht vervoeren en variëren per traject in afmetingen, faciliteiten en afvaartfrequentie. Op zondag wordt zelden gevaren.

EEN TICKET KOPEN

Informatie over dienstregelingen en tarieven is rechtstreeks bij veerbootmaatschappijen of toeristenbureaus te krijgen. Tickets kunt u bespreken bij de veerbootmaatschappijen, reis- en toeristenbureaus. Bij het bespreken zal men informeren naar bijvoorbeeld uw voertuig en het aantal passagiers. Bespreken is aan te raden, vooral in vakantieperioden.

Op autoveren is de prijs inclusief het voertuig en een aantal passagiers (gewoonlijk tot vijf). Sommige tarieven moeten op de boot worden betaald, contant of per cheque. Tickets kunnen voor een enkele reis of een retour zijn en gewoonlijk staat de tijd erop van de veerboot die u moet nemen. De prijs van een ticket hangt af van diverse factoren, zoals de lengte van uw verblijf of de afmetingen en het soort voertuig, dus bespreek vooraf uw wensen met uw reisagent.

Als u verschillende eilanden wilt verkennen, biedt een Island Rover-ticket (van Caledonian MacBrayne, voor 8 of 15 dagen) een flinke besparing. Een pas voor 8 dagen voor twee personen en een auto kost £269, voor een voetganger of fietser maar £47. Island Hopscotch-tickets dekken 26 van de populairste routes langs de eilanden en zijn goedkoper dan losse tickets. Een ticket voor twee personen en een auto voor de route van Mallaig naar Skye, de Uists, Harris en Lewis en terug naar Ullapool kost bijvoorbeeld £229.

Met een auto moet u meestal 30 minuten voor vertrek inchecken op de veerterminal. Voetgangers hoeven maar 10 minuten van tevoren aanwezig te zijn.

VEERROUTES			
TRAJECT	**DUUR**	**BEPERKINGEN**	**INLICHTINGEN**
Gourock–Kilcreggan/Helensburgh	10/40 minuten	Alleen voetgangers	Clyde Marine Services Ltd., tel. 01475 721281 www.clyde-marine.co.uk
Ardgour–Corran	2 minuten		Tec Services, Highland Council, tel. 01397 709000
Oban–Kerrara	5 minuten	Alleen voetgangers	D. McEachan, tel. 01631 563665
Islay–Jura	5 minuten		Serco Denholm, tel. 01496 840681
Iona–Staffa	50 minuten	Alleen voetgangers; apr.–okt.	David Kirkpatrick, tel. 01681 700358
Mull–Staffa	30 minuten	Alleen voetgangers; apr.–okt.	Gordon Grant, tel. 01681 700338
Mull–Staffa/Treshnish	1 uur	Alleen voetgangers; apr.–okt.	Turus Mara, tel. 01688 400242/08000 858786 www.turusmara.com
Port Appin–Lismore	10 minuten	Alleen voetgangers	Argyll & Bute Council, tel. 01631 562125
Seil–Easdale	5 minuten	Alleen voetgangers	Argyll & Bute Council, tel. 01631 562125
Seil–Luing	5 minuten	ma.–za.	Argyll & Bute Council, tel. 01631 562125
Glenelg–Skye	5 minuten	Pasen–okt.	R. Macleod, tel. 01599 511302
Gairloch–Skye	1 uur 30 minuten	Alleen voetgangers; apr.–okt.	West Highland Seaways Ltd www.overtheseatoskye.com

AAN BOORD

De meeste veren zijn comfortabel, met versnaperingen, toiletten, tv's en hutten voor langere reizen. Bij het aan boord gaan moet u soms steil omhoog lopen, dus wees voorzichtig met buggy's. Op voetgangersveren moeten grotere bagagestukken soms op het dek blijven om binnen ruimte vrij te houden. Roken is alleen toegestaan in daarvoor aangewezen ruimten.

Voertuigen kunnen zo de veren worden opgereden. Daarna kunt u naar de dekken gaan of eventueel in uw auto blijven.

Westelijke eilanden

De veerhavens waarop wordt gevaren zijn Stornoway op Lewis (uit Ullapool), Tarbert op Harris (uit Uig en Lochmaddy), Lochmaddy op North Uist (uit Uig op Skye), Lochboisdale op South Uist (uit Oban en Castlebay) en Castlebay op Barra (uit Oban).

Bij het ter perse gaan van dit boek werden de belangrijkste veerdiensten tussen de westelijke eilanden onderhouden door Caledonian MacBrayne Ltd, in de volksmond CalMac genoemd, maar dit kan in de toekomst veranderen omdat de routes aan concurrentie onderhevig zijn. De eilanden die de veren momenteel aandoen zijn Skye, Arran, Bute, Islay, Mull, Lewis en Harris en de Uists.

● CalMac, The Ferry Terminal, Gourock PA19 1QP, tel. 01475 650100/08705 650000; www.calmac.co.uk

Op de eilanden sluiten de busdiensten aan op de veerdiensten, van ma.–za. Ze rijden regelmatig, maar niet frequent. 's Zomers rijden er bijvoorbeeld vier of vijf bussen per dag tussen Stornoway en Leverburgh op de W10.

BELANGRIJKSTE VEERROUTES EN REGIONALE LUCHTHAVENS

Baltasound
Scatsta
Tingwall
Lerwick
Sumburgh
Stromness
Aberdeen
Papa Westray
Westray
Eday
North Ronaldsay
Sanday
Stronsay
Stromness
Kirkwall
Thurso
Wick
Stornoway
Tarbert
Lochmaddy
Uig
Benbecula
Lochboisdale
Barra
Castlebay
Armadale
Mallaig
Inverness
Dalcross
Ullapool
Aberdeen
Arinagour
Scarinish
Tiree
Oban
Stirling
Dundee
Scalasaig
Rosyth
Zeebrugge
Port Askaig
Islay
Port Ellen
Kennacraig
Rothesay
Ardrossan
Glasgow
Edinburgh
Brodick
Prestwick
Troon
Belfast
Larne
Belfast
Stranraer

● Dienstregelingen en prijzen van tickets vindt u bij het toeristenbureau op 26 Cromwell Street, Stornoway, Isle of Lewis HS1 2DD, tel. 01851 703088.

Orkney en Shetland

NorthLink Orkney and Shetland Ferries onderhoudt nachtveerdiensten van Aberdeen naar Orkney en Shetland, van Scrabster (bij Thurso) naar Orkney en tussen Lerwick op Shetland en Kirkwall op Orkney. Voor de langere overtochten zijn verstel-

De zwart-witte boot van Calmac, met zijn rode schoorstenen, is hier een vertrouwd gezicht.

bare stoelen en hutten te huur. De prijs voor een voetganger naar Lerwick is vanaf £42.

● NorthLink Orkney and Shetland Ferries Ltd, Kiln Corner, Ayre Road, Kirkwall, Orkney KW15 1QX, tel. 0845 600 0449; www.northlinkferries.co.uk

Van mei tot september vaart er een veer voor enkel voetgangers tussen John o'Groats en Burwick op Orkney. Hij doet er 40 minuten over, met aansluitend een bus die in 45 minuten naar Kirkwall rijdt.

● John o'Groats Ferries Ltd, The Ferry Office, John o'Groats, Caithness KW1 4YR; tel. 01955 611353/611342; www.jogferry.co.uk

Caledonian MacBrayne

Binnenlandse vluchten

Binnenlands vliegverkeer in het Verenigd Koninkrijk is relatief duur, maar met de concurrentie van steeds meer budgetmaatschappijen gaan de tarieven omlaag. Als u niet vastzit aan een bepaalde reisdatum en -tijd valt er veel voordeel te halen. Ga wel zorgvuldig na wat inbegrepen is bij de genoemde prijs, zoals belastingen, kosten van creditcardboekingen en andere toeslagen, en bedenk dat sommige aanbiedingen alleen voor een enkele reis zijn. Op alle binnenlandse vluchten en vluchten naar bestemmingen binnen de Europese Unie wordt £10 luchthavenbelasting geheven (gewoonlijk inbegrepen bij de prijs). Voor andere bestemmingen is dat £20.

ONDERWEG

REGIONALE LUCHTHAVENS

Zie voor informatie over de luchthavens van Edinburgh, Glasgow en Aberdeen blz. 38–40.

De tien belangrijkste regionale luchthavens zijn Campbeltown, Islay, Tiree, Barra, Benbecula, Stornoway (Lewis), Sumburgh (Shetland), Kirkwall (Orkney), Wick en Inverness. Ze vallen alle onder Highlands and Islands Airports Ltd (HIAL), die een website met nuttige informatie heeft.
● HIAL, tel. 01667 462445; www.hial.co.uk.

Een kleinere luchthaven ligt onder meer op het afgelegen Fair Isle; zie blz. 43 voor een kaart met luchthavens.

INVERNESS AIRPORT

Inverness (Dalcross) Airport dient als de belangrijkste toegang tot

Vluchten van Loganair naar het eiland Barra (blz. 121) landen bij laag tij op het strand

de Highlands en eilanden (en is ook vertrekpunt voor enkele vakantiecharters naar Zürich en bestemmingen aan de Middellandse Zee). De luchthaven ligt 16 km ten oosten van Inverness, vanaf de A96 via de B9039.

Elke 90 minuten rijdt er een bus naar Inverness. Er is geen directe spoorlijnverbinding; de dichtstbijzijnde spoorwegstations zijn in Inverness en Nairn.
● Dalcross, tel. 01667 464000

EEN TICKET KOPEN

Tickets kunt u rechtstreeks bij de luchtvaartmaatschappijen kopen, telefonisch of online, of via reisbureaus. Bij online kopen worden de tickets naar u toegestuurd. U kunt ze ook afhalen op de luchthaven, maar soms wordt daar een toeslag voor gevraagd.

Bij lang van tevoren boeken kunnen tickets soms worden gewijzigd of geannuleerd, maar wel tegen een toeslag.

TIP

Nuttige websites voor vluchten en informatie zijn onder meer:
www.cheapflights.co.uk
www.thisistravel.co.uk
www.ba.com
www.worldairportguide.com

IN HET VLIEGTUIG

● Om veiligheidsredenen zijn scherpe voorwerpen (inclusief scharen en bestek) in uw handbagage verboden. Op de luchthavens vindt u lijsten met verboden voorwerpen. Scherpe voorwerpen in uw tas worden in beslag genomen.
● Dit zijn relatief korte vluchten met weinig franje, maar bij langere reizen krijgt u meestal een versnapering.
● Roken is in de vliegtuigen niet toegestaan, en op de luchthavens alleen op aangewezen plaatsen.

Met de bus

Van de busstations St. Andrews Street in Edinburgh en Buchanan Street in Glasgow rijden langeafstandsbussen naar alle delen van het land. Ze zijn langzamer, maar minder duur dan de trein en gaan naar veel meer bestemmingen. De reistijden kunnen lang zijn (soms met overstappen), maar de bussen zijn comfortabel, met airconditioning, een toilet en soms, bij langere ritten, versnaperingen.

CityLink is het belangrijkste busbedrijf voor bestemmingen in heel Schotland en rijdt tussen Edinburgh, Glasgow, Aberdeen, Dundee, Perth, Inverness, Scrabster (voor Orkney), Ullapool, Skye, Fort William, Oban, Campbeltown, Stranraer, Dumfries en veel ertussen liggende plaatsen. De bussen zijn te herkennen aan hun blauw met gele uiterlijk.

● Scottish Citylink Coaches, Buchanan Street Bus Station, Killermont Street, Glasgow G2 3NP, tel. 08705 505050 *(8–21 uur)*; www.citylink.co.uk

Er bestaat een ruime keuze aan bustochten met gids — voor meer informatie hierover kunt u terecht bij reis- en toeristenbureaus.

Busdiensten buiten de steden zijn in het hele land beperkt

TIPS

● Als er nog plaatsen vrij zijn, kunt u op de dag zelf een kaartje bij de chauffeur kopen.
● U kunt telefonisch boeken, online bij sites als www.citylink.co.uk en www.nationalexpress.com, op de grote busstations en bij reisbureaus.

EEN KAARTJE KOPEN

Behalve de gewone enkele reizen en retours bestaan er verschillende voordelige kaartjes die u vooraf kunt boeken. Met de Citylink Explorer Pass bijvoorbeeld kunt u 3 of 8 dagen onbeperkt reizen (volwassenen £39 of £85), met korting op veerboten. Met de Tourist Trail Pass van National Express kunt u 15 dagen reizen binnen een periode van 30 dagen (£145).

Er bestaan ook kortingskaarten voor passagiers boven de 50 jaar, studenten en jongeren.

U mag per persoon twee middelgrote koffers en één stuk handbagage meenemen, zonder garantie dat eventuele extra bagage wordt vervoerd. Ingepakte vouwfietsen zijn toegestaan.

● Vooraf boeken en doordeweeks reizen is goedkoper. Het apextarief (minstens vijf dagen voor de reis geboekt) voor een enkele reis tussen Edinburgh en Inverness is bijvoorbeeld circa £16, een enkele reis Glasgow–Skye kost £20. Vooraf betaalde kaartjes kunnen worden toegestuurd, of u kunt ze ophalen.

LOKALE BUSSEN

Lokale bussen zijn vrij comfortabel en vormen vaak een prettig alternatief voor treinen. In de grotere plaatsen en steden rijden meestal zeer geregeld bussen, maar elders, vooral in zeer afgelegen gebieden, kunnen diensten ongeregeld zijn, met soms maar een of twee bussen per week. In grote plaatsen en steden rijden ook nachtbussen (herkenbaar aan een 'N').

Voor informatie en dienstregelingen kunt u bij toeristenbureaus terecht. Sommige bussen rijden alleen op schooldagen of zijn anderszins beperkt, dus let daar goed op.

VERGELIJKING VAN REIZEN MET DE TREIN EN MET DE BUS		
De prijzen gelden voor een doordeweeks dagretour voor volwassenen *(round trip ticket)*		
TRAJECT	MET DE TREIN	MET DE BUS
Edinburgh – Inverness	£32 (3 uur 17 minuten)	£26,40 (4 uur)
Edinburgh – Aberdeen	£32 (2 uur 25 minuten)	£27,20 (3 uur 30 minuten)
Edinburgh – Glasgow	£5,10 (1 uur 6 minuten)	£6 (1 uur 10 minuten)
Edinburgh – Thurso	£47,10 (volgende dag terug; 7 uur 21 minuten)	£35,70 (8 uur)
Glasgow – Inverness	£32 (3 uur 17 minuten)	£26,40 (4 uur)
Glasgow – Kyle of Lochalsh	£49,20 (volgende dag terug; 6 uur 10 minuten)	£33,20 (5 uur)

In stedelijke gebieden kunnen verschillende busmaatschappijen elkaar beconcurreren. Soms overlappen de diensten elkaar, maar een kaartje is maar bij één maatschappij geldig. Stagecoach is in Zuidwest-, Middenoost- en Noordoost-Schotland de grootste maatschappij. Lokale bussen van Rapsons rijden in de Highlands, op Orkney en op Shetland.

De Royal Mail Postbusservice (tel. 08457 740740; www.postbus.royalmail.com) vervoert in minibussen ook passagiers naar meer afgelegen gebieden. De tarieven zijn laag, maar de bussen bezorgen in de eerste plaats post, dus kunnen soms al heel vroeg in de ochtend vertrekken.

BUSHALTES

Bushaltes in de steden zijn meestal herkenbaar aan een bord op een paal, waarop de nummers staan van de bussen die er stoppen, de haltenaam en de eindbestemming (richting van de reis). Soms zijn er ook overdekte bankjes. Bushaltes buiten de steden zijn daarentegen soms moeilijk herkenbaar en voeren meestal niet veel informatie.

● Bussen stoppen bij de officiële bushaltes als er passagiers klaar staan om in of uit te stappen. Bij een 'halte op verzoek' (tussen twee haltes en buiten de steden) moet u uw arm ter waarschuwing opsteken.

● Controleer voor u instapt het nummer en de bestemming op de voorkant van de bus, of vraag het aan de chauffeur, want de halte kan voor veel verschillende routes dienen. 's Nachts wordt er alleen op verzoek gestopt.

IN DE BUS

Bewaar uw kaartje tot het eind van de reis, want er stappen regelmatig controleurs in om kaartjes te controleren en zwartrijders in de kraag te vatten.

● Kaartjes koopt u meestal bij het instappen bij de chauffeur.

● Kinderen onder de vijf reizen gratis, kinderen van 5–15 jaar voor half geld. Studenten en senioren kunnen ook korting krijgen.

● In bussen met alleen een chauffeur zitten twee deuren: één voorin, waar u instapt, en één halverwege, waar u uitstapt.

● Laat uw buskaart zien of houd kleingeld paraat om bij het instappen een kaartje te kopen. Chauffeurs en conducteurs zien graag dat u gepast betaalt, maar geven wel wisselgeld. Vertel waar u heen wilt en zij vertellen u het tarief.

● In alle bussen moet u op de rode knop drukken als u wilt uitstappen. De chauffeur zal bij de eerstvolgende halte stoppen.

Met de taxi

Doorgaans zijn taxi's een dure manier om rond te reizen, maar voor kortere ritjes zijn ze zeer geschikt. Mocht u een langere rit per taxi willen maken, spreek dan vooraf een prijs af. In principe zijn er twee soorten taxi's: de traditionele zwarte Londense taxi (in de grote steden) en de *minicab*. De zwarte taxi's zijn wereldberoemd, en ondanks het feit dat ze tegenwoordig met advertenties erop rijden en ook andere kleuren hebben, blijft het ontwerp opvallend. Alle privé-taxi's moeten een vergunning en een meter hebben. Ze kunnen variëren van gewone personenauto's (sedan en stationwagens) tot kleine busjes met zeven zitplaatsen. Achterop moet een bordje zijn aangebracht dat aangeeft dat er een vergunning is om personen te vervoeren.

EEN TAXI VINDEN

Taxistandplaatsen vindt u bij spoorwegstations en grote hotels, bij winkelcentra en andere drukke plaatsen in steden. U kunt ook een taxi op straat aanhouden: kijk uit naar een verlicht oranje TAXI-licht op het dak en steek uw arm op om de aandacht te trekken.

Privé-taxi's en *minicabs* kunnen telefonisch worden besteld; kijk in de gouden gids voor plaatselijke bedrijven of vraag het bij uw hotel.

Op drukke tijden kan het lastig zijn een taxi te vinden, vooral

De ooit zwarte taxi's hebben nu allerlei kleuren

op vrijdag- en zaterdagavond in de steden, dus bespreek alvast uw terugrit als u de stad ingaat.

● Vermijd chauffeurs die u bij luchthavens en stations aanspreken, want ze kunnen te duur, onverzekerd en zonder vergunning zijn. Neem een taxi bij een standplaats of bespreek er een bij een bonafide taxibedrijf.

● Anders dan in de zwarte taxi's kunt u in gewone taxi's ook voorin gaan zitten.

● Een fooi van circa 10 procent van het eindbedrag is gebruikelijk, maar niet verplicht.

TIP

Op www.traintaxi.co.uk vindt u een lijst met taxistandplaatsen en -bedrijven die vanaf alle trein-, tram- en metrostations in Groot-Brittannië rijden. Deze lijst is ook te vinden in een gids, de *Traintaxi Guide*.

Met de trein

De treinen in het Verenigd Koninkrijk zijn doorgaans efficiënt en buiten de spitsuren niet al te vol. Er rijden momenteel treinen van meer dan 20 verschillende maatschappijen. Hierdoor kunnen de faciliteiten verschillen en treden er soms merkwaardige prijsverschillen op, aangezien elke maatschappij zijn eigen tarieven bepaalt.

Treinen kunnen vertraging oplopen, dus neem ruim de tijd voor uw reis, vooral als u onderweg moet overstappen. Grote werkzaamheden aan het spoor worden meestal in de weekends en vakanties uitgevoerd en kunnen de dienstregelingen flink verstoren. Informatie hierover vindt u op de betreffende stations of bij National Rail (www.nationalrail.co.uk).

SCOTRAIL

De meeste treindiensten binnen Schotland zijn van Scotrail, tussen 335 stations. Scotrail verzorgt ook de slaaptreinen die van Edinburgh, Glasgow, Fort William, Aberdeen en Inverness naar Londen gaan. Als u uw reis plant, kunt u op de website www.scotrail.co.uk een nuttige tabel vinden met de faciliteiten van alle stations, zoals parkeergelegenheid, buffetdiensten en toegankelijkheid voor reizigers met een handicap.

Railbus biedt aansluitende busverbindingen met bestemmingen zonder spoorwegstation, zoals Callander, St. Andrews en Ullapool, tel. 08457 550033.

● National Rail Enquiry Service, tel. 08457 484950 *(24 uur per dag);* www.nationalrail.co.uk

Gedetailleerde informatie over het hele netwerk — met onder meer maatschappijen, dienstregelingen, tarieven en werkzaamheden aan het spoor — vindt u bij National Rail Enquiries (zie boven). De handige gratis folder *Map and Guide to Using*

Treinen van Scotrail sluiten in het hele land aan op busroutes

the National Rail Network is op stations verkrijgbaar.

Bij bemande stations zijn meestal gratis dienstregelingen van lokale diensten te krijgen, en op vrijwel alle stations hangen dienstregelingen. Let op: de tijden op zaterdag en zondag verschillen van die op weekdagen (gewoonlijk beperkter).

● U kunt eerste en tweede klas reizen. Eerste klas is duurder, maar verzekert u in drukke treinen van een zitplaats, naast drankjes en kranten. Tweede klas (standaard) is zeer acceptabel. Bij het boeken van uw kaartje kunt u een stoel reserveren.

● Voor sommige nachttreinen van en naar Schotland kunt u bij Scotrail een slaapcoupé boeken (tel. 08457 550033).

Vermijd zo mogelijk de doordeweekse spitsuren (7–9.30 en 16–19 uur). Houd er rekening mee dat de avondspits op vrijdag vaak vroeger begint, vooral voorafgaand aan nationale feestdagen. Neem ruim de tijd, vooral als u moet overstappen.

Als u van plan bent om via Engeland met de Eurostar-trein naar en van Schotland te reizen, informeer dan naar kortingen bij

de NS of Belgische Spoorwegen.
● www.ns.nl
● www.b-rail.be

TIPS

● De West Highland Line is een spectaculaire route door het landschap tussen Glasgow en Mallaig; 's zomers rijden er soms ouderwetse stoomtreinen. Scotrail, tel. 08457 550033; www.scotrail.co.uk
● De *Royal Scotsman* is een luxeueze trein, waarmee tochten van 1–4 nachten mogelijk zijn; tel. 0131 555 1344; www.royalscotsman.com

EEN KAARTJE KOPEN

U moet altijd voor vertrek een geldig plaatsbewijs voor uw reis kopen, anders kunt u een boete krijgen. U moet in elke trein uw kaartje of voordeelkaart kunnen laten zien, samen met andere reisdocumenten. Op alle spoorwegstations kunt u kaartjes voor elke bestemming kopen, ongeacht de maatschappij, aan het loket of uit de kaartautomaat (gewoonlijk voor kortere reizen). De meeste reisbureaus verkopen ook treinkaartjes.

U kunt ook kaartjes online kopen, via www.thetrainline.com of www.qjump.co.uk, waarop u tarieven vindt en snel verschillende soorten kaartjes voor elke reis kunt boeken. Als u geen kaartje vooraf heeft kunnen bemachtigen, moet u er een in de trein kopen.

● Een stoel reserveren is doorgaans niet nodig, maar aan te raden in de spits en verplicht bij bepaalde treinen. In dat geval hoeft u niet extra te betalen.

Op de grote stations zijn alle moderne faciliteiten voorhanden

SOORTEN TREINKAARTJES

De verschillende kaartjes, prijzen en beperkingen van de diverse spoorwegmaatschappijen kunnen flink verwarrend zijn. GNER bijvoorbeeld, met treinen tussen Londen en Schotland, biedt retourtarieven voor Londen–Edinburgh van £36 tot £255. In grote lijnen is het zo dat hoe eerder u uw kaartje boekt (tot 10 weken van tevoren) en hoe flexibeler u kunt zijn over reisdagen en -tijden, hoe minder geld u waarschijnlijk moet betalen. Als u met meer dan vier mensen samen reist, kunt u mogelijk ook flinke korting krijgen.

● Goedkope dagretours zijn het beste voor een dagje uit, maar u kunt ze alleen na 9.30 uur kopen en gebruiken.

● Behalve bij sommige 'rover' of 'open' kaartjes is uw reis gebonden aan de datum (data) op het kaartje. Reisonderbreking (onderweg uitstappen en een latere trein nemen) is niet toegestaan.

Andere kortingen

● Kinderen onder de vijf reizen gratis, die van 5–15 jaar voor half geld, bij de meeste kaartjes (er zijn uitzonderingen).

● Britrail Pass: onbeperkt reizen per trein in het Verenigd Koninkrijk, alleen voor niet-Britten en alleen buiten het Verenigd Koninkrijk te koop.

Ook beschikbaar: Party Passes (50 procent korting voor de derde en vierde passagier); Family Passes (gratis reizen voor een meereizend kind van 5–15 jaar) en Regional Passes (dagreizen uit Londen, Schotland en Wales). Voor informatie: **www.britrail.com**

● Railcard: een kaart voor jongeren (van 16–25 jaar en volwassen studenten die een dagstudie volgen) die £18 kost en in het hele land geldig is. Om deze kaart te kunnen kopen hebt u een pasfoto nodig en een bewijs dat u aan de voorwaarden voldoet.

● Freedom of Scotland Travelpass: zie blz. 42.

OP HET STATION

De meeste stations zijn voorzien van elektronische informatieborden met vertrektijden, stations waar wordt gestopt, perronnummers en geschatte aankomsttijd. Kleine stations kunnen eenvoudig zijn, met weinig faciliteiten. Grotere stations lijken meer op luchthaventerminals, met vertrek- en aankomsttijden bij elk perron.

● Sommige stations in steden zijn voorzien van tourniquets. Stop uw kaartje in de gleuf om door te kunnen lopen: het komt er dan aan de bovenkant weer uit. Als u hulp nodig hebt kunt u naar het bemande tourniquet aan de zijkant gaan. Aan het eind van uw reis wordt uw kaartje door het tourniquet ingeslikt.

● De faciliteiten op grote stations variëren van eenvoudige kiosken en cafés tot specialistische winkels, minimarkten, reisbureaus, restaurants, stomerijen, wisselkantoren en pubs.

● Op perrons en in de stationshal mag meestal wel worden gerookt, in winkels niet.

● Om veiligheidsredenen zijn er op de meeste stations geen faciliteiten voor verloren bagage. Op grotere stations kunt u verloren voorwerpen aangeven bij een informatiebalie.

IN DE TREIN

De faciliteiten in de trein variëren nogal, afhankelijk van de route. In principe zijn alle treinen voorzien van toiletten, van eenvoudige tot grote rolstoeltoiletten met ruimte voor het verschonen van baby's. In veel treinen komt een karretje met eten en drinken langs en op sommige langere trajecten is er een restauratiewagen, waar u drankjes en snacks kunt kopen.

● Roken is verboden, behalve in hiertoe aangewezen rookcoupés (indien aanwezig).

BELANGRIJKSTE SOORTEN TREINKAARTJES		
In aflopende prijsklasse		
KAARTSOORT	**BEPERKINGEN**	**GELDIGHEID**
Open one-way	Geen	Enkele reis op getoonde datum of 1 van de 2 volgende dagen
Day one-way/day return	Geen	Enkele reis of dagretour op getoonde datum
Saver return	Niet in de spitsuren	Retour, terugreis binnen 1 kalendermaand
SuperSaver return	Niet geldig voor 9.30 uur en op vr., 's zomers ook za. en op piekdagen	Retour, terugreis binnen 1 kalendermaand
Cheap-day return	Niet voor 9.30 uur	Goedkope dagretour

Met de auto

De flexibelste manier om door Schotland te reizen is per auto. In het algemeen wordt er veilig gereden, zijn de wegen goed en is de bewegwijzering duidelijk. Denk eraan dat het dragen van veiligheidsriemen verplicht is. Langs de grote wegen vindt u voldoende rust- en tankplaatsen, maar op landelijke routes zijn die er minder en met grotere afstanden ertussen. Op rijden onder invloed staan zware straffen — u kunt het beste niet rijden als u alcohol hebt gedronken.

LINKS RIJDEN
Voertuigen rijden aan de linkerkant van de weg. Denk hier vooral aan als u wegrijdt na aan de kant te hebben gestaan, als u een andere weg inslaat, als u op een weg rijdt met weinig ander verkeer of 's nachts, als u een rotonde nadert (blijf links rijden, rijd met de klok mee, zie ook de tips hieronder), en als u op een enkelbaansweg een ander voertuig tegenkomt. Haal niet links in.

MAXIMUM SNELHEDEN
De maximum snelheid in de bebouwde kom is doorgaans 48 km/uur; op tweebaanswegen 97 km/uur en op vierbaanswegen en snelwegen 113 km/uur.

BRANDSTOF
De meeste benzinestations zijn zelfbediening. Te koop zijn Euro

In alle rust door het Schotse landschap rijden

TIPS: ENKELBAANSWEGEN

Veel kleinere landwegen in Schotland zijn volledig of gedeeltelijk enkelbaans.
- Uitwijkplaatsen zijn aangegeven met een paal, meestal met een vierkant of diamantvormig wit teken erop. Parkeer niet op een uitwijkplaats.
- Rijd niet te hard. Het zicht is vaak beperkt en u hebt tijd nodig om vaart te minderen en naar de kant te gaan om naderende voertuigen te laten passeren.
- Als de dichtstbijzijnde uitwijkplaats aan de rechterkant van de weg is, wacht er dan tegenover om naderend verkeer de gelegenheid te geven u te passeren.
- Als de automobilist achter u haast heeft, draai dan een uitwijkplaats op en laat hem voorbijgaan. Een ongeduldige bumperklever is een blok aan het been.
- Wanneer u een voertuig passeert dat een uitwijkplaats is opgedraaid, controleer dan eerst of er geen andere voertuigen of voetgangers aankomen.
- Als u een ander voertuig tegenkomt en er is geen uitwijkplaats in de buurt, houd er dan rekening mee dat u achteruit naar zo'n plaats moet rijden.
- Pas op beesten op de weg. Minder vaart en wees erop voorbereid dat u vee de ruimte moet geven. Vooral schapen kunnen tot de laatste seconde wachten en dan plotseling voor uw auto rennen. Ook herten kunnen bij donker een riskante verrassing vormen.
- Wees hoffelijk — als iemand u de ruimte heeft gegeven om te passeren, zwaai dan als dank.
- Rijden met een caravan vergt op enkelbaanswegen extra voorzichtigheid; wees erop voorbereid dat u aan de kant moet gaan om achter u rijdend verkeer te laten passeren.

WAAR MOET U AAN DENKEN BIJ ROTONDES

Verleen bij nadering van een rotonde voorrang aan verkeer van rechts, tenzij met verkeersborden, wegmarkeringen of stoplichten iets anders wordt aangegeven. Vergeet niet op de auto's direct voor u te letten. Wees erop bedacht dat verkeer op de rotonde niet altijd (goed) aangeeft of het gaat afslaan.

Voor minirotondes gelden dezelfde regels. Voertuigen MOETEN om de middenmarkering heen rijden.

loodvrij 95 (Unleaded 95), Super Plus loodvrij 98 (Super unleaded 98), diesel (diesel) en soms LPG.

WIELKLEMMEN/WEGSLEPEN

Als uw auto verkeerd geparkeerd staat, kan hij een wielklem krijgen; op het briefje op uw voorruit staat hoe u ervan verlost kunt worden. Meestal worden wielklemmen na betaling binnen een uur verwijderd.
Als uw voertuig is weggesleept, kost het minimaal £125 om hem terug te krijgen. Een voertuig moet persoonlijk worden opgehaald en identificatie is verplicht.

AUTOPECH EN ONGELUKKEN

Bij pech kunnen verschillende organisaties in het Verenigd Koninkrijk u assisteren, zoals de Automobile Association (AA). Vraag na of lidmaatschap van een automobielclub in uw thuisland u recht geeft op hulp van de Britse zusterclub.

Wat te doen bij een ongeluk

Als u betrokken raakt bij een verkeersongeluk, stop dan, blijf lang genoeg ter plaatse en geef uw kentekennummer, naam en adres en die van de eigenaar van het voertuig (als dat iemand anders is) op aan wie op redelijke gronden naar deze gegevens vraagt. Als u deze gegevens niet ter plaatse uitwisselt, moet u het ongeluk binnen 24 uur melden bij een politiebureau of bij een politieagent.

EEN AUTO HUREN

Een huurauto vóór aankomst via uw reisbureau regelen bespaart geld en u kunt dan al van tevoren informeren naar borgsommen, toeslagen voor inleveren op een andere plaats en annulerings- en verzekeringskosten. De bekende autoverhuurders hebben overal in het Verenigd Koninkrijk vestigingen; kleinere lokale en online-bedrijven hebben soms betere aanbiedingen; kijk in de *Yellow Pages*. Zie ook blz. 293.
● Bezit van een rijbewijs is verplicht (een internationaal rijbewijs is niet nodig).
● Bij de meeste verhuurbedrijven moet de chauffeur minstens 23 jaar zijn en minstens een jaar rijervaring hebben.

TABEL MET AFSTANDEN (GROEN, IN MIJLEN) EN REISTIJDEN (BLAUW)

Aberdeen: 225 348 548 319 413 216 131 512 235 357 103 321 301 358 240 538 331 434 501 150 410 150 229 505 357

Aviemore: 359 449 330 425 233 228 314 252 133 226 338 312 322 042 340 342 236 512 205 241 247 240 516 159

Ayr: 405 107 129 138 225 712 144 323 449 215 050 214 439 737 020 515 117 202 307 228 121 121 557

Campbeltown: 302 450 409 426 729 415 316 650 456 323 151 455 755 349 507 519 359 208 442 338 523 604

Dumbarton: 152 112 156 633 117 219 420 159 025 110 359 658 051 411 221 133 203 202 052 225 507

Dumfries: 203 251 738 153 408 515 136 131 258 505 803 128 559 112 228 351 252 147 147 623

Dunfermline: 054 546 025 257 318 111 055 222 313 611 124 427 252 032 240 055 035 259 431

Dundee: 541 113 259 233 159 139 235 308 606 209 422 338 028 247 019 106 343 426

Durness: 605 413 502 651 626 602 237 225 655 356 825 518 521 600 553 829 146

Edinburgh: 312 337 052 100 227 333 631 129 447 243 051 256 114 049 303 450

Fort William: 358 352 242 149 140 439 308 152 437 236 107 318 226 442 248

Fraserburgh: 423 403 459 228 526 433 422 602 252 506 252 330 607 346

Galashiels: 140 306 419 717 202 533 246 138 336 201 129 321 537

Glasgow: 132 353 651 033 433 203 115 225 142 035 207 510

Inveraray: 328 628 158 340 328 209 055 251 148 332 437

Inverness: 303 422 159 552 245 247 327 320 556 122

John o'Groats: 721 433 850 544 546 626 618 855 325

Kilmarnock: 459 133 145 251 211 104 137 540

Kyle of Lochalsh: 629 359 259 441 417 633 210

Newton Stewart: 314 420 341 234 036 709

Perth: 224 045 042 319 405

Oban: 303 209 425 355

St. Andrews: 116 346 445

Stirling: 239 438

Stranraer: 714

Ullapool

95: —
185 180
249 192 161
152 147 43 123
216 209 59 210 92
111 112 76 171 53 108
68 99 121 184 88 151 47
207 133 313 298 255 341 245 232
125 126 83 179 60 78 17 60 258
156 61 130 132 88 177 115 119 166 136
41 93 226 289 193 256 152 108 198 166 154
161 161 92 209 91 61 53 96 294 33 168 201
150 144 36 133 15 76 40 85 277 49 102 190 78
173 133 86 75 44 133 96 108 238 105 72 213 134 58
106 32 212 197 154 240 144 130 104 158 66 100 194 176 138
223 149 329 314 271 357 261 248 93 275 183 218 311 294 255 120
172 166 15 157 38 58 62 107 299 70 125 212 82 23 81 198 315
183 109 204 206 162 251 187 174 153 201 74 177 237 176 146 80 179 199
235 229 52 214 95 48 134 170 362 107 183 235 109 86 138 261 379 64 256
86 84 100 161 67 128 29 21 217 43 146 79 64 86 116 233 86 159 150
181 105 120 88 78 167 105 117 210 126 44 201 158 92 38 110 227 115 118 171 96
80 111 110 192 87 145 40 13 244 55 131 120 91 75 117 143 260 96 187 160 31 125
120 114 65 145 35 92 22 55 247 38 97 160 70 29 70 146 264 51 171 114 34 87 52
235 229 51 213 95 72 125 170 362 133 186 275 133 86 138 261 378 64 256 25 149 172 160 114
160 86 266 243 200 294 198 184 68 212 111 154 248 230 183 57 132 252 86 315 169 155 197 200 315

VERKEERSBORDEN EN TIPS VOOR CHAUFFEURS

Soorten borden
Onderbordjes geven extra informatie

Kruispunten en rotondes

| Verleen voorrang aan het verkeer op de hoofdweg | Stop en verleen voorrang | Voorrangs-kruising | Rotonde | Minirotonde | Doodlopende weg |

Verkeersgedrag

| Stopverbod (doorgaande weg) | Landelijke snelheidslimiet van toepassing | Toegestane maximum snelheid | Eenrichtings-verkeer | Inhalen verboden | Verboden in te rijden |

De weg voor u

| Wegversmalling aan beide kanten | Dubbele bocht, eerst links | U nadert tweerichtings-verkeer | U nadert een fietspad | Wegwerk-zaamheden | Slipgevaar |

GEHANDICAPT OP REIS

Voor bezoekers met een handicap is uitgebreide informatie te vinden in het door VisitScotland uitgegeven *Practical Information for Visitors with Disabilities*, rechtstreeks verkrijgbaar bij toeristenbureaus (blz. 301).

TRIPSCOPE

TRIPSCOPE is een landelijke hulpdienst die reisadvies en -informatie geeft aan mensen met een mobiliteitsprobleem. Over alle aspecten van reizen is advies mogelijk, of het nu om het plannen van een privé-reis gaat of om openbaar vervoer.

Deze hulp is in heel het Verenigd Koninkrijk verkrijgbaar voor de prijs van een lokaal telefoontje naar de hulplijn van TRIPSCOPE. Ook verzoeken per brief, sms, fax en e-mail worden behandeld.

Al het personeel van de hulpdienst heeft persoonlijk ervaring met handicaps en kan uw reisbehoeften met u bespreken om angst vooraf en stress onderweg te helpen verminderen.

● TRIPSCOPE, The Vassall Centre, Gill Avenue, Bristol BS16 2QQ, hulplijn tel. 08457 585641, fax 0117 939 7736

MET HET VLIEGTUIG

Luchtvaartmaatschappijen hebben speciale voorzieningen voor passagiers met een handicap. De meeste hebben een afdeling om vragen te beantwoorden en de reis voor mensen met speciale behoeften te regelen. Sommige budgetmaatschappijen kunnen een toeslag vragen voor deze hulp. Zoals met alle bijzondere verzoeken dient u het reisbureau of de luchtvaartmaatschappij vooraf door te geven wat nodig is.

MET DE BUS

Bussen in het Verenigd Koninkrijk zijn niet standaard toegerust voor vervoer van rolstoelgebruikers of mensen die erg slecht ter been zijn. De bussen die gewoonlijk worden gebruikt, bij zowel korte als lange afstanden, hebben een hoge, steile instap die zelfs lastig kan zijn voor mensen die wat minder goed lopen. Als u voldoende mobiel bent kunt u met lijndiensten mee, maar het personeel is niet bevoegd u te tillen of andere fysieke hulp bij het instappen te geven.

MET DE TREIN

Met handbewogen en elektrische rolstoelen tot een breedte van 67 cm kunt u de trein in, maar grote elektrische rolstoelen en scootmobielen hebben vanwege hun afmetingen in vrijwel geen enkele passagierstrein toegang. Veel treinen hebben lichtgewicht verrijdbare hellingbanen aan boord, voor gebruik op onbemande stations.

Veel kleinere stations zijn onbemand, of alleen op spitsuren bemand. Informatie over deze of alternatieve, toegankelijkere stations waar u terecht kunt, kunt u krijgen als u contact opneemt met de telefonische hulpdienst voor passagiers met een handicap, die door elke spoorwegmaatschappij wordt aangeboden.

Kortingen zijn mogelijk met de Disabled Persons Railcard, beschikbaar voor allerlei soorten gehandicapten. Ook begeleiders krijgen hiermee korting.
● Verdere informatie is te vinden in de folder *Rail Travel for Disabled Passengers*, verkrijgbaar bij spoorwegstations (zie ook www.disabledpersons-railcard. co.uk).

MET DE AUTO
De wet eist dat iedereen die met een gemotoriseerd voertuig reist een veiligheidsriem draagt, indien aanwezig. Dit geldt ook voor mensen met een handicap, met enkele uitzonderingen. Als iemand om medische redenen geen veiligheidsriem mag dragen, is een verklaring van de arts verplicht.

Een rolstoelvriendelijk pad in Ben Lawers, in Midden-Schotland

Een voertuig huren
Bij enkele grote autoverhuurbedrijven in het Verenigd Koninkrijk zijn auto's met handbediening beschikbaar. Rolstoelen, scootmobielen en andere mobiliteits- en medische hulpmiddelen zijn zowel in het Verenigd Koninkrijk als in het buitenland te huur. Bij TRIPSCOPE (tel. 08457 585641) of de hulplijn van de Automobile Association (tel. 0800 262050) kunt u hierover informatie krijgen.

Servicediensten langs de weg en accommodatie
De wet eist dat bij de servicestations langs de snelweg alle faciliteiten, zoals toiletten, rustruimten, restaurants en winkels, volledig toegankelijk zijn.

Hotels als Travelodge, Travelinn en Premier Lodge hebben minimaal één rolstoeltoegankelijke kamer (en gewoonlijk meer) op de begane grond.

Holiday Care is een hulpdienst die gespecialiseerd is in informatie over toegankelijkheid van accommodatie. Men kan u hier informatie geven over hotels, bed-and-breakfasts en guesthouses waar mensen met een handicap zonder problemen terecht kunnen.

● Holiday Care, 7e verd. Sunley House, 4 Bedford Park, Croydon CR0 2AP, tel. 08451 249971, sms 08451 249976, fax 0841 249972; **www.holidaycare.org**

Pech onderweg
Voor doven en slechthorenden zijn alle praatpalen voor noodgevallen langs de snelweg uitgerust met een inductieve koppeling het luisteren met een hoorapparaat vergemakkelijkt. Als u volledig doof bent of een standaard praatpaal zonder deze voorziening treft, herhaal dan uw naam, kentekennummer, handicap en de reden waarom u belt, zodat de telefonist met uw telefoontje aan de slag kan.

Parkeren
De gehandicaptenparkeerkaart, die in het Verenigd Koninkrijk vroeger oranje was, is door de Europese Unie vervangen door een blauwe kaart in alle lidstaten. Het is echter mogelijk dat de regels voor het parkeren in het Verenigd Koninkrijk afwijken van die in andere landen. De Automobile Association heeft een meertalige folder uitgebracht die hierover informatie verschaft.
● AA Disability Helpline, tel. 0800 262050

TOERISTISCHE ATTRACTIES
Interessante plaatsen, zoals landhuizen, musea en themaparken, zijn verplicht hun attracties toegankelijk te maken voor mensen met een handicap, maar de mate waarin dat bij oudere gebouwen mogelijk is, kan variëren. De meeste grote attracties hebben al stappen ondernomen om hun toegankelijkheid te verbeteren. De National Trust for Scotland en Historic Scotland geven beide informatie hierover in hun standaardgids (blz. 301).

WINKELEN
Shopmobility is een systeem dat in circa 20 grote winkelcentra in heel Schotland is ingevoerd om gehandicapten te helpen bij het winkelen. In heel het Verenigd Koninkrijk zijn ongeveer 200 Shopmobilities. Ze bieden diverse soorten mobiliteitshulp, zoals rolstoelen, scootmobielen en hulpmiddelen bij het lopen. In Schotland is de dienst gratis, maar giften zijn welkom.
● Shopmobility Scotland, c/o Shopmobility Dundee, Overgate Centre, Overgate Lane, Dundee DD1 1UF, tel. 01382 228525, fax 01382 224621; e-mail shopmobility–dun@btconnect. com

Dit hoofdstuk is onderverdeeld in de zes regio's van Schotland (zie blz. 5). De belangrijkste plaatsen worden per regio in alfabetische volgorde behandeld. Aan het begin van elke regio vindt u een korte inhoudsopgave. Alle plaatsen staan aangegeven op de kaarten op blz. 307–327.

Wat te zien

Zie blz. 2 voor een verklaring van de symbolen die in dit deel worden gebruikt. De afkortingen NTS en HS geven aan dat een bezienswaardigheid eigendom is van de National Trust for Scotland of van Historic Scotland (zie blz. 302).

ZUID-SCHOTLAND

Zuid-Schotland omvat de Borders en de Lothians, een gebied vol heuvels, weidse groene valleien, kleine stadjes en een verleden vol conflicten met de Engelsen. Het landschap wordt geassocieerd met de dichter Robert Burns, de kunstenaars van Kirkcudbright en de schrijvers Walter Scott en John Buchan.

BEZIENSWAARDIGHEDEN

Whiting Bay, aan de zuidwestkust van Arran

De zuidelijke hoektoren van het driehoekige Caerlaverock Castle

Drumlanrig Castle, een landgoed dat privé-bezit is

ABBOTSFORD

314 K12 • Melrose TD6 9BQ
01896 752043 Juni–sept. ma.–za. 9.30–17, zo. 9.30–17, half mrt.–mei en okt. ma.–za. 9.30–17, zo. 14–17 uur
Volwassene £4,20, kind £2,10 (tot 8 jaar gratis)
www.melrose.bordernet.co.uk

Dit reusachtige grijze landhuis met torentjes is een verplichte halte voor wie wil begrijpen wat er omging in het hoofd van de schrijver Sir Walter Scott (1771–1832), die beroemd werd met epische en romantische gedichten als *The lady of the lake* en romans als *Ivanhoe*. Abbotsford liet hij in 1812 voor zichzelf bouwen aan de oever van de rivier de Tweed, 3 km ten westen van Melrose. Het staat vol curiosa, waarvan sommige — zoals de deur van een cel van de gevangenis in Edinburgh (blz. 69) — letterlijk met het huis verweven zijn. U kunt rondkijken in de bibliotheek van de schrijver, in de eetkamer die uitziet op de rivier en in de wapenkamer, waar de muren behangen zijn met geweren, messen en andere wapens. Het interieur doet een beetje gezocht aan — maar dat past wel bij Scott.
Niet te missen Scotts verzameling snuisterijen van beroemdheden, waaronder de portemonnee van Rob Roy, een heupflacon van Jacobus IV, een notitieboekje van Flora Macdonald, een glas waarop Robert Burns dichtregels geschreven heeft en nog veel meer.

ARRAN, ISLE OF

312 E12 The Pier, Brodick KA27 8AU, tel. 01770 302140 Veerboot van Ardrossan naar Brodick

Dit mooie eiland, dat wel 'Schotland in het klein' wordt genoemd, ligt tussen de kust van Ayrshire en het schiereiland Kintyre in. Het is al generaties lang in trek als vakantiebestemming. De berg Goat Fell (874 m) rijst aan de noordzijde hoog op, en bezoekers kunnen er wandelen, golfen of het eiland te paard verkennen. Het van rood zandsteen gebouwde Brodick Castle (NTS, eind mrt.–okt. dag. 10–17 uur; park: hele jaar dag. 9.30 uur–schemering) is een belangrijke bezienswaardigheid. Er is een verzameling porselein en zilver te zien, maar ook 19e-eeuwse schilderijen met als thema sport en trofeeën. Rond het kasteel ligt een prachtig park.

BIGGAR

313 H12 115 High Street ML12 6DL, tel. 01899 221066, in het seizoen

In de Borders, tussen Glasgow en Edinburgh, ligt het levendige Biggar. Het is een karakteristieke plaats, met een brede hoofdstraat en een centraal plein, dat wordt omringd door winkeltjes en tearooms. Het lokale erfgoed krijgt aandacht in interessante musea, die door wegwijzers vanuit het centrum gemakkelijk te vinden zijn. Het gaat om Gladstone Court (Pasen–half okt. ma.–za. 10.30–17, zo. 14–17 uur) met een replica van een 'winkelstraat', en het Greenhill Farmhouse Museum (mei–sept. za.–zo. 14–17 uur), dat de vervolging van de Covenanters in de 17e eeuw belicht (blz. 26–27).

BURNS NATIONAL HERITAGE PARK
Zie bladzijde 58–59

CAERLAVEROCK CASTLE

313 H15 • Glencaple, Dumfries DG1 4HD 01387 770244 Apr.–sept. dag. 9.30–18.30, okt.–mrt. ma.–za. 9.30–16.30, zo. 14–16.30 uur (HS) volwassene £3, kind £1
www.historic-scotland.gov.uk

Drie enorme ronde torens markeren de hoeken van dit vervallen kasteel, dat in de vorm van een driehoek is opgetrokken uit roze zandsteen. Ooit woonde hier de familie Maxwell. Het ligt dicht bij de oever van de Solway, zo'n 13 km ten zuidoosten van Dumfries. Twee zijden werden beschermd door een zeearm en de derde door een slotgracht, een wal en een imposante poort. Het kasteel stamt uit de 13e eeuw en is in de 15e eeuw ingrijpend verbouwd. Rond 1630 heeft men meer comfort aangebracht — een fraaie toevoeging uit die tijd is de rijkelijk bewerkte binnenmuur.

CULZEAN CASTLE AND COUNTRY PARK
Zie bladzijde 60

DRUMLANRIG CASTLE, GARDENS AND COUNTRY PARK

313 H13 • Thornhill DG3 4AQ 01848 330248 Kasteel: mei–aug. ma.–za. 11–16, zo. 12–16 uur. Park: mei–sept. dag. 11–17 uur
Volwassene £6, kind £2 (tot 5 jaar gratis), familie £14. Alleen park en tuinen, volwassene £3, kind £2, gezin £8
www.buccleugh.com

Dit imposante 17e-eeuwse kasteel ligt te midden van groene heuvels 29 km ten noorden van Dumfries. Het is een van de huizen van de hertog van Buccleuch, een van de rijkste grootgrondbezitters van Schotland. De vier torens met torentjes erbovenop zorgen voor een bijzonder silhouet. Het kasteel biedt vanaf de rechte oprijlaan een prachtige aanblik. Binnen zijn er gelambriseerde vertrekken en een bewerkt eiken trappenhuis te zien, maar ook een internationaal bekende kunstcollectie.
Verder kunt u de strak aangelegde tuinen verkennen en ambachtslieden aan het werk zien. Er zijn fietsen te huur.

Burns National Heritage Park, Alloway

●

Na een bezoek aan de geboorteplaats van de Schotse bard begrijpt u beter waarom de Schotten zijn werk zo waarderen.

Het geboortehuis van Burns staat in Alloway en dateert van 1757

Het oorspronkelijke manuscript van 'Auld lang syne'

Burns trok door het land om belastinggeld te innen

SCORE	
Leuk voor kinderen	● ● ●
Historisch interessant	● ● ● ● ●
Fotogeniek	● ● ●
Beloopbaar	● ● ● ● ●

PRAKTISCH

✚ 312 F13 • Murdoch's Lone KA7 4PQ
☎ 01292 443700 🕐 Apr.–sept. dag. 9.30–17.30, rest van het jaar 10–17 uur
💶 Volwassene £5, kind £2,50 (tot 5 jaar gratis), gezin £12,50 📖 Gids £2 🍴 Restaurants bij het museum en The Tam o' Shanter Experience 📷 Cadeaushop bij The Tam o' Shanter Experience ♿
www.burnsheritagepark.com

BURNS NATIONAL HERITAGE PARK VERKENNEN

Robert 'Rabbie' Burns (1759–1796) is de beroemdste Schotse dichter. Zijn verjaardag (25 januari) wordt wereldwijd gevierd met het eten van *haggis*. Hij werd arm geboren in een cottage in Alloway. Het huis vormt, met het museum en andere gebouwen in het park, het belangrijkste onderdeel van het Heritage Park.

HOOGTEPUNTEN

STATUE HOUSE

Tam o'Shanter is een geestige ballade over de beschonken Tam, die op een nacht naar huis rijdt op zijn grijze merrie en onderweg heksen bespiedt. De heksen krijgen dat in de gaten en zetten de achtervolging in. De merrie verliest onderweg haar staart (vandaar de naam van veel watervallen in het gebied, blz. 61). Beeldhouwer James

Burns Memorial neemt een prominente plek in (rechts op de foto)

Thom maakte levensechte beelden van de personages uit de ballade. Deze staan nu in het Statue House, maar reisden vroeger rond om geld bijeen te brengen voor het Burns-monument.

Burns' ouders liggen begraven bij de Auld Kirk (kerk) in Alloway

HET BURNS-MONUMENT

De Burns-cultus ontstond al gauw na zijn dood, toen er rond 1820 geld werd ingezameld voor het Burns-monument. Het ligt aan de andere kant van het park en er worden evenementen georganiseerd. Vanaf het dak hebt u uitzicht op zijn geliefde Alloway. Er is een audio-visuele presentatie bij de Tam o' Shanter Experience en u kunt de brug, de Auld Brig o' Doon, zien die een rol speelt in zijn gedichten.

ACHTERGRONDEN

Burns mislukte als boer, was niet gelukkig in de liefde en had buitenechtelijke kinderen. Hij trouwde in 1788 met Jean Armour, maar pas na relaties met onder meer Elizabeth Paton en Mary Campbell. Zijn liefde voor het leven en zijn aandacht voor de menselijke zwakheden was echter ongekend en dit is de reden waarom zijn poëzie nog altijd zo geliefd is. Burns' oeuvre kenmerkt zich door gevatte observaties van het leven van alledag, geloof in een universele broederschap en uiterst romantische en schuine teksten. Liedjes als *Ae fond kiss*, *A red, red rose* en *Auld lang syne* behoren tot het Schotse culturele erfgoed. Bij Burns' graf in Dumfries is een museum (apr.–sept. *ma.–za. 10–17, zo. 14–17, rest van het jaar di.–za. 10–13 en zo. 14–17 uur*).

De schrijfwaren van de dichter, met leren foedraal

De opmerkelijke Bruce's Stone ligt aan Loch Trool

WAT TE ZIEN

GLEN TROOL

⊞ 312 F14 ⓘ Glentrool Visitor Centre, Newton Stewart, tel. 01671 840302 ◉ Park: hele jaar vrij toegankelijk. Bezoekerscentrum: apr.–aug. dag. 10.30–17, sept.–okt. 10.30–16.30 uur ⬚ www.forestry.gov.uk

Het Galloway Forest Park bestaat uit zo'n 76.000 ha ongerept landschap en een loch in de zuidwestelijke hoek van Schotland. Het is in 1947 opgericht. Hoewel een groot deel ervan is begroeid met voor de verkoop bestemde coniferen, is Glen Trool nog altijd een schitterend natuurgebied met oude eikenbossen, die in de herfst op hun mooist zijn.

Wandel- en fietspaden voeren vanaf het bezoekerscentrum ten oosten van het dorp Glentrool door het park en het langeafstandspad de Southern Upland Way loopt hier niet ver vandaan. Bruce's Stone, aan het einde van de weg bij het loch, herinnert aan een overwinning van Robert the Bruce op de Engelsen in 1307 (zie ook blz. 202–203). **Niet te missen** Het weidse uitzicht vanaf de parkeerplaats aan het einde van de weg.

GRETNA GREEN

⊞ 314 J14 ⓘ The World Famous Old Blacksmith's Shop Centre DG16 5EA, tel. 01461 338441; in het seizoen ⓘ Gretna Green

Gretna Green dankt zijn bekendheid aan de ligging bij de grens, waardoor er vroeger veel huwelijksvoltrekkingen plaatsvonden. Volgens de Schotse wet waren er alleen enkele getuigen nodig om te kunnen trouwen en daarom liepen veel stelletjes weg uit Engeland om hier stiekem te trouwen. Tegen betaling wordt zo'n ceremonie nagespeeld bij het World Famous Old Blacksmith's Shop Centre (*sept.–mei dag. 9–17,*

De fraaie, gelaagde tuin aan de zuidzijde van het kasteel

CULZEAN CASTLE AND COUNTRY PARK

Dit mooie 18e-eeuwse landhuis van architect Robert Adam ligt in een prachtig kustgebied.

⊞ 312 F13 • Maybole KA19 8LE ☎ 01655 884455 ◉ Kasteel: apr.–okt. dag. 10.30–17, nov.–dec. za.–zo. 10–16 uur; country park: hele jaar dag. 9.30 uur–zonsondergang ⓘ (NTS) Kasteel en park: volwassene £9, kind £6,50, gezin £23. Alleen park: volwassene £5, kind £3,75, gezin £13,50 📖 Gids £4,95 🍴 Home Farm Restaurant ☕ Old Stables Coffee House 🎁 Parkwinkel en tuincentrum ♿ www.culzeancastle.net

SCORE				
Leuk voor kinderen	●	●	●	●
Historisch interessant	●	●	●	●
Fotogeniek	●	●	●	●
Natuur	●	●	●	●

Culzean (spreek uit: Cullane) is het meest geliefde gebouw van Schotland dat onder monumentenzorg valt. Die populariteit dankt het grotendeels aan het omringende park — 228 ha prachtige tuinen en weelderige bossen, doorkruist door talloze paden. Bezoekers kunnen een ommuurde tuin, een volière en een hertenpark bekijken en verspreid over het terrein zijn er folly's te zien.

Het uit goudkleurig steen opgetrokken kasteel met zijn statige torens en gekanteelde dakrand ligt aan de rand van een rotswand. U bereikt het gebouw, dat hoog oprijst boven een terrasvormige tuin, via een brug. Het 18e-eeuwse interieur is een meesterwerk van de Schotse architect Robert Adam, die er van 1777 tot 1792 aan werkte voor de familie Kennedy, die sinds de 12e eeuw in dit deel van Ayrshire zeer machtig was.

Hoogtepunten zijn het mooie ovale trappenhuis en de Circular Saloon. De bovenste verdieping is in 1945 aangeboden aan generaal Eisenhower als dank voor de Amerikaanse hulp aan Schotland tijdens de Tweede Wereldoorlog. Foto's en persoonlijke voorwerpen herinneren aan zijn bezoeken. Het is mogelijk te overnachten in het Eisenhower-appartement.

Niet te missen Het uitzicht op het ruige eiland Ailsa Craig vanuit de Circular Saloon.

De waterval Grey Mare's Tail komt uit in de Tail Burn (beek)

Hermitage Castle is in de 14e eeuw verbouwd

Een steiger voert naar de schepen bij Irvine's Maritime Museum

juni–aug. 9–19 uur), waar u verder niet te veel van moet verwachten. Afgezien van een paar mooie stukjes is Gretna niet zo bijzonder. Het beleefde een sterke groei tijdens de Eerste Wereldoorlog, toen er in het geheim een grote munitiefabriek werd gebouwd. The Devil's Porridge in het nabijgelegen Eastriggs *(half mei–okt. di.–za. 10–16, zo. 12–16 uur)* vertelt het verhaal. Er is in Gretna een winkelcentrum met voordelige kleren van bekende ontwerpers.

GREY MARE'S TAIL

313 J13 Unit 1, Ladyknowe, Moffat DG10 9DY, tel. 01683 220620 Bezoekerscentrum: apr.–okt. Gratis, donatie gewenst Bel voor informatie over begeleide tochten tel. 01556 502575
www.nts.org.uk

In een Highland-achtig landschap in de Borders, niet ver van de A708, 13 km ten noordoosten van Moffat, is deze spectaculaire waterval te zien. Hij stort zich maar liefst 61 m omlaag. Het water is afkomstig van Loch Skeen, dat van beneden af niet zichtbaar is. Steile paden voeren naar de top (stevige wandelschoenen onontbeerlijk), maar het uitzicht op het ongerepte loch is de klim zeker waard. Informeer bij het toeristenbureau in Moffat naar de mogelijkheid van wandeltochten met een gids. **Niet te missen** Het slechtvalkennest hier dichtbij, live te zien op tv in het bezoekerscentrum.

HADDINGTON

314 K11 Quality Street, North Berwick EH39 4HJ, tel. 01620 892197; in het seizoen

Dit fraaie marktplaatsje wordt omringd door akkers langs de rivier de Tyne en ligt 29 km ten oosten van Edinburgh. In de 12e eeuw kreeg het stadsrechten (de inmiddels verzande haven van Aberlady fungeerde als doorgeefluik voor de handel met het Europese vasteland). Later werd het de provinciehoofdstad van East Lothian. De protestantse hervormer John Knox is hier rond 1505 geboren. Het oorspronkelijke middeleeuwse plaatsje is opgebouwd volgens een driehoekig stratenplan, dat nog zichtbaar is in High Street, Market Street en Hardgate. De in frisse, warme tinten geschilderde 18e-eeuwse Georgian gebouwen langs High Street bieden een mooie en harmonieuze aanblik. Het mooi geproportioneerde stadhuis is in 1748 gebouwd door William Adam. St. Mary's Church dateert van de 15e eeuw.

HERMITAGE CASTLE

314 K14 • Newcastleton TD9 0LU 01387 376222 Apr.–sept. dag. 9.30–18.30 uur (HS) Volwassene £2, kind 75p

De donkere, zandstenen muren van dit afgelegen Border-fort rijzen hoog op boven het drassige terrein langs de rivier Hermitage Water, 24 km ten zuiden van Hawick. De afwezigheid van ramen geeft aan dat dit nooit een knus kasteel is geweest, maar dat er duistere zaken zijn voorgevallen.

De familie Douglas kreeg in de 14e eeuw een strak, rechthoekig gebouw in bezit en veranderde het in het grote, strenge bouwwerk dat het nu nog is. Ooit liep er een houten gevechtsplatform langs de buitenkant, hoog boven de grond. Eén eigenaar is levend gekookt wegens moord en hekserij, en een andere, die een rivaal liet verhongeren in de kerker, is in een bos in de buurt vermoord. Mary Stuart bracht het kasteel in 1566 een bezoek, tijdens een 129 km lange tocht die ze maakte om haar geliefde Bothwell te zien.

IRVINE

312 F12 22 Sandgate, Ayr KA7 1BW, tel. 01292 678100 Irvine

Irvine, een moderne plaats aan de kust van Ayrshire, heeft twee leuke bezienswaardigheden.

Een wetenschapscentrum (The Big Idea) en een dependance van het Scottish Maritime Museum liggen beide aan de oude haven. The Big Idea *(mrt.–okt. ma.–vr. 10–17, za.–zo. 10–18 uur, rest van het jaar ma. en di. gesloten)* ligt op de plek waar de Zweedse explosievendeskundige Alfred Nobel (1833–1896) de British Dynamite Company stichtte. Controleer hoe ver u al bent gevorderd op uw rondgang door het museum met de iButton, probeer iets uit te vinden en maak een rit langs de geschiedenis van de explosieven — leuk voor kinderen.

In het Maritime Museum *(ma.–za. 10–16 uur)* gaat het iets rustiger toe: u ziet er aangemeerde schepen en woningen van scheepsbouwers.

JEDBURGH

314 K13 Murray's Green TD8 6BE, tel. 0870 6080404; in het seizoen

Jedburgh ligt aan de oude hoofdweg vanuit Engeland en is getuige geweest van tal van conflicten — het stadskasteel is vaak aangevallen en herbouwd en in 1409 uiteindelijk totaal verwoest. Nu is er op die plek in een oude gevangenis het Jedburgh Castle Jail and Museum *(Pasen–okt. ma.–za. 10–16, zo. 13–16 uur)* te zien.

De vervallen abdij *(HS, apr.–sept. dag. 9.30–18.30, rest van het jaar ma.–za. 9.30–16.30, zo. 14–16.30 uur)* neemt een prominente plek in het centrum in. Dit was een van de mooiste middeleeuwse Border-abdijen (met die van Kelso, Dryburgh en Melrose), en de schapen van de

Een galerij met Normandische rondbogen in Jedburgh Abbey

Hier ziet u Hornels doeken in zijn eigen huis, Broughton House

WAT TE ZIEN

monniken leverden de wol aan de succesvolle weverijen die de basis legden voor de rijkdom van deze plaats.

Mary Stuart verbleef in 1566 in een versterkt huis met trapgevel *(mrt.–nov. ma.–za. 10–16.30, zo. 11–16.30 uur)*, en verliet het korte tijd om haar geliefde Bothwell te bezoeken, die gewond was geraakt tijdens een ruzie in Hermitage Castle.
Niet te missen Het dodenmasker in het huis van Mary Stuart, dat naar verluidt werd gemaakt na haar onthoofding.

JOHN MUIR COUNTRY PARK

✠ 318 K11 🏛 143A High Street, Dunbar EH42 1ES, tel. 01368 863353 🚌 Dunbar
www.edinburgh.org

John Muir (1838–1914), een inwoner van Dunbar, emigreerde in 1849 naar de VS en stichtte daar de eerste nationale parken. Dit 733 ha grote landschapspark dat zich ten westen van Dunbar langs de kust uitstrekt rond Belhaven Bay is naar hem genoemd — hij keek als kind tijdens stormen vaak toe hoe de zee tegen Dunbar Castle aan beukte. Het park vormt het leefgebied voor tal van vogelsoorten en het ligt niet ver van Edinburgh. Het is een open en weids gebied met lange stranden en zilte moerassen, maar ook rotswanden en rotsige kusten, omzoomd met bossen.
Niet te missen Het uitzicht op Bass Rock vanaf de rotsige kaap aan de westzijde van het park.

KELSO

✠ 314 K12 🏛 Town House, The Square TD5 7HF, tel. 0870 6080404; in het seizoen

Kelso, een van de mooiste Borders-stadjes die in de 18e eeuw zijn opgeknapt, is gebouwd

KIRKCUDBRIGHT

Een kunstenaarsdorp aan de monding van de Dee.

✠ 313 G15 🏛 Harbour Square DG6 4HY, tel. 01557 330494, in het seizoen

SCORE				
Historisch interessant	●	●	●	
Fotogeniek	●	●	●	●
Bijzondere winkels	●	●	●	
Beloopbaar	●	●	●	● ●

Dit mooie havenstadje (spreek uit: Kirkoobree) ligt ten zuidwesten van Castle Douglas. Het ligt in een afgelegen gebied en heeft daardoor veel van zijn charme behouden. Het stratenplan is middeleeuws en het vervallen kasteel in het centrum stamt uit de 16e eeuw. Kirkudbright kwam in trek als pleisterplaats voor schilders in 1901, toen kunstenaar en 'Glasgow Boy' E.A. Hornel (1864–1933) zich hier met enkele vrienden vestigde. Broughton House aan High Street, waar hij woonde en werkte, is nu een museum *(NTS, onlangs heropend na renovatie)*. Men zegt dat de inwoners Hornel en zijn vrienden om een kleuradvies vroegen als hun gevels geschilderd moesten worden — zo kreeg High Street zijn geslaagde kleurenpalet.

Meer schilderijen van in Kirkcudbright werkende kunstenaars, zoals Jessie M. King, S.J. Peploe en Charles Oppenheimer, zijn te zien in het Tolbooth Art Centre *(ma.–za. 11–16, juni–sept. ook zo. 14–17 uur)*. Andere voorwerpen, zoals boekillustraties en aardewerk, zijn te zien in het Stewartry Museum in St. Mary Street *(dezelfde tijden als Tolbooth)*. Voor hedendaagse kunst die ook te koop is, moet u zijn in de kleinschalige Harbour Cottage Gallery, aan de oude haven.
Niet te missen Hornels Japanse tuin bij Broughton House.

Het centrum van Kirkcudbright kunt u te voet verkennen

Subtropische planten in Logan Botanic Garden

MELROSE

Een inspirerende combinatie van een pittoresk dorp en een schitterende, maar in verval geraakte abdij.

314 K12 Abbey House TD6 9LG, tel. 0870 608 0404; in het seizoen www.visitscottishborders.com

SCORE				
Historisch interessant	●	●	●	●
Fotogeniek	●	●	●	●
Winkelen	●	●	●	
Beloopbaar	●	●	●	●	●

De Romeinen hebben hier, bij een brug over de Tweed, een immens fort gebouwd. Ze noemden het Trimontium, naar de drie toppen van de nabijgelegen Eildon Hills. Er is niet veel te zien, maar het Three Hills Roman Heritage Centre in dit Border-dorp plaatst alles in de juiste context *(apr.–okt. dag. 10.30–16.30 uur)*.

Een ander monument uit het verleden van Melrose dateert van 1136, toen David I de roze zandstenen abdij stichtte die even onder het centrum ligt *(HS, apr.–sept. dag. 9.30–18.30, rest van het jaar ma.–za. 9.30–16.30 uur)*. Het gebouw werd in de 14e eeuw beschadigd door de Engelsen en later herbouwd. De familie Douglas roofde veel stenen om er een huis mee te bouwen. Op initiatief van schrijver Walter Scott is er in de 19e eeuw gerenoveerd; de ruïnes zijn majestueus en het beeldhouwwerk schitterend — kijk goed omhoog om de heiligen, draken, bloemen en een doedelzakspelend varken te bekijken.

In het dorp vindt u delicatessenzaken, een goede boekhandel en Priorwood Gardens, waar bloemen worden gekweekt die gedroogd kunnen worden *(NTS, juli–aug. ma.–za. 10–17, zo. 13–17, juni en sept.–nov. ma.–za. 12–17, zo. 13–17 uur)*. **Niet te missen** De plek in de abdij waar het hart van Robert the Bruce is begraven, aangegeven met een inscriptie.

Gotische steunberen en pinakels sieren het dak van de abdij

rond een ruim plein. Van Kelso Abbey, ooit de grootste van alle Border-abdijen, is na een aanval van de Engelsen bijna niets meer over. Hier vlakbij ligt de fraaie brug met vijf bogen over de rivier de Tweed, die in 1803 door John Rennie is gebouwd en die model zou hebben gestaan voor de Waterloo Bridge in Londen. De balustrade biedt uitzicht op Floors Castle *(apr.–okt. dag. 10–16.30 uur)*, het grootste bewoonde huis van Schotland. Het is een monument voor de rijkdom van de hertogen van Roxburghe. De bouw begon in 1718 en William Playfair voerde in 1838–1849 een verbouwing uit, compleet met peperbuskoepeltjes. U ziet hier kunst, wandkleden en Franse meubels.

KIRKCUDBRIGHT

Zie bladzijde 62

LOGAN BOTANIC GARDEN

312 E15 • Port Logan, Stranraer DG9 9ND 01776 860231 Mrt.–okt. dag. 10–18, rest van het jaar 10–17 uur Volwassene £3, kind £1 (tot 5 jaar gratis), gezin £7 Rondleiding met audioset www.rbge.org.uk

Dit vorstvrije hoekje van de Rhinns of Galloway, in het uiterste zuidwesten, doet dienst als bewaarplaats voor kwetsbare planten uit de Royal Botanic Garden in Edinburgh (blz. 86). Exotische soorten van het zuidelijk halfrond gedijen goed op de zurige grond, zoals de palmachtige cordyline, trachycarpus en natuurlijk boomvarens *(dicksonia)*. U ziet hier klaprozen uit het Himalaya-gebergte en Zuid-Afrikaanse protea's, en in de zomer bloeien er veel planten in de ommuurde tuin. De rododendrons en primula's uit de bostuin komen veel bezoekers bekend voor.

Afgedankte vliegtuigen krijgen een plekje bij East Fortune

Kijk eens rond in een echte mijnschacht in Wanlockhead

De parochiekerk van Peebles rijst op boven de rivier de Tweed

MELLERSTAIN HOUSE

✚ 314 K12 • Gordon TD3 6LG
☎ 01573 410225 ⏰ Pasen en mei–okt. zo.–ma., wo.–vr. 12.30–17, okt. ook za. 12.30–17 uur 💷 Volwassene £5,50, kind £3 (tot 16 jaar gratis) 💳 📷
www.mellerstain.com

Dit geweldige, 18e-eeuwse landhuis ten noordwesten van Kelso staat bekend om zijn architectuur en zijn stijlvolle interieur. Het is nog altijd het familiehuis van de graaf van Haddington. Architect William Adam begon in 1725 met de bouw van de twee vleugels in zilvergrijs steen. Het grote centrale deel werd in 1778 voltooid door zijn zoon Robert (1728–1792), die vervolgens het interieur onder handen nam. Het fijne stucwerk is overal fraai, maar vooral in de muziekkamer, de bibliotheek en de zitkamer, waar het doet denken aan de decoratie van Wedgwoodservies.

MELROSE

Zie bladzijde 63

MUSEUM OF FLIGHT

✚ 318 K11 • East Fortune Airfield, East Fortune EH39 5LF ☎ 01620 880308
⏰ Apr.–okt. dag. 10–17, nov.–mrt. 11–16 uur 💷 Volwassene £3,50, kind (tot 16 jaar) gratis, korting £1,50; speciale tentoonstellingen duurder 💳 📷
www.nms.ac.uk/flight

Wie historische vliegtuigen wil zien, moet hier zijn, op zo'n 5 km ten noorden van Haddington. De collectie omvat meer dan 50 vliegtuigen, uiteenlopend van een uit Glasgow afkomstige vliegmachine die fungeerde als inspiratiebron voor de gebroeders Wright, tot een Avro Vulcan-bommenwerper. Het fascinerende museum voert u met zijn authentieke hangars en andere gebouwen – tamelijk compleet overgebleven van een Britse vliegbasis uit de Tweede Wereldoorlog – terug in de tijd. Hier

steeg in 1910 ook het beroemde vliegtuig *R34* op voor de eerste oversteek van oost naar west over de Atlantische Oceaan.
Niet te missen Percy Pilchers Hawk-zweefvliegtuig (1896), dat de Amerikaanse luchtvaartpioniers Orville en Wilbur Wright zou hebben geïnspireerd.

MUSEUM OF LEAD MINING

✚ 313 H13 • Wanlockhead, bij Biggar ML12 6UT ☎ 01659 74387
⏰ Apr.–juni en sept.–okt. dag. 10.30–16.30, juli-aug. 10–17 uur 💷 Volwassene £4,95, kind £3,25 (tot 5 jaar gratis), gezin £12 💳 📷
www.leadminingmuseum.co.uk

Wie Wanlockhead binnenrijdt, het hoogstgelegen dorp van Schotland (468 m), omringd door de winderige en met heide begroeide Lowther Hills, betreedt een andere wereld. Tijdens een wandeling door het dorp, die begint in het bezoekerscentrum, krijgt u een beeld van een gemeenschap van mijnwerkers die generaties lang heeft gezwoegd in de loodmijnen. Ga naar de Straitsteps Cottages om te zien hoe een gezin hier leefde in 1740 en in 1890, en ontdek de bescheiden openbare bibliotheek, die in 1756 werd opgericht en de op een na oudste van Europa zou zijn. Heel interessant is een rondleiding in een oude loodmijn door een mijnwerker.

NEW ABBEY

✚ 313 H15 🏠 64 Whitesands, Dumfries DG1 2RS, tel. 01387 253862

Sweetheart Abbey is een zeer romantische naam. De pittoreske ruïnes in dit Galloway-dorp ten zuiden van Dumfries danken hun naam aan een verhaal over eeuwige trouw. De cisterciënzerabdij *(HS, apr.–sept. ma.–za. 9.30–18, zo. 12–16.30, rest van het jaar ma.–do. 9.30–12, za.*

9.30–17, zo. 14–16.30 uur) is in de 13e eeuw gesticht door Devorgilla, de vrouwe van Galloway en echtgenote van John Balliol. Na zijn dood droeg ze zijn hart 20 jaar lang bij zich en werd ermee begraven voor het hoogaltaar van deze abdijkerk.

In de nabijgelegen New Abbey Corn Mill *(HS, zelfde tijden als de abdij)*, een intact gebleven watermolen uit de 18e eeuw, maalde men vroeger haver.

Shambellie House Museum of Costume *(apr.–okt. dag. 11–17 uur)* is gevestigd in een pand dat dateert van circa 1850 en dat in de stijl van die tijd is ingericht. In de kamers zijn poppen geplaatst die kleding uit bepaalde periodes dragen. Liefhebbers van mode mogen deze hoofdlocatie van de kostuumcollectie van het Nationaal Museum of Scotland niet aan zich voorbij laten gaan.

NEW LANARK WORLD HERITAGE SITE

Zie bladzijde 65

PEEBLES

✚ 313 J12 🛈 High Street, Peebles EH45 8AG, tel. 0870 6080404

Het is altijd druk in de hoofdstraat van dit levendige Borderplaatsje, 56 km ten zuiden van Edinburgh. De winkeltjes en familiebedrijven (weinig winkelketens) doen goede zaken. Bezoekers komen hier om te winkelen en te genieten van de gemoedelijke sfeer. Wandel- en fietspaden doorkruisen de bosrijke omgeving, te beginnen met de eenvoudige wandeling die vanuit het park langs de Tweed naar het verder stroomopwaarts gelegen Neidpath Castle *(Pasen en mei–half sept. ma.–za. 10.30–16.30, zo. 12.30–16.30 uur)* voert. Deze 14e-eeuwse woontoren ligt hoog boven de rivier. (U kunt na het kasteel

De fraai gedecoreerde Prentice Pillar in de Rosslyn Chapel

doorlopen en via een in onbruik geraakte spoorbrug langs de overzijde terugkeren.)

ROSSLYN CHAPEL

317 J11 • Roslin EH25 9PU 0131 440 2159 Ma.–za. 10–17, zo. 12–16.45 uur Volwassene £4, kind £1 (tot 13 jaar gratis)
www.rosslynchapel.org

In een klein mijnstadje 10 km ten zuiden van Edinburgh ligt het meest raadselachtige gebouw van Schotland. In 1446 werd hier door William St. Clair, de derde graaf van Orkney, een kerk gesticht. Het gebouw moest een groot kruis vormen, maar alleen het koor en delen van de muren van het oostelijke transept zijn voltooid. De kerk wordt in verband gebracht met de tempeliers en andere geheime genootschappen, en volgens sommigen is de Heilige Graal er verborgen. Binnen ziet u een overweldigende hoeveelheid middeleeuwse ornamenten. Iedere gewelfrib, boog en zuil is gedecoreerd met reliëfs, bladeren en allerlei soorten versieringen, waaronder afbeeldingen van de zeven hoofdzonden en andere religieuze thema's.
Niet te missen De beroemde Prentice Pillar met sierlijke ranken en gevleugelde slangen die in hun eigen staart bijten.

SCOTTISH SEABIRD CENTRE

318 K11 • The Harbour, North Berwick EH39 4SS 01620 890202 Apr.–okt. dag. 10–18, rest van het jaar ma.–vr. 10–16, za.–zo. 10–17.30 uur Volwassene £4,95, kind £3,50 (tot 5 jaar gratis), gezin £13,50 North Berwick
www.seabird.org

In het Seabird Centre, een modern gebouw op een rotswand, komt u alles te weten over de

Een industriële modelgemeenschap op het platteland

NEW LANARK
WORLD HERITAGE SITE

Dit dorp met zijn katoenfabriek laat zien hoe industrieel erfgoed een succesvol tweede leven kan krijgen.

313 H12 • New Lanark Mills, Lanark ML11 9DB 01555 661345 Bezoekerscentrum: dag. 11–17 uur Volwassene £5,95, kind £3,95 (tot 3 jaar gratis), gezin £16,95– £19,95 Lanark (1,6 km) £1,95 Owen's Warehouse, gehele dag geopend voor snacks en lunch Cadeaushop in Owen's Warehouse, ook filiaal van de Edinburgh Woollen Mill Gehandicapte bezoekers kunnen tijdens de audiovisuele show en de 'dark ride' gebruikmaken van een speciale stoel
www.newlanark.org

SCORE	
Leuk voor kinderen	● ● ●
Historisch interessant	● ● ● ● ●
Fotogeniek	● ● ● ●
Natuur	● ● ●

TIP

● De gratis folder 'Discover New Lanark World Heritage Site' is in alle toeristenbureaus verkrijgbaar. Hij bevat een eenvoudige plattegrond – handig voor het plannen van uw bezoek.

De filantroop David Dale (1739–1806) zette in 1786 in deze diepe vallei een katoenfabriek op en stichtte er een dorp. Het is echter zijn schoonzoon, de Welshman Robert Owen (1771– 1858), die het sterkst wordt geassocieerd met het dorp, dat hij in 1799 kocht. Hij was een vriendelijke idealist die in twintig jaar tijd een modelgemeenschap wist te realiseren met goede werk- en woonomstandigheden voor de arbeiders en hun gezinnen. Er was ook een school (met naar verluidt het eerste kinderdagverblijf en de eerste speeltuin ter wereld), een instituut voor volwassenenonderwijs en een dorpscoöperatie. Het dorp raakte echter in verval en in 1973 begon de New Lanark Conservation Trust met de restauratie.

De arbeiderswoningen zijn inmiddels weer bewoond, maar in de fabriek wordt geen katoen meer verwerkt. Tijdens de hightech Millennium Experience, de 'dark ride', legt men uit hoe deze werkte. Verder kunt u rondkijken in de cottage van een molenaar, in Robert Owens huis, in de school en in de Village Store. U kunt zelfs overnachten in het New Lanark Mill Hotel (3 sterren) of in zelfstandige cottages.
Niet te missen De wandeling naar de drie watervallen die verder stroomopwaarts liggen – vooral na een bui zijn ze prachtig.

Jan-van-gents, de grote attractie van het Scottish Seabird Centre

Thirlestane Castle (1595) met zijn fraaie torentjes

De ongerepte kust bij St Abb's, leefgebied van duizenden vogels

vogels in de Firth of Forth, en dan vooral over de jan-van-gent-kolonie van Bass Rock *(jan.–okt.)*. Er zijn leerzame interactieve opstellingen en natuurfilms te zien. Het uitzicht op de eilanden is prachtig — ga op het terras van het café zitten, of volg in de lente via een tv-verbinding hoe papegaaiduikers en andere zeevogels een nest bouwen. 's Winters zijn er op het Isle of May, waar de grootste kolonie kegelrobben van het land leeft, pluizige jonge zeehondjes te zien. **Niet te missen** Inzoomen en een foto maken van een foeragerende scholekster bij de vloedlijn.

ST. ABB'S HEAD NATIONAL NATURE RESERVE

🔲 314 L11 • St. Abbs, Eyemouth TD14 5QF ☎ 01890 771443 🕐 Hele jaar door vrij toegang. Bezoekerscentrum: apr.–okt. dag. 10–17 uur 💷 Donatie; parkeerplaats £2–£4 🅿️
www.nts.org.uk

Hier nestelen duizenden zeevogels. Het ongerepte landschap is prachtig, ongeacht het jaargetijde. De rotswanden van rood zandsteen, grillig gevormd door wind en zee, rijzen vanaf het strand wel 100 m hoog op. Dat smokkelaars de grotten gebruikten om hun illegale waar te verbergen, verbaast niemand. De meeste nesten hier zijn van noordse stormvogels, drieteenmeeuwen, zeekoeten, papegaaiduikers en alken. Tegen het einde van de lente vormen de rotswanden een zo drukke, verticale stad dat horen en zien je vergaat.

Tijdens een rondwandeling naar de vuurtoren komt u langs Mire Loch, waar dodaars, knobbelzwanen en kuifeenden voorkomen.

TANTALLON CASTLE

🔲 318 K11 • bij North Berwick ☎ 01620 892727 🕐 Apr.–sept. dag. 9.30–18.30, rest van het jaar ma.–za.

9.30–16.30, zo. 14–16.30 uur 💷 (HS) volwassene £3, kind £1 🎫
www.historic-scotland.gov.uk
Dit machtige fort stond zelfs nadat het in 1528 20 dagen lang beschoten was door de kanonnen van koning Jacobus V nog overeind. Het ligt zo'n 5 km ten oosten van North Berwick, hoog op een kaap. Het wordt aan drie kanten beschermd door de zee en verder door een muur van 15 m hoog en bijna vier meter dik. Tantallon was sinds de 14e eeuw de vesting van de Red Douglases, graven van Angus. In 1651, tijdens de burgeroorlog, werd hal verwoest.

THIRLESTANE CASTLE

🔲 314 K12 • Lauder TDU 6RU ☎ 01578 722430 🕐 Mei–okt. zo.–vr. 10.30–16.30 uur 💷 Volwassene £5,50, kind £3 (tot 5 jaar gratis). Alleen terrein: volwassene £2, kind £1 🅿️
www.thirlestanecastle.co.uk

Thirlestane was een eenvoudige, uit roze zandsteen opgetrokken woontoren even ten oosten van Lauder. In de 1670–1676 is deze in opdracht van de hertog van Lauderdale, de toenmalige minister van Buitenlandse Zaken, verbouwd door William Bruce en Robert Mylne — die ook werkten aan Holyrood Palace (blz. 83). Vreemde, halfronde traptorens sieren de buitenmuren, maar het door Hollandse vaklieden aangebrachte sierpleisterwerk op de plafonds trekt de meeste aandacht: guirlandes en fraaie ranken met accenten in goudverf. **Niet te missen** Het plafond van de lange zitkamer, waaraan vijf jaar is gewerkt.

THREAVE GARDEN AND ESTATE

🔲 313 G15 • Castle Douglas DG7 1RX ☎ 01556 502575 🕐 Tuin en landgoed: hele jaar dag. Bezoekerscentrum en streekcentrum: apr.–okt. dag. 9.30–17.30, mrt. en nov.–dec. 10–16 uur.

Huis: mrt.–okt. wo.–vr. en zo. 11–16 uur (rondleiding verplicht, toegang op vastgesteld tijdstip) 💷 Tuin: volwassene £5, kind £3,75, gezin £13,50 🅿️ 🎫
❓ Elektrische rolstoelen aanwezig
www.nts.org.uk

Wie zich ooit heeft afgevraagd hoe de National Trust for Scotland de tuinen bij de monumenten zo mooi krijgt en onderhoudt, vindt hier het antwoord. Threave is een investering in de toekomst: het is een oefentuin waar hoveniers les krijgen en ideeën kunnen uitproberen. Het resultaat is er niet minder om. Het terrein omvat een grote ommuurde tuin en minder formele gedeelten waar ruimte is voor experimenten. Threave House dateert van 1872 en wordt omringd door een fraai stuk grond met een oppervlakte van 480 ha vlak bij Castle Douglas. **Niet te missen** Borders vol bloeiende planten in de zomer en de narcissen in het vroege voorjaar (200 soorten!).

TRAQUAIR

Zie bladzijde 67

VIKINGAR!

🔲 312 F12 • Greenock Road, Largs KA30 8QL ☎ 01475 689777 🕐 Viking! Experience: apr.–sept. zo.–vr. 10.30–17.30, za. 12.30–15.30 en okt. zo.–vr. 10.30–15.30, za. 12.30–15.30, feb. en nov. za. 12.30–15.30, zo. 10.30–15.30 uur 💷 Volwassene £4, kind £3 (tot 5 jaar gratis), gezin £12,20 🅿️ Largs 🅿️ 🎫
www.vikingar.co.uk

Vikingar! laat zien hoe groot de invloed van Scandinavië op de geschiedenis van Schotland is geweest. In dit centrum komt u veel te weten over de vikingen, van de vroege invasies tot hun nederlaag tijdens de Slag bij Largs in 1263. Poppen, audiovisuele effecten en behaarde acteurs brengen het vikingverle-

De 12e-eeuwse priorij bij Whithorn, in het uiterste zuidwesten

den tot leven. Snuif vikinggeuren op in de Homestead (hoeve) en kijk rond in de Hall of the Gods (godenzaal), waarin religie centraal staat. Verder is er een film te zien met geschreeuw en gekletter van zwaarden, en in de Hall of Knowledge (kenniszaal) steken volwassenen en kinderen veel op van de replica's van houtsnijwerk, informatiepanelen en een touch-screencomputer.

THE WHITHORN STORY

⊞ 312 F15 • 45–47 George Street, Whithorn DG8 8NS ☎ 01988 500508 🕐 Apr.–okt. dag. 10.30–17 uur 💷 Volwassene £2,70, kind £1,50 (tot 5 jaar gratis), gezin £7,50 🅿 ♿ www.whithorn.info

Er was in 1581 een speciale wet nodig om de toestroom van pelgrims naar Whithorn te stuiten. Rijk en arm trok naar het graf van St.-Ninian, de eerste Schotse christelijke missionaris, die hier in 397 een stenen kerk bouwde. Daarna volgde een priorij, maar de ruïnes die u hier nu ziet zijn van een 12e-eeuws bouwwerk. Bij opgravingen zijn gegraveerde stenen en kleinere, persoonlijker schatten gevonden, die werden achtergelaten door de pelgrims. Nu legt men er de resten van een 5e-eeuws dorp bloot. Het centrum verzorgt audiovisuele presentaties en biedt toegang tot de belangrijkste plekken.

WIGTOWN

⊞ 312 F15 🛈 Machars Information Office, 26 South Main Street DG8 9EH, tel. 01988 402036 www.wigtown-booktown.co.uk

In 1998 bestempelde dit dorp zichzelf tot Boekenstad van Schotland. Langs de hoofdstraat staan leuke zwart-witte huizen en liefhebbers kunnen naar hartelust grasduinen bij de vele antiquarische boekhandels en in het krantenarchief.

Een hoekje in de bibliotheek van dit eeuwenoude Schotse huis

TRAQUAIR

Deze onopvallende bezienswaardigheid is het oudste bewoonde huis van Schotland.

⊞ 314 J12 • Innerleithen EH44 6PW ☎ 01896 830323 🕐 Juni–aug. dag. 10.30–17.30, half apr.–mei en sept. 12–17, okt. 11–16 uur 💷 Huis en tuin: volwassene £5,60, kind £3,10, gezin £16,50. Alleen terrein: volwassene £2,50, kind £1,25 🅿 £3,50 🍴 Zelfgemaakt gebak in het Cottage Restaurant uit 1745 in de Old Walled Garden 🛍 In de cadeauwinkel zijn souvenirs en bier te koop; antiekwinkel; kunstnijverheid te koop bij ateliers 🍴 www.traquair.co.uk

Er hangt rond Traquair, een prachtig oud kasteel omringd door bomen op 19 km ten zuidoosten van Peebles, een romantische sfeer. Onder Jacobus III was het een jacht-slot – de 'moderne' toevoegingen stammen uit 1680. Met zijn grijze pleisterwerk biedt het gebouw een serene aanblik. Ooit stroomde de Tweed er zo dicht langs dat de landheer zijn hengel gewoon uit het raam kon steken. Daar kwam verandering in toen William Stuart, die vrijwel het hele huidige gebouw liet bouwen, in 1566 de loop van de rivier liet aanpassen.

Traquair is verbonden met de lotgevallen van Mary Stuart, koningin der Schotten. Zij verbleef hier in 1566 (haar bed staat nu in de King's Room). De beroemde Bear Gates zijn nooit meer geopend sinds Bonnie Prince Charlie er in 1745 doorheen is gereden. Een geheime trap voert naar de Priest's Room (priesterkamer), waar relikwieën worden bewaard uit de tijd dat de katholieken in Schotland werden vervolgd. In 1965 is de brouwerij van Traquair nieuw leven ingeblazen – tegenwoordig produceert men hier drie zware bruine bieren, die over de hele

SCORE	
Leuk voor kinderen	● ● ● ●
Historisch interessant	● ● ● ● ●
Fotogeniek	● ● ●
Bijzondere winkels	● ● ● ●

wereld aftrek vinden – u kunt ze proeven in de winkel van de brouwerij.

Het voormalige koninklijke jachtslot vormt het hart van Traquair

EDINBURGH

De hoofdstad van Schotland biedt met zijn schitterende, 18e-eeuwse architectuur in de zogeheten New Town een verfijnde en verzorgde aanblik. Sommige bezienswaardigheden behoren tot de interessantste van het land, zoals de nationale musea en het beroemde kasteel boven op een steile rots boven de stad.

BEZIENSWAARDIGHEDEN

De 'gekantelde' Salisbury Crags bij Arthur's Seat rijzen hoog op boven Holyroodhouse aan de oostzijde van de Oude Stad van Edinburgh

Het stadsmuseum van Edinburgh is gevestigd aan de Royal Mile

WAT TE ZIEN

ARTHUR'S SEAT

🚌 309 van F2 🚍 24, 25
🚉 Edinburgh Waverley

De kale groene heuvel met de naam Arthur's Seat is met zijn 251 m van grote afstand te zien. Het is een overblijfsel van een 325 miljoen jaar oude vulkaan, omringd door zeven lagere heuvels. De hoge rotswanden, de Salisbury Crags, zijn in een latere ijstijd ontstaan. De heuvels zijn vrij toegankelijk en het gebied, met ook vier kleine lochs, die deel uitmaken van het Royal Park of Holyrood, biedt goede wandelmogelijkheden en een mooi uitzicht op Holyrood Palace. Parkeerplaatsen vindt u bij het paleis, in het dorp Duddingston en bij St. Margaret's Loch en Dunsappie Loch (beide aangelegd). Duddingston Loch is een vogelreservaat.

CALTON HILL

🚌 309 E1 🚹 Edinburgh Lothian Tourist Information Centre, 3 Princes Street EH2 2QP, tel. 0131 473 3800 🚍 40 🚉 Edinburgh Waverley

In de 18e eeuw stond Edinburgh bekend als het Athene van het noorden en de vergelijking werd zo ver doorgedreven dat men een replica van het Parthenon wilde bouwen als monument voor de soldaten die waren gesneuveld tijdens de Napoleontische Oorlogen. Doordat (naar verluidt) in 1829 het geld op raakte, staat er een half voltooid bouwsel op Calton Hill, aan de oostzijde van Princes Street.

Op deze heuvel vindt u verder de City Observatory, opgericht in 1776, de uit 1816 stammende toren met het Nelson Monument (apr.–sept. ma. 13–18, di.–za. 10–18, rest van het jaar ma.–za. 10–15 uur) en andere monumenten. Het uitzicht vanaf het winderige park, 107 m boven de stad, is de klim zeker waard.

CAMERA OBSCURA AND WORLD OF ILLUSIONS

🚌 308 C2 • Castlehill, The Royal Mile EH1 2ND ☎ 0131 226 3709 🕐 Apr.–okt. dag. 9.30–18, rest van het jaar 10–17 uur 💷 Volwassene £5,95, kind £3,70 (tot 5 jaar gratis) 🚍 35 🚉 Edinburgh Waverley
www.camera-obscura.co.uk

. De Camera Obscura is te vinden aan het bovenste eind van de Royal Mile in een kasteelachtig gebouw, de Outlook Tower. Het begon in 1853 als Short's Popular Observatory en groeide uit tot het Victoriaanse equivalent van een modern, interactief wetenschapsmuseum.

De camera obscura is een grote gaatjescamera, zonder film. Hij projecteert een fascinerend en weids uitzicht op de stad op een speciale ondergrond. Het beeld verandert van minuut tot minuut. De camera kan ver inzoomen om details zichtbaar te maken, zoals van de drukbezochte Princes Street Gardens (blz. 77).

Tuur ook eens door de Superscope, de krachtigste telescoop van het land, en bekijk de oude foto's en camera's.

CANONGATE KIRK

🚌 309 E2 • Canongate EH8 8BR ☎ 0131 556 3515 🕐 Juni–sept. ma.–za. 10.30–16, zo. 10–12.30 uur 💷 Gratis 🚍 35 🚉 Edinburgh Waverley 🚹

Toen Jacobus VI/II in 1687 de abdijkerk Holyrood (blz. 83) veranderde in een kapel voor de ridders van de Distel, moest de wijk Canongate een nieuwe kerk krijgen. Deze werd een jaar later gebouwd op de heuvel, naast de Tolbooth (zie hieronder). Het opvallende Hollandse dak en het sobere interieur geven blijk van de handelscontacten van Canongate met de Lage Landen. Let op de vergulde hertenkop op de

punt van het dak, traditioneel een geschenk van de vorst.

Enkele vooraanstaande Edinburghers zijn begraven op het kerkhof, onder wie de economen filosoof Adam Smith (1723–1790) en David Rizzio, de geliefde van Mary Stuart, die in 1566 werd vermoord. Robert Burns betaalde bij wijze van eerbetoon de grafsteen van de dichter Robert Fergusson (1750–1774). Fergusson werd op jonge leeftijd waanzinnig en overleed, maar zijn volkse gedichten over de stad leverden die de bijnaam Auld Reekie op.

CANONGATE TOLBOOTH/ THE PEOPLE'S STORY MUSEUM

🚌 309 E2 • 163 Canongate EH8 8BN ☎ 0131 529 4057 🕐 Ma.–za. 10–17, tijdens festival ook zo. 12–17 uur 💷 Gratis 🚍 35 🚉 Edinburgh Waverley 🚹
www.cac.org.uk

Het in Franse stijl gebouwde Old Tolbooth, iets hoger op de heuvel dan Canongate Kirk, stamt uit 1591. Het deed dienst als raadszaal voor de onafhankelijke 'burgh' Canongate, totdat deze in 1856 bij de stad werd gevoegd. Het is ook enige tijd in gebruik geweest als wijkgevangenis. De grote, iets van het gebouw afstaande klok is toegevoegd in 1884.

In het gebouw huist tegenwoordig The People's Story, een museum dat is gewijd aan het leven van alledag in Edinburgh vanaf de 18e eeuw tot heden. Tableaux en handwerk, geluiden en geuren geven een beeld van het leven in een cel, van een stoffenwinkel en van een bediende en een tramconducteur (de 'clippie', die de kaartjes knipte). U krijgt te zien hoe men moeizaam betere leefomstandigheden veroverde, een betere gezondheid en een leukere besteding van de schaarse vrije tijd die men toen had.

Edinburgh Castle

•

Het oudste kasteel van Schotland trekt ieder jaar een miljoen bezoekers. Het herbergt de indrukwekkende symbolen van het Schotse nationalisme: de kroonjuwelen en de Stone of Scone. Binnen het kasteel zijn verschillende militaire musea te bezichtigen, waaronder het National War Museum.

's Zomers staat de Esplanade in het teken van de Militaire Taptoe

St. Margaret's Chapel ligt vlak bij de top van de rots

De One o'Clock Gun klinkt iedere dag behalve zondag

EDINBURGH CASTLE BEKIJKEN

Om bij het kasteel te komen moet u eerst de Esplanade oversteken, waar in de zomer de stoelen voor de Militaire Taptoe (blz. 160–161) staan opgesteld. Ga de poort door, loop de steile, geplaveide hellingbaan op en geniet van het grandioze uitzicht op de stad en van een breed scala aan attracties. Binnen de dikke muren zult u ervaren dat het kasteel een eenheid vormt: machtig, afgelegen en afgesneden van de rest van Edinburgh.

HOOGTEPUNTEN

ARGYLE BATTERY

Deze plek biedt u de gelegenheid om, onderweg naar de Castle Rock, even op adem te komen en te genieten van het uitzicht op de noordzijde van de stad. Achter u ligt Lang Stairs — een steile, bochtige trap die in de Middeleeuwen de belangrijkste toegang vormde, toen de kanonnen nog niet zo zwaar waren dat ze een breder en vlakker pad nodig hadden. De opstelling van de kanonnen op de batterij was een ideetje van koningin Victoria — het zijn scheepskanonnen die van voren geladen moeten worden en die hier onbruikbaar zijn. Het One o'Clock Gun, een veldkanon uit de Tweede Wereldoorlog, wordt om 13 uur afgeschoten op Mills Mount Battery. De traditie stamt uit 1861.

ST. MARGARET'S CHAPEL

Het oudste onderdeel van het kasteel is de 12e-eeuwse kapel die door koning David I is gewijd aan zijn moeder, St. Margaret, de vrouw van Malcolm III. Zij stierf hier in 1093. De kapel bestaat uit één witgekalkte ruimte met Normandische boogramen. Hij heeft verschillende aanvallen op het kasteel doorstaan en wordt soms nog gebruikt voor een huwelijk of doop. De kapel staat onder Mons Meg, het kanon op de borstwering dat Jacobus II in 1457 kreeg van de hertog van Bourgondië. Het heeft een bereik van 4 km, maar was door zijn enorme gewicht onbruikbaar. In 1681 blies het zijn eigen loop op.

SCORE				
Leuk voor kinderen	●	●	●	● ●
Historisch interessant	●	●	●	● ●
Fotogeniek	●	●	●	● ●
Prijs-kwaliteitverhouding	●	●	●	○ ○

TIPS

● Bezoekers die niet goed ter been zijn, worden in een minibusje naar het kasteel gebracht — informeer naar deze service bij het loket.

● Leden van Historic Scotland hoeven niet in de rij te staan voor een kaartje; zij mogen zo doorlopen naar het kasteel.

● De grote esplanade voor het kasteel is in gebruik als betaalde parkeerplaats (maar let op: niet in juni–okt.).

Mighty Mons Meg (boven) kon stenen kanonskogels van 150 kilo afvuren

St. Margaret (links). Het door Douglas Strachan ontworpen raam in de kapel stamt uit 1922

SCOTTISH NATIONAL WAR MEMORIAL

Het National War Memorial, een van de nieuwere gebouwen op Castle Rock, is in 1923–1928 door Robert Lorimer ontworpen ter nagedachtenis aan de 150.000 Schotse manschappen die zijn omgekomen tijdens de Eerste Wereldoorlog. Later zijn er de namen van de 50.000 Schotse slachtoffers uit de Tweede Wereldoorlog aan toegevoegd. De imposante entree, geflankeerd door een stenen leeuw en een eenhoorn, ligt aan uw rechterhand als u Crown Square betreedt. Het donkere steen verleent het interieur iets sombers. De 12 Schotse regimenten worden ieder apart herdacht in de Hall of Honour. In een open ruimte midden in het gebouw is de top van de 70 miljoen jaar oude rots waarop het kasteel is gebouwd omgevormd tot heiligdom waarop een kist staat waarin de namen van de doden worden bewaard. De figuur erboven is St.-Michael.

Het kasteel is gebouwd op een vulkanische basaltrots

De 'colours' (vlag) van de Glengarry Fencibles

De Honours of Scotland zijn de oudste regalia van het land

www.historic-scotland.gov.uk
Deze praktische en efficiënte site biedt actuele informatie over de activiteiten van Historic Scotland en over de 300 monumenten.

● Mensen die een audio-tour volgen, veroorzaken een 'opstopping' bij de kroonjuwelen – als u weinig tijd hebt en het niet erg vindt om de tableaux over te slaan, kunt u rustig doorlopen naar voren.

Wervende poster uit 1910

CROWN ROOM

De Crown Room, op de eerste verdieping van het Royal Palace, bereikt u aan het einde van een wandeling langs ontelbare schilderijen van historische gebeurtenissen. Sla deze over (tenzij u de audiotour volgt) en loop door naar de topstukken: de eeuwenoude Honours of Scotland: een kroon, een scepter en een zwaard. De kroon dateert van 1540 en is gemaakt van Schots goud, bezet met halfedelstenen uit de Cairngorms. Hij is vervaardigd door James Mosman, die in het John Knox House (blz. 76) woonde. Het zwaard en de scepter waren geschenken van de paus. De regalia zijn na de eenwording met Engeland in 1707 opgeborgen en waren bijna in de vergetelheid geraakt toen Sir Walter Scott ze in 1818 weer boven water bracht.

De Stone of Destiny wordt in dezelfde vitrine tentoongesteld. Op deze steen, die oorspronkelijk bewaard werd in Scone Palace (blz. 99), werden Schotse koningen gekroond totdat Edward I hem stal en mee naar Londen nam. De steen, symbool voor de opbloei van het Schotse nationalisme, is in 1996 teruggehaald uit Westminster Abbey.

'PRISONS OF WAR'

De nieuwste attractie in het kasteel is de tentoonstelling over de gewelven waar Amerikaanse, Franse, Spaanse, Nederlandse en Ierse krijgsgevangenen werden opgesloten tijdens de Amerikaanse Onafhankelijkheidsoorlog in de 18e eeuw. Franse gevangenen kerfden hun namen in de deuren en deze 'graffiti' is te zien in de delen die zijn teruggebracht in de staat waarin ze verkeerden in 1781.

SCOTTISH NATIONAL WAR MUSEUM

De geschiedenis van de Schotse soldaat komt aan bod in dit onverwacht fascinerende museum in het Ordnance Storehouse. U ziet hier van alles wat, van een verklaring van trouw aan Charles Edward Stuart ondertekend door jacobieten van het regiment van de hertog van Perth in 1745 (blz. 28) tot de tuniek van generaal Haig, opperbevelhebber van het Britse leger in Frankrijk in 1916. Verder ziet u uniformen, onderscheidingen en wapens, maar ook drie olifantentenen, afkomstig van een legermascotte. Het dier, dat in het kasteel woonde, symboliseerde olifantenbadge van het 78e Highland Regiment of Foot. De olifant was dol op bier en overleed in 1840 op jonge leeftijd.

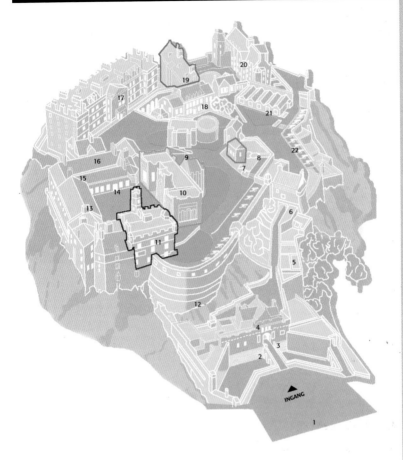

ACHTERGRONDEN

Edinburgh Castle ligt hoog boven de stad op een reusachtig stuk vulkanisch gesteente. Het symbool van de Schotse natie ligt op een vulkaan die 70 miljoen jaar geleden is uitgedoofd en heeft door zijn ligging eeuwenlang aanvallen weten te weerstaan. De gletsjers die het omringende landschap glad hebben geschuurd, hadden geen vat op de rots. Dat is te zien aan de bijna loodrechte rotswanden aan de noord- en zuidkant en de aflopende 'staart' van steen aan de oostzijde – de uitloper waarover tegenwoordig de Royal Mile loopt.

In de Bronstijd, rond 850 v.Chr., ontstond de eerste nederzetting en in 600 n.Chr. werd de rots ingenomen door een leger dat hem Din Eidyn noemde. In de Middeleeuwen was de nederzetting zwaar versterkt en uitgegroeid tot koninklijke residentie. Het kasteel werd tijdens de Lang Siege van 1567–1573 belegerd door de regent van Jacobus VI, die er in 1566 was geboren als zoon van Mary Stuart. Aanhangers van Mary hielden lange tijd stand tegen de regent James Douglas, graaf van Morton (circa 1516–1581) en zijn Engelse troepen. Het kasteel ging grotendeels verloren, maar de zegevierende Morton liet het herbouwen en Half Moon Battery aanleggen. Later gaf het koningshuis de voorkeur aan Holyroodhouse (blz. 83). Oliver Cromwell verbouwde de 16e-eeuwse Great Hall tot kazerne toen hij het kasteel in 1650 innam (het gerestaureerde balkenplafond is prachtig). Sindsdien is het kasteel in gebruik als garnizoensplaats.

1 Esplanade
2 Beeld van Robert the Bruce
3 Beeld van William Wallace
4 Poortgebouw
5 Old Guardhouse (nu de cadeauwinkel)
6 Portcullis Gate (met Argyle Tower daarboven)
7 St. Margaret's Chapel
8 Mons Meg
9 Foog's Gate
10 Scottish National War Memorial
11 Royal Palace
12 Half Moon Battery
13 Great Hall
14 Queen Anne Building
15 Gewelven
16 Militaire gevangenis
17 New Barracks
18 Governor's House (nu de officiersmess)
19 Ordnance Storehouse (nu het Scottish National War Museum)
20 Hospitaal
21 Koetshuis (nu het restaurant)
22 One o'Clock Gun

Spelevaren op de rivier de Almond bij Cramond

CRAIGMILLAR CASTLE

➕ 309 naast E3 • Craigmillar Castle Road EH16 4SY ☎ 0131 661 4445 🕐 Apr.–sept. dag. 9.30–18.30, okt.–mrt. ma.–wo. en za. 9.30–16.30, do. 9.30–12, zo. 14–16.30, uur 🎫 (HS) volwassene £2,20, kind 75p 🚌 33 ♿ www.historic-scotland.gov.uk

Dit schitterende middeleeuwse kasteel, op 4 km ten zuidoosten van het centrum (vlak bij de A7), wordt door de nabijheid van zijn beroemde buur uit Edinburgh vaak vergeten. Craigmillar werd halverwege de 18e eeuw verlaten en raakte in verval. Het hart ervan is een stevige toren met een L-vormig grondplan (15e eeuw). De muren zijn hier en daar wel 2,7 m dik. De toren verrees op de plek van een oudere vesting van de familie Preston. Massieve deuren, een wenteltrap, smalle doorgangen en twee buitenmuren moesten Engelse aanvallers buiten houden. Mary Stuart zocht hier meermaals bescherming als de grond haar in Holyrood te heet onder de voeten werd, vooral na de moord op David Rizzio in 1566. Het kamertje waarin zij dan sliep draagt haar naam.

CRAMOND

➕ 308 naast A1 ℹ️ Edinburgh Lothian Tourist Information Centre, 3 Princes Street EH2 2QP, tel. 0131 473 3800 🚌 41, 42

Edinburgh bestaat uit verschillende dorpen. Sommige hebben hun eigen identiteit grotendeels behouden, zoals Cramond, ten westen van het centrum, bij Queensferry. In de 18e eeuw bloeide hier, dankzij de ligging aan de monding van de rivier de Almond, de op waterkracht functionerende industrie op. In de vier ijzergieterijen werden allerhande voorwerpen gemaakt en er was een papiermolen, maar nu heerst er op het met bomen

Een fascinerend schouwspel: de 'lavastroom' bij Restless Earth

DYNAMIC EARTH

Dit leuke wetenschapscentrum biedt wat tegenwicht aan de vele enigszins statische attracties van Edinburgh.

➕ 309 F2 • 112 Holyrood Road EH8 8AS ☎ 0131 550 7800 🕐 Mrt.–okt. dag. 10–18, rest van het jaar wo.–zo. 10–17 uur 💷 Volwassene £8,45, kind £4,95 (tot 5 jaar gratis); gezin £22,50; bij speciale tentoonstellingen soms duurder 🚌 35, 64; ook halte op routes Guide Friday, Mactours en Edinburgh Classic Tours 🚆 Edinburgh Waverley 🅿️ £4 🍴 Restaurant The Food Chain, met alcoholvergunning 🎁 Goed gesorteerde cadeauwinkel 🚻 ❓ Trek ten minste 90 minuten uit voor een bezoek www.dynamicearth.co.uk

Het tentachtige dak van dit wetenschapspark rijst als een wit gordeldier op aan de rand van Holyrood Park. Het ziet er heel bijzonder uit en is uitgegroeid tot een populair millenniumproject. Het vertelt het verhaal van het ontstaan van de aarde, vanaf de zogeheten Big Bang (te zien vanaf de brug van uit een ruimteschip) tot het heden (wie woont waar in het regenwoud). De informatie is verpakt in hapklare, virtuele brokken – ideaal voor kinderen, maar iets te vluchtig voor wie echt in de materie geïnteresseerd is.

De boodschap – de wereld is een fascinerende plek die voortdurend in ontwikkeling is – komt duidelijk over. De planeet wordt verkend in 11 zalen, waarin zaken aan de orde komen als vulkaanuitbarstingen, de koude aan de beide polen en een verkenningstocht per 'onderzeeër' langs vreemde zeewezens en koraalriffen. Op de afdeling Restless Earth kunt u ervaren hoe een aardbeving voelt, terwijl onder u borrelende lava stroomt, en in een tropisch regenwoud wordt u overvallen door een flinke bui. Zelfs de oneindigheid van het heelal komt aan bod: in de tijdmachine worden met behulp van lichteffecten en spiegels ontelbare sterren gecreëerd. Een hoogtepunt is de vlucht (te zien op verschillende schermen) over bergen en gletsjers.
Niet te missen De virtuele vlucht in Shaping the Surface.

SCORE				
Leuk voor kinderen	●	●	●	● ●
Fotogeniek			●	● ●
Bijzondere winkels	●	●	●	● ●
Prijs-kwaliteitverhouding	●	●	●	●

DAGTRIP
Holyroodhouse; Arthur's Seat

De Fruitmarket is in 1994 door Richard Murphy verbouwd

Een weelderige kamer in het Georgian House

Een vergulde havik boven de ingang van Gladstone's Land

omzoomde pad langs de rivier, dat voert naar een 17e-eeuwse brug, een diepe rust. De Romeinen bouwden hier in de 2e eeuw een haven om de langs de muur van Antoninus gelegerde troepen te kunnen bevoorraden. Er vertrekt een pontje naar Dalmeny en er varen veel plezierjachtjes rond. **Niet te missen** Maak, net als de lokale bevolking, een avondwandeling langs de rivier en ga daarna naar de Cramond Inn voor een drankje.

DYNAMIC EARTH
Zie bladzijde 74

EDINBURGH CASTLE
Zie bladzijde 70–73

EDINBURGH ZOO

308 off A3 • 134 Corstorphine Road EH12 6TS ☎ 0131 334 9171 Apr.–sept. dag. 9–18, okt. en mrt. 9–17, nov.–feb. 9–16.30 uur Volwassene £8, kind £5 (tot 3 jaar gratis), gezin £24; speciale evenementen duurder 100, 12, 26, 31, X15, X26; Guide Friday; Airport Bus www.edinburghzoo.org.uk

In de dierentuin van Edinburgh krijgen bezoekers de kans veel verschillende dieren van dichtbij te bekijken. In deze moderne dierentuin staan educatie en bescherming van bedreigde diersoorten hoog in het vaandel. U vindt hem in Corstorphine, zo'n 5 km ten westen van het centrum, tegen een steile helling aan. Hoogtepunten zijn het gibbonverblijf, de safari naar de African Plains (zebra's en antilopen tegen de achtergrond van het typisch Schotse Edinburgh Castle!), en natuurlijk de pinguïns. Informeer naar evenementen als de nachtelijke rondleiding. **Niet te missen** Kijk om 14.15 uur hoe de pinguïns een wandeling buiten het hok maken (apr.–sept.), bij gunstig weer.

FRUITMARKET GALLERY

309 D2 • 45 Market Street EH1 1DF ☎ 0131 225 2383 Aug. dag. 11–21.30, sept. ma.–wo. 11–18, do.–za. 11–21.30, zo. 12–17, rest van het jaar ma.–za. 11–21.30, zo. 12–17 uur Gratis Edinburgh Waverley www.fruitmarket.co.uk

De naam zegt het al: dit moderne museum, achter Waverley Station, is gevestigd in het gebouw dat eens de fruitmarkt herbergde. Met het City Art Centre er precies tegenover (*ma.–za. 10–17, in aug. ook zo. 14–17 uur*), vormt het een chique en artistieke enclave in het centrum. De glazen pui aan de voorzijde van dit mooie oude gebouw stelt voetgangers in staat enkele tentoongestelde stukken vanaf de straat te bekijken. Het uitstekende en levendige café trekt veel bezoekers. Tijdens wisselende exposities is werk te zien van jonge Schotse kunstenaars en internationale kunst met een Schotse context. In de boekhandel zijn goede kunstboeken te koop.

GEORGIAN HOUSE

308 B1 • 7 Charlotte Square EH2 4DR ☎ 0131 226 3318 Mrt. en nov.–dec. dag. 11–15, apr.–okt. 10–17 uur (NTS) volwassene £5, kind £3,75 (tot 5 jaar gratis), gezin £13,50 13, 19, 37, 40, 41 Edinburgh Waverley www.nts.org.uk

De noordzijde van Charlotte Square toont de elegantie van de New Town (blz. 84–85). Architect Robert Adam (1728–1792) bouwde hier een enkel blok met de uitstraling van een paleis. Het is met zijn symmetrische metselwerk, gebosseerde onderkant en rijkbewerkte bovenkant typerend voor deze stijl. In het Georgian House, in het midden, krijgt u een goed beeld van hoe men in Edinburgh leefde rond 1800. De

National Trust for Scotland heeft hier met oog voor detail een woning in oude staat teruggebracht – zie bijvoorbeeld het Wedgwoodservies op de eettafel. **Niet te missen** Kijk om een idee te krijgen van hoe de verhoudingen lagen even rond in de keuken – in de kelder.

GLADSTONE'S LAND

309 D2 • 477b Lawnmarket EH1 2NT ☎ 0131 226 5856 Apr.–okt. ma.–za. 10–17, zo. 14–17 uur (NTS) volwassene £3,50, kind £2,60 (tot 5 jaar gratis), gezin £9,50 23, 27, 28, 35, 41, 42, 45 Edinburgh Waverley www.nts.org.uk

Deze 17e-eeuwse woonkazerne is een van de hoogtepunten van een wandeling door de oude stad. Het smalle gebouw laat zien hoe vol het was in deze wijk – uitbreiding kon alleen door de hoogte in te gaan. De zes verdiepingen geven een beeld van de status van de eigenaar, de koopman Thomas Gledstanes, die het gebouw in 1617 uitbreidde.

De stenen bogen, ooit langs de hele High Street te zien, zijn inmiddels een zeldzaamheid. Op de begane grond heeft de National Trust for Scotland de 17e-eeuwse winkeltjes en alleen door de met vogels en bloemen beschilderde plafonds gerestaureerd. Op de eerste verdieping is een woning in 17e-eeuwse stijl ingericht.

GRASSMARKET

308 C2 Edinburgh Lothian Tourist Information Centre, 3 Princes Street EH2 2QP, tel. 0131 473 3800 2 Edinburgh Waverley

De weg waarover men vroeger de stad vanuit het westen bereikte kwam (via de West Port, die nog terugkomt in een straatnaam) uit op deze open ruimte onder de kasteelrots. De Grassmarket bood sinds

Lekker buiten eten op een terrasje aan de brede Grassmarket

Het John Knox House is gevestigd aan de Royal Mile

De eetkamer in Edwardian stijl van Lauriston Castle

WAT TE ZIEN

1477 plaats aan een graan- en veemarkt, en tot 1784 werden hier mensen ter dood gebracht. Een stenen schijf geeft aan waar de galg stond en fungeert als monument voor de Covenanters die hier het leven lieten. In de 19e eeuw sloegen de beruchte moordenaars Burke en Hare meermaals toe op de Grassmarket: de lijken verkochten ze aan de anatomen van de lokale ziekenhuizen. Nu vindt u er leuke winkels en eettentjes en de oude White Hart Inn.

GREYFRIARS BOBBY

🞦 309 D3 • Op kruising met George IV Bridge 🚌 23, 27, 28, 35, 41, 42, 45 🚇 Edinburgh Waverley

Aan het eind van Candlemaker Row, tegenover het Museum of Scotland (blz. 78–81), bevindt zich een geliefde attractie van de stad: een bronzen beeld van een Skye-terrier, dat stamt uit 1873. Het verhaal van dit hondje is in 1912 opgeschreven door de Amerikaanse Eleanor Atkinson in de roman *Greyfriars Bobby*. Het hondje was de trouwe metgezel van een boer die vaak kwam eten bij Greyfriars Place. Na de dood van 'Auld Jock' sliep Bobby 14 jaar lang op zijn graf op het nabijgelegen kerkhof en kwam iedere dag een maaltje halen in het restaurant. Volgens een latere versie was zijn baasje een politie-agent en is hij na diens dood in huis genomen bij een inwoner van de stad.

GREYFRIARS KIRKYARD

🞦 309 D3 • Greyfriars Tolbooth and Highland Kirk, Greyfriars Place EH1 2QQ ☎ 0131 226 5429 🕔 Apr.–okt. ma.–vr. 10.30–16.30, za. 10.30–14.30, rest van het jaar do. 13.30–15.30 uur 🎟 Gratis 🚌 3, 27, 28, 35, 41, 42, 45 🚇 Edinburgh Waverley ♿

Greyfriars Bobby, rechts, is begraven op Greyfriars Kirkyard

De Kirk of the Grey Friars is in 1620 gebouwd op de plek waar vroeger de tuin van een franciscaner klooster lag. Slechts 18 jaar later vond er een belangrijk moment uit de Schotse geschiedenis plaats, toen calvinistische actievoerders hier het National Covenant ondertekenden, een daad van verzet tegen de koning (blz. 26–27). De kerk zelf is in 1650 door de troepen van Cromwell aangevallen en werd later per ongeluk opgeblazen. Op het kerkhof werden gedurende vijf lange maanden honderden Covenanters opgesloten die in 1679 gevangen waren genomen tijdens de Slag bij Bothwell Bridge. Het bevat rijkgedecoreerde monumenten als het graf van architect William Adam (1689–1748).

JOHN KNOX HOUSE

🞦 309 E2 • 43–45 High Street EH1 1SR ☎ 0131 556 9579 🕔 Ma.–za. 10–17, juli–aug. ook zo. 12–16 uur 🎟 Volwassene £2,25, kind 75p (tot 7 jaar gratis) 🚌 64 🚇 Edinburgh Waverley ♿

Men zegt dat John Knox (*circa* 1505– 1572), de protestantse hervormer en stichter van de Church of Scotland, altijd preekte vanuit het raam van dit fraaie hoekhuis aan de Royal Mile, maar het is niet zeker dat hij er woonde. Het huis stamt uit 1490 en geeft met zijn uitspringende geveldelen een idee hoe vol het op de middeleeuwse High Street moet zijn geweest. Bekijk boven het beschilderde plafond van de Oak Room, dat stamt uit 1600. De tentoonstelling geeft een beeld van de gedreven en verrassend geestige man die Knox was, en van de goudsmid James Mossman, die hier halverwege de 16e eeuw woonde.

LAURISTON CASTLE

🞦 308 off A1 • 2A Cramond Road South EH4 5QD ☎ 0131 336 2060 🕔 Apr.–okt. za.–do. rondleiding ieder uur 11.20–16.20, rest van het jaar za.–zo. om 14.20 en 15.20 uur 🎟 Kasteel: volwassene £4,50, kind £3 (tot 5 jaar gratis). Terrein: gratis 🚇 Edinburgh Waverley
www.cac.org.uk

Dit landhuis, met zijn grillige gevel en vele torentjes, ligt op een mooie plek met uitzicht op de Firth of Forth bij Crammond (blz. 74–75). Het Edwardian interieur wordt gekenmerkt door comfort. Lauriston, vroeger een eenvoudig gebouw, is verschillende keren verbouwd en uitgebreid, het ingrijpendst in 1827 door architect William Burn (1789–1870). Daarna werd het aangekocht door William Robert Reid, de rijke directeur van een meubelmakerij en een enthousiast verzamelaar van meubels en waardevolle objecten — de voorwerpen die gemaakt zijn van de fluorietsoort Blue John zijn heel bijzonder. Hij liet het huis in 1926 aan Edinburgh na, op voorwaarde dat het interieur onveranderd bleef, zodat latere generaties er iets van konden opsteken.

Princes Street Gardens: dit park, parallel aan de bekende winkelstraat, was gepland als onderdeel van de New Town

Mary King's Close figureert in heel wat spookverhalen

LEITH

⊞ 309 off E1 ⛨ Edinburgh Lothian Tourist Information Centre, 3 Princes Street EH2 2QP, tel. 0131 473 3800
🚌 1, 7, 10, 12, 14, 16, 22, 25, 32, 32A, 34, 35, 36, 49, N22

Leith is de zeehaven van Edinburgh en was lange tijd een welvarende plaats. Toen de scheepsbouw in de 20e eeuw steeds minder toekomst bood, raakte de plaats in een recessie. De laatste jaren gaat het echter beter en zijn er tal van trendy eettentjes te vinden. De rivier van Edinburgh, het Water of Leith, stroomt door het centrum.

Mary Stuart is hier in 1561 vanuit Frankrijk aangekomen en verbleef bij Lamb House in Water Street. Karel I speelde golf op de golfbaan in het park. Kijk op het punt waar Tower Street uitkomt op The Shore uit naar de Signal Tower, die in 1686 werd gebouwd als windmolen. Het koninklijke jacht de *Britannia* trekt veel bezoekers (blz. 86).

MUSEUM OF CHILDHOOD

⊞ 309 E2 • 42 High Street EH1 1TG
☎ 0131 529 4142 🕙 Ma.–za. 10–17, juli–aug. ook zo. 12–17 uur
🎟 Gratis 🚌 3, 5, 7, 8, 14, 21, 29, 31, 33, 35, 36, 37, 37A, 49 🚆 Edinburgh Waverley 🛗
www.cac.org.uk

Edinburgh gaat er prat op plaats te bieden aan het eerste museum ter wereld dat is gewijd aan de geschiedenis van de jeugd. Het is een leuke bezienswaardigheid voor jong én oud. Het idee kwam van het gemeenteraadslid Joseph Patrick Murray (gestorven in 1981). Het museum (niet speciaal voor kinderen, maar óver kinderen) moest een tak van de sociale wetenschap vertegenwoordigen. Het werd in 1955 geopend en is sindsdien flink uit-

gebreid. De collectie omvat poppen, poppenhuizen, treinen, driewielers, bordspellen en natuurlijk ontelbare teddyberen.
Niet te missen Het nagebouwde klaslokaal uit circa 1930.

MUSEUM OF EDINBURGH

⊞ 309 E2 • Huntly House, 142 Canongate, Royal Mile EH8 8DD
☎ 0131 529 4143 🕙 Tijdens festival ma.–za. 10–17, zo. 14–17 uur 🎟 Gratis
🚌 35 🚆 Edinburgh Waverley 🛗
www.cac.org.uk

Het museum van de stad Edinburgh, tegenover Canongate Tolbooth (blz. 69), is gevestigd in Huntly House. Dit 16e-eeuwse pand is vaak verbouwd en is in gebruik geweest als gildehuis van de smeden. Het heeft drie opvallende dakkapellen. De vele historische voorwerpen in het museum brengen de stadsgeschiedenis tot leven. U ziet er plattegronden, prenten, zilver- en glaswerk, uithangborden en het bandje van Greyfriars Bobby (blz. 76).
Niet te missen Het origineel van het National Covenant (blz. 27), ondertekend in 1638.

MUSEUM OF SCOTLAND
Zie bladzijde 78–81

NATIONAL GALLERY
Zie bladzijde 82

NEW TOWN
Zie bladzijde 84–85

PALACE OF HOLYROODHOUSE
Zie bladzijde 83

PRINCES STREET GARDENS

⊞ 308 C2 • Princes Street ☎ 0131 3322 368 🕙 's zomers 7–22, 's winters 7–19 uur 🎟 Gratis 🚌 35
🚆 Edinburgh Waverley 🛗
Dit langgerekte park ligt in het hart van de stad, op een rustige

plek tussen Castle Rock en de drukke Princes Street. Het is heerlijk om hier even te gaan zitten en de achterzijde van de etagewoningen van de oude stad te bewonderen die aan de overzijde van de diepe vallei liggen. In de zomermaanden kunt u hier luisteren naar live muziek (een gebruik dat stamt uit 1902). Aan de kant van Waverley Station kunt u de bloemenklok bekijken — een bloembed dat een klok verbeeldt, compleet met bewegende wijzers.

In 1460 is de vallei onder water gezet om Nor' Loch te vormen, dat het kasteel extra bescherming moest bieden. Men wierp er allerhande rommel in, van marktafval tot lijken. Halverwege de 18e eeuw werd het gebied drooggelegd en het openbare park dateert van 1820. Nu is het een oase van rust, die een van de drukste winkelstraten een beetje stijl verleent.

REAL MARY KING'S CLOSE

⊞ 309 D2 • 2 Warriston's Close, High Street EH1 1PG ☎ 0870 243 0160
🕙 Apr.–okt. dag. 10–21, rest van het jaar 10–16 uur 🎟 Volwassene €7, kind €5 (tot 5 jaar geen toegang), gezin €21
🚆 Edinburgh Waverley 🛗
www.realmarykingsclose.com

De steeg Mary King's Close, in de oude stad tegenover St. Giles, voerde ooit tussen de hoge huizen van het 17e-eeuwse Edinburgh door. Het is nu een mysterieus overblijfsel uit die tijd, dat gespaard bleef toen in 1753 de City Chambers werden gebouwd. Opgravingen in 2002 en 2003 brachten veel aan het licht over de voormalige bewoners. Tijdens een rondleiding kunt u de sfeer proeven van het leven in de oude stad — u ziet hoe kleinbehuisd men was en krijgt te veel horen over de uitbraak van de pest in 1645.

Museum of Scotland

**Een kennismaking met de Schotse geschiedenis en cultuur.
Een interessante verzameling van meer dan 10.000 kunstvoorwerpen,
uiteenlopend van de zilveren veldfles van Bonnie Prince Charlie tot stoelen
van ontwerper Charles Rennie Mackintosh.**

*Het museum ligt aan de
westkant van Chambers Street*

*Het Monymusk-reliekwieënkistje
stamt uit de 8e eeuw*

18e-eeuwse quaich *(drinkbeker)
van ebbenhout en ivoor*

HET MUSEUM OF SCOTLAND BEZICHTIGEN

Sommige bezoekers hebben er moeite mee de weg te vinden in
dit kasteelachtige gebouw, dat verschillende verdiepingen telt.
De verdiepingen zijn chronologisch ingedeeld, dus u kunt uw
rondgang beginnen in de kelder bij de oudste voorwerpen van
de collectie, of bij de recentere geschiedenis en 'teruggaan in de
tijd'. Het is ook mogelijk om, aan de hand van de plattegrond op
blz. 80, eerst de voorwerpen op te zoeken die u het interessantst
lijken en daarna de rest van het museum te verkennen. De
objecten zijn gerangschikt in thema's met een bepaalde kleur.

HOOGTEPUNTEN

BEWERKTE STEEN UIT DE PICTISCHE TIJD

Uit de Pictische tijd zijn levendige decoraties in steen overgeleverd –
dierfiguren en dieren die op vreemde wijze met elkaar verstrengeld
zijn. De voorwerpen op niveau 0 staan in contrast met het strakke
Romeinse steenhouwwerk. Te midden van de vele jagende en vech-
tende edellieden te paard die zijn afgebeeld valt één iets minder
nette figuur op. Hij rijdt alleen en heeft een baard en een kaal hoofd.
Zijn paardje sjokt maar voort, want zijn dronken berijder drinkt gulzig
uit een hoorn. De steen, afkomstig uit Bullion in Angus, is waarschijnlijk een grapje van een vakman.

HUNTERSTON-GESP

De Hunterston-gesp stamt uit ongeveer 700 en is een krachtig symbool
van rijkdom en macht. Hij is met zijn 12 cm groter dan alle andere ges-
pen in het museum en is met zoveel vakmanschap vervaardigd dat
men aanneemt dat het een geschenk voor een koning was. De runen
op de achterkant melden dat hij was bestemd voor de viking Melbrigda,
maar de gesp is van vóór de vikingtijd en de identiteit van de eigenaar
is niet meer te achterhalen. U kunt om de vitrine heen lopen om het
goud, amber en vergulde zilverwerk van dichtbij te bekijken en de krul-
lerige Keltische motieven te bestuderen. De gesp is gevonden in
Hunterston, aan de kust van Ayrshire, maar men denkt dat hij is gemaakt
in Dunadd, in Argyll, het hart van het oude Schotse koninkrijk Dalriada.

SCORE				
Leuk voor kinderen	●	●	●	○
Historisch interessant	●	●	●	●
Bijzondere winkels	●	●	●	○

TIPS

● Denk niet dat u het hele
museum in één keer kunt
bezichtigen. Bekijk eerst de
dingen die u het interessantst
lijken en kom later terug voor
de rest – de toegang is gratis.

● Slechts een van de liften
stopt op alle verdiepingen van
het museum: hij bevindt zich
het verst van de ingang.

● Laat uw jas en tas achter bij
de garderobe van het Royal
Museum. Deze is gevestigd
op de begane grond, bij de
cadeauwinkel, en is direct toegankelijk vanaf Hawthornden
Court.

*Geheel boven: elf van de 82
schaakstukken van Lewis, waaronder twee koningen en drie
koninginnen, zijn hier te zien,
de rest in het British Museum
in Londen*

Links: de Hunterston-gesp

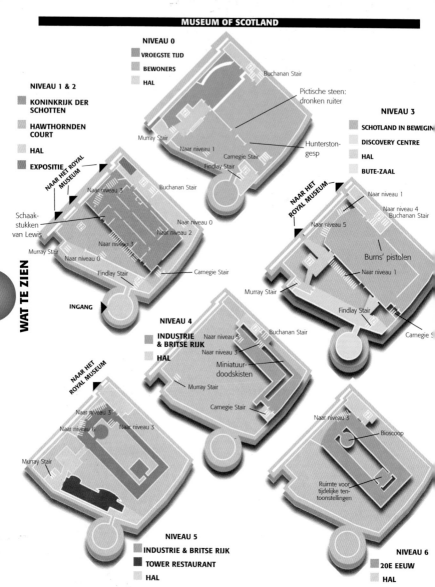

WAT TE ZIEN

NIVEAU 0
VROEGSTE TIJD
BEWONERS
HAL

NIVEAU 1 & 2
KONINKRIJK DER SCHOTTEN
HAWTHORNDEN COURT
HAL
EXPOSITIE

NAAR HET ROYAL MUSEUM

Schaak-stukken van Lewis

Murray Stair

INGANG

Naar niveau 3
Naar niveau 0
Naar niveau 2
Naar niveau 3
Naar niveau 0
Findlay Stair
Buchanan Stair
Carnegie Stair

Buchanan Stair
Pictische steen: dronken ruiter
Murray Stair
Naar niveau 1
Carnegie Stair
Findlay Stair
Hunterston-gesp

NIVEAU 3
SCHOTLAND IN BEWEGING
DISCOVERY CENTRE
HAL
BUTE-ZAAL

NAAR HET ROYAL MUSEUM

Naar niveau 1
Naar niveau 4
Buchanan Stair
Naar niveau 5
Burns' pistolen
Naar niveau 1
Murray Stair
Findlay Stair
Carnegie Stair

NIVEAU 4
INDUSTRIE & BRITSE RIJK
HAL

NAAR HET ROYAL MUSEUM

Naar niveau 5
Naar niveau 3
Buchanan Stair
Miniatuur-doodskisten
Murray Stair
Carnegie Stair

Naar niveau 3
Naar niveau 6
Naar niveau 3
Murray Stair

Naar niveau 3
Bioscoop
Ruimte voor tijdelijke ten-toonstellingen

NIVEAU 5
INDUSTRIE & BRITSE RIJK
TOWER RESTAURANT
HAL

NIVEAU 6
20E EEUW
HAL

INDELING

NIVEAU 0 (KELDER)
Vroegste tijd (vorming van Schotland); Bewoners 8000 v.Chr.–1100 n.Chr.

NIVEAU 1 (STRAATNIVEAU)
Koninkrijk der Schotten 900–1707
Tevens hoofdingang en informatiepunt; toegang tot het Royal Museum; centrale expositieruimte Hawthornden Court; exhibIT (computers geven informatie over tentoongestelde voorwerpen en bieden toegang tot SCRAN, een archief van de Schotse geschiedenis en cultuur)

NIVEAU 2 (ALLEEN VIA NIVEAU 1)
Burghs (geeft informatie over het ontstaan van de Schotse handelssteden)

NIVEAU 3
Schotland in beweging 1707–19e eeuw
Tevens toegang tot het Royal Museum; Discovery Centre (interactief; leuk voor kinderen)

NIVEAU 4 EN NIVEAU 5
Industrie & Britse Rijk 19e eeuw–1914
Niveau 5 biedt toegang tot het Royal Museum; Tower Restaurant

NIVEAU 6
Twintigste eeuw (in wisselende exposities wordt er aandacht besteed aan de afgelopen eeuw)

NIVEAU 7
Dakterras (uitzicht over de stad)

De mysterieuze doodskistjes zijn met zorg gemaakt en bevatten metalen onderdelen – het betreft miniaturen en geen speelgoed

SCHAAKSTUKKEN VAN LEWIS

In 1831 zijn er 82 fraai gesneden schaakstukken gevonden op de zandgronden van Uig, op het eiland Lewis (blz. 135). Ze waren daar 700 jaar eerder verborgen, mogelijk door een koopman, in een gevaarlijke tijd toen de eilanden een grote stroom vikingen uit Denemarken en Noorwegen te verwerken kregen. Deze fraaie voorwerpen behoren tot de topstukken van de museumcollectie. U vindt ze op straatniveau (niveau1), vlak bij het Monymusk-relikwieënkistje.

De grijzige schaakstukjes van walrusivoor zijn waarschijnlijk in de 12e eeuw vervaardigd door een Scandinavische ambachtsman. Er zijn koningen en koninginnen, bologige lopers, 'woeste' wachten met schilden en ridders te paard. De versieringen zijn aangebracht met veel aandacht voor detail, van de kalme gelaatsuitdrukkingen van de figuren tot het patroon van de stof van de kleren van de koningen.

BURNS' PISTOLEN

De twee pistolen op niveau 3 stellen de Schotse bard in een ander daglicht. Ze maken deel uit van een omvangrijke tentoonstelling over de opkomst van de gegoede burgerij in de 18e eeuw. Robert Burns (1759–1796) staat bekend als dichter en schrijver van liedjes die veelal blijk gaven van tegendraadsheid ten opzichte van de samenleving. Van het dichten kon Burns echter niet leven, dus nam hij een baan als belastinginner. De twee pistolen die hij uit het oogpunt van veiligheid bij zich droeg — belastinginspecteurs waren ook toen niet populair — geven meer inzicht in deze geliefde Schot. Andere, gewonere bezittingen van Burns zijn te zien op niveau 5.

MINIATUURDOODSKISTJES

Een van de meest bizarre onderdelen van de collectie kreeg veel aandacht van het publiek door de roman *The Falls* van Ian Rankin (2001). Het betreft de houten doodskistjes die ieder een 'lijkje' bevatten dat niet veel groter is dan een vinger. Ze zijn in 1836 gevonden op Arthur's Seat in Edinburgh. De lijkjes, waarvan sommige zijn aangekleed, passen precies in hun kistje en hebben een gezichtje en voetjes die uitsteken, en kunnen hun ledematen bewegen.

Van de oorspronkelijke 17 kistjes zijn er acht bewaard gebleven, maar niemand weet wie ze heeft gemaakt of waarom. Misschien verwijzen ze naar de 17 slachtoffers van de misdadigers Burke en Hare, die in 1827–1828 de plaatselijke snijzaal van lijken voorzagen.

ACHTERGRONDEN

Het museum, geopend in 1998, toont de Schotse collectie van het Royal Museum (blz. 86). Het moderne gebouw is ontworpen door Gordon Benson en Alan Forsyth. De fraaie binnenplaats, de smalle hoge ramen en de ronde toren bij de ingang verwijzen naar een vesting waarin het erfgoed gekoesterd wordt.

PRAKTISCH

✚ 309 D3
• Chambers Street, EH1 1JF ☎ 0131 247 4219

🕐 Hele jaar ma. en wo.–za. 10–17, di. 10–20, zo. 12–17 uur

💷 Gratis; mogelijk extra toegangsprijs voor tijdelijke tentoonstellingen

🚌 3, 3A, 7, 8, 14, 23, 27, 28, 29, 31, 33, 35, 36, 37, 37A, 41, 42, 45

🍴 Het Tower Restaurant is zeer populair en in het weekeinde is reserveren beslist nodig. In het aanpalende Royal Museum (blz. 86) zijn verschillende cafés te vinden

🎁 De cadeauwinkel, gedeeld met het Royal Museum, heeft bijzondere voorwerpen in het assortiment

♿

🎧 Vraag bij de balie hoe laat er die dag een gratis rondleiding is. Er zijn gratis audio-tours (Engels, Frans en Duits)

📖 £4,99

www.nms.ac.uk
Website van de zes nationale musea, met leuke virtuele rondleiding door het National Museum en internetwinkel.

De humor van dit Pictische reliëf, dat een dronken man op een sloom paard voorstelt, is meer dan duizend jaar oud (zie blz. 79)

John Singer Sargents portret van Gertrude, Lady Agnew of Lochnaw

SCORE	
Leuk voor kinderen	●●
Historisch interessant	●●●●●
Bijzondere winkels	●●●●

PRAKTISCH

✚ 308 C2 • The Mound EH2 2EL
☎ 0131 624 6200 ◉ Vr.–wo. 10–17,
do. 10–19 uur 💵 Gratis 🚌 Er rijdt een
gratis bus tussen de vier nationale
musea. Ook 1, 3, 4, 10, 11, 12, 15, 16, 17,
19, 21, 22, 23, 24, 25, 26, 27, 28, 29, 31,
33, 34, 36, 37, 37A, 41, 42, 44, 44A, 45,
X15, X26, X31, X44 🚆 Edinburgh
Waverley 🎫 £12,95 🏪 Winkel verkoopt ansichten, boeken en cadeaus
🛒 ♿

www.nationalgalleries.org
Website gewijd aan de vijf nationale
musea van Schotland. Beperkte informatie, maar veel over tijdelijke exposities.

Het museum werd gebouwd als onderdeel van de New Town

NATIONAL GALLERY OF SCOTLAND

Een adembenemende collectie meesterwerken, op een prettige en overzichtelijke manier tentoongesteld.

De National Gallery ligt op een prominente locatie op de Mound, de verhoogde weg die de Princes Street Gardens in tweeën deelt. Het gebouw is ontworpen door New Town-architect William Playfair (1789–1857) en werd voltooid in het jaar van zijn dood. Het valt op door de reusachtige gouden zuilen aan de neoclassicistische vleugels (en moet niet verward worden met het aanpalende Royal Scottish Academy Building). De collectie omvat meer dan 20.000 schilderijen, beelden en tekeningen en wordt in belang alleen overtroffen door de National Gallery in Londen. Dit gebouw is kleinschaliger en doet toegankelijker aan. U kunt er schilderijen zien van Europese oude meesters als Vermeer, Hals, Tiepolo, Van Dyck, Rafaël en Titiaan. Kijk uit naar Monets *Hooibergen* (1891), Vélasquez' *Oude vrouw die eieren kookt* (1618) en Botticelli's meesterwerk *Maria aanbidt het slapende Christuskind* (circa 1485). Koningin Elizatbeth en de hertog van Sutherland hebben prachtige doeken aan het museum uitgeleend. De schitterende collectie aquarellen van de Engelse landschapsschilder Turner (1775–1851), die in 1900 in het bezit van het museum kwam, wordt ieder jaar in januari tentoongesteld.

DE SCHOTSE COLLECTIE

Natuurlijk zijn er ook veel Schotse kunstwerken te zien; deze worden getoond in een eigen afdeling beneden. Topstukken hier zijn het ongebruikelijke portret van *Dominee Robert Walker op de schaats* (1795) van Henry Raeburn, de fraaie portretten van de hand van Allan Ramsay van zijn eerste vrouw *Anne Bayne* (circa 1740) en van *Margaret Lindsay* (1757), en de weidse landschappen en zeegezichten van William McTaggart (1835–1910). David Wilkie (1785–1841) wist tafereeltjes uit het alledaagse leven van gewone mensen treffend neer te zetten op doeken als *Kermis in Pitlessie* (1804) en *Beslaglegging wegens huurachterstand* (1815).
Niet te missen Raeburns portret van het in opzichtige Schotse ruit geklede clanhoofd *Kolonel Alasdair Mcdonnell van Glengarry* (1812).

Gezicht op de Royal Mile, met achterin het John Knox House

ROYAL BOTANIC GARDEN
Zie bladzijde 86

ROYAL MILE

✚ 309 D2

De lange, vrijwel rechte straat die Holyroodhouse verbindt met het kasteel, voert omhoog naar de rots waarop de oude stad is gebouwd. Tussen de gebouwen aan weerszijden liggen zo'n 60 straatjes (ooit waren het er 300), met namen als Sugarhouse Close, die verwijzen naar de producten die er werden verhandeld. Via Lady Stair's Close bereikt u het Writers' Museum (blz. 88).

De weg valt uiteen in vier delen, ieder met een eigen identiteit. Canongate, onderaan, doet praktisch en neutraal aan en de versierde stenen op de gevels staan in contrast met het ruwe metselwerk aan de zijkanten van de gebouwen. In het Museum of Edinburgh (blz. 77) krijgt u een indruk van de interieurs van deze oude huizen. Buiten de Canongate Church staat aangegeven welke beroemdheden er begraven zijn – onder anderen de door Händel meest gewaardeerde fagotspeler John Fred Lampe.

Bij St. Mary's Street en Geoffrey Street bereikt u de High Street en maken winkels en tearooms plaats voor boetieks en het moderne Crown Plaza Hotel. Voorbij de Tron Kirk wordt de met keien bestrate weg een stuk breder. De gebouwen zien er hier strakker uit en hebben minder torentjes. Voorbij St. Giles's (blz. 87), waar het Heart of Midlothian in het plaveisel de locatie van een vroegere gevangenis markeert, heet het Lawnmarket, waar linnengoed *(lawn)* werd vervaardigd. Het laatste stuk ligt voorbij Café Hub (een verbouwde kerk), waar de weg zich op het laatste steile stuk naar het kasteel toe versmalt.

De naam verwijst naar de Holy Rood, *een stuk van Christus' kruis*

PALACE OF HOLYROODHOUSE
Een koninklijk paleis met een rijke geschiedenis.

✚ 309 F1 • EH8 8DX ☎ 0131 556 5100 🕐 Apr.–okt. dag. 9.30–18, rest van het jaar 9.30–16.30 uur. Kan onverwacht gesloten blijken 💷 Volwassene £7,50, kind £4 (tot 5 jaar gratis), gezin £19 🚌 24, 25, 35 🚆 Edinburgh Waverley 🎧 Gratis audio-tour. Rondleiding alleen nov.–mrt. ♿ £4,50 🏛 Cadeauwinkel met ansichten, boeken en porselein met opdruk 🚻 www.royal.gov.uk

SCORE			
Leuk voor kinderen	●	●	●
Historisch interessant	●	●	● ●
Fotogeniek	●	●	●
Bijzondere winkels	●	●	●

Dit kasteel aan de voet van de Royal Mile is de officiële residentie van koningin Elizabeth in Schotland en het kan daardoor soms opeens gesloten zijn omdat er een ontvangst, tuinfeest of andere staatsaangelegenheid plaatsvindt. Tijdens een bezoek aan dit paleis kunt u kennismaken met de rijke geschiedenis van dit gebouw en de kunstwerken van de Royal Collection bekijken. De kostbaarste werken hangen in de schitterende nieuwe Queen's Gallery, bij de ingang, en tegenover het nieuwe Schotse parlementsgebouw, waar zich tevens de goed gesorteerde cadeauwinkel bevindt

Het paleis is vermoedelijk in 1128 gesticht als augustijner klooster. In de 15e eeuw werd het een gastenverblijf voor de naburige Holyrood Abbey (nu vervallen tot ruïne). De naam zou verwijzen naar de *Holy Rood*, een stukje van het kruis van Christus dat David I (ca.1080–1153) in bezit had. Mary Stuart verbleef hier, en een koperen plaquette geeft de plek aan waar haar dierbare David Rizzio werd vermoord (in haar privé-vertrekken in de westelijke toren, in 1566). Na een grote brand tijdens de burgeroorlog in 1650 werd er gerenoveerd. Bonnie Prince Charlie hield hier in 1745 hof, gevolgd door George IV tijdens diens triomfantelijke bezoek aan de stad in 1822 en door koningin Victoria op weg naar Balmoral (blz. 120). De met Brusselse wandtapijten behangen staatsiezalen, ontworpen door architect William Bruce (1630–1710) voor Karel II, zijn prachtig.

Niet te missen De 110 koninklijke portretten die Jacob de Wet in de jaren 1684–1686 in razend tempo schilderde.

New Town

Na een verkenningstocht door de straten en pleinen van de hoofdstad begrijpt u waarom het elegante 18e-eeuwse Edinburgh zo geliefd was bij stedenbouwkundigen.

De tweede bouwperiode herkent u aan de details bij de ramen

De eetkamer van het Georgian House

Charlotte Square van Adam werd gezien als het toppunt van stijl

SCORE				
Historisch interessant	●	●	●	● ●
Fotogeniek	●	●	●	●
Winkelen	●	●	●	
Beloopbaar	●	●	●	● ●

PRAKTISCH

✚ 308 C1 🛈 Edinburgh Lothian Tourist Information Centre, 3 Princes Street EH2 2QP, tel. 0131 473 3800 🚇 Edinburgh Waverley

DE NEW TOWN VERKENNEN

De zogeheten New Town van Edinburgh, ten noorden van Princes Street, beslaat een gebied van zo'n 318 ha. U vindt er brede straten met ruime *terrace*-huizen met grote ramen en versierde bogen rond de deuren. Oorspronkelijk bestond de wijk uit drie boulevards die parallel liepen aan de grens met de oude stad: Princes Street, George Street en Queen Street. Aan weerszijden liggen pleinen (St. Andrew en Charlotte) en ze worden met elkaar verbonden door smallere straten, waar ruimte is voor winkels en andere bedrijven: Rose Street en Thistle Street.

De met hekken afgeschermde privé-tuinen liggen er prachtig bij

HOOGTEPUNTEN

CHARLOTTE SQUARE
In tegenstelling tot Princes Street, waar de tijd niet heeft stilgestaan, is het weidse Charlotte Square, met het fraai bewaard gebleven Georgian House (blz. 75), nog precies zo als het ooit was gepland.

DE MOUND
Via de North Bridge konden voetgangers naar de New Town lopen zonder zich een weg te hoeven banen door de modderige vallei (de drooglegging van het onsmakelijke Nor' Loch was nog niet voltooid). Een tweede verbinding, de Mound, kwam toevallig tot stand, toen 'Geordie' Boyd, een kleermaker uit de oude stad, bouwafval in het moeras dumpte. Al gauw volgden bouwvakkers uit de New Town, bezig met graafwerkzaamheden ten behoeve van funderingen, zijn voorbeeld. Er waren 2 miljoen karrenvrachten aarde nodig voor de verhoogde weg, de Mound genoemd, die later plaats zou bieden aan de National Gallery (blz. 82) en het Royal Academy Building.

STOCKBRIDGE
Het voormalige mijnstadje Stockbridge is ontwikkeld als onderdeel van de tweede New Town, op een stuk grond van de schilder Henry Raeburn. Het groeide uit tot een artistieke vrijplaats. Ann Street, een straat met fraaie voortuinen die is genoemd naar Raeburns vrouw, is een van de chicste adressen van de stad.

ACHTERGRONDEN
Tot halverwege de 18e eeuw besloeg Edinburgh alleen de smalle uitloper tussen Arthur's Seat en het kasteel. De stad raakte echter overvol en nieuwe wetenschappelijke inzichten maakten al snel duidelijk dat uitbreiding noodzakelijk was. In 1766 werd de ontwerpwedstrijd voor een nieuwe stad, die moest verrijzen op de winderige vlakten ten noorden van de stad, gewonnen door de onbekende architect James Craig (1744–1795). Binnen drie jaar was het eerste huis gereed.

De eerste New Town was zo'n succes dat er in 1802 een tweede volgde, verder naar het noorden richting Leith. Hoogtepunten uit deze periode zijn Royal Circus en Moray Place.

In de hallen aan Moray Place paste precies een draagstoel

TIP
● Trek lekker zittende wandelschoenen aan, want de straten zijn ruw geplaveid

DAGTRIP
Het museum Georgian House; ook wandeling blz. 208–209

Fraaie deuren in Georgian stijl, ook boven en vorige bladzijde

Weelderige koninklijke vertrekken op de Britannia

ROYAL MUSEUM

⊞ 309 D2 • Chambers Street EH1 1JF
☎ 0131 247 4219/4422 🕐 Ma. en
wo.–za. 10–17, di. 10–20, zo. 12–17 uur
🎫 Gratis, behalve bij sommige tijdelijke exposities 🚌 3, 3A, 7, 8, 14, 23, 27, 28, 29, 31, 33, 35, 36, 37, 37A, 41, 42, 45
🚉 Edinburgh Waverley 🖥 🏛
www.nms.ac.uk

Dit grote museum herbergt een schitterende colllectie internationale schatten. De hal bij de hoofdingang, die dateert van 1861, is een imposante ruimte. Hij heeft een 23 m hoog glazen dak en bevat galerijen die worden ondersteund door ranke ijzeren pilaren. Hier bevindt zich tevens een van de twee cafés. De zijgangen geven toegang tot de zalen. De grootte van dit museum is overweldigend — informeer naar gratis rondleidingen bij de informatiebalie of volg de audio-tour. De Ivy Wu Gallery of East Asian Art bevat bewerkte jade uit China, Japanse zwaarden en lakwerk uit Korea. De tijdelijke tentoonstellingen zijn vaak van zeer hoog niveau.
Niet te missen Het slaan van de vreemde Millennium Clock Tower in de centrale hal met het glazen dak.

ROYAL YACHT
BRITANNIA

⊞ 309 bij E1 • Ocean Terminal, Leith EH6 6JJ ☎ 0131 555 5566 🕐 Dag. apr.–sept. 9.30–16.30, rest van het jaar 10–15.30 uur 🎫 Volwassene £8, kind £4 (tot 5 jaar gratis), gezin £20 🚌 11, 22, 34, 35 🚉 Edinburgh Waverley 🏛
www.royalyachtbritannia.co.uk

Men zegt dat er heel wat koninklijke tranen vloeiden toen de *Britannia* in 1997 werd wegbezuinigd. Sinds de tewaterlating in Clydebank in 1953 hebben koningin Elizabeth en haar gezin 968 officiële bezoeken afgelegd aan boord van dit schip. Nu is het in gebruik als drijvend

Reusachtige leliebladeren in het Tropical Aquatic House

ROYAL BOTANIC GARDEN

In deze oase van rust in de drukke hoofdstad is het hele jaar door veel te zien – ook als het regent, want dan bieden de grote kassen uitkomst.

⊞ 308 bij B1 • 20A Inverlieth Row EH3 5LR ☎ 0131 552 7171 🕐 Mrt. en okt. dag. 10–18, apr.–sept. 10–19, rest van het jaar 10–16 uur 🎫 Gratis, vrijwillige bijdrage voor de kassen 🚌 8, 17, 23, 27, ook op Guide Friday en routes Mactours 🚉 Edinburgh Waverley 🚌 Rondleidingen van 90 minuten, vertrekpunt bij de West Gate om 11 en 14 uur, apr.–sept., £3 🎫 £2,50 🖥 Terrace Café 🏛 Uitgebreide cadeauwinkel Botanics met briefpapier, planten en souvenirs voor plantenliefhebbers
www.rbge.org.uk

In de Botanics, zoals deze bezienswaardigheid wordt genoemd, zijn 15.500 plantensoorten te zien. Het is daarmee een van de grootste verzamelingen levende planten ter wereld. Alleen al in de rotstuin groeien zo'n 5000 verschillende soorten (beste tijd: mei). De prachtig vormgegeven, keurig onderhouden tuin met veel bomen is sinds 1823 op deze plek gevestigd. Hij beslaat een terrein van 28 ha ten noorden van het centrum.

U kunt rondkijken in de tien kassen die gezamenlijk de Glasshouse Experience vormen en die vooral op een

SCORE	
Leuk voor kinderen	● ● ●
Fotogeniek	● ● ●
Bijzondere winkels	● ● ●
Beloopbaar	● ● ● ●

TIPS
● Picknicks en spelletjes zijn op het terrein niet toegestaan. ● Met een plattegrond (tegen een kleine vergoeding verkrijgbaar bij de West en East Gate) kunt u zich beter oriënteren.

koude, regenachtige dag uitkomst bieden. Het verbazingwekkend hoge palmgebouw dateert van 1858, en van het Tropical Aquatic House, waar reusachtige waterlelies te zien zijn, kunt u afdalen naar een lagergelegen verdieping om vissen tussen hun wortels door te zien zwemmen.

Buiten trekken vooral de planten van de Chinese Hillside en de Heath Garden veel publiek. In de zomer biedt de kruidentuin een schitterende aanblik. Dit is een leuke plek voor een pauze – de kinderen kunnen even rennen en de eekhoorntjes voeren.

Er worden moderne kunst- en fotografietentoonstellingen georganiseerd in verschillende gebouwen, verspreid over het terrein.
Niet te missen De West Gate (ook wel: Carriage Gate) is de hoofdingang, maar bekijk ook de hekken aan de oostzijde, in 1996 ontworpen door architect Ben Tindall. De drukke hekken van gegalvaniseerd metaal stellen rododendronbladeren voor.

Gezicht op het Balmoral Hotel via het Scott Monument

Fraai mozaïek bij de ingang van de Portrait Gallery

St. Giles Cathedral bevindt zich vlak bij de top van de Royal Mile

museum in Edinburghs haven Leith (blz. 77), te bereiken via het winkel- en vrijetijdscomplex Ocean Terminal. De *Britannia* mag dan groter zijn dan de meeste jachten, het is met zijn 125, 6 m toch redelijk compact. De bemanning telde 240 personen, inclusief de koninklijke marinekapel en 45 man huishoudelijk personeel.

SCOTCH WHISKY HERITAGE CENTRE

✚ 308 C2 • 354 Castlehill, The Royal Mile EH1 2NE ☎ 0131 220 0441 ◷ Sept.–mei dag. 10–17, juni–aug. 9.30–17.30 uur ⛄ Volwassene £7,50, kind £5,50 (tot 5 jaar gratis), gezin £17 🚌 35 🚇 Edinburgh Waverley 💻 🍴 ♿ 📷 www.whisky-heritage.co.uk

Tijdens een bezoek aan deze attractie, boven aan de Royal Mile, pal onder het kasteel, komt u veel te weten over Schotse whisky. Ieder kwartier begint er een rondleiding van meer dan een uur. Een bezoek omvat een korte film en een bedaarde 'barrel-ride' langs het productieproces. Met de figuranten en een 'geest' biedt deze attractie meer vermaak dan de doorsnee-rondleiding in een distilleerderij. Voor volwassenen is er na afloop een gratis glaasje whisky (vruchtensap voor kinderen). De Whisky Barrel Bar heeft zo'n 270 soorten whisky en likeur op voorraad.

SCOTT MONUMENT

✚ 309 D2 • East Princes Street Gardens EH2 2EJ ☎ 0131 529 4068 ◷ Apr.–sept. ma.–za. 9–18, zo. 10–18, okt.–mrt. ma.–za. 9–15, zo. 10–15 uur ⛄ £2,50 (één prijs) 🚇 Edinburgh Waverley www.cac.org.uk

Deze gotische toren (61 m hoog) staat aan het oostelijke eind van Princes Street. Wie via de 287 treden naar boven loopt, wordt beloond met een mooi uitzicht op de stad. De toren, ontworpen door George Meikle Kemp, verrees tussen 1840 en 1846. Op het monument voor de schrijver en dichter Sir Walter Scott (1771– 1832) werden later stenen figuren aangebracht, gebaseerd op personages uit zijn romans. Een marmeren beeld van Scott met zijn hond Maida ziet u aan de voet van de toren. Het is gemaakt door John Steell (1804–1891), die ook de figuur van Prince Albert maakte op het Albert Memorial in Londen.

SCOTTISH NATIONAL PORTRAIT GALLERY

✚ 309 D1 • 1 Queen Street EH2 1JD ☎ 0131 624 6200 ◷ Vr.–wo. 10–17, do. 10–19 uur ⛄ Gratis, behalve bij sommige tijdelijke exposities 🚇 Edinburgh Waverley 🚌 Gratis museumbus; ook 23, 27, 41, 42, 43, 45 💻 📷 🍴 www.nationalgalleries.org

Hier ziet het publiek portretten van mannen en vrouwen die bepalend zijn geweest voor Schotland. Er is veel aandacht voor Schotse kunstenaars, zoals Allan Ramsay (1713–1784) en Henry Raeburn (1756–1823). Ook kunt u hier het portret van de dichter Robert Burns door Alexander Nasmyth (1758–1840) zien, naast andere bekende gezichten, geschilderd door onder anderen Van Dyck, Gainsborough, Rodin en Kokoschka.

Ook de nationale fotografiecollectie wordt hier bewaard, met werk van de uit Edinburgh afkomstige pioniers Hill en Adamson (blz. 31).

ST. GILES CATHEDRAL

✚ 309 D2 • Royal Mile EH1 1RE ☎ 0131 225 9442 ◷ Mei–sept. ma.–vr. 9–19, za. 9–17, zo. 13–17, rest van het jaar ma.–za. 9–17, zo. 13–17 uur ⛄ Gratis 🚌 23, 27, 28, 35, 41, 42, 45 🚇 Edinburgh Waverley 💻 📷 www.stgiles.net

De High Kirk of Edinburgh, vlak bij het hoogste deel van de Royal Mile, biedt met zijn donkere steen een ontoegankelijke aanblik. De zuilen in het interieur, die de 49 m hoge toren met zijn gekroonde spits dragen, zijn de restanten van de 12e-eeuwse kerk die op deze plek te

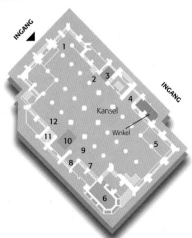

ST. GILES CATHEDRAL

INGANG

INGANG

Kansel

Winkel

1. Albany Aisle
2. Beeld John Knox
3. St Eloi's Chapel
4. Chambers Aisle
5. Holy Cross Aisle
6. Thistle Chapel
7. Koninklijke bank
8. Chapman Aisle
9. Preston Aisle
10. Orgel Rieger Orgelbaum
11. Regent Moray
12. Moray Aisle (met herdenkingsplaquettes voor R.L. Stevenson en David Livingstone)

Bezittingen van Burns in het Writers' Museum

vinden was. De toren zelf stamt uit 1495 en de rest van de kerk uit de 15e en 16e eeuw. De presbyteriaanse hervormer John Knox (ca.1505–1572) werd hier in 1559 voorganger en hij verzette zich openlijk tegen de pogingen van Mary Stuart om de rooms-katholieke Kerk nieuw leven in te blazen. De prachtig bewerkte Thistle Chapel is van architect Robert Lorimer (1864–1929). Het lichaam van de beroemde militair James Graham, markies van Montrose (1612–1650), is er begraven en er is een bronzen monument voor de op Samoa gestorven schrijver Robert Louis Stevenson (1850–1894) te zien.

WRITERS' MUSEUM

🕇 309 D2 • Lady Stair's Close, Lawnmarket, Royal Mile EH1 2PA ☎ 0131 529 4901 🕑 Ma.–za. 10–17 uur; tijdens festival ook zo. 14–17 uur 💷 Gratis 🚌 35 🚉 Edinburgh Waverley ⌨ www.cac.org.uk

Robert Burns (1759–1796), Walter Scott (1771–1832) en Robert Louis Stevenson (1850–1894) zijn drie van de beroemdste Schotse schrijvers en dit kleine museum, gevestigd in het smalle, 17e-eeuwse Lady Stair's House, is aan hen gewijd. Burns schreef *Ae fond kiss* tijdens een verblijf in het White Hart aan de Grassmarket (blz. 75–76).

Scott en Stevenson zijn beiden geboren in Edinburgh en studeerden er rechten. Er is een reconstructie te zien van Scotts zitkamer, ingericht in de stijl van de New Town. Doordat Stevenson de enige is aan wie geen apart museum is gewijd, en doordat hij in het buitenland overleed, is de verzameling memorabilia (onder meer een kleine drukpers) extra bijzonder.

Niet te missen De citaten van andere beroemde Schotse schrijvers op het plaveisel van Makar's Court, buiten het museum.

WAT TE ZIEN

Duane Hansons Tourists *(1970) zijn regelmatig te zien*

SCOTTISH NATIONAL GALLERY OF MODERN ART EN DEAN GALLERY

In de 20e eeuw beleefde de Schotse schilder- en beeldhouwkunst een hoogtepunt — en dat ziet u hier.

🕇 308 bij A1 • 75 Belford Road EH4 3DR ☎ 0131 624 6200 🕑 Vr.–wo. 10–17, do. 10–19 uur 💷 Gratis, behalve bij sommige tijdelijke exposities 🚌 13, ook gratis busverbinding met alle vier de nationale musea 🚉 Edinburgh Haymarket 🅿 ⌨ Winkelassortiment omvat boeken, ansichten, cadeaus 🚻 www.nationalgalleries.org

SCORE	
Leuk voor kinderen	● ● ●
Bijzondere winkels	● ● ● ● ●

TIP
● Reist u met de gratis museumbus, bezoek dan eerst het hoofdmuseum en keer vanaf de Dean Gallery terug naar het centrum.

Bij aankomst bij het hoofdgebouw is het eerste wat u ziet een imposante sculptuur van met gras begroeide terrassen en halfronde vijvers – de installatie *Landform UEDA* van Charles Jencks. Hierna lijkt het museum zelf misschien nogal klein, maar het bezit een gevarieerde collectie moderne kunst van over de hele wereld.

Voor tijdelijke exposities moet u op de begane grond zijn, en op de eerste verdieping zijn wisselende tentoonstellingen van de vaste collectie te zien, die werk omvat van Picasso, Braque en Matisse, Hepworth en Gabo. Het werk van de Schotse Coloristen (vroege 20e eeuw) is heel indrukwekkend, met doeken van Samuel John Peploe (1871–1935), George Lesley Hunter (1877–1931), Francis Cadell (1883–1937) en John Duncan Fergusson (1874–1961). Neem even de tijd voor Fergussons dramatische *Portret van een vrouw in het zwart* (circa 1921), de frisse kleuren van Cadells *Blauwe waaier* (circa 1922) en Peploes latere, meer fragmentarische werk, zoals *Iona-landschap, rotsen* (circa 1927).

Steek de weg over en u bevindt zich in de Dean Gallery, een dependance van de Gallery of Modern Art. De collectie, die wordt getoond in een voormalig weeshuis omringd door pittoreske volkstuintjes, omvat veel werken van Dada, de Surrealisten en de Schotse beeldhouwer Eduardo Paolozzi (1924–). Paolozzi's roestvrijstalen beeld *Vulcan*, half man en half machine, beslaat in zijn eentje een zaal van twee verdiepingen. In een ruimte op de begane grond kunt u een reconstructie zien van Paolozzi's atelier in Londen, inclusief 3000 afgietsels en mallen.

MIDDEN-SCHOTLAND

Midden-Schotland omvat het bosrijke deel van het land, dat zich via het vruchtbare landschap van Perthshire naar het oosten uitstrekt tot aan Fife. Deze streek heeft een rijke geschiedenis en er valt genoeg te ontdekken – landgoederen, vissersdorpen en het Falkirk Wheel, een knap staaltje waterbouwkundige techniek.

BEZIENSWAARDIGHEDEN

William Adams brug met vijf bogen in Aberfeldy

WAT TE ZIEN

ABERFELDY

🔲 317 H9 ℹ️ The Square PH15 2DD, tel. 01887 820276; seasonal **www.perthshire.co.uk**

Aberfeldy is een leuk plaatsje aan de rivier de Tay in het hart van Perthshire. U vindt er een fraaie brug met decoratieve obelisken, in 1733 door William Adam ontworpen voor de wegenbouwer generaal Wade. Robert Burns schreef over de 'Birks of Aberfeldie', verwijzend naar de berkenbossen boven de plaats (borden wijzen de weg naar de voetpaden die deze doorkruisen). Bij Dewar's World of Whisky kunt u een rondleiding krijgen door de distilleerderij en u vindt er tevens het bezoekerscentrum *(Pasen–okt. ma.–za. 10–18, zo. 12–16, rest van het jaar ma.–vr. 10–16 uur)*.

ARBROATH MUSEUM

🔲 318 K9 • Ladyloan DD11 1PU ☎ 01241 875598 🕐 Ma.–za. 10–17, juli–aug. ook zo. 14–17 uur 💷 Gratis 🚉 Arbroath ♿ **www.angus.gov.uk/history**

De seintoren is een opmerkelijk gebouw ten zuiden van de stad. Het was het kuststation voor de Bell Rock Lighthouse (1811). Het is een klein complex in regencystijl, bekroond met een toren die dienstdeed als seinstation. In het museum dat het gebouw herbergt komt u veel te weten over de bouw van de vuurtoren, die verrees op een zandsteenrif onder water, zo'n 20 km uit de kust. Ook andere aspecten van de geschiedenis van Arbroath, waarin visserij en techniek een belangrijke rol spelen, komen aan bod in levendige tableaus. Bij helder weer kunt u Bell Rock Lighthouse als een dun streepje aan de horizon zien staan. **Niet te missen** De plaatselijke lekkernij, Arbroath 'smokies' — gerookte en gegrilde schelvis.

Het Atholl Highland-regiment is verbonden met het kasteel

BLAIR CASTLE

Een schitterend kasteel op een prachtige locatie.

🔲 317 H8 • Blair Atholl, Pitlochry PH18 5TL ☎ 01796 481207 🕐 Apr.–okt. dag. 9.30– 17 uur 💷 Huis en terrein: volwassene £6,25, kind £4 (tot 5 jaar gratis), gezin £18; alleen terrein: volwassene £2, kind £1, gezin £5 🚉 Blair Atholl Village 🅿️ £3,50 🍴 Café en restaurant 🎁 Cadeauwinkel: veel Blair Castle-voorwerpen en andere typisch Schotse souvenirs ♿ **www.blair-castle.co.uk**

SCORE				
Leuk voor kinderen	●	●	●	
Historisch interessant	●	●	●	●	●
Fotogeniek	●	●	●	●
Beloopbaar	●	●	●	●	●

DAGTRIP
Pitlochry; Killiecrankie

Dit witgepleisterde kasteel met zijn vele torentjes, 13 km ten noorden van Pitlochry, steekt mooi af tegen de omringende bossen. Het ziet eruit als het ultieme Schotse kasteel en is dan ook afgebeeld op ontelbare koektrommels en andere souvenirs. Het is al meer dan zeven eeuwen eigendom van de families Murray en Stewart, hertogen en graven van Atholl. Sinds 1845 hebben zij een privé-leger (de Atholl Highlanders), een gunst van koningin Victoria.

Het middeleeuwse kasteel stond op een strategische locatie op de route naar Inverness en daarom lag het voor de hand dat het in 1652 werd ingenomen door Cromwells leger. Het kasteel speelde ook een rol in de jacobietenopstanden van 1715 en 1745, toen de familie Murray op tragische wijze verdeeld was geraakt. In rustiger tijden bracht de 2e hertog Georgian elementen aan, en toen in 1863 de spoorlijn werd aangelegd kreeg het kasteel de Victoriaanse uitstraling die het nu nog heeft.

Er is veel te zien in het kasteel, van portretten en weelderige interieurs tot een origineel exemplaar van het National Covenant (blz. 27) en de torenkamer waar Bonnie Prince Charlie in 1745 sliep. Bekijk Raeburns portret van de legendarische vioolspeler en componist Neil Gow (1727–1807) en Gows viool in de balzaal. Neem ook de tijd om het omliggende terrein te verkennen, inclusief Diana's Grove, met coniferen van wel 59 m hoog. **Niet te missen** De Treasure Room aan het einde, tjokvol jacobitische memorabilia, sieraden en persoonlijke bezittingen.

De gerenoveerde 17e-eeuwse tuinen van Drummond Castle

Een leuk souvenir uitkiezen bij Deep Sea World

Doune Castle is te zien in de film Monty Python and the Holy Grail

CALLANDER

⊞ 317 G10 🏛 Ancaster Square FK17 8ED, tel. 01877 330342 www.incallander.co.uk

Aan de A84 ten noordwesten van Stirling ligt Callander, een levendig stadje dat de oostelijke toegangspoort vormt voor de Trossachs (blz. 98). De architectuur in de hoofdstraat stamt uit de 19e eeuw, toen Callander een populair vakantieoord was. Nu herbergen de gebouwen leuke winkels. In de kerk op het plein is het toeristenbureau gevestigd. Daarboven kunt u de audio-visuele Rob Roy Story *(mrt.–mei en okt.–dec. dag. 10–17, juni 9.30–18, juli–aug. 9–18, sept. 10–18, jan.–feb. ma.–vr. 11–15, za.–zo. 11–16 uur)* bezoeken. *Outlaw* Rob Roy MacGregor (1671–1734) was een volksheld die zich met zijn clan verschanste in de heuvels van Trossach.

Aan het einde van de straat rijst Ben Ledi hoog op en er zijn leuke, bewegwijzerde wandelingen naar de Callander Crags en de Bracklinn-watervallen.

CRIEFF

⊞ 317 H10 🏛 Muthill Road PH7 4HQ, tel. 01764 654014; seasonal www.perthshire.co.uk

Het oude plaatsje Crieff, ten westen van Perth aan de rand van de Highlands, trekt in het hoogseizoen veel toeristen. Ze komen om te vissen, te fietsen en om te varen op Loch Earn. Wandelen kan in de heuvels — Knock Hill, met borden aangegeven vanuit het centrum, biedt het mooiste uitzicht. Ten westen van Crieff ligt de uit 1775 daterende Glenturret Distillery *(dag. 9.30–18 uur)*. Drummond Castle (3 km zuidelijker) heeft een geometrisch aangelegde tuin uit de 17e eeuw, die rond 1950 is gerestaureerd *(alleen tuin: Pasen en mei–okt. dag. 14–18 uur)*.

CULROSS

Zie bladzijde 92

DEEP SEA WORLD

⊞ 317 J11 • North Queensferry KY11 1JR ☎ 01383 411880 🕐 Apr.–okt. dag. 10–18, rest van het jaar 11–17 uur 🎫 Volwassene £7,95, kind £5,75 (tot 3 jaar gratis), gezin £24 🚉 North Queensferry 🅿 ♿ www.deepseaworld.com

Dit aquarium ligt even ten noorden van de brug over de Forth. U hoeft geen duikpak aan om de waterdieren te kunnen aanschouwen, want hier bevindt zich de langste onderwatertunnel ter wereld (112 m). Vanuit deze perspex tunnel ziet u haaien zwemmen zonder nat te worden. Houd uw kinderen goed in de gaten als u stopt om de dieren te bestuderen — de lopende band voert ze gemakkelijk mee. Bekijk de bassins met piranha's, haaien, pijlstaartroggen of gifkikkers en tast in de rotspoelen rond op zoek naar ongevaarlijke dieren, zoals zeesterren. Bezoekers van 16 jaar en ouder kunnen deelnemen aan een nachtelijke duik in het haaienverblijf.

Niet te missen De gratis rondleiding Behind the Scenes — reserveer bij aankomst aan de balie.

DOUNE CASTLE

⊞ 317 G10 • Castle Road, Doune FK16 6EA ☎ 01786 841742 🕐 Apr.–sept. dag. 9.30–18.30, okt.–mrt. ma.–wo. en za. 9.30–16.30, zo. 14–16.30 uur 🎫 (HS) Volwassene £2,80, kind £1 ♿ www.historic-scotland.gov.uk

Het dorp Doune ligt 13 km ten noordwesten van Stirling en wie even niet oplet, rijdt er zó langs. Borden leiden u via een smalle weg naar deze grijze ruïne tussen de bomen in een bocht van de rivier de Teith. Het kasteel (eind 14e eeuw) is gebouwd door de machtige regent van Schotland Robert Stewart, hertog van Albany.

Het is een eenvoudige constructie. De hoofdgebouwen staan rond een binnenplaats en zijn omringd door een hoge courtine (wal). Hoeveel belang men vroeger hechtte aan veiligheid wordt hier mooi geïllustreerd: de binnenplaats werd afgeschermd met poorten en om de gebouwen binnen te kunnen gaan moesten weer andere poorten worden gepasseerd. Naar de vertrekken van de lord en die van de bedienden voeren aparte trappen, die apart konden worden bewaakt. De slaapkamer van de hertog beschikt zelfs over een nooduitgang.

Niet te missen Het uitzicht vanaf de courtine.

DUNDEE

Zie bladzijde 93

DUNKELD

Zie bladzijde 94

EAST NEUK

Zie bladzijde 96–97

FALKIRK WHEEL

⊞ 317 H11 • Lime Road, Tamfourhill, Falkirk FK1 4RS ☎ 08700 500208 🕐 Apr.–nov. dag. 9–18.30, dec.–mrt. 10–17 uur 🎫 Gratis. Boottocht: volwassene £8, kind £4 (tot 5 jaar gratis), gezin £21 🚉 Falkirk Grahamston 🅿 ♿ www.thefalkirkwheel.co.uk

Is het techniek of is het kunst? Dat vragen veel bezoekers zich af bij het zien van het 35 m hoge constructie, die sinds 2002 de verbinding vormt tussen het Forth and Clyde-kanaal en het Union Canal. Het ultramoderne wiel, dat het midden houdt tussen een sluis en een lift, maakte 11 sluizen overbodig. Vanuit het bezoekerscentrum hebt u goed zicht op het proces. U kunt zelf een boottochtje maken (40 min.) naar het hogergelegen kanaal, door een tunnel en vervolgens met het Wheel weer omlaag.

De torens van het poortgebouw bepalen de skyline van de stad

FALKLAND PALACE

🔲 317 J10 • Falkland, Cupar KY15 7BU
☎ 01337 857397 🕐 Mrt.–okt. ma.–za. 10–18, zo. 13–17 uur 🏛 (NTS) volwassene £7, kind £5,25, gezin £19 🏛
www.nts.org.uk

WAT TE ZIEN

Vorsten van het huis Stuart gebruikten dit fraaie fort met zijn renaissancistische gevel in het hart van Fife als jachthuis en buitenplaats. Het paleis stamt uit de 15e eeuw en werd tussen 1501 en 1541 flink uitgebreid. Mary Stuart heeft hier een deel van haar jeugd doorgebracht, maar toen Karel II in 1651 in ballingschap ging, raakte het in verval. In 1887 begon John Patrick Crichton Stuart met de restauratie en herbouw, een klus die pas in de 20e eeuw was geklaard. Enkele kamers weerspiegelen de verschillende periodes waarin het gebouw bewoond was, zoals de Chapel Royal en de King's Room. Het ontwerp van de fraaie tuin stamt uit omstreeks 1950 en is van Percy Cane.

GLAMIS CASTLE

🔲 318 J9 • by Forfar DD8 1RJ
☎ 01307 840393 🕐 Mrt.–juni en sept.–okt. dag. 10.30–17.30, juli–aug. 10–17.30 uur 🏛 Volwassene £6,70, kind £3,50 (tot 5 jaar gratis), gezin £18
🍴 🏛
www.glamis-castle.co.uk

Het stijlvolle Glamis (spreek uit: Glaams) is sinds 1372 de zetel van de graven van Strathmore en Kinghorne. Het is feitelijk een middeleeuwse woontoren die door verschillende uitbreidingen en renovaties is uitgegroeid tot een paleis. Na een rondleiding van een uur mogen bezoekers rondkijken in het fraaie park dat in de 18e eeuw is aangelegd, inclusief de Italiaanse tuin. Koningin Elizabeth, de koninginmoeder (1900–2002), is op deze plek opgegroeid.

CULROSS

Een goed bewaardgebleven *burgh* aan de noordelijke oever van de rivier de Forth, ten westen van Dunfermline.

🔲 317 H11 🚹 1 High Street, Dunfermline KY12 7DL, tel. 01383 720999
www.standrews.com/fife

Het schilderachtige plaatsje Culross (spreek uit: Cure-oss) zou met zijn keienstraatjes en trapgevels niet misstaan op een van die bekende schilderijen van oude Schotse *burghs*. Er is lange tijd steenkool gedolven en zout gewonnen, vooral door George Bruce, een succesvolle 16e-eeuwse zakenman. Toen de lokale kolenmijnen langzamerhand uitgeput raakten, verplaatste de industriële bedrijvigheid zich naar andere delen van de Forth Valley en verwerd Culross tot een onbeduidend plaatsje, gelegen aan de modderige oevers van de riviermonding. Gelukkig hebben veel 17e- en 18e-eeuwse woningen van handelaren en arbeiders de tand des tijds doorstaan. Vreemd genoeg is het de armoede van Culross die de nu zo bewonderde gebouwen voor het nageslacht heeft bewaard.

Rond 1930 begon de National Trust for Scotland vervallen panden op te kopen en nu, decennia later, zijn veel van deze prachtig gerestaureerde huizen weer bewoond. De mooiste gebouwen, zoals het okerkleurige Culross Palace (Bruce's huis uit 1597) en het Town House (1626, waar van hekserij verdachte vrouwen op zolder werden opgesloten), zijn voor het publiek geopend *(NTS, Pasen–sept. dag. 12–17 uur)*.

Niet te missen Het uitzicht vanuit het hoogste deel van de paleistuin over de daken van de stad tot aan de Forth.

SCORE			
Historisch interessant	●	●	●	●
Fotogeniek	●	●	●	●
Winkels	●	●	●
Beloopbaar	●	●	●	●

DAGTRIP
South Queensferry; Deep Sea World

De begane grond van het 17e-eeuwse Town House heeft enige tijd dienstgedaan als gevangenis

Scotts schip de Discovery *keerde hier in 1986 uit Londen terug*

DUNDEE

Een historisch schip en een fascinerend industrieel museum lokken veel bezoekers naar de vierde stad van Schotland.

Dundee was in de 19e eeuw een bloeiende industriestad die bekendstond om zijn drie j's: jam, jute en journalistiek. Het plaatsje strekt zich uit langs de noordkust van de Firth of Tay. Wie er over de ringweg voorbijrijdt doet zichzelf tekort, want de kade van Dundee heeft een ware transformatie ondergaan. De belangrijkste bezienswaardigheid is Discovery Point, dat aandacht besteedt aan de beroemde driemaster *Discovery,* die hier in 1900–1901 is gebouwd. Het ontwerp en de bouw van dit onderzoeksschip worden in het museum geïllustreerd aan de hand van modellen, geluidsfragmenten en voorwerpen *(Pasen– okt. ma.–za. 10–18, zo. 11–18, rest van het jaar ma.–za. 10–17, zo. 11–17 uur).* De eerste reis van de *Discovery,* onder een jonge Robert Falcon Scott (1868–1912), voerde haar naar Antarctica, waar ze in 1902 vast kwam te zitten in het pakijs. Dit bleef zo gedurende twee lange winters, een periode waarin wetenschappelijk onderzoek werd verricht en Scott vergeefs de Zuidpool probeerde te bereiken. Dit fascinerende verhaal gaat pas echt leven tijdens een rondleiding op het schip, doordat u beter beseft hoe weinig ruimte men had aan boord en hoeveel proviand er nodig was voor een dergelijke expeditie.

ANDERE BEZIENSWAARDIGHEDEN

Sensation Dundee, aan de andere kant van het station, is een eerbetoon aan het hedendaagse onderzoek *(apr.–okt. dag. 10–18, rest van het jaar 10–17 uur).* Het is een interactief wetenschapscentrum dat is gewijd aan de vijf zintuigen. Bekijk een foto van uzelf waarop u voor uw eigen ogen van geslacht verandert en klauter door een enorme neus om te zien wat snot nu eigenlijk is. In het centrum vindt u de Verdant Works *(Pasen–okt. ma.–za. 10–18, rest van het jaar wo.–za. 10.30–16.30, zo. 11–16.30 uur),* de voormalige jutefabriek. Trek een paar uur uit voor de leuke rondleiding, met veel informatie over de herkomst van de grondstof (India), de productie en toepassingen van jute en de invloed ervan op de inwoners van Dundee.

SCORE	
Leuk voor kinderen	●●●●
Historisch interessant	●●●●
Winkelketens	●●●●
Fotogeniek	●●

PRAKTISCH

🗺 318 J9

ℹ 21 Castle Street DD1 3AA, tel. 01382 527527

🚊 Dundee

www.angusanddundee.co.uk
Regionale site met evenementen.

TIPS

● Voor een beter begrip kunt u bij de Verdant Works het beste eerst de korte film Juteopolis bekijken en pas daarna de rondleiding volgen.
● Een gecombineerd kaartje voor de *Discovery* en de Verdant Works is voordeliger.

Dundee, boven, is een universiteitsstad aan de rivier de Tay

Hill House, het enige huis dat bij Mackintosh' leven is gebouwd

GLEN LYON

🔲 317 G9 🚹 The Square, Aberfeldy PH15 2DD, tel. 01887 820276; in het seizoen
www.perthshire.co.uk

Deze prachtige, lange vallei ligt ingeklemd tussen de bergen tussen Loch Tay en Loch Rannoch, en strekt zich over een afstand van 55 km uit tot aan de stuwdam aan de oostzijde van Loch Lyon. U bereikt de dam via de bergpas bij Ben Lawers (1214 m) of via de indrukwekkende pas bij Fortingall. De eenbaansweg, die langs de rivier de Lyon loopt, voert door bossen en langs enkele boerderijen in een decor van glooiende heuvels. De vallei sneeuwt in de winter vaak dicht en in de zomer kan het er heet zijn; het vee staat dan met de poten in de ondiepe rivier.

HILL HOUSE

🔲 316 F11 • Upper Colquhoun Street, Helensburgh G84 9AJ ☎ 01436 673900 ⏰ Apr.–okt. dag. 13.30–17.30 uur 🏛 (NTS) Volwassene £7, kind £5,25 (tot 5 jaar gratis), gezin £19 🚉 Helensburgh Central 🅿 ♿
www.nts.org.uk

Dit 'Dwelling House' (woonhuis) in Helensburgh, omringd door 19e-eeuwse villa's, is een van de juweeltjes die de architect Charles Rennie Mackintosh (blz. 114–115) heeft nagelaten. Hij kreeg de opdracht van de rijke uitgever Walter Blackie en had bij het ontwerp de vrije hand. De bouw was in 1904 voltooid. Mackintosh en zijn vrouw namen ook een groot deel van de inrichting voor hun rekening, inclusief de zitkamer, die is uitgevoerd met roosmotieven en is geschilderd in roze-, groen- en grijstinten. Let op de vele huiselijke elementen, zoals de lampen en zilveren waskommen in de slaapkamer. **Niet te missen** Een wandeling rond het huis om het schaduw-

Dunkeld wordt door de Trust beschermd als 'Little House'

DUNKELD EN HERMITAGE

Een mooi 18e-eeuws stadje met een gotisch kathedraaltje in een prachtige, bosrijke omgeving.

🔲 317 H9 🚹 The Cross, Dunkeld PH8 0AN, tel. 01350 727688 🚉 Dunkeld en Birnham

De oorspronkelijke plaats Dunkeld is, met uitzondering van de kleine, 13e-eeuwse kathedraal, geheel verwoest door de jacobieten na hun overwinning bij Killiecrankie in 1689 (blz. 95). Het compacte centrum bestond na de herbouw uit slechts twee straten, Cathedral Street en High Street, en een leuk pleintje, Cross geheten. Een groot deel van de woningen is witgekalkt en de uniformiteit die de gebouwen uitstralen is vooral te danken aan de National Trust for Scotland.

SCORE				
Leuk voor kinderen	●	●	●	
Historisch interessant	●	●	●	
Fotogeniek	●	●	●	●	●
Beloopbaar	●	●	●	●	●

DAGTRIP
Killiecrankie; Blair Castle

Bij de deels gerestaureerde kathedraal staat de 'Parent Larch', een lariks die in 1738 werd geïmporteerd uit Oostenrijk. Het is de stamvader van veel bomen in de omringende bossen, die tussen 1738 en 1830 zijn aangeplant door de hertogen van Atholl. Wie langs de rivier de Braan naar de Hermitage wandelt (een 18e-eeuwse folly), ziet de hoogste douglasspar van het land (64 m). De beroemde 18e-eeuwse violist Neil Gow is aan de overkant van de rivier geboren en hij ligt begraven in Little Dunkeld.

Bij het verder oostelijk gelegen Loch of the Lowes, beheerd door de Scottish Wildlife Trust *(apr.–sept. dag.)*, broeden visarenden. **Niet te missen** De koperen el op een muur op het plein van Dunkeld (1706); de lengtemaat de el mat 92,5 cm.

Berkenbos langs de Braan

Port of Menteith, vanwaar de Inchmahome Priory te bereiken is

De Falls of Dochart in het hart van Killin – een mooi schouwspel

Standbeeld van het roman-personage Peter Pan, Kirriemuir

spel en de lijnen van het dak te bewonderen. De tuin verdient eveneens uw aandacht.

HILL OF TARVIT MANSIONHOUSE

318 J10 • Cupar KY15 5PB ☎ 01334 653127 ⏰ Huis: apr.–sept. dag. 13–17, okt. za.–zo. 13–17 uur. Tuin en terrein: hele jaar dag. 9.30 uur–zonsondergang (NTS) Huis en tuin: volwassene £5, kind £3,75 (tot 5 jaar gratis), gezin £13,50; alleen tuin: £2–£4 📷 ♿ www.nts.org.uk

De in Edinburgh geboren architect Robert Lorimer (1864–1929) laat zich gelden in vele van de mooiste gebouwen van Schotland, maar nergens meer dan in dit Edwardian huis dat hij in 1906 verbouwde voor Frederick Bower Sharp. Sharp had fortuin gemaakt in de jutehandel in Dundee en wilde een huis waarin zijn verzamelingen, onder meer prachtige schilderijen, wandkleden en meubels, tot hun recht kwamen. Het is een stijlvol geheel, een comfortabel en harmonieus samenspel van smaak en stijl, tot stand gebracht door de beste Schotse handwerkslieden.
Niet te missen De portretten van Raeburn en Ramsay in de bibliotheek, het stucwerk op het plafond van de eetzaal en het Remirol-toilet in de badkamer – Lorimer in spiegelschrift.

INCHMAHOME PRIORY

317 G10 • Port of Mentieth, bij Kippin FK8 3RA ☎ 01877 385294 ⏰ Apr.–sept. dag. 9.30–17.15 uur (HS) Volwassene £3,50, kind £1,20 (tot 5 jaar gratis) 🚢 Van Port of Menteith, 6,5 km ten oosten van Aberfoyle ♿ www.historic-scotland.gov.uk

Augustijner monniken vestigden zich in 1238 op een prachtig en bosrijk eiland in het Lake of Menteith. Een pontje zet u over, zodat u de romantische grijze resten van de priorij kunt bekij-

ken: een kerk en de resten van enkele andere gebouwen rond een kruisgang. De jeugdige Mary Stuart heeft zich hier in 1547 drie weken schuilgehouden alvorens naar Frankrijk te vluchten. De flamboyante Schotse politicus Robert Bontine Cunninghame Graham (1852– 1936) ligt met zijn Chileense vrouw begraven in de kerk.

KILLIECRANKIE

317 H8 • vlak bij Pitlochry PH16 5LG ☎ 01796 473233 ⏰ Apr.–juni en sept.–okt. dag. 10–17.30, juli–aug. 9.30–18 uur 🅿 Gratis; parkeren £2 📷 ♿ www.nts.org.uk

Deze schitterende groene kloof is alleen al een bezoek waard vanwege het natuurschoon. De steile hellingen van de vallei zijn begroeid met eiken- en beukenbossen, en de rivier de Garry stroomt door het rotsige dal. Wilde bloemen tieren welig en met een beetje geluk kruisen zeldzame, inheemse rode eekhoorns uw pad.

Killiecrankie is echter niet alleen bekend om zijn natuur, maar ook omdat hier in 1689 een dramatische veldslag werd uitgevochten. Onder aanvoering van John Graham of Claverhouse, of 'Bonnie Dundee' (ca. 1649–1689), versloegen de jacobieten de Engelsen, maar Dundee overleed aan zijn verwondingen.
Niet te missen De Soldier's Leap, onder het bezoekerscentrum, waar soldaat Donald McBean zichzelf in veiligheid bracht door over de 5,5 m brede kloof te springen.

KILLIN

317 G9 🔲 Breadalbane Folklore Centre, Falls of Dochart, Main Street FK21 8XE, tel. 01567 820254 www.scottishheartlands.com

Het fleurige plaatsje Killin ligt aan de westzijde van Loch Tay, in het

eeuwenoude district Breadalbane. Het is gunstig gelegen voor het maken wandeltochten en visuitstapjes in de omgeving, maar het beschikt ook over een 'eigen' attractie, namelijk de Falls of Dochart. Het komt maar al te vaak voor dat er zoveel mensen samendrommen op de oude stenen brug om de waterval te zien dat het verkeer tot stilstand komt. De omringende heuvels figureren in heel wat legendes, die tot leven komen in het Breadalbane Folklore Centre in St. Fillan's Mill *(mrt.–mei en okt. dag. 10–17, juni en sept. 10–18, juli–aug. 9.30–18.30 uur)* – u leert hier voor altijd het verschil tussen elfen, watergeesten en urisken! **Niet te missen** De sobere 19e-eeuwse boerderij ten noorden van het dorp, Moirlanich Longhouse *(NTS, mei–sept. wo. en zo. 14–17 uur)*.

KIRRIEMUIR EN DE GLENS OF ANGUS

318 J9 🔲 Cumberland Close, Kirriemuir DD8 4EF, tel. 01575 574097; in het seizoen www.angusanddundee.co.uk

Kirriemuir, een uit rood zandsteen opgetrokken stadje, is verbonden met de schrijver J.M. Barrie (1860–1937), geestelijk vader van Peter Pan, de jongen die nooit volwassen werd. Weverszoon Barrie werd geboren op Brechin Road en in het huis is een tot de verbeelding sprekend museum gevestigd *(NTS, apr.–juni en sept.–okt. vr.–di. 12–17, juli–aug. dag. 12–17 uur)*.

Vanhieruit bereikt u gemakkelijk de Glens of Angus, de langgerekte valleien die zich naar het noorden uitstrekken tot aan de open *moors* van de Grampian Mountains. Ze omvatten Glen Esk, Glen Clova en Glen Prosen, waar het uitstekend wandelen is. Glen Clova geeft toegang tot de afgelegen Glen Doll.

East Neuk

Een rij eeuwenoude, fotogenieke vissersdorpen en fraai uitzicht op zee.

Cottages zij aan zij langs de waterkant in Pittenweem

Aangemeerd in de haven van Anstruther

Het grootste dorp biedt plaats aan het Fisheries Museum

SCORE	
Leuk voor kinderen	● ● ●
Historisch interessant	● ● ●
Fotogeniek	● ● ● ● ●
Natuur	● ● ●

PRAKTISCH

✚ 318 K10

ℹ Museum en Heritage Centre, 62–64 Marketgate, Crail KY10 3TL, tel. 01333 450869; in hoogseizoen

ℹ Tourist Information Office, Harbourhead, Anstruther KY10 3AB, tel. 01333 311073; in hoogseizoen

❓ Het Fife Coastal Path verbindt de dorpen met elkaar; zie ook autoroute blz. 236

EAST NEUK VERKENNEN

'Neuk' is Schots voor 'hoek' en East Neuk is de benaming voor het oostelijke deel van Fife. Tegenwoordig biedt deze streek een welvarende aanblik, met door heggen omzoomde akkers, maar in de 15e eeuw omschreef Jacobus II van Schotland het gebied als de 'met goud afgezette mantel van een bedelaar'. East Neuk staat bekend om zijn mooie vissersdorpjes, verbonden door de A917.

HOOGTEPUNTEN

CRAIL

Het oostelijkste dorp, Crail, met zijn fotogenieke 16e-eeuwse haven, komt al voor in een officieel document uit 1178. Dat er vroeger veel

Huizen met trapgevels tot pal aan de kade in de haven van Crail

Visserijmotieven: boven (glas) en geheel boven (pleisterwerk)

zaken werd gedaan met de Lage Landen blijkt wel uit de architectuur, die wordt gekenmerkt door pannendaken en hoge trapgevels. Het gemeentehuis met zijn vierkante toren heeft zelfs een Hollandse klok, gegoten in 1520. Aan het nabijgelegen Marketgate staan enkele 17e- en 18e-eeuwse herenhuizen met een markkruis ervoor. Naar het zuidoosten hebt u uitzicht op het Isle of May, zo'n 10 km uit de kust.

ANSTRUTHER

Verder naar het westen ligt Anstruther, een grotere toeristentrekker en voormalige haringhaven, waar in winkeltjes langs het water *fish and chips* en kleurige strandattributen verkrijgbaar zijn. Het Scottish Fisheries Museum is gevestigd in historische gebouwen aan het water en is gebouwd rond een centrale binnenplaats. Hier komt u veel te weten over het leven van de Schotse vissers en hun gezinnen, vroeger en nu *(apr.–sept. ma.–za. 10–17.30, zo. 11–17, rest van het jaar ma.–za. 10–16.30, zo. 12–16 uur)*. Er werd hier vroeger veel gesmokkeld, vooral bij de Dreel en de 16e-eeuwse Smuggler's Inn.

PITTENWEEM

Rijd verder naar het westen tot aan Pittenweem, de centrale vissershaven van East Neuk. Deze plaats bestaat al sinds de 7e eeuw, toen St. Fillan zich hier vestigde in een grot (in Cove Wynd) om de lokale Picten te bekeren tot het christendom. In de 13e eeuw ontstond hier een priorij en de haven stamt uit de 16e eeuw. Pittenweem is zeer in trek bij kunstenaars. Hun werk is te zien in talloze galeries.

ST MONAN'S EN ELIE

De huisjes van het volgende dorp, St. Monan's, liggen rond de haven, waar in de 19e eeuw de visserij en de scheepsbouw bloeiden. De Auld Kirk (oude kerk) aan de westzijde stamt uit 1362. Elie, het meest westelijk gelegen dorp van East Neuk, was in de 19e eeuw een populaire badplaats. Via een verhoogde weg bereikt u een rotsig eilandje met een weids uitzicht en een drukbezocht watersportcentrum.

De Auld Kirk van St. Monan's ligt aan de rand van het dorp

TIPS

● De straatjes van deze oude dorpen slibben in de zomer gauw dicht, dus u kunt de auto beter direct parkeren en de dorpen te voet verkennen.
● U kunt al deze plaatsen in één dag bekijken, maar trek voldoende tijd uit voor het Fisheries Museum.

DAGTRIP

Scotland's Secret Bunker; Arbroath Museum
Onderhoud aan een vissersboot, Pittenweem

Het schitterende Loch Katrine is de voornaamste bron van drinkwater voor de stad Glasgow

SCORE	
Leuk voor kinderen	● ● ● ●
Fotogeniek	● ● ● ● ●
Natuur	● ● ● ● ●

PRAKTISCH

✚ 316 F10

ℹ️ National Park Gateway Centre, Loch Lomond Shores, Ben Lomond Way, Balloch G83 3QL, tel. 01389 722199

🚂 Balloch, Tarbet en Ardlui aan de westzijde van Loch Lomond

www.incallander.co.uk

De beste website voor toeristische informatie, met wandelingen en autoritten.

TIP

● De korte en bochtige A821 tussen Aberfoyle en Loch Katrine, de Duke's Pass, voert langs veel natuurschoon. Van noord naar zuid rijdend hebt u hierop het beste zicht.

Plezierbootjes aan het kiezelstrand van Loch Lomond

LOCH LOMOND EN TROSSACHS NATIONAL PARK

Het eerste nationale park van Schotland (2002) bestaat uit 1865 km² vol bossen, water en heuvels.

De romantische schoonheid van de Highlands, gekarakteriseerd door dit toegankelijke en mooie gebied, werd tegen het einde van de 18e eeuw 'ontdekt'. Schrijver en dichter ir Walter Scott bracht het onder de aandacht van het grote publiek met zijn spannende gedicht *The lady of the lake* (1810), dat zich afspeelde op herkenbare plekken in de Trossachs en eindigde bij Loch Katrine. Het nationale park strekt zich uit van het Argyll Forest Park aan de westzijde tot Callander (blz. 91) en van Killin (blz. 95) in het noorden tot Balloch in het zuiden, op slechts 29 km van Glasgow.

HET PARK VERKENNEN

Dit gebied is zeer geliefd bij wandelaars, die worden aangetrokken door de vele gemarkeerde routes en de lange wandelroute de West Highland Way, die langs de oostelijke oever van Loch Lomond voert. Het 39 km lange meer met 38 eilandjes is een watersportwalhalla. Aan de noordzijde, waar de bergen hoger en grimmiger worden, loopt het loch smal toe. Ben Lomond, aan de oostoever, is met zijn 973 m een populaire 'munro' (zie blz. 15). Luss, even naast de A82, is het mooiste dorp. Het Loch Lomond Shores Visitor Centre is gewijd aan de geologie en geschiedenis van de streek *(dag. 10–17 uur)*.

Met de Trossachs bedoelt men het gebied ten oosten van Loch Lomond, inclusief de heuvels van het Queen Elizabeth Forest Park en de hoge Ben Venue (729 m). Rond Loch Katrine, dat eenvoudige wandelpaden en tochtjes per stoomboot naar de eilanden te bieden heeft, is de natuur op zijn mooist.

Niet te missen De pas naar het hoogste punt met Rest and Be Thankful, aan de A83 ten westen van Arrochar.

Fraaie ronde doorgang in het fort Lochleven Castle

Het 18e-eeuwse landhuis Dun, bij Montrose

Scone Palace, vlak bij Perth, heeft een weelderige inrichting

LOCH LOMOND EN TROSSACHS NATIONAL PARK

Zie bladzijde 98

LOCHLEVEN CASTLE

⊞ 317 J10 • bij Kinross KY13 7AR
☎ 07778 040483 ◉ Apr.–sept. dag.
9.30–17.15, okt. wo.–do. en za.–ma.
9.30–15.15 uur 🖾 (HS) Volwassene
£3,50, kind £1,20 ⛴ Veerboot vanaf
Fisherman's Pier, Kinross 🖾
www.historic-scotland.gov.uk

De gehavende grijze toren van Lochleven Castle staat bij de westoever van Loch Leven op een eilandje dat per boot te bereiken is vanuit Kinross. In dit 15e-eeuwse fort is Mary Stuart gevangen gehouden nadat ze in 1567 overwonnen was. Ze had onder dwang afstand gedaan van de troon, ontsnapte en zocht haar toevlucht bij Elizabeth I van Engeland, maar deze liet haar direct weer opsluiten. Het kasteel werd halverwege de 18e eeuw verlaten.

Loch Leven is een natuurreservaat waar jaarlijks zo'n 20.000 kleine rietganzen overwinteren. Het Vane Farm Visitor Centre, aangesloten bij de Royal Society for the Protection of Birds, is gevestigd op de zuidelijke oever *(dag. 10–17 uur)*.

MEIGLE SCULPTURED STONE MUSEUM

⊞ 318 J9 • Dundee Road, Meigle, Blairgowrie PH12 8SB ☎ 01828 640612
◉ Apr.–sept. dag. 9.30–12.30,
13.30–18, okt. ma.–za. 9.30–16, zo.
14–16 uur 🖾 (HS) Volwassene £2,
kind 75p (tot 5 jaar gratis) 🖾
www.historic-scotland.gov.uk

Over de Picten, de middeleeuwse bewoners van Schotland, is maar weinig bekend omdat ze nauwelijks artefacten hebben nagelaten. Het weinige dat we weten is ontleend aan bewerkte stenen. Dit museum, gevestigd in een voormalig schoolgebouw in Meigle, ten noordoosten van Coupar Angus, heeft een interessante collectie. U ziet hier 26 bewerkte stenen, stammend uit het tweede deel van de 8e tot de 10e eeuw. De zalmen, honden en ruiters zijn nog wel te herkennen, maar wat moeten we denken van die vreemde, op olifanten lijkende wezens, kamelen en vogels met bolle ogen?

MONTROSE

⊞ 318 K8 🖾 Bridge Street DD10 8AB,
tel. 01674 672000; in het seizoen
🖾 Montrose
www.angusanddundee.co.uk

De havenplaats Montrose ligt aan de monding van de rivier de South Esk, aan de oostkust van Schotland. Bij eb is er een gouden zandstrand te zien. In de 18e eeuw bereikte men, onder meer door de handel met het Europese vasteland, een redelijke welvaart en sommige bouwwerken doen qua elegantie en stijl denken aan de New Town van Edinburgh (blz. 84–85).

Montrose Basin, een grote en ondiepe binnenzee achter de haven, is een pleisterplaats voor trekvogels. Het House of Dun, aan de noordkust hiervan, is een uit 1730 stammend ontwerp van architect William Adam. Het is prachtig gerestaureerd door de National Trust for Scotland *(NTS, apr.–juni en sept. vr.–di. 12–17, juli–aug. dag. 12–17 uur)*.

PERTH

⊞ 317 J10 🖾 Lower City Mills, West
Mill Street PH1 5QP, tel. 01738 450600;
in het seizoen 🖾 Perth
www.perthshire.co.uk

De Romeinse nederzetting Perth werd in de 1e eeuw gesticht aan de oevers van de rivier de Tay. In de Middeleeuwen was dit de hoofdstad van Schotland en nu is het een bedrijvige stad, die het middelpunt vormt van een bloeiende boerengemeenschap. Het compacte centrum wordt gekenmerkt door leuke winkels en gezellige cafés met terrasjes. Het bezoekerscentrum Perth Mart is gevestigd aan de oude veemarkt – als u in februari of oktober komt, kunt u de beelden, geluiden en geuren op u laten inwerken van de grootste stierenmarkt van Europa.

In Balhousie Castle, aan de rand van het park North Inch, is het Black Watch Regimental Museum *(mei–sept. ma.–za. 10–16.30, rest van het jaar 10–15.30 uur)* gevestigd.

Een rondrit in een bus met open dak (vertrek bij het station) voert u langs de bezienswaardigheden van de stad, zoals de Art Gallery and Museum, de 12e-eeuwse St. John's Kirk en niet te vergeten het Scone Palace, 3,2 km verder noordelijk *(apr.–okt. dag. 9.30–17.30 uur)*. Dit weelderig ingerichte landhuis stamt grotendeels uit de 19e eeuw. Op het terrein bevindt zich Moot Hill, de oudste plek waar Schotse koningen werden gekroond. De Stone of Scone, of Stone of Destiny, waarop dit gebeurde stond vroeger hier, maar wordt nu uit veiligheidsoverwegingen bewaard in Edinburgh Castle (blz. 70–73) – wat u ziet is een replica.

Aan de zuidrand van Perth bevinden zich twee tuinen die een bezoek waard zijn. Branklyn Garden, slechts 0,8 ha groot, bevat planten uit China, Tibet en Bhutan, met een fraaie papavercollectie *(NTS, apr. en juli–sept. vr.–di. 10–17, mei–juni dag. 10–17 uur)*. Bell's Cherrybank Gardens, gesponsord door de bekende whiskyfabrikant, herbergt de nationale collectie heideplanten, die meer dan 900 soorten telt *(mei–sept. ma.–za. 10–17, zo. 12–16 uur)*.

De grimmige resten van de kathedraal, die in de 16e eeuw werd verwoest

SCORE	
Historisch interessant	● ● ● ●
Fotogeniek	● ● ● ●
Winkels	● ● ● ● ●
Beloopbaar	● ● ● ●

PRAKTISCH

✚ 318 K10

ℹ 70 Market Street KY16 9NU,
tel. 01334 472021
www.saint-andrews.co.uk
Leuke website met virtuele rondleiding

DAGTRIP

East Neuk; Scotland's Secret
Bunker; Hill of Tarvit; rondleiding en wandeling blz. 214–217

Golfers op de Old Course

ST. ANDREWS

Deze historische plaats vormt de bakermat van de golfsport.

Het aantrekkelijke St. Andrews ligt aan de oostkust, met aan de
noordzijde een zanderige baai (hier is in 1981 de openingsscène van
de film *Chariots of fire* opgenomen) en aan de zuidzijde een smalle
haven. Vóór de Reformatie was dit het kerkelijke en wetenschappelijke
centrum van Schotland, met de oudste Schotse universiteit (1413).
Verder werd hier in 1754 de Royal and Ancient Golf Club gesticht, die
wereldwijd wordt gezien als de bakermat van het spel. Het British Golf
Museum aan Bruce Embankment *(Pasen tot half okt. dag. 9.30–
17.30, rest van jaar do.–ma. 11–15 uur)* is gewijd aan deze sport.

DE STAD VERKENNEN

De stad kreeg in 1140 stadsrechten en 20 jaar later begon men met
de bouw van de kathedraal. Nadat de protestantse hervormer John
Knox er in 1559 een preek had gehouden, werd de kerk vernield *(gratis toegang; bezoekerscentrum: apr.–sept. dag. 9.30–18.30, rest van
het jaar 9.30–16.30 uur)*. Vlak bij de ruïne van de
kathedraal vindt u de restanten van de 12e-
eeuwse kerk St. Rule's *(gratis toegang)*. Deze is
gewijd aan een Griekse monnik, die met relieken
van de H. Andreas op reis was toen hij hier in 347
schipbreuk leed. Wie de 33 m hoge toren beklimt,
krijgt een goed beeld van de stad en het middeleeuwse stratenpatroon. De twee belangrijkste
straten zijn North Street, die naar de beroemde
St. Andrews Links (golfbaan) voert, en South Street,
met aan het einde de gerestaureerde West Port
(stadspoort, 1589).
Verder noordwaarts ligt de ruïne van het kasteel,
dat rond 1390 werd herbouwd en waar in 1546–
1547 veel werd gevochten *(dezelfde openingstijden als bezoekerscentrum kathedraal)*. De tun-
nels onder de muren stammen uit die tijd.
Niet te missen De 7,3 m diepe kerker in de noordwestelijke hoek van het kasteel die uit een rots is
gehakt en waaruit ontsnappen dus onmogelijk was.

Kijken naar zalmen die de dam bij Pitlochry passeren

De bruisende rivier de Devon bij Rumbling Bridge

Deze sobere boerderij vormt de ingang van de Secret Bunker

PITLOCHRY

➕ 317 H8 ℹ️ 22 Atholl Road PH16 5DB, tel. 01796 472215/472751; in het seizoen 🚉 Pitlochry www.perthshire.co.uk

Deze dynamische stad in het beboste dal van de rivier de Tummel ligt rond een lange hoofdstraat, waarlangs winkels en eettentjes gevestigd zijn. Pitlochry ligt precies in het midden van Schotland en is sinds de 19e eeuw een populaire vakantiebestemming. Er zijn twee distilleerderijen: Bell's Blair Atholl Distillery *(jan.–Pasen en nov.–dec. ma.–vr. 13–16, Pasen–sept. ma.–za. 9.30–17, juni ook zo. 12–17, okt. ma.–vr. 13–16 uur)* en de kleine Edradour Distillery *(mrt.–okt. ma.–za. 9.30–17, zo. 12–17, nov.–half dec. ma.–za. 10–16 uur)*.

Een voetgangersbrug voert over de rivier naar het Festival Theatre met de Scottish Plant Collectors' Garden, die in 2003 werd geopend om te vieren dat al 300 jaar Schotse botanici over de hele wereld onderzoek doen *(Pasen–okt. ma.–za. 10–17, zo. 11–17 uur)*. Vanaf de brug is de vistrap te zien, die onderdeel is van het waterkrachtsysteem dat in de rivier is aangebracht. Bij het

Scottish Energy Visitor Centre *(apr.–okt. ma.–vr. 10.30–17.30 uur)* komt u hierover meer te weten. De observatieruimte is gratis, maar voor de tentoonstelling geldt een entreeprijs.

RUMBLING BRIDGE

➕ 317 H10 ℹ️ Mill Trail Visitor Centre, Alva FK12 5EN, tel. 01259 769696; in het seizoen

Op deze mooie plek raast de rivier de Devon door de rotsige kloof onder de brug door. Het zijn eigenlijk twee bruggen die op elkaar zijn geplaatst. De onderste stamt uit 1713, de bovenste, die 36,5 m boven het wateroppervlak ligt, werd gebouwd in 1816. Deze plek trok zoveel bezoekers dat er ooit een station werd aangelegd. Nu is het een vredig oord, waar leuke wandelingen te maken zijn naar de watervallen Devil's Mill en Cauldron Linn.

ST. ANDREWS
Zie bladzijde 100

SCOTLAND'S SECRET BUNKER

➕ 318 K10 • Crown Buildings, Trywood, vlakbij St. Andrews KY16 8QH ☎ 01333 310301 🕐 Apr.–okt. dag. 10–17 uur 💷 Volwassene £7,20, kind £4,50 (tot 5 jaar gratis), gezin £22 📮 📷 www.secretbunker.co.uk

Het Schotse nucleaire commandocentrum is gevestigd in een 40 m diepe bunker tussen St. Andrews en Anstruther. De bunker

werd na de Tweede Wereldoorlog gebouwd en zou zogenaamd een radarinstallatie herbergen. In werkelijkheid werden er rond 1950 in het geheim 3 m dikke muren van gewapend beton aangebracht die bominslagen moest kunnen weerstaan. Om pottenkijkers op afstand te houden werd er een onopvallende boerderij bovenop gebouwd.

De bunker kon, als de Koude Oorlog uit de hand mocht lopen, dienen als zelfvoorzienende militaire basis en regeringszetel. Nu zijn de kille ruimten, compleet met originele communicatiemiddelen, voor het publiek geopend. In de kleine slaapzaal kon het 300 man tellende personeel bij toerbeurt slapen.

SCOTTISH CRANNOG CENTRE

➕ 317 G9 • Kenmore, South Loch Tay, bij Aberfeldy PH15 2HY ☎ 01887 830583 🕐 Half mrt.–okt. dag. 10–17.30, nov. 10–16 uur 💷 Volwassene £4,25, kind £3 (tot 5 jaar gratis), gezin £13; speciale evenementen, zoals verhalenvertellen, duurder 📷 www.crannog.co.uk

Crannogs waren ronde woningen die werden gebouwd op palen vlak boven het wateroppervlak van een loch. Zo'n 2000 jaar geleden schijnen er in Schotland honderden van dergelijke paalwoningen te hebben gestaan. Vlak bij Kenmore, aan de oostkant van Loch Tay, is er eentje nagebouwd. Het ontwerp is gebaseerd op onder water uitgevoerde opgravingen aan de overkant van het loch, bij Fearnan. Tijdens een leuke en informatieve rondleiding ziet u wat men onder water aantrof en kunt u over de pier naar de hut zelf lopen, waar u kunt zien wat

Bezoek de reconstructie van een paalwoning in Loch Tay

Er rijden nog dagelijks treinen over de Forth Bridge

de archeologen te weten zijn gekomen over de levenswijze van de oorspronkelijke bewoners van dit soort woningen.

Aan de oever van het loch worden demonstraties gegeven van oude vaardigheden, zoals houtbewerking en het maken van vuur. In het hoogseizoen is reserveren noodzakelijk.

SOUTH QUEENSFERRY

⊞ 317 J11 🚺 Forth Bridges Tourist Information Centre, bij North Queensferry KY11 1HP, tel. 01383 417759
www.standrews.com/fife

Vanuit dit kleine stadje voer van 1129 tot 1964 een veerboot over de Firth of Forth, maar deze raakte overbodig door de aanleg van een brug. Het is leuk om deze plek, op slechts 16 km ten noordoosten van Edinburgh, op een zomeravond te bezoeken en de twee bruggen over de Forth te bekijken.

De oudere spoorbrug, die in 1890 werd gebouwd, is met zijn opvallende ontwerp van William Arrol (1839–1913) en partners uitgegroeid tot een van de symbolen van Schotland. Tijdens de bouw, die 8 jaar duurde, kwamen 57 arbeiders om. Van tijd tot tijd wordt de brug opnieuw geschilderd, een excercitie waarvoor 31.000 liter roestwerende verf nodig is (de materialen worden gelukkig steeds beter, waardoor dergelijk onderhoud in de toekomst waarschijnlijk slechts eens in de 30 jaar nodig is).

Hopetoun House, verder westelijk, is een schitterend landhuis uit het begin van de 18e eeuw, ontworpen door William Bruce en William Adam. De tuin (40 ha) biedt mooi uitzicht op de bruggen *(apr.– sept. dag. 10–17.30 uur)*. Hier woont nog altijd de markies van Linlithgow, omringd door schilderijen, antieke meubels en rococodecoraties.

STIRLING

Een interessante plaats met een rijke historie vol gevechten in het hart van Schotland.

⊞ 317 H11 🚺 Royal Burgh of Stirling Visitor Centre, Castle Esplanade FK8 1EH, tel. 01786 479901; in het seizoen 🚉 Stirling
www.scottishheartlands.org

Stirling Castle heeft vanwege zijn strategische ligging, hoog op een rots, met uitzicht op de smalle strook land tussen de monding van de Forth en de moerassen (nu drooggelegd) aan de westkant, een belangrijke rol gespeeld in de geschiedenis van Schotland. Het deed ooit dienst als koninklijk paleis en is talloze malen verbouwd *(HS, apr.–sept. dag. 9.30–18, rest van het jaar 9.30–17 uur)*. Mary Stuart, die er is opgegroeid, is in 1543 gekroond in de Chapel Royal.

SCORE					
Historisch interessant	●	●	●	●	●
Fotogeniek	●	●	●		
Winkels	●	●	●	●	
Beloopbaar	●	●	●		

DAGTRIP
Doune Castle; Callander; Crieff

STIRLINGS ROL IN DE SCHOTSE GESCHIEDENIS

Stirling was van groot belang tijdens de onafhankelijkheidsoorlogen (13e en 14e eeuw), waarin Schotland het opnam tegen Engeland. Bekende Schotse overwinningen zijn die van Stirling Bridge (1297), die plaatsvond bij de Old Bridge even ten noorden van het centrum, toen William Wallace het leger van de tegenstander op slimme wijze in tweeën deelde, en die van Bannockburn (1314), onder leiding van Robert the Bruce. Beide mannen zijn nog altijd lokale helden. Wallace wordt geëerd met het 67 m hoge National Wallace Monument op de nabijgelegen heuvel Abbey Craig *(nov.–jan. dag. 10.30–16, mrt.–mei en okt. 10–17, juni 10–18, juli– aug. 9.30–18.30, sept. 9.30–17 uur)* en Bruce met een centrum op het Bannockburn-veld, onder het kasteel *(NTS, apr.– okt. dag. 10–17.30, feb.–mrt. en nov.–dec. 10.30–16 uur)*.

Het hooggelegen Stirling Castle doet denken aan Edinburgh Castle

GLASGOW

De inwoners van Glasgow koesteren het beeld van hun woonplaats als stoere, Victoriaanse industriestad. De stad, groter dan Edinburgh, is verwikkeld in een gemoedelijke concurrentiestrijd met de hoofdstad. Topattracties zijn het grootste millenniumproject van Schotland — het Science Centre — en de fascinerende kunstcollectie van William Burrell.

BEZIENSWAARDIGHEDEN

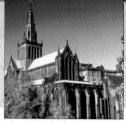

Kibble Palace, een imposante victoriaanse kas

De City Chambers beslaan een zijde van George Square

Glasgow Cathedral ligt ten oosten van het centrum

WAT TE ZIEN

BARRAS

✚ 311 E2 • Gallowgate en London Road, tussen Ross Street en Bain Street ☎ 0141 552 4601 🕐 Za.–zo. 10–17 uur 💷 Gratis 🚇 Glasgow Central, Glasgow Queen Street
www.glasgow-barraland.com

De bekende (vlooien)markt aan de armere oostzijde van de stad is een overblijfsel van vroeger tijden en staat in schril contrast met de fraaie winkelcentra en gezellige cafés van Glasgow. Aanvankelijk verkochten de standwerkers hun waar vanuit open wagens, maar in de jaren twintig van de vorige eeuw liet de ondernemende kraamhoudster Margaret McIver de markt overdekken. De wirwar van huisjes, kramen en pakhuizen biedt doordeweeks een nogal troosteloze aanblik, maar in het weekeinde komt deze plek echt tot leven. U kunt er terecht voor antieke meubels, toekomstvoorspellingen en namaak-designerkleding en er is iedere maand een boerenmarkt.
Niet te missen De oudste kroeg van de stad, Saracen's Head, vlak bij de Barrowland Ballroom bij de Gallowgate.

BOTANIC GARDENS

✚ 310 C1 • 730 Great Western Road G12 0UE ☎ 0141 334 2422 🕐 Dag. 7 uur-zonsondergang; kassen: apr.-okt. dag. 10–16.45 okt.–apr. 10–16.15 uur 💷 Gratis 🚇 Hillhead 🚌 8, 11, 18, 20, 41, 66, 89, 90 🅿 ❓ Kibble Palace is in 2005 wegens renovatie gesloten

De basis voor de botanische tuin van Glasgow (11 ha) werd gelegd door de universiteit, die planten verzamelde voor medische toepassingen. In 1842 verhuisde de collectie naar het West End. De hoofdingang bevindt zich op de hoek van Great Western Road en Queen Margaret Drive. Het arboretum wordt hiervan door nog een straat gescheiden. De

kas Kibble Palace (2137 m²), genoemd naar degene die hem in 1872 vanuit zijn tuin hiernaartoe liet brengen, vormt de topattractie. Er groeien boomvarens uit Australië en Nieuw-Zeeland en planten uit alle windstreken.

BURRELL COLLECTION
Zie bladzijde 106–109

CITY CHAMBERS

✚ 311 D2 • George Square G2 1DU ☎ 0141 287 4018 🕐 Ma.–vr. 9–17 uur 💷 Gratis 🚇 Buchanan Street; St. Enoch's 🚉 Glasgow Queen Street ❓ Rondleiding om 10.30 en 14.30 uur
www.glasgow.gov.uk

Dit weelderige 'paleis', het bestuurlijke hart van de stad, beslaat één zijde van George Square. Het is in 1888 geopend door koningin Victoria. Vanbuiten, onder de 'Venetiaanse' centrale toren, frontons en koepeltjes, zijn de vergulde plafonds en de grootse centrale hal ook te zien, maar tijdens een gratis rondleiding kunt u het interieur echt goed bestuderen, van de muurschilderingen in de grote banketzaal en de marmeren trappenhuizen tot het met mozaïek bezette plafond van de loggia, dat uit 1,5 miljoen stukjes zou bestaan. Het ontwerp van William Young (1843–1900) weerspiegelt het aanzien dat Glasgow destijds genoot als tweede stad van het land.

CLYDEBUILT

✚ 310 bij A1 • Braehead Shopping Centre, Kings Inch Road G51 4BN ☎ 0141 886 1013 🕐 Ma.–do. en za. 10–18, zo. 11–17 uur 💷 Volwassene £3,50, kind £1,75 (tot 5 jaar gratis), gezin £8 🚌 22, 25, 55 🚤 Waterbus: Braehead vanuit centrum Glasgow 🚉
www.scottishmaritimemuseum.org

Clydeside is synoniem met de gouden eeuw van de scheepsbouw aan het eind van de 19e

en begin van de 20e eeuw, toen de rivier werd uitgebaggerd voor kolossale schepen als de *QE2*. Het is dus passend dat u een waterbus kunt nemen naar Braehead, een van de drie afdelingen van het Scottish Maritime Museum (de andere vindt u in Irvine en Dumbarton). Hier wordt u ingewijd in de geschiedenis van de scheepsbouw, van de 18e-eeuwse zeilschepen die de drijvende kracht vormden van de Glasgowse handel in tabak tot de lijnschepen uit de jaren veertig van de vorige eeuw. U ziet hoe zo'n lijnschip werd gebouwd en kunt ervaren hoe het is om een schip te laden of aan te meren.

GALLERY OF MODERN ART (GOMA)
Zie bladzijde 105

GLASGOW CATHEDRAL

✚ 311 E1 • Castle Street G4 0QZ ☎ 0141 552 6891 🕐 Apr.–sept. ma.–za. 9.30–18, zo. 13–17, rest van jaar ma.–za. 9.30–16, zo. 13–16 uur 💷 Gratis 🚌 213 🚉 High Street 🚇
www.glasgowcathedral.org.uk

Glasgow Cathedral zou met zijn zwarte natuursteen, opvallende gebrandschilderde ramen en de ligging achter het Victoriaanse kerkhof (blz. 110) ten onrechte kunnen worden beschouwd als 19e-eeuws. In werkelijkheid is hij middeleeuws (13e en 15e eeuw). De centrale toren werd in 1406 vervangen nadat het origineel door de bliksem was getroffen.

De kathedraal is gewijd aan de H. Mungo, of Kentigern, die in 603 stierf. Zijn graf, dat ooit veel pelgrims trok, bevindt zich in de crypte. Het roodborstje, de vis, de klok en de boom op de lantaarnpalen buiten verwijzen naar wonderen die deze heilige zou hebben verricht.
Niet te missen Gedecoreerde stenen rozetten in de Blackadder Aisle.

Vol aandacht voor John Bellany's Untitled, *links, en June Redferns* From two paths, *rechts*

GALLERY OF MODERN ART (GoMA)

Dit is een van de meest controversiële en prikkelende hedendaagse musea van het Verenigd Koninkrijk.

De GoMA is gevestigd in een centraal gelegen, uit ca. 1780 stammend pand dat toebehoorde aan een rijke tabakshandelaar. Het eigenzinnige museum trekt zich van niets of niemand iets aan – een houding die correspondeert met het ruiterstandbeeld (buiten) van de hertog van Wellington met een pilon op het hoofd (zie blz. 10).

De vier verdiepingen staan met elkaar in verbinding via een glazen lift en trappen waarlangs glazen panelen zijn aangebracht die de lucht weerspiegelen. Kijk na binnenkomst even omhoog naar de ovale ruimten, die nu zwartwitfoto's bevatten van Sebastião Salgado (1944–). Beneden (Fire) bevinden zich de bibliotheek en het café. Op de begane grond (Earth) neemt *Hell bent,* een installatie van gevouwen kranten en roestige autowrakken van David Mach (1956–) een dominante positie in, maar de exposities wisselen vaak. Peter Hausens schilderij *Patriots* (1991) – drie lullige mannen met baseballpetjes en trekkende bulldogs – is ook hier te zien. Op de volgende verdieping (Water) zijn grote doeken van popart-kunstenares Bridget Riley (1931–) te zien, maar ook aboriginalkunst en werken van Andy Warhol, David Hockney, Beryl Cook, John Bellany, Ian Hamilton Finlay en Ken Curry.

TOPSTUKKEN

Andere favorieten die u misschien te zien krijgt, zijn een nogal oneerbiedig beeld van koningin Elizabeth die haar melkfles van de stoep pakt en een mechanisch theater van beeldhouwer Eduard Bersudsky (1939–), waarin honderden figuurtjes en bewerkt afval op de klanken van sinistere muziek en begeleid door speciale verlichting de strijd verbeelden van de mens met leven en dood. Op de lichte en ruime bovenste verdieping (Air) worden wisselende exposities van hedendaagse kunst van over de hele wereld gehouden.

Niet te missen Avril Patons grote doek *Windows in the west* (1993), dat een gedetailleerd beeld geeft van de verschillende bewoners van een Glasgowse woonkazerne.

PRAKTISCH

✚ 311 D2 • Royal Exchange Square, Queen Street G1 3AZ ☎ 0141 229 1996 🕐 Ma.–wo. en za. 10–17, do. 10–20, vr. en zo. 11–17 uur 💷 Gratis 🚌 6, 12, 18, 20, 40, 41, 61, 62, 66, 75 🚇 Buchanan Street, St. Enoch's 🚆 Queen Street, Glasgow Central ❓ Vrijwilligers verzorgen in het weekeinde rondleidingen (vrijw. bijdrage) ☕ Klein café in kelder 🛍 Winkel op begane grond met 'arty'souvenirs ♿ www.glasgowmuseums.com Rommelig, maar bevat actuele informatie

Figuren uit papier-maché van de Mexicaanse gebroeders Linares

Burrell Collection

Fijne keramiek, schilderijen, borduurwerk en andere schatten uit alle werelddelen. Het museum is gevestigd in een speciaal voor dit doel gebouwd pand, ver buiten het centrum van Glasgow. Er worden steeds ongeveer 3000 stukken van de collectie getoond.

De Bactrische kameel, en het park weerspiegeld op de ruit

Verzamelaar William Burrell maakte fortuin als reder

De denker van Rodin, ooit onderdeel van een beeldengroep

DE BURRELL COLLECTION VERKENNEN

De Burrell Collection wordt getoond in een modern museum in het lommerrijke Pollok Park, ten zuiden van het centrum van Glasgow. Vanbuiten toont het onopvallend, maar binnen treffen bezoekers een ongekende hoeveelheid decoratieve kunst, kunstnijverheid en schilderijen aan, afkomstig uit alle windstreken. De tentoonstellingen wisselen vaak en men kiest ervoor een relatief klein aantal topstukken met veel zorg te tonen, waardoor bezoekers niet gauw overdonderd raken. Er wacht altijd iets nóg mooiers om de hoek Het museum beslaat één verdieping en een kleine tussenverdieping, en beneden vindt u een cafetaria. De laatste tijd zijn de tijdelijke exposities steeds vaker interactief.

HOOGTEPUNTEN

MIDDELEEUWSE WANDKLEDEN

Burrell was dol op middeleeuwse Europese kunst en hoewel de gereconstrueerde kamers van zijn 15e-eeuwse kasteel het minst leuke deel van het museum vormen, zijn de voorwerpen die hij verzamelde, waaronder meubels en gebrandschilderd glas, er niet minder interessant om. De prachtig ontworpen wandkleden vormen een belangrijk onderdeel van de collectie. Ze zijn vakkundig gemaakt en de kleuren zijn prachtig bewaard gebleven. *Bourgondische boeren met fretten op konijnenjacht* is een levendig en geestig meesterstuk (1450–1475): de slimme konijntjes verschuilen zich in het groen terwijl de netten worden klaargelegd en de fretten worden losgelaten. Op het iets oudere *Hercules op de Olympus* (ca. 1425) zien we de held de Olympische Spelen openen. Hoewel dit wandkleed iets formeler van opzet is, bieden de mensen en de paarden in de menigte een levendige aanblik.

DE DENKER VAN RODIN

Op de lichte en ruime centrale binnenplaats springt de reusachtige *Warwick-vaas* direct in het oog. Het is een 18e-eeuwse marmeren reconstructie met fragmenten van het origineel uit de 2e eeuw. Om de hoek zijn kleinere beelden te zien, waaronder het wereldberoemde

TIPS

● Gun uw ogen even de tijd om te wennen aan het getemperde licht in de zalen; u kunt de wandkleden dan beter zien.

● Op een warme zomerdag kan het in de buitenste zalen vrij warm worden, dus bezoek deze vroeg in de ochtend en ga daarna verder met de binnenste (raamloze) ruimten, waar het koeler is.

● In het natuurpark worden dieren gehouden en er is een boswachterskantoor. Verder kunt u er wandelen langs gemarkeerde paden (met picknickgelegenheid). Pollok House (blz. 113) is op zichzelf al een bezoek waard.

Geheel boven: Chinese porseleinen kom daterend van 960–1126

Het wandkleed Bourgondische boeren met fretten op konijnenjacht, links, zit vol leuke details

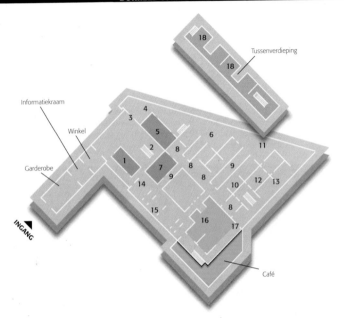

Informatiekraam

Winkel

Garderobe

INGANG

Tussenverdieping

Café

1 Eetzaal van Hutton Castle
2 Centrale binnenplaats (de *Warwick-vaas*, *De denker* van Rodin)
3 Portaal uit Hornby Castle
4 Het oude Egypte, Griekenland en Rome (stenen beelden, reliëfs, schalen, bronswerk, glas enzovoort)
5 Zitkamer uit Hutton Castle
6 Chinese kunst en keramiek (aardewerk, porselein, jade, meubels)
7 Hal van Hutton Castle
8 Wandkleden (wandkleden worden getoond in vier zalen met meubels uit die tijd)
9 Wapens en harnassen (Europa, 13e–17e eeuw)
10 Borduurwerk (geborduurd textiel, kant)
11 Gotische kunst (middeleeuwse religieuze kunst)
12 16e en 17e eeuw (schilderijen en meubels)
13 Islamitische kunst (kleden, vroege keramiek en bewerkt metaal)
14 De mens Burrell, het gebouw van Burrell (achtergronden bij de collectie)
15 Gebrandschilderd glas
16 Tijdelijke tentoonstellingen
17 Montron-boog
18 Tussenverdieping: schilderijen (vooral werken van Franse kunstenaars uit de 19e eeuw, zoals Degas, Cézanne en Boudin)

bronzen beeld van Auguste Rodin, *De denker*. Het werd in 1880 in opdracht vervaardigd als onderdeel van een groep van honderden beelden die bij de ingang van een Parijs' museum zou worden opgesteld. De beeldengroep zou de *De hellepoort* heten, naar Dantes *Divina Commedia*. Deze in zichzelf gekeerde man moet de dichter zelf verbeelden en doet denken aan het werk van Michelangelo en William Blake. Het project is nooit voltooid, maar dit beeld, dat later bekend zou raken als *De denker*, werd beroemd. Het was oorspronkelijk een klein bronzen beeld, maar het is tussen 1902 en 1904 vergroot. Tegenwoordig duikt het op in allerlei vormen en maten.

OOSTERSE KUNST

Hoewel Burrell het Verre Oosten nooit bezocht, vormt zijn oosterse collectie het hoogtepunt van een bezoek aan het museum. Naast fraai bewerkte jade en fijne porseleinen figuren ziet u er zeldzame neolithische urnen van beschilderd aardewerk uit de Yangshao-cultuur, die meer dan 4000 jaar geleden bloeide — het is een wonder dat ze nog intact zijn. Bekijk ook de grappige flessen uit de Han-dynastie in de vorm van verschrikte uilen, en de iets jongere grote Bactrische kameel met felgroen en oranje glazuur — een grafgift, die de rijkdom van de overledene symboliseerde. De lichtgroene fijne kommetjes en schaaltjes zijn al even prachtig.

ZELFPORTRET VAN REMBRANDT

De zaal die is gewijd aan de 16e en 17e eeuw staat vol meubels uit die periode en doet zeer Brits aan. Wie echter nog eens goed kijkt, ziet een bekend gezicht onder een breedgerande Hollandse hoed. Het is het gelaat van de jonge Rembrandt van Rijn (1606–1669), op een zelfportret uit 1632. Hij vervaardigde het in de tijd waarin hij naam begon te maken als portretschilder in Amsterdam, ruim

De pasteltekening Bierdrinkende vrouwen *van Manet (ca. 1878)*

tien jaar voor hij zijn beroemdste werk, *De nachtwacht*, zou schilderen. Rembrandt maakte tijdens zijn leven zo'n 60 zelfportretten (het eerste dateert van 1629) en was de eerste kunstenaar die zo'n gedetailleerde studie van zichzelf maakte. In het begin deed hij het misschien om geld voor een model uit te sparen, maar op latere leeftijd raakte hij geïntrigeerd door het verouderen van zijn gezicht. Een zelfportret van Rembrandt uit 1634 is pas kortgeleden ontdekt; zijn leerlingen hadden er overheengeschilderd om het te anonimiseren en het daardoor sneller te kunnen verkopen. Het werd gerestaureerd en daarna getaxeerd op zo'n 7,5 miljoen euro.

SCHILDERIJEN VAN DEGAS

Burrells collectie omvat veel schilderijen en pastels van Franse kunstenaars uit de 19e eeuw. Hij had een duidelijke voorkeur voor het werk van Edgar Degas (1834–1917), die bekendstaat om zijn doeken en beelden van ballerina's. *Les jupes rouges*, dat danseressen tijdens de repetitie uitbeeldt, is hiervan een goed voorbeeld. Degas wist de danseressen te vangen op intieme momenten, wachtend achter de coulissen vlak voor hun optreden, tijdens het aantrekken van de spitzen

*Rembrandts zelfportret
uit 1632*

Via de historische poort van het gebouw, ontworpen door Gasson, Meunier en Anderson, bereikt u de verschillende afdelingen

of achteloos een been strekkend. Hij gaf de vrouwen weer in schemerig licht, hetgeen hun kleding iets doorschijnends gaf en waardoor hun lichaam extra zeggingskracht kreeg. Hij ging steeds impressionistischer te werk en na 1880 werkte hij voornamelijk met pastelkrijt. De kunstenaar had zich deze vaardigheid meester gemaakt door het tekenen van renpaarden. Zijn *Jockeys in de regen* (ca. 1881) maakt deel uit van de collectie. Het toont nerveuze paarden bij de start van de race. Het ongeduld van deze dieren wordt op indrukwekkende wijze uitgebeeld in vloeiende pastelstreken.

SCHETSEN VAN MANET

Degas is beïnvloed door Édouard Manet (1832–1883), die eveneens in Parijs woonde en die in 1862 de burgerij schokte met zijn *Déjeuner sur l'herbe*, het schilderij waarop mannen picknicken in het gezelschap van een naakte vrouw. Later werd Manets werk steeds losser en impressionistischer, zoals in het bekende *Een bar in de Folies-Bergères* (1881–1882). Hoe Manet zich voorbereidde op dit doek is te zien aan de schetsen van de Burrell Collection, waaronder *Bierdrinkende vrouwen*, afgebeeld op de vorige bladzijde.

ACHTERGRONDEN

De collectie omvat zo'n 9000 uiteenlopende stukken van over de hele wereld en is van onschatbare waarde. In 1944 schonken William Burrell (1861–1958) en zijn vrouw Constance de hele collectie aan Glasgow. Burrell was een gedreven en talentvol verzamelaar, die al in zijn tienerjaren begon met het aankopen van kunstwerken. Pas in 1983 kon er in Pollok Country Park, waar de lucht relatief schoon is, een passend onderkomen voor de collectie worden gebouwd. De opvallende glazen wanden lijken het omringende groen naar binnen te trekken. Honderden gebrandschilderde ramen zijn verwerkt in de muren van de South Gallery, waardoor de kleuren perfect tot hun recht komen.

PRAKTISCH

🔲 310 B3

• Pollok Country Park, 2060 Pollokshaws Road, G43 1AT

☎ 0141 287 2550

🕐 Het hele jaar ma.–do. en za. 10–17, vr. en zo. 11–17 uur

💷 Gratis, met uitzondering van sommige tijdelijke tentoonstellingen; parkeergelegenheid, niet gratis

🚌 34, 45, 47, 48, 57

🚇 Pollokshaws West

🍴 Café en restaurant (zelfbediening) op de onderste verdieping met uitzicht op het park

🎁 Cadeauwinkel bij de ingang, het grote assortiment omvat het hele spectrum van ansichtkaarten tot dure keramiek

🚻

❓ Enkele malen per dag een gratis rondleiding – informeer hiernaar bij aankomst, of luister naar omgeroepen berichten

www.glasgowmuseums.com
Rommelig, maar zeer bruikbaar voor actuele informatie over tijdelijke exposities.

Overdadige Victoriaanse monumenten op de Necropolis

De bibliotheek in de zuidwesthoek van de School of Art

Klassieke lichtkoepel in Holmwood House

GLASGOW GREEN

🎫 311 E2 🚇 11 George Square G2 1DY, tel. 0141 204 4400 🚆 Glasgow Central

Deze open groene ruimte in East End is het oudste openbare park van Schotland, aan de bevolking geschonken in 1450. Het is eeuwenlang de plek geweest waar de was werd gedroogd, vee kon grazen en misdadigers werden opgehangen. Vanaf 1650 keken kooplieden vanaf de top van de Steeple uit over de rivier de Clyde om te zien of hun schepen al waren binnengelopen. Het leger van Bonnie Prince Charlie kreeg een lauw welkom toen het hier in 1746 zijn kamp opsloeg. De obelisk van zwart geworden baksteen was het allereerste monument dat werd opgericht voor Lord Nelson (1806). De eerste golfclub van de stad speelde hier na 1780, en zowel Glasgow Rangers als Celtic werd op de Green opgericht.

In het park staat het People's Palace (blz. 113) en beroemde bezienswaardigheden eromheen zijn de rood-gouden gevel van het Templeton Business Centre, een oude tapijtfabriek uit 1889 van William Leiper naar voorbeeld van het Dogenpaleis in Venetië, en de McLennan Arch, de overeind gebleven gevel van de oude Assembly Rooms.

Het park wordt momenteel gerenoveerd.

GLASGOW NECROPOLIS

🎫 311 E2 🚇 11 George Square G2 1DY, tel. 0141 204 4400 🕐 Dag. 10–6 uur 🎟 Gratis 🚌 213 🚇 High Street

Dit is de fascinerende dodenstad van Glasgow, volgebouwd met opzichtige monumenten voor Victoriaanse notabelen — de rijke industriëlen en tabakshandelaars die de stad in de 19e eeuw ontwikkelden. Hun competitiedrang is zelfs na hun dood nog zichtbaar, in de buitengewone monumenten die ze bestelden bij de beste architecten van die tijd, onder wie Alexander 'Greek' Thomson. Voor de begraafplaats werd in 1833 een locatie aangewezen op een heuveltop bij de kathedraal, waar besmettelijke ziekten als cholera en tyfus geen kans zouden krijgen zich te verspreiden. Als voorbeeld zou de begraafplaats Père Lachaise in Parijs hebben gediend. De derde verdieping van het St. Mungo Museum (blz. 116) biedt een prachtig uitzicht op de overvolle skyline van de Necropolis.

GLASGOW SCHOOL OF ART

🎫 311 D1 • 167 Renfrew Street G3 6RQ 🕐 0141 353 4526 🕐 Rondleidingen sept.–juni ma.–vr. 11 en 14, za. 10.30 en 11.30 uur; juli–aug. ma.–vr. 11 en 14, za.–zo. 10.30, 11.30 en 13 uur; reserveren aanbevolen 🎟 Volwassene £5, kind £4 (tot 10 jaar gratis), gezin £15 🚇 Cowcaddens 🚇 Queens Street 🚌 www.gsa.ac.uk

De kunstacademie van Glasgow is gesticht in 1845. In 1896 werd er een architectuurprijsvraag uitgeschreven voor een nieuw gebouw, dat op deze moeilijke plek tegen een steile helling moest verrijzen. De winnaar was Charles Rennie Mackintosh (1868–1928), een innovatieve architect die aan de academie was opgeleid en een reputatie begon te krijgen in de stad (blz. 114–115). De Glasgow School of Art zou zijn grootste meesterwerk worden.

De buitenkant is streng, maar het metselwerk wordt opgeluisterd door licht smeedijzerwerk bij de ramen, op balustrades en op het dak. Voor het interieur ontwierp Mackintosh alles zelf, tot en met de lampen. Hij schiep een praktische werkruimte in een geheel eigen Arts and Crafts-stijl, die nu, ruim 100 jaar later, nog steeds fris en modern aandoet.

De rondleiding voert langs de magnifieke bibliotheek en een expositie van Mackintosh' decoratieve werk.

GLASGOW SCIENCE CENTRE

Zie bladzijde 111

GREENBANK GARDEN

🎫 310 C3 • Greenbank House, Flenders Road, Clarkston G76 8RB 🕐 0141 616 5126 🕐 Tuin: dag. 9.30 uur–schemering; huis: apr.–okt. 14–16 uur 🎟 (NTS) volwassene £3,50, kind £2,60 (tot 5 jaar gratis), gezin £9,50 🚌 44 🚇 🚌 www.nts.org.uk

Deze tuin 11 km ten zuiden van het centrum werd in 1976 aan de National Trust for Scotland (NTS) geschonken als demonstratietuin waar de bewoners van Glasgows buitenwijken konden zien welke planten op zware klei gedijen. Greenbank beweert dat de op een vorstvrije locatie gelegen 1 ha grote ommuurde tuin en omringende terreinen laten zien wat gewone mensen in hun eigen tuin ook kunnen realiseren, maar gegeven het feit dat er 3500 verschillende planten staan, lijkt dat wat overdreven. In de bijbehorende winkel zijn bijzondere planten te koop.

HOLMWOOD

🎫 311 D3 • 61–63 Netherlee Road, Cathcart G44 3YE 🕐 0141 637 2129 🕐 Apr.–okt. dag. 12–17 uur 🎟 (NTS) volwassene £3,50, kind £2,60 (tot 5 jaar gratis), gezin £9,50 🚌 44, 66, 374 🚇 Cathcart 🚌 www.nts.org.uk

In het 19e-eeuwse Glasgow ging fabrikantendom samen met opzichtigheid. Daarom nam papierfabrikant James Coupar in 1857 de gewilde architect Alexander 'Greek' Thomson (1817–1875) in de arm om een villa 5 km ten zuiden van het centrum te ontwerpen. Thomson

Typische Mackintosh-rozen in het House for an Art Lover

Het futuristische, met titanium beklede Science Centre

was een exponent van de klassieke en Egyptische stijl, en zijn ontwerpen zijn overal in de stad te zien. Een voorbeeld is de United Presbyterian Church op Caledonian Road. Nergens is zijn stijl echter zo exemplarisch als in dit neoclassicistische herenhuis, waar een raam met behulp van Griekse tempelzuilen en een fronton wordt opgewaardeerd tot een uitbouw met allure. Door de koepel of lantaarn op het dak valt licht in het trappenhuis. Het gebouw is absurd, maar schitterend gemaakt, en de rijke decoraties van het originele interieur worden langzaam in ere hersteld. (Zie ook blz. 218.)

HOUSE FOR AN ART LOVER

🚌 310 B2 • Bellahouston Park, 10 Dumbreck Road G41 5BW ☎ 0141 353 4770 🕐 Apr.–sept. zo.–do. 10–16, za. 10–15 uur; rest van het jaar za.–zo. 10–16 uur 💷 Volwassene £3,50, kind £2,50 (tot 5 jaar gratis), gezin £7 🚍 9, 36, 38, 54, 56 🚇 Ibrox 🚉 Dumbreck 🚗 🍴 www.houseforanartlover.co.uk

Het House for an Art Lover is een fantasie die in 1901 door Charles Rennie Mackintosh (1868–1928) en zijn vrouw Margaret MacDonald (1865–1933) op papier is gezet zonder rekening te houden met budget of opdrachtgever. Het ontwerp werd ingediend voor een prijsvraag door een Duits tijdschrift voor een 'groots huis in een puur moderne stijl', maar werd gediskwalificeerd. Pas in 1996 brachten de gemeente en de School of Art de kunstenaars en ambachtslieden bijeen om deze droom in Bellahouston Park werkelijkheid te laten worden. En wat voor droom, met zijn perfecte proporties, lichte, open ruimten, harmonieuze evenwicht van rechte en gebogen lijnen, en aandacht voor de kleinste details. **Niet te missen** Recitals op zondagmiddag in de Music Room.

GLASGOW SCIENCE CENTRE

Educatief vermaak voor kinderen en volwassenen in Schotlands meest prestigieuze millenniumproject.

🚌 310 C2 • 50 Pacific Quay G51 1EA ☎ 0141 420 5000 🕐 Dag. 10–18 uur; IMAX-bioscoop laat geopend do.–za. 💷 Science Mall: volwassene £6,95, kind £4,95 (tot 3 jaar gratis), gezin £18,95; IMAX: volwassene £5,95, kind £4,45, gezin £17,95; combinatietickets verkrijgbaar 🚍 24, 89, 90 🚇 Cessnock 🚉 Exhibition Centre 🍴 Restaurant met 250 plaatsen 🍵 Twee cafés en een brasserie 🎁 Grote cadeauwinkel met goedkope speeltjes, serieus wetenschappelijk werk en alles daartussenin 🎫 Op de begane grond en tweede verdieping ❓ Birdbot, een pratende kraanvogel op de tweede verdieping, vertelt wat er die dag te doen is www.gsc.org.uk

SCORE				
Leuk voor kinderen	●	●	●	● ●
Fotogeniek	●	●	●	● ●
Bijzondere winkels	●	●	●	● ●
Prijs-kwaliteitverhouding	●	●	●	●

TIPS

● Het kan enorm druk zijn op hoogtijdagen, dus kijk van tevoren of u bepaalde vaste voorstellingen wilt zien en plan uw bezoek daaromheen.
● Kinderen laten zich in hun opwinding gauw meeslepen en hebben de neiging overal langs te rennen, op knoppen te drukken en niets te zien. Het is veel bevredigender om rustig aan te doen, iets op te zoeken dat u interesseert, zo nodig even te wachten en er dan alle tijd voor te nemen.
● Ontloop de drukte enigszins door bovenaan te beginnen.

Het Science Centre ligt op de zuidoever van de Clyde en bestaat uit drie elementen: een IMAX-bioscoop met een scherm van 24 m in het met titanium beklede 'ei', waar steeds andere films worden vertoond, sommige in 3D; een 122 m hoge uitkijktoren in de vorm van een vliegtuigvleugel, die 360 graden kan draaien in de wind; en de hoofdattractie, de Science Mall – vier verdiepingen vol interactieve opstellingen. Dit futuristische hightech gebouw met zijn glazen wand die uitziet op het tentoonstellingsgebouw 'the Armadillo' en de stad daarachter, is ontworpen met een gebogen dak om problemen met windturbulentie te voorkomen. Hoe we dat weten? Omdat die informatie gegeven wordt bij 'Structures' (bouwwerken) op de tweede verdieping, waar ook de constructie van de Forth-spoorbrug aan bod komt.

Het grappigst zijn de lachspiegels (verdieping 1). Ook leuk: je eigen dans ontwerpen op de computer (verdieping 2), een kunstarm laten bewegen met signalen die hij oppikt van je lichaam (verdieping 3), de afdeling Kinex-constructie (verdieping 2), waar zelfgemaakte voertuigen racen over een 60 m lange baan, en een piano om over te lopen (verdieping 1). **Niet te missen** Het ScottishPower Space Theatre (planetarium).

Moderne kunst in het Hunterian Museum

Kelvingrove heeft alles, van fossielen tot prerafaëlitische kunst

De wenteltrap in de toren van The Lighthouse

WAT TE ZIEN

HUNTERIAN MUSEUM AND ART GALLERY

➕ 310 C1 • University of Glasgow, 82 Hillhead Street G2 8QQ ☎ 0141 330 5431 🕐 ma.–za. 9.30–17 uur; Mackintosh House dag. 12.30–13.30 uur gesloten 🎟 Gratis 🚇 Hillhead 🚌 44, 59 🚘 ♿

www.hunterian.gla.ac.uk

William Hunter (1718–1783) was een in Glasgow opgeleide arts, die zijn wetenschappelijke collectie aan zijn oude universiteit naliet. Hunters collectie werd in 1807 opengesteld voor het publiek en daarmee is dit het oudste museum van Schotland. Het staat op de universiteitscampus, ten westen van het centrum.

Hunters muntencollectie vormde de basis van een van de huidige specialisaties van het museum. Andere zwaartepunten zijn geologie, archeologie en kunst. De magnifieke kunstcollectie in een apart gebouw aan de andere kant van University Avenue is voortgekomen uit Hunters eigen collectie 17e-eeuwse Vlaamse, Hollandse en Italiaanse meesters, maar omvat nu meer moderne kunst, van onder anderen de Schotse Coloristen Francis Cadell, G.L. Hunter, J.D. Fergusson en Samuel Peploe, de Glasgow Boys en de Amerikaan James McNeill Whistler (1834–1903).
Niet te missen Het Mackintosh House, een reconstructie van lang na zijn dood (blz. 114–115).

KELVINGROVE ART GALLERY & MUSEUM

➕ 310 C1 • Argyle Street, Glasgow G3 8AG ☎ 0141 287 2699 🕐 Vanaf 2003 wegens renovatie gesloten; heropening in 2006
www.glasgowmuseums.com

Dit is een van de beste musea van Glasgow. In de periode dat het wegens renovatie gesloten is, zijn de hoogtepunten uit de kunstcollectie te zien in de McLellan Galleries, op Sauchiehall Street (zie hieronder).

THE LIGHTHOUSE

➕ 311 D2 • 11 Mitchell Lane G1 3NU ☎ 0141 221 6362 🕐 Ma. en wo.–za. 10.30–17, di. 11–17, zo. 12–17 uur 🎟 Volwassene £3, kind 80p (tot 5 jaar gratis) 🚌 9, 11, 12, 16, 18, 20, 23, 40, 41, 42, 44, 45, 47, 48, 54, 56, 57, 59, 61, 62, 64, 66, 75A 🚉 Buchanan Street 🚂 Glasgow Queens Street, Glasgow Central 🚘 🎟 ♿
www.thelighthouse.co.uk

In een donkere, smalle zijstraat tussen Buchanan Street en Union Street staat Glasgows museum voor architectuur en design. Het in 1895 voltooide gebouw was het eerste openbare gebouw van Charles Rennie Mackintosh (blz. 114–15). Het dankt zijn naam ('vuurtoren') aan zijn prominente toren. Naast een permanente tentoonstelling over Mackintosh, met onder meer schaalmodellen en foto's, biedt het museum tijdelijke exposities over andere aspecten van architectuur en design in de stad.
Niet te missen Het uitkijkplatform, met een fantastisch uitzicht over Glasgow (neem de lift).

MACKINTOSH TRAIL
Zie bladzijde 114–115

MCLELLAN GALLERIES

➕ 311 D1 • 270 Sauchiehall Street G2 3EH ☎ 0141 565 4100 🕐 ma.–do. en za. 10–17, vr. en zo. 11–17 uur 🎟 Gratis 🚉 Cowcaddens 🚂 Charing Cross, Queen Street, Central 🚘 ♿
www.glasgowmuseums.com

Sinds april 2003 biedt dit museum onderdak aan kunstschatten uit de Kelvingrove-collectie, terwijl dat museum wordt gerenoveerd. U vindt er werk van onder anderen Van Gogh en van de Glasgow Boys en Charles Rennie Mackintosh.

MUSEUM OF TRANSPORT

➕ 310 C1 • Kelvin Hall, 1 Bunhouse Road G3 8DP ☎ 0141 287 2720 🕐 ma.–do. en za. 10–17, vr. en zo. 11–17 uur 🎟 Gratis 🚌 6, 8,16, 18, 19, 42, 62, 64, 89, 90 🚉 Kelvinhall 🚉 Partick 🚘 ♿
www.glasgowmuseums.com

Als het zich ooit heeft voortbewogen, is de kans groot dat u het hier vindt. De enorme arena tegenover het Kelvingrove Museum (zie links) in West End staat vol met glanzend gepoetste historische voertuigen in alle soorten en maten, van stoomlocomotieven en paardentrams tot vroege Arrol Johnson-auto's. De Hillman Imp was een auto die ooit rivaliseerde met de Mini – hier ziet u de eerste Imp die in 1963 uit de fabriek kwam rijden (blauw, met achter het stuur de hertog van Edinburgh). U komt langs brandweerauto's, motorfietsen, bussen, de eerste trapfiets, caravans en andere vormen van vervoer. Er is zelfs een straattafereel uit het Glasgow van rond 1930 nagebootst, compleet met winkels, een bioscoop en een metrostation.
Niet te missen De kleine locomotief *Royal Train Pilot 123,* die in vroeger tijden de koninklijke trein trok.

MUSEUM OF PIPING

➕ 311 D1 • 30–34 McPhater Street, Cowcaddens, G4 0HW ☎ 0141 353 0220 🕐 Juni–aug. dag. 10–16.30 uur; sept.–mei zo. gesloten 🎟 Volwassene £3, kind £2 (tot 5 jaar gratis), gezin £10 🚌 23, 54, 66, 75 🚉 Queen Street 🚉 Cowcaddens 🚘 ♿
www.thepipingcentre.co.uk

In een voormalige kerk uit 1872 in Italiaanse stijl boven aan Hope Street is het National Piping Centre gevestigd, hét opleidingsinstituut van Schotland voor het studeren en uitvoeren van

Een oude tram uit Glasgow in het Museum of Transport

doedelzakmuziek. Doedelzakspelers van over de hele wereld komen hier studeren.

Het gebouw omvat tevens een concertzaal, een geluidsarchief en een klein museum. Dit is een intrigerende buitenpost van het Museum of Scotland (blz. 78–81), gewijd aan de geschiedenis van de Highland-doedelzak, die teruggaat tot de 14e eeuw.

Niet te missen Een unieke visuele interpretatie van de doedelzakmuziek die bekend-staat als *piobaireachd* in de drie ramen boven de hoofdingang (1996), door John K. Clark.

PEOPLE'S PALACE
Zie rechts

POLLOK HOUSE

🏛 310 B3 • Pollok Country Park, 2060 Pollokshaws Road G43 1AT ☎ 0141 616 6410 🕐 Dag. 10–17 uur 💷 (NTS) apr.–okt. volwassene £5, kind £3,75 (tot 5 jaar gratis), gezin £13,50; nov.–mrt. gratis 🚌 34, 45, 47, 48, 57 🚇 Pollokshaws West 🍴 🎁 www.nts.org.uk

Pollok House is een compact herenhuis van grijs natuursteen ongeveer 5 km ten zuiden van het centrum van de stad. Het lijkt een andere wereld, dankzij het 146 ha grote landschapspark dat eromheen ligt. De bouw van het huis begon in 1747, in opdracht van John Stirling Maxwell, de tweede baronet. Het bleef in diens familie tot 1966. De tiende baronet was een van de oprich-ters van de National Trust for Scotland, die nu het huis onder-houdt. Het interieur is licht en luchtig, met comfortabele, klein-schalige vertrekken en een fraaie bibliotheek met zo'n 7000 ban-den, waar kamerconcerten wor-den gegeven. Hier hangt ook El Greco's portret *Dame in een bontstola* (ca. 1577), een hoog-tepunt in de verder vrij sombere collectie Spaanse schilderijen.

PEOPLE'S PALACE
Het museum van de inwoners van Glasgow.

🏛 311 E2 • Glasgow Green G40 1AT ☎ 0141 554 0223 🕐 ma.–do. en za. 10–17, vr. en zo. 11–17 uur 💷 Gratis 🚌 18, 43, 61, 62, 64, 93, 96, M2 🚇 High Street, Argyle Street, Bellgrove 📖 Diverse boeken verkrijgbaar ☕ Café in de wintertuin 🎁 Cadeauwinkel met voorwerpen afkomstig uit Glasgow 🛗 www.glasgowmuseums.com

SCORE					
Leuk voor kinderen	●	●	●	●	●
Historisch interessant	●	●	●	●	
Bijzondere winkels	●	●			

Dit op de Glasgow Green (blz. 110) gelegen rode zandstenen gebouw uit 1898 is niet zozeer een museum als wel een insti-tuut dat de excentriciteit en het stoutmoedige karakter van de stad probeert vast te leggen. De tweede en derde verdieping herbergen de hoofdtentoonstelling, op de begane grond vindt u tijde-lijke opstellingen en de win-kel. Alledaagse voorwerpen en citaten van gewone men-sen vertellen de geschiedenis van Glasgow. Een poppen-huismodel van een geprefa-briceerd huis dat Duncan MacKenzie voor zijn dochters maakte, illustreert de naoor-logse woningnood, en een nagebouwd gemeenschapp-pelijk washuis brengt de so-ciale geschiedenis tot leven.

Er is aandacht voor de industrie in Glasgow en op de bovenste verdieping is Making It In Glasgow gewijd aan beroemde Glaswegians, met John Byrne's portret van Billy Connolly, het groene

Billy Connolly in karakteristieke uitdossing, vastgelegd in 1973

broekpak van zangeres Lulu, boeken van Jimmy Boyle en Iain Banks, en televisiescripts voor de serie *Rab C. Nesbitt*. Een col-lectie tabaksdozen herinnert aan de hoogtijdagen van de stad en allerlei zaken uit het dagelijks leven zijn voor veel bezoekers om u heen een feest van herkenning.

Niet te missen Stinkkaas in de nagebouwde Buttercup Dairy.

De wintertuin is een geweldige plek om even te gaan zitten

Mackintosh Trail

Maak een tocht langs de mooiste gebouwen en interieurs van de meest geliefde moderne architect van Schotland. Kom erachter waarom de Mackintosh Revival Glasgow in zijn greep heeft.

Straatlantaarns zijn een moderne toevoeging aan de School of Art

Thee drinken in de Room de Luxe, Willow Tearooms

Eiken bedden in een nagebouwde Mackintosh-slaapkamer, Hunterian

SCORE	
Leuk voor kinderen	●●
Historisch interessant	●●●●
Beloopbaar	●●●

TIP
● De Mackintosh Society verzorgt rondleidingen op de beste locaties. Contactadres: St. Matthew's Free Church, tel. 0141 353 4526

Boven: Mackintosh in 1893
Onder: de bibliotheek, School of Art, met de hoge galerij

WERK VAN CHARLES RENNIE MACKINTOSH ZIEN

U kunt de ontwerpen van Charles Rennie Mackintosh in Glasgow haast niet ontlopen — zijn gestileerde rozen en karakteristieke letters (grote, sterke kapitalen verzacht door puntjes en lijnen) sieren talloze souvenirs, van bekers en handdoeken tot spiegels en zilveren sieraden. De stijl is zo vertrouwd dat hij liefkozend 'Mockintosh' wordt genoemd, en het lijkt wel of Glasgow er geen genoeg van kan krijgen. Toch heeft de Mackintosh-stijl maar een betrekkelijk korte periode in de 20e eeuw opgang gemaakt, en pas de laatste 30 jaar is men serieus bezig het erfgoed van deze bijzondere architect te behouden. Begin uw tocht bij The Lighthouse op Mitchell Lane (kaart 311 D2; blz. 112).

HOOGTEPUNTEN

GLASGOW SCHOOL OF ART (BLZ. 110)

Als u niet zoveel tijd hebt, moet u in ieder geval een kijkje nemen bij de School of Art op Renfrew Street. Dit is Mackintosh pur sang, met krachtige lijnen en ongewone, gestileerde decoraties. Tijdens een rondleiding wordt duidelijk hoe de opvattingen van de architect tot in de kleinste details van het interieur doorwerkten.

WILLOW TEAROOMS

De Willow Tearooms vindt u boven een juwelier op Sauchiehall Street nr. 217 *(ma.–za. 9–17 uur)*. De Room de Luxe biedt een magnifiek gerestaureerd Mackintosh-interieur, met spiegelwanden ingelegd met paars glas, en zilveren stoelen met hoge rugleuningen. Na de opening in 1904 werd dit al gauw de beroemdste van de revolutionaire tearooms van horecaonderneemster Kate Cranston, waar fatsoenlijke mannen en vrouwen elkaar konden treffen, privé of in het openbaar, zonder de schaduw van de 'demon' drank. Mackintosh ontwierp voor Cranston ook interieurs op Ingram Street, Buchanan Street en Argyle Street (elementen ervan ziet u in het Museum of Scotland, blz. 78).

MACKINTOSH HOUSE

Het universitaire Hunterian Museum (blz. 112) omvat deze sublieme herschepping van het interieur van het huis dat Mackintosh samen met zijn vrouw ontwierp, met het originele meubilair uit 1906. De inrichting verraadt duidelijk de invloed van de Japanse stijl op Charles' werk. De golvende, organische art-nouveaupatronen zijn toe te schrijven aan zijn vrouw. In het museum zijn ook Mackintosh-meubels en -ontwerpen te zien uit gebouwen die inmiddels verloren gegaan zijn, en schilderijen met mediterrane taferelen (van zijn latere reizen).

HOUSE FOR AN ART LOVER (BLZ. 111)
Buiten het centrum in Bellahouston Park is het droomhuis dat het echtpaar in 1901 heeft ontworpen niet zo lang geleden (in 1996) werkelijkheid geworden.

SCOTLAND STREET SCHOOL
Een ander fraai voorbeeld van de architectuur van Mackintosh is de schitterende, ten zuiden van de rivier gelegen Scotland Street School

PRAKTISCH
🛈 11 George Square G2 1DY, tel. 0141 204 4400

www.crmsociety.com
De uitstekende website van de Mackintosh Society geeft informatie over andere gebouwen en een biografie.

TIP
● Bent u een Mackintosh-fan, maak dan ook een uitstapje naar Hill House in Helensburgh, nu eigendom van de National Trust for Scotland (blz. 94).

Een nagemaakt Mackintosh-interieur in het Hunterian

De gevel van de Scotland Street School wordt gedomineerd door twee traptorens; de centrale hal heeft iets van een theater

WAT TE ZIEN

(ma.–do. en za. 10–17, vr. en zo. 11–17 uur, tel. 0141 287 0500), gebouwd in 1903–1906. Het hield in de jaren zeventig op een school te zijn en is nu een educatief museum. Twee grote, halfronde torens met veel glas domineren de voorgevel. Ze bevatten de hoofdtrappen – geen wenteltrappen, zoals hun teruggrijpen op de Schotse baronnen-stijl doet vermoeden, maar rechte trappen, verder van de ramen af, met een heel ander effect qua licht en ruimte. De achterkant van het gebouw is ontworpen in een meer ingetogen klassieke stijl.

ST. MATTHEW'S FREE CHURCH
In Queen's Cross, op Garscube Road 870, ten noordwesten van het centrum, staat Mackintosh' enige complete kerk, ontworpen in 1897 (mrt.–okt. ma.–vr. 10–17, zo. 14–17 uur). De eenvoudige neogotische stijl resulteert in een rustig interieur. Let op de gebeeldhouwde gestileerde vogels en bladeren op de eikenhouten preekstoel.

Een Mackintosh-stoel met hoge rugleuning, ontworpen voor de Argyle Street Tearooms en nu in de collectie van de School of Art

ACHTERGRONDEN

Charles Rennie Mackintosh werd in 1868 in Glasgow geboren en ging op 16-jarige leeftijd in de leer bij een architectenbureau. 's Avonds volgde hij lessen aan de School of Art, waar hij Herbert McNair ontmoette, met wie hij zijn leven bevriend bleef, en Margaret Macdonald (1865–1933), met wie hij in 1900 trouwde. McNair trouwde met Margarets zus Frances, en de twee stellen, bekend als 'the Four', zouden de Glasgow-stijl domineren.

Mackintosh werkte vaak nauw samen met zijn vrouw en haar inbreng in zijn werk wordt alom erkend. Zijn eerste project was een ontwerp voor een doodgewoon gebouw voor de krant Glasgow Herald in 1893, tegenwoordig bekend als The Lighthouse. De opdracht voor zijn bekendste gebouw, de School of Art, kreeg hij in 1896, en zijn beste werk werd voltooid in de eerste jaren van de 20e eeuw.

Tegen 1914 was zijn karakteristieke vermenging van de vloeiende lijnen van de Art Nouveau met de eenvoud van de Arts and Crafts-beweging in Groot-Brittannië uit de mode geraakt. Gedesillusioneerd verhuisde hij naar Engeland, en later maakte hij reizen door Europa – uit die periode zijn tere aquarellen van zijn hand te zien in de Hunterian Gallery. Hij stierf in 1928.

Provand's Lordship: een huis dat diverse doelen heeft gediend

Christus van Johannes van het Kruis *door Salvador Dalí*

PROVAND'S LORDSHIP

🕀 311 E1 • 3 Castle Street, G4 ORB
☎ 0141 552 8819 🕐 ma.–do. en za.
10–17, vr. en zo. 11–17 uur 🎫 Gratis
🚌 11, 12, 16, 37, 38, 42, 51, 89, 90
🚊 High Street
www.glasgowmuseums.com

Het oudste huis van Glasgow, Provand's Lordship, ligt vlak bij de middeleeuwse kathedraal (blz. 104) en tegenover het St. Mungo Museum, ten oosten van het centrum. Het werd in 1471 gebouwd als oudemannenhuis met plaats voor 12 personen en was tot het einde van de Eerste Wereldoorlog in gebruik als snoepwinkel. Het is een eenvoudig zandstenen gebouw aan een druk kruispunt, maar de geluiden van de buitenwereld dringen door de dikke muren en kleine ramen amper binnen. Het verleden is ver te zoeken, maar de fraaie collectie 15e- en 16e-eeuwse meubels maakt veel goed. Aan de achterkant is een formele siertuin herschapen.
Niet te missen Het verhaal van de veelvraat Rab Ha' tussen de grappige 19e-eeuwse tekeningen van figuren uit Glasgow op de bovenverdieping. Rab sloot weddenschappen af op zijn eetlust en werd maar één keer verslagen, door een bord oesters met room en suiker.

SCOTTISH FOOTBALL MUSEUM

🕀 311 D3 • The National Stadium, Hampden Park G42 9BA ☎ 0141 616 6139 🕐 ma.–za. 10–17, zo. 11–17 uur
🎫 Museum: volwassene £5, kind 2,50 (tot 5 jaar gratis), gezin £12,50; museum en stadion: volwassene £7,50, kind £3,75, gezin £20 🚌 5, 7, 12, 31, 34, 37, 66, 74, 75, 89, 90, M2
🚊 Mount Florida via Glasgow Central
🚊 Bridge Street 🅿 ♿
www.scottishfootballmuseum.org.uk

Hampden Park is de thuisbasis van de oudste voetbalclub van

ST. MUNGO MUSEUM OF RELIGIOUS LIFE AND ART

Een fraai gepresenteerde collectie religieuze kunst en voorwerpen uit de grote wereldgodsdiensten.

🕀 311 E2 • 2 Castle Street G4 ORH ☎ 0141 553 2557 🕐 ma.–do. en za. 10–17, vr. en zo. 11–17 uur 🎫 Gratis 🚌 11, 12, 16, 37, 38, 42, 51, 89, 90
🚊 High Street 🎫 £4.99 🍴 Modern restaurant op de begane grond
🎁 Cadeauwinkel op de begane grond met kaarten, sieraden en boeken
www.glasgowmuseums.com

SCORE			
Leuk voor kinderen	●	●	●
Historisch interessant	●	●	● ●
Bijzondere winkels	●	●	●

Dit moderne gebouw bij de kathedraal (blz. 104) bereikt u via een verstilde zen-kiezeltuin. Het drie verdiepingen tellende museum herbergt een internationale kunstcollectie, voorwerpen die te maken hebben met het religieuze leven en een afdeling over religie in Glasgow. In de Gallery of Religious Art op de eerste verdieping is een indiaanse chilkat-deken met dierenmotieven te zien naast een aboriginal droomtijd-schilderij en een Nigeriaans voorouderscherm. De Europese kunst is vertegenwoordigd met schitterende, op ooghoogte hangende glas-in-loodpanelen met licht erachter, waaronder een engel met een vuurrode stralenkrans van Burne-Jones, en Salvador Dalí's schilderij *Christus van Johannes van het Kruis* uit 1951. De Gallery of Religious Life toont ceremoniële voorwerpen uit verschillende culturen.

Neem op de derde verdieping, gewijd aan religie in Glasgow, een kijkje bij 'Buy your own Cherries', een toverlantaarnvoorstelling waarmee mensen vroeger werden gewezen op het kwaad dat alcohol aanricht. Er is aandacht voor het protestantse en katholieke Glasgow, en voor de relatie tussen religie, maatschappij en armoede. Een speciale afdeling voor kinderen geeft uitleg over boeddhisme, christendom, hindoeïsme, jodendom en sikhisme.
Niet te missen Uitzicht vanaf de derde verdieping op de Necropolis (blz. 110). Er zijn verrekijkers verkrijgbaar op verzoek.

Bezoekers bij een trofee in het Scottish Football Museum

Serviesgoed en pannen in de keuken van het Tenement House

Schotland, Queen's Park, waar het pass-spel zoals het nu wordt gespeeld zou zijn uitgevonden. Het is dus alleen maar terecht dat hier ook het eerste nationale voetbalmuseum van de wereld te vinden is. De collectie telt 2000 stukken en straalt vergane glorie uit. Er is een deel van de oude kleedkamers te zien en u kunt gejuich uit de jaren dertig horen, toen grote wedstrijden hier werden bijgewoond door een slordige 140.000 mensen. Een rondleiding langs de moderne faciliteiten (elk uur) duurt 45 minuten.

TALL SHIP IN DE HAVEN VAN GLASGOW

🞧 310 C2 • 100 Stobcross Road G3 8QQ ☎ 0141 222 2513 🕐 Mrt.–okt. dag. 10–17, rest van het jaar 11–16 uur 💷 Volwassene £4,50, kind £2,50 (1 kind gratis per betalende volwassene, tot 5 jaar gratis) 🚌 64 🚉 Finnieston/Exhibition Centre 🚇 Partick, Kelvinhall 🅿 🏛 www.thetallship.com

Vanuit het Science Centre ertegenover (blz. 111) hebt u het mooiste uitzicht op dit fraaie, oude zeilschip met zijn stalen romp dat vlak bij het tentoonstellingsgebouw 'the Armadillo' ligt aangemeerd in de Clyde. De SV *Glenlee* werd in 1896 op de Clyde gebouwd en voer met diverse ladingen vier keer de hele wereld rond voor het door de Spaanse marine in gebruik werd genomen als opleidingsschip. Het schip werd in 1993 hierheen gebracht en opgeknapt. Het is een van de vijf Clyde-zeilschepen die nog intact zijn. U kunt een kijkje nemen in het ruim, de bemanningsverblijven en de kombuis. Het schip is bereikbaar via het Pumphouse Visitor Centre, met winkel en bar. **Niet te missen** Verhalen over de reizen van het schip, aan boord verteld op het tussendek.

TENEMENT HOUSE

Bekijk het decor van het doodgewone leven van een vrouw alleen in een huurkazerne in Glasgow.

🞧 311 D1 •145 Buccleuch Street, Garnethill G3 6QN ☎ 0141 333 0183 🕐 Mrt.–okt. dag. 14–17 uur 💷 (NTS) volwassene £3,50, kind £2,60 (tot 5 jaar gratis), gezin £9,50 🚌 11, 20, 66, 66A, 66B 🚉 Charing Cross 🚇 Cowcaddens 🏛 Klein aantal artikelen bij de kassa 🎧 £3,50, ook in het Frans, Duits en Italiaans ❓ Expositie over huurkazernes in lagergelegen appartement 🏛 www.nts.org.uk

In de 19e en het begin van de 20e eeuw woonden de meeste Glaswegians in huurkazernes met gemeenschappelijke faciliteiten, zoals een washok. In de armere wijken woonden in deze appartementencomplexen soms hele gezinnen in één kamer.

Deze kleine woning geeft een goed beeld van het leven in een huurkazerne zoals de iets beter gesitueerden dat leidden. Vanaf 1911 woonde hier de ongetrouwde Agnes Toward, een stenotypiste, met haar moeder, een naaister. Agnes gooide nooit iets weg, en toen ze in 1975 stierf bleek haar huis een sociaal-historische schatkamer te zijn. De woning werd min of meer intact gelaten en wordt nu beheerd door de National Trust for Scotland.

Als u de trap opgaat en aanklopt, wordt u binnengelaten in de hal, met zijn staand horloge en houten Schotse kist, die erop lijken te wijzen dat de familie ooit een zekere welstand bezat; de keuken met zijn bedstee met gordijnen ervoor en een kolenfornuis dat nog tot in de jaren zestig door Agnes is gebruikt; de woonkamer met zijn kanten valletjes, zijn piano van rozenhout en zijn opklapbed; de slaapkamer met zijn schoorsteen met bloemetjestegels en zijn koffers; en de badkamer, op zichzelf een element van relatieve luxe. **Niet te missen** De koperen en parelmoeren horlogestandaard op de kaptafel in de slaapkamer en de suizende gaslampen waarmee de kamers worden verlicht.

SCORE			
Leuk voor kinderen	●	●	●
Historisch interessant	●	●	●	●
Bijzondere winkels			●

TIP

● Het huis staat niet zo duidelijk aangegeven, dus kijk voor u erheen gaat op de plattegrond.

DAGTRIP
People's Palace

DE HIGHLANDS EN EILANDEN

Met de Highlands en eilanden worden het ruige, bergachtige noorden en de eilanden langs de westkust bedoeld. Met zijn afgelegen kastelen, zijn verlaten glens en de laatste ongerepte natuurgebieden van het Verenigd Koninkrijk belichaamt dit gebied voor veel mensen de grootsheid van de Schotse natuur.

John o'Groats
Tongue · Thurso
Wick
Stornoway
Helmsdale
Lewis en Harris
Lairg
Ullapool
Cromarty · Fraserburgh
Inverewe Gardens
Dingwall · Elgin
Nairn · Peterhead
Inverness · **Culloden**
Skye
Aviemore · **Cairngorms**
Fort Augustus · Ballater
Mallaig · Kingussie
Aberdeen
Fort William
Braemar en Deeside
Crathes Castle
Glen Coe
Dundee
Tobermory
Montrose
Inner Hebrides · Oban
Inveraray
Lochgilphead
Stirling · Perth · St
Dunfermline · Kirkcaldy
GLASGOW · EDINBURGH
Paisley
Port Ellen
East Kilbride
Campbeltown
Ayr · Kilmarnock
Girvan

BEZIENSWAARDIGHEDEN

Aberdeen staat bekend als de 'granieten stad'

De hoge bergpas naar het noordelijker gelegen Applecross

Het mooie Findochty is vooral populair bij schilders

ABERDEEN

🕂 323 L7 🔢 23 Union Street AB11 5BP, tel. 01224 288828 🔲 Aberdeen 🔀 Aberdeen **www.agtb.org**

De derde stad van Schotland was ooit zijn grootste badplaats, dankzij de kilometerslange zandstranden die zich ten noorden van de monding van de Don uitstrekken. Tegenwoordig is Aberdeen meer een zakenstad en wordt wel de oliehoofdstad van Europa genoemd (blz. 36). De stad begon als koninklijke *burgh* aan het begin van de 12e eeuw. Deze ontwikkelde zich tot een grote haven die toegang gaf tot het continent en waar handel werd gedreven in wol, vis en geleerden van de twee universiteiten. De haven is nog steeds het hart van de stad.

Ten noorden van het centrum, in de Old Town, staat St. Machar's Cathedral uit 1520, met zijn opvallende tweelingtorens. Eind 18e eeuw breidde Aberdeen zich sterk uit en veel mooie granieten gebouwen in de New Town stammen uit de 19e eeuw. De architect Archibald Simpson (1790–1847) ontwierp er vele, onder andere de Union Buildings en de Assembly Rooms Music Hall op Union Street. Marischal College, op Broad Street, met zijn fraaie gevel in perpendicular-stijl, werd voltooid in 1895.

Provost Ross's House op Shiprow (1593) herbergt het Aberdeen Maritime Museum *(NTS, ma.–za. 10–17, zo. 12–15 uur)*, dat een fascinerend 8,5 m groot schaalmodel van een booreiland bezit.

De Aberdeen Art Gallery op Schoolhill heeft een uitstekende collectie schilderijen uit de 18e tot 20e eeuw *(ma.–za. 10–17, zo. 14–17 uur)*. Als er een gure Noordzeewind waait, kunt u de warmte van de beroemde wintertuin in Duthie Park opzoeken.

APPLECROSS

🕂 320 D6 🔢 Main Street, Lochcarron IV54 8YB, tel. 01520 722357; in het seizoen

De verspreide nederzettingen op dit afgelegen schiereiland aan de westkust werden pas goed bereikbaar in de jaren zeventig van de 20e eeuw, dankzij een kronkelende eenbaansweg, die nu een toeristische route tussen Kishorn en Shieldaig vormt. Hij voert naar het zuiden langs de spectaculaire bergpas Bealach-Na-Ba, of Veepas, en naar het noorden langs de zuidoever van Loch Torridon. (Let op: Bealach-Na-Ba is niet geschikt voor auto's met caravan.) Daartussenin strekken heidevelden en heuvelland zich uit naar het bergachtige binnenland. Langs de kust liggen de resten van verlaten dorpen, die uitkijken op Raasay and Skye (blz. 138–141). Applecross Bay heeft een rozeachtig strand en een hotelletje dat uitstekende vis serveert (blz. 275).

ARDNAMURCHAN

🕂 320 C8 🔢 Kilchoan Community Centre, Pier Road, Kilchoan PH36 4LJ, tel. 01972 510222 🚢 Veerboot van Tobermory op Mull naar Kilchoan, alleen 's zomers

Ardnamurchan wijst als een vinger naar het westen tussen de Small Isles en Mull. Het is een van de mooiste afgelegen plekken van Schotland, bereikbaar over een smalle kronkelweg die door bossen druipend van korstmos naar kaler terrein en een vuurtoren op het meest westelijke punt van het Britse vasteland voert *(bezoekerscentrum: apr.–okt. dag. 10–17 uur)*. Men kan hier zeehonden en met een beetje geluk zelfs otters zien.

In het Natural History Centre in Glenmore leert u iets over de streek geologie en fauna van de streek

(Pasen–okt. ma.–za. 10.30–17.30, zo. 12–17.30 uur). **Niet te missen** De zilveren zandduinen van Sanna Bay.

BANFFSHIRE COAST

🕂 323 K5 🔢 Collie Lodge, Low Street, Banff AB45 1AU, tel. 01261 812419; in het seizoen

WAT TE ZIEN

Ten westen en oosten van Banff gaan vruchtbare velden over in een onverwacht ruige kust, bezaaid met kleine vissersplaatsjes en fraaie, rotsachtige baaien. Buckie in het westen is een vrij grote vissersplaats, met Findochty (spreek uit: 'Finechty') en Portknockie als pittoreske buren. Ook Cullen, aan een schitterende zandbaai, is schilderachtig, met zijn terrassen pal aan zee, gedomineerd door een spoorwegviaduct.

Portsoy, een badplaats met een klein, natuurstenen haventje, had zijn vroegere welvaart te danken aan het plaatselijke serpentijnmarmer, dat onder meer werd gebruikt voor de schouwen in het paleis van Versailles.

Het stadje Banff zelf is veel ouder dan zijn chique 18e-eeuwse hart doet vermoeden. Buiten het centrum ligt Duff House (blz. 124). In oostelijke richting voert de kustweg via het onaantrekkelijke Macduff (alleen het Marine Aquarium, blz. 134, is de moeite waard) naar de afgelegen dorpen Gardenstown en Crovie, aan de voet van de rode kliffen van Buchan aan Gamrie Bay. Crovie is een piepklein plaatsje dat alleen te voet bereikbaar is vanaf een parkeerterrein. De weg naar Pennan is ook zeer steil, maar beslist de moeite waard. De enkele rij huizen die met hun rug tegen de klif staan, met een klein hotel in het midden, zal een vertrouwd decor vormen voor fans van de film *Local Hero* uit 1983, die hier is opgenomen.

De rivier de Dee stroomt door de Cairngorms en zoekt bij Braemar een weg langs de rotsen omlaag

SCORE	
Historisch interessant	● ● ●
Buitenactiviteiten	● ● ● ● ●
Fotogeniek	● ● ● ●
Bijzondere winkels	● ● ●

PRAKTISCH

🔲 322 J7

ℹ️ The Mews, Mar Road AB35 5YL, tel. 01339 741600; in het seizoen

www.braemarscotland.co.uk
Praktische en fraai vormgegeven informatie over de stad en interessante weetjes over de plaatselijke grote landgoederen.

DAGTRIP

Crathes Castle; Aberdeen

De grandeur van het Old Royal Station herinnert aan zijn hoogtijdagen in de Victoriaanse tijd

BRAEMAR EN DEESIDE

De vallei van de Dee tussen Braemar en Banchory biedt natuurschoon van koninklijke allure.

Toen koningin Victoria en prins Albert in 1852 een landgoed tussen Ballater en Braemar uitkozen om een vakantiehuis op te laten bouwen, kreeg de hele Dee-vallei een allure die deze streek nooit meer is kwijtgeraakt. Leden van de koninklijke familie, inclusief de koningin zelf, brengen nog steeds hun zomervakanties door op Balmoral Castle *(bezichtiging apr.–juli dag. 10–17 uur)* en genieten van het landleven in de omliggende heuvels en bossen.

Ten westen van de drukke plaats Braemar leidt een smalle weg stroomopwaarts naar de Linn of Dee, waar de rivier zich tussen gladgepolijste rotsen omlaag stort. Dit is onderdeel van het 29.380 ha grote Mar Lodge Estate, beheerd door de National Trust for Scotland, met goed aangegeven wandelpaden. De weg eindigt bij de Earl of Mar's Punchbowl, waar de graaf van Mar punch zou hebben bereid in een natuurlijke kom in de rotsen voor de jacobietenopstand in 1715.

VAN BRAEMAR NAAR HET OOSTEN

Vanaf Braemar volgt de A93 de route van de rivier, die een kleine 100 km verderop bij Aberdeen uitmondt in zee. Ballater is een klein, uit graniet opgetrokken stadje, ooit het eindstation van een spoorlijn. In het Old Royal Station, nu een informatiecentrum en tearoom, worden bezoekers herinnerd aan het feit dat hier vroeger beroemde gasten uit de trein stapten op weg naar Balmoral *(juli–aug. dag. 9.30–19, sept. 9.30–18, okt.–mrt. 10–17 uur)*. Het stadje telt talloze hofleveranciers, van een bakkerij tot zwerfsportwinkels. Verder oostelijk ligt Glen Tanar, met berkenbossen in de Muir of Dinnet, en mooie wandelroutes over de Grampian Hills naar de Glens of Angus. Banchory markeert de overgang naar Lower Deeside. **Niet te missen** De Bridge of Feugh, een voetgangersbrug ten zuiden van Banchory, vanwaar u zalmen tegen de Falls of Feugh ziet opspringen.

Kisimul werd bewoond door de roofzuchtige MacNeil-clan

Cape Wrath is het noordelijkste punt van het Britse vasteland

Shakespeare's Macbeth was de thane (heer) van Cawdor

BARRA

✚ 319 A7 🛈 Main Street, Castlebay, Isle of Barra HS9 5XD, tel. 01871 810336; in het seizoen ✈ Vluchten van Glasgow en Benbecula 🚢 Veerboot van Lochboisdale op South Uist, Mallaig en Oban naar Castlebay

Dit eiland onder aan de Buiten-Hebriden heeft een belang dat in geen verhouding staat tot zijn grootte. Het is maar 8 km breed en nog geen 13 km lang. De aankomst is een ervaring op zich, vooral als u met het vliegtuig op het getijdeschelpenstrand van Traigh Mhor landt.

Barra biedt fantastische fiets- en wandelmogelijkheden. Er loopt ook een weg rond het eiland, maar die is nog geen 20 km lang. In de lente en zomer bloeien er volop wilde bloemen op het eiland. De westelijke *machair* (grasland aan zee) is dan op zijn mooist. Barra leeft van landbouw en toerisme, en de Gaelic cultuur bloeit er.

In de hoofdplaats Bagh a Chaisteil (Castlebay) staat Kisimul Castle, de zetel van de MacNeils sinds 1427 *(HS, apr.–sept. dag 9.30–18.30, rest van het jaar ma.–wo. en za. 9.30–16.30, do. 9.30–12.30, zo. 14–16.30 uur)*. Het *heritage centre*, Dualchas, onderzoekt de geschiedenis van het eiland *(mrt.–mei en sept. ma., wo. en vr. 11–16, juni–aug. ma.–vr. 11–16 uur)*.

BLACK ISLE

✚ 322 G5 🛈 North Kessock Picnic Site, IV1 1XB, tel. 01463 731505; in het seizoen

Black Isle is noch zwart, noch een eiland. Het is een breed en vruchtbaar schiereiland meteen ten noorden van Inverness, begrensd door drie *firths* (estuaria): Cromarty, Beauly en Moray. In het westen gaan ruige zeekliffen over in lager terrein, met in het midden de beboste uitloper van Ardmeanach, een naam die vroe-

ger voor het hele gebied werd gebruikt. De in de 18e eeuw grotendeels herbouwde havenplaats Cromarty ligt op de noordoostpunt. Zijn geschiedenis komt aan bod in het Courthouse Museum op Church Street *(apr.–okt. dag. 10–17, nov.–dec. 12–16 uur)*. Cromarty's bekendste inwoner was de geoloog en fossielenverzamelaar Hugh Miller (1802–1856). Zijn standbeeld staat boven het stadje en zijn huis is een museum *(NTS, apr.–sept. dag. 12–17, okt. 14–17 uur)*.

BRAEMAR EN DEESIDE
Zie bladzijde 120

DE CAIRNGORMS
Zie bladzijde 122

CAPE WRATH

✚ 326 F2 🛈 Durine, Durness IV27 4PN, tel. 01971 511259; in het seizoen

De uiterste noordwesthoek van Schotland lijkt een ander land, waar een zilverachtig licht wordt weerspiegeld door bergen van kwartsiet en waar leegte en ruimte regeren. Wie Cape Wrath wil bezoeken, moet met de boot de Kyle of Durness *(mei–sept.)* oversteken en met een minibus de sombere Parph, een heidegebied. De privé-weg voert tussen de Sgribhisbheinn (371 m) en de Fashven (457 m) door naar de loodrechte 280 m hoge Clo Mor-kliffen en de eenzame vuurtoren uit 1828, die uitkijkt over de Atlantische Oceaan. Ten oosten van Durness met zijn verspreid liggen de huizen ligt de kalksteengrot Smoo Cave en ten westen ervan vindt u een mooi zandstrand en het Balnakeil Craft Village, gevestigd op een voormalige militaire basis.

CASTLE FRASER

✚ 323 K7 • Sauchen, Inverurie AB51 7LD ☎ 01330 833463 🕐 Pasen–juni en sept. vr.–di. 12–17.30, juli–aug. dag.

11–17.30 uur 🅿 (NTS) volwassene £7, kind £5,25 (tot 5 jaar gratis), gezin £19 🍴 🏛
www.nts.org.uk

Deze magnifieke woontoren 25 km ten westen van Aberdeen kreeg zijn huidige vorm tussen 1575 en 1636. Het oorspronkelijke bouwwerk, Muchalls-in-Mar geheten, kreeg in die tijd door de toevoeging van een vierkante toren op de ene hoek en een ronde toren op de andere hoek zijn opvallende Z-vormige grondplan. De verbouwing geschiedde in opdracht van de 6e laird, Michael Fraser, en het kasteel bleef tot de 20e eeuw in de familie. Binnen ziet u familieportretten en fraaie wändtapijten. Er ligt een groot landgoed omheen, met bewegwijzerde wandelroutes en een ommuurde tuin.

CAWDOR CASTLE

✚ 322 H6 • Nairn IV12 5RD ☎ 01667 404401 🕐 Juni–half okt. dag. 10–17.30 uur 🅿 Volwassene £6,30, kind £3,50 (tot 5 jaar gratis), gezin £18,60; alleen tuin £3,50 🍴 🏛
www.cawdorcastle.com

De naam Cawdor roept herinneringen op aan Shakespeares *Macbeth*. Het kasteel ligt landinwaarts tussen Inverness en Nairn en heeft een centrale toren uit 1454, een ophaalbrug en hoektorentjes en vleugels die later zijn toegevoegd. Het wordt bewoond door gravin Angelika, de douairière van Cawdor. De presentatie van familieportretten en kostbaarheden aan bezoekers is verrassend ontspannen, op het nonchalante af. De invloed van de eigenares en haar man zaliger is met name te zien in de tuinen, met hun intrigerende symboliek. U vindt er een doolhof van hulst, omgeven door een tunnel van goudenregen, en de mysterieuze Paradise Garden, met in het midden een zevenpuntige ster.

De Cairngorms vormen het belangrijkste skigebied van Groot-Brittannië

SCORE	
Buitenactiviteiten	●●●●●
Fotogeniek	●●●●
Bijzondere winkels	●●
Leuk voor kinderen	●●●●

PRAKTISCH

✚ 322 H7 ⓘ Grampian Road PH22 1PP, tel. 01479 810363 ▣ Aviemore

www.cairngorms.co.uk
Website van het nationale park, waaraan nog wordt gewerkt.

DAGTRIP

Strathspey; Highland Folk Museum

's Zomers wordt er gesurft en gezeild op Loch Morlich

DE CAIRNGORMS

Het hoogste massief van Groot-Brittannië, met alpiene flora en zeldzame dieren, trekt wandelaars, klimmers en skiërs aan.

De Cairngorm-bergketen ligt tussen Speyside en Braemar (blz. 137, 120) en wordt gedomineerd door vier toppen: Ben Macdhui (1309 m), Braeriach (1295 m), Cairn Toul (1293 m) en Cairn Gorm (1245 m). Daartussen loopt de oude noord-zuidpas van de Lairig Ghru en aan de noordwestrand liggen de dorpen van Speyside en de vakantieplaats Aviemore. Dit afgelegen gebied is het domein van steenarenden, alpensneeuwhoenders, auerhoenders en andere soorten, die gedijen in de verlaten karen tussen alpine planten. Het werd in 2003 uitgeroepen tot het tweede nationale park van Schotland.

OMGEVING VAN AVIEMORE

Het ooit slaperige spoorwegstationnetje van Aviemore werd in de jaren zestig van de 20e eeuw ontwikkeld tot een skioord, en hoewel de lelijkste gebouwen uit die periode inmiddels zijn afgebroken, heeft de plaats behalve skifaciliteiten nog steeds niet veel te bieden.

Het Rothiemurchus Estate, 2,5 km naar het zuiden (dag. 9–17.30 uur), biedt diverse mogelijkheden voor buitenactiviteiten in een prachtig decor van bergen, lochs en Caledonisch naaldbos. Dit laatste is het restant van het Old Wood of Caledon, dat ooit een groot deel van Schotland bedekte en bevolkt werd door wolven en beren. Er voert een flinke wandeling helemaal rond Loch an Eilean.

Aviemore wordt door de antieke Strathspey-stoomtrein (bel tel. 01479 810725 voor tijden) verbonden met Boat of Garten, waar de Royal Society for the Protection of Birds (RSPB) een bezoekerscentrum heeft (apr.–aug. dag. 10–18 uur). Een camera volgt het doen en laten van de visarenden die nestelen bij het nabijgelegen Loch Garten. Ten oosten van Aviemore brengt een kabelspoor bezoekers langs de flank van de Cairn Gorm omhoog naar het hoogste winkel- en restaurantcomplex van Groot-Brittannië (mei–half juni en sept.–nov. dag. 10–17.30 uur; juni–aug. dineren bij zonsondergang). **Niet te missen** De oude landschappen van Rothiemurchus; de visarenden van Loch Garten.

De warme Golfstroom bevordert de groei in Benmore Gardens

Craigievar, een perfect bewaard gebleven Schotse woontoren

Het bekken van Crinan ligt aan de zeezijde van het kanaal

COWAL EN BUTE

✚ 316 E11 🚹 7 Alexandra Parade, Dunoon PA23 8AB, tel. 01369 703785 🚹 Isle of Bute Discovery Centre, 55 Victoria Street, Rothesay PA20 0AH, tel. 01700 502151

Het schiereiland Cowal wijst met zijn vinger omlaag vanaf Arrochar, tussen Loch Long en Loch Fyne. Het bovenste deel is bedekt met bos en maakt deel uit van het Loch Lomond National Park (blz. 98). Dunoon is de enige plaats van betekenis, een vakantieoord met een standbeeld van Robert Burns' geliefde 'Highland Mary', die vlakbij is geboren. Benmore, ruim 11 km naar het noorden, is een dependance van de Royal Botanic Garden in Edinburgh, met in het najaar fraaie herfstkleuren *(apr.–sept. dag. 10–18, mrt. en okt. 10–17 uur)*.

Verder bestaat het landschap uit bergen en ruig heideland, doorsneden door zee-lochs, waaronder Holy Loch, voorheen een onderzeebootbasis. Verder zuidelijk, gevangen in de lange vingers van Cowal, ligt het laaggelegen eiland Bute, met het plaatsje Rothesay, waar vroeger stoomschepen uit Glasgow aanlegden. Mount Stuart, aan de zuidkant, is een weelderig Victoriaans herenhuis *(mei–aug. ma. en wo. 11–17 uur)*.

CRAIGIEVAR CASTLE

✚ 323 K7 • Alford AB33 8JF ☎ 013398 83635 🕐 Kasteel: apr.–sept. vr.–di. 12–17.30 uur; rondleiding elk kwartier. Terrein: dag. 9.30 uur-schemering 🌳 (NTS) Volwassene £9, kind £6,50 (tot 5 jaar gratis), gezin £23 📷 www.nts.org.uk

De typisch Schotse baronnenwoontoren Craigievar heeft iets sprookjesachtigs, waardoor hij afwijkt van de meeste andere. Craigievar werd tussen 1600 en 1626 gebouwd door William Forbes en bleef, anders dan gebruikelijk, ongewijzigd in de daaropvolgende eeuwen van bewoning door de families Forbes en Forbes-Sempill. De zes verdiepingen hoge, rozeachtig gepleisterde fantasie van kleine torens tegen de centrale Great Tower staat in het dal van de Don. Het interieur van het kasteel kan door kleine groepen worden bezichtigd tijdens een rondleiding van 40 minuten over smalle wenteltrappen en langs Jacobean pleisterwerk in de Great Hall.

CRARAE GARDENS

✚ 316 E10 • Inveraray PA32 8YA ☎ 01546 886614 🕐 Tuin: dag. 9.30 uur–schemering. Bezoekerscentrum: apr.–sept. dag. 10–17 uur 🌳 (NTS) Volwassene £3,50, kind £2,60 (tot 5 jaar gratis), gezin £9,50 📷📷 www.crarae-gardens.org.uk

Deze tuin bij Loch Fyne, tussen Inveraray en Lochgilphead, is aangelegd door kapitein George Campbell, die vanaf 1925 een smalle glen veranderde in een Himalaya-kloof. Hij wordt beheerd door de National Trust for Scotland en telt ruim 400 soorten rododendrons en azalea's, die gedijen in het milde, vochtige klimaat. Kronkelpaadjes voeren onder andere tussen eucalyptusbomen door. De 20 ha grote bostuin met een nieuwe aanplant van inheemse loofbomen is een recente ontwikkeling. Bij de picknickplaats is een neolithische *cairn* (ca. 2500 v.Chr.) met verscheidene kamers te zien.

CRATHES CASTLE

Zie bladzijde 124

CRINAN CANAL

✚ 315 D11 🚹 27 Lochnell Street, Lochgilphead PA31 8JN, tel. 01546 602344; in het seizoen

Tussen Ardrishaig aan Loch Fyne en de Crinan-haven aan de Sound of Jura slingert het smalle Crinan Canal zich over een afstand van een kleine 15 km door een mooie streek met bos en open laagveen. Het werd in 1793–1809 aangelegd door de waterbouwkundige John Rennie (1761–1821), om vissersboten en 'puffers' – kleine stoombootjes die alle delen van de Schotse kust bevoorraadden – de meer dan 200 km lange omweg om het schiereiland Kintyre te besparen. Tegenwoordig wordt het nog volop gebruikt door zeilboten en kleine vissersboten, die onderweg 15 sluizen moeten passeren. Het jaagpad biedt een fraaie wandeling vanaf Lochgilphead, Cairnbaan of Crinan zelf.

Niet te missen Het bekken van Crinan, met uitzicht op Duntrune Castle en het eiland Jura.

CULLODEN

Zie bladzijde 125

DORNOCH

✚ 322 H4 🚹 The Square IV25 3SD, tel. 01862 810400

Een steen vlak bij de golfbaan in Dornoch markeert de plek waar in 1727 Janet Horne met pek en veren besmeurd en verbrand werd. Ze was de laatste heks die in Schotland terechtgesteld werd (omdat ze haar dochter in een pony zou hebben veranderd). Dergelijke gruwelpraktijken zijn nu moeilijk te verenigen met de stille straatjes van dit stadje aan de oostkust, met zijn golfbaan van wereldklasse, zijn zandstranden en zijn dolfijnentochten. De kathedraal, ooit de zetel van de bisschoppen van Caithness, stamt uit de 13e eeuw. Skibo Castle, 6,5 km naar het westen, was de retraiteplek van de Amerikaanse filantroop Andrew Carnegie (blz. 33). Het is nu een exclusief golfresort, waar superster Madonna in december 2000 haar bruiloft vierde.

Het gerestaureerde Duff House was ooit een sanatorium

Hoge heggen creëren een microklimaat waarin de tuinen gedijen

DUFF HOUSE

🗺 323 K5 • Banff AB45 3SX ☎ 01261 818181 🕐 Apr.–okt. dag. 11–17, rest van het jaar do.–zo. 11–16 uur 💷 Volwassene £4,50, kind £3,50, gezin £10 🅿 🏛
www.duffhouse.org.uk

WAT TE ZIEN

Het in een schijnbaar rustig stukje van Banff weggestopte Duff House is de belangrijkste buitenpost van de National Galleries of Scotland en biedt een rijk decor voor een weelde aan schilderijen, onder meer van de Schotse schilders Raeburn en Ramsay en van Italiaanse, Nederlandse en Duitse meesters. Het huis zelf is ontworpen door William Adam voor de eerste graaf van Fife. De bouw begon in 1735, maar er verscheen al in een vroeg stadium een scheur in het bouwwerk, waardoor de graaf niet meer zo blij was met zijn nieuwe huis. Hij heeft er uiteindelijk nooit gewoond.
Niet te missen El Greco's *Boetedoening van St.-Hiëronymus.*

DUNROBIN CASTLE

🗺 326 H4 • Golspie KW10 6SF ☎ 01408 633177 🕐 Apr.–mei en 1–15 okt. ma.–za. 10.30–16.30, zo. 12–16.30, juni–sept. ma.–za. 10.30–17.30, zo. 12–17.30, juli–aug. ook zo. 10.30–17.30 uur 💷 Volwassene £6,50, kind £4,50 (tot 6 jaar gratis), gezin £17,50 🚂 Dunrobin 🅿 🏛
www.highlandescape.com

Het château-achtige Dunrobin Castle ligt aan de oostkust, nog geen kilometer ten noorden van het dorp Golspie, en is met zijn 189 kamers het grootste buitenhuis van Noord-Schotland. Het gaat terug tot ca. 1275, maar ziet er volstrekt Victoriaans uit, dankzij een uitbreiding tussen 1845 en 1850 door Charles Barry (de architect van de Houses of Parliament in Londen). Het interieur is in 1915 opnieuw vormgegeven door Robert Lorimer.

CRATHES CASTLE

Een sprookjeskasteel omgeven door schitterende tuinen.

🗺 323 L7 • Banchory AB31 5QJ ☎ 01330 844525 🕐 Tuinen: hele jaar dag. 9 uur–zonsondergang; kasteel en bezoekerscentrum: apr.–sept. dag. 10.30–17, okt. 10–16.30 uur 💷 Alleen kasteel of tuinen: volwassene £7, kind £5,25 (tot 5 jaar gratis); combinatiekaartje: volwassene £9, kind £6,50, gezin £23 🍴 🏛 🚻
www.nts.org.uk

In 1323 schonk Robert the Bruce een stuk land ten oosten van Banchory aan Alexander Burnard (Burnett) uit Leys. Hij gaf hem een met juwelen bezette ivoren hoorn als symbool van leenbezit. In 1553 begon men met de bouw van een kasteel op die plek. Het werd bijna 50 jaar later voltooid en is nu een fraai voorbeeld van een woontoren in *baronial* stijl, met beroemde Jacobean plafonds beschilderd met figuren en motto's.

SCORE	
Historisch interessant	● ● ●
Fotogeniek	● ● ● ● ●

TIP

● Bereid u voor op wachten; de toegang is beperkt en kaartjes zijn maar korte tijd geldig.

DAGTRIP

Craigievar; Castle Fraser; Braemar

Hoewel het interieur van het kasteel helemaal in stijl is, met draperieën, eiken lambriseringen en familieportretten, steelt vooral de 1,5 ha grote ommuurde tuin, waarvan door de ramen een glimp kan worden opgevangen, de show.

Enorme heggen van Ierse taxus, zo'n 300 jaar geleden geplant en gesnoeid in een golvend *'egg and cup'*-patroon, domineren de boventuin. Ze omgeven en beschutten thematische 'kamers' en scheppen een microklimaat waarin een grote rijkdom aan planten gedijt. De diepe borders van overblijvende planten in de benedentuin zijn adembenemend kleurrijk en gevarieerd. Vanaf de juniborder hebt u zowel uitzicht op het kasteel als op een eerbiedwaardige duiventil. In hun huidige vorm zijn deze tuinen het resultaat van de liefdevolle toewijding van Sir James en Lady Sybil Burnett aan het begin van de 20e eeuw. Hun werk wordt voortgezet door de National Trust for Scotland.
Niet te missen De gekoesterde Horn of Leys, in de grote zaal van het kasteel.

Deze sombere plek biedt weinig oriëntatiepunten, maar stenen geven aan waar de clans sneuvelden

CULLODEN

Een veengebied op een winderige hoogte 8 km ten oosten van Inverness was het decor van de laatste veldslag die op Schotse bodem werd uitgevochten.

De nederlaag van de jacobieten in de Slag bij Culloden, op 16 april 1746, was de trieste afloop van een burgeroorlog die families had verdeeld en bespoedigde het einde van het reeds ten dode opgeschreven clansysteem in Schotland.

Prins Charles Edward Stewart (1720–1788), bijgenaamd Bonnie Prince Charlie, was in ballingschap opgegroeid als erfgenaam van de Schotse troon, waarop de katholieke Stuarts nog steeds aanspraak maakten via Jacobus, de 'Old Pretender', (vandaar de naam 'jacobieten' voor de politieke beweging). De Fransen brachten de protestantse Britse regering maar al te graag in moeilijkheden en moedigden de prins in 1745 aan de troon op te eisen.

Charles landde bij Glenfinnan (blz. 28) en bracht een een legertje Highlanders op de been, van wie sommigen meededen onder dwang van hun clanhoofd. Het prinselijke leger bereikte Derby in Noord-Engeland, maar moest zich vervolgens terugtrekken naar het noorden. In het voorjaar van 1746 kwamen de Engelse troepen dichterbij.

EEN LEGER OP DE TERUGTOCHT

Toen de twee legers elkaar bij Culloden troffen, stonden de uitgeputte Highlanders tegenover een leger van beroepssoldaten dat ver in de meerderheid was. Door een tactische blunder kwamen ze binnen het bereik van de Engelse artillerie, en binnen een uur waren de jacobieten weggevaagd. Meer dan 1200 jacobieten en 400 Engelsen sneuvelden in de strijd. Stenen en vlaggen markeren tegenwoordig de plaatsen waar de afzonderlijke clans omkwamen.

In de nasleep was de Engelse aanvoerder, de hertog van Cumberland, verantwoordelijk voor een van de grootste wandaden uit de geschiedenis van het Britse leger. Hij gaf de Engelse soldaten formeel toestemming de Highlands te plunderen. Het leven in de Highlands zou nooit meer hetzelfde zijn. De prins vluchtte en kon zonder te worden verraden het land verlaten.

Niet te missen Levende geschiedenis in de zomer in het gerestaureerde Leanach Cottage, midden op het slagveld.

PRAKTISCH

🔲 322 G6 • Culloden Moor, Inverness IV2 5EU ☎ 01463 790607
🔵 Slagveld: hele jaar, dag. Bezoekerscentrum: feb.–mrt. en nov.–dec. dag. 11–16, apr.–juni en sept.–okt. dag. 9–18, juli–aug. dag. 9–19 uur 🦽 (NTS) Volwassene £5, kind £3,75 (tot 5 jaar gratis), gezin £13,50 📖 Boek £3,50, ook in het Frans en Duits 🍴 Restaurant in het bezoekerscentrum 📅 ❓ Audiovisueel programma, ook in het Frans, Gaelic, Duits, Italiaans en Japans

www.nts.org.uk
Informatieve en efficiënte website voor alle pakweg 100 bezittingen van de National Trust for Scotland, per gebied geordend. Ook met informatie over evenementen.

TIP

● Bekijk de audiovisuele presentatie in het bezoekerscentrum voordat u naar het slagveld gaat, zodat u begrijpt wat u ziet.

DAGTRIP

Inverness; Black Isle; Great Glen; Forres

Eilean Donan, schoolvoorbeeld van een Highland-kasteel

Sueno's Stone wordt beschermd door een glazen constructie

De kabelbaan op Aonach Mòr biedt een groots uitzicht

Dunrobin was de zetel van de graven en hertogen van Sutherland, die een kwalijke rol speelden in de Highland Clearances (zie Strathnaver, blz. 142).
Niet te missen Dagelijks valkerij in de Franse tuinen.

WAT TE ZIEN

EILEAN DONAN CASTLE

320 E6 • Dornie, bij Kyle of Lochalsh IV40 8DX ☎ 01599 555202 🕐 Mrt. en nov. dag. 10–15.30, apr.–okt. 10–17.30 uur 💷 Volwassene £4,50, kind £3,40 (tot 6 jaar gratis), gezin £9,50 📷 🏛 www.eileandonancastle.com

Eilean Donan is waarschijnlijk het meest gefotografeerde kasteel in Schotland. Het staat op een rots vlak bij de noordoever van Loch Duich en is door een brug met het vasteland verbonden. Op deze plaats staat al sinds de 13e eeuw een vesting, en in 1719 werd er een MacRae-bolwerk door regeringstroepen verwoest. Het huidige kasteel, met zijn tot 4,5 m dikke muren, is tussen 1912 en 1932 gebouwd. De schepper ervan, luitenant-kolonel John MacRae-Gilstrap, zou het als in een droom voor zich hebben gezien. Het kasteel prijkt op tal van kalenders en komt in verscheidende films voor, onder andere de James Bond-film, *The world is not enough* (1999). Niet missen.

FORRES

322 H5 🛈 116 High Street IV36 1NP, tel. 01309 672938; in het seizoen 🛈 Forres

Het oude marktplaatsje Forres aan de rivier de Findhorn, 16 km ten oosten van Nairn, werd ooit geplaagd door heksen. William Shakespeare gebruikte dit in *Macbeth* (ca. 1606), waarin hij de drie 'weird sisters' in deze contreien situeerde. Drie andere heksen worden herdacht met een met ijzer beslagen steen in het plaatsje.

Een grote glazen kooi beschermt Sueno's Stone aan de oostelijke rand van Forres. Het is de 6 m hoge schacht van een Pictisch kruis, waarschijnlijk uit de 9e of 10e eeuw (vrij toegankelijk). In het zandsteen zijn in vijf afdelingen levendige taferelen van een onbekende, bloedige veldslag gesneden.

Ten zuiden van Forres wordt de Dallas Dhu Historic Distillery beheerd door Historic Scotland *(apr.–sept. dag. 9.30–18.30, rest van het jaar ma.–wo. en vr.–za. 9.30–16.30, do. 9.30–12.30, zo. 14–16.30 uur)*.
Niet te missen Uitzichtpunt Califer, ten oosten van Forres een stukje van de A96 af, met een schitterend uitzicht op de Moray-kust.

FORT WILLIAM

321 E8 🛈 Cameron Centre, Cameron Square PH33 6AJ, tel. 01397 703781 🛈 Fort William

Fort William ligt op een kruising van wegen en spoorlijnen boven aan Loch Linnhe en onder aan de Great Glen (blz. 128), en is daarmee een goede uitvalsbasis voor het noordwesten. Het was ooit een militaire buitenpost vanwaar de Highlands in bedwang werden gehouden. Het fort, dat in 1715 en 1745 aanvallen van de jacobieten heeft weerstaan, werd in 1864 gesloopt om plaats te maken voor een spoorwegstation. De plaats is niet erg aantrekkelijker, ook al heeft men geprobeerd er iets van te maken, onder andere door het centrum verkeersvrij te maken. Door zijn ligging is Fort William populair bij wandelaars en klimmers, en er zijn volop zwerfsportartikelen te krijgen.

De grootste attractie ligt ten oosten van het stadje: de ronde Ben Nevis, met 1343 m de hoogste berg van Groot-Brittannië. Op de top kunnen de omstandighe-

den arctisch zijn, en wandelaars die de berg willen beklimmen, moeten goede voorzorgsmaatregelen nemen. Op de eerste zaterdag van september kunt u worden ingehaald door renners die meedoen aan de sinds 1937 jaarlijks gehouden Ben Nevis Race. Het record staat op 1 uur en 25 minuten. Een gemakkelijkere wandeling voert naar Stead Falls door het meer glooiende landschap van Glen Nevis, ten westen en zuiden van de berg.
Niet te missen De 15 minuten durende kabelbaantocht naar de top van Aonach Mòr (1219 m), de berg naast Ben Nevis *(juli–aug. 9.30–18, jan.–juni en sept.–half nov. 10–17 uur, als het weer het toestaat)*.

FYVIE CASTLE

323 L6 • vlak bij Turriff AB53 8JS ☎ 01651 891266 🕐 Kasteel: apr.–juni en sept. vr.–di. 12–17, juli–aug. dag. 11–17 uur. Terrein: het hele jaar dag. 9.30 uur–schemering 💷 (NTS) Volwassene £7, kind £5,25 (tot 5 jaar gratis), gezin £19 📷 🏛 www.nts.org.uk

Dit magnifieke kasteel in een landschapspark in het dal van de rivier de Ythan heeft een roomkleurige gevel van 46 m lang, gedomineerd door een enorm poorthuis. Vijf grote Schotse families, de Prestons, Meldrums, Setons, Gordons en Leiths, zouden achtereenvolgend als eigenaars elk een toren aan het kasteel hebben bijgedragen. Het oudste deel is 13e-eeuws en omvat het architectonische hoogtepunt van het complex: een wenteltrap met lage, brede treden die in de 16e eeuw is toegevoegd door Alexander Seton. Het weelderige interieur stamt uit het begin van de 20e eeuw en vormt een rijke achtergrond voor de wapencollecties en de portretten van Raeburn, Romney, Gainsborough en Hoppner.

Voorjaar in Glen Coe: gezicht op de vallei met links de Three Sisters

GLEN COE

Een spectaculaire vallei door hoge bergen in het westen, waar een van de ergste wandaden uit de Schotse geschiedenis heeft plaatsgevonden.

Of u nu afdaalt naar Glen Coe vanaf het uitgestrekte, drassige Rannoch Moor, of ernaartoe klimt vanaf de zeevinger die Loch Leven heet, de aanblik van deze lange vallei met zijn steile hellingen is onmiskenbaar majestueus. Op heldere dagen kunt u in het noorden de toppen van de Aonach Eagach (966 m) met zijn puinhellingen zien, en in het zuiden, voorbij Bidean nam Bian (1148 m), de machtige rotsen die de Three Sisters worden genoemd. Het oostelijke eind van de glen wordt bewaakt door de Buachaille Etive Mor, de 'Grote Herder van Etive' (1019 m). Op andere dagen gaan de bergen schuil in regenwolken en voegt het geluid van de gierende wind zich bij dat van kolkende bergstromen.

Dit is eersteklas bergbeklimmersgebied, dat een goede conditie en voorzichtigheid vergt. In de winter vormt het sneeuwlandschap een extra uitdaging voor klimmers en komen er af en toe mensen om. Er is een skigebied op de flanken van Meall a'Bhùiridh (1108 m). De geologie van het gebied komt aan bod in het milieuvriendelijke bezoekerscentrum, Inverrigan *(NTS, mrt. dag. 10–16, apr.–aug. 9.30–17.30, sept.–okt. 10–17, nov.–feb. vr.–ma. 10–16 uur)*.

CAMPBELLS EN MACDONALDS

In de Highlands wordt niet snel iets vergeten, en nog steeds lopen de gemoederen hoog op tussen Macdonalds en Campbells om iets dat op een nacht in februari 1692 is gebeurd. In die tijd moesten de clanhoofden trouw zweren aan het vorstenpaar William and Mary. Alastair Macdonald van Glencoe was een paar dagen te laat met zijn eed, waarop Campbell van Glenlyon naar hem toe werd gestuurd om een voorbeeld te stellen. Campbells mannen waren eerst twee weken te gast voordat ze overgingen tot een koelbloedige slachting die 38 leden van de Macdonald-clan het leven kostte.

SCORE				
Historisch interessant	●	●	●	
Buitenactiviteiten	●	●	●	● ●
Fotogeniek	●	●	●	●

PRAKTISCH

✚ 316 E8 ℹ Ballachulish PA39 4JR, tel. 01855 811296; in het seizoen

www.nts.org.uk
De website van de National Trust for Scotland geeft informatie over het dorp Glencoe, het bezoekerscentrum en Dalness.

Op een winternacht in 1692 vond hier een slachting plaats

DAGTRIP
Oban; Fort William; Great Glen

Een najaarsnevel hangt boven de rivier de Affric

Het uitzicht vanaf het viaduct van Glenfinnan is een hoogtepunt van de West Highland-treinroute

WAT TE ZIEN

GLEN AFFRIC

➕ 321 F6 ℹ️ Castle Wynd, Inverness IV2 3BJ, tel. 01463 234353

Deze vredige vallei 50 km ten zuidwesten van Inverness, parallel aan de Great Glen, is een van de meest geliefde plekken van de Highlands. Het landschap is een combinatie van bos en hei, rivier en loch, en machtige bergen als Carn Eige (1182 m).

Er voert een smalle weg van Cannich omhoog naar het parkeerterrein bij de Affric, langs de Dog Falls en een prachtige picknickplaats bij Loch Beinn a Mheadhoin. Er zijn gemarkeerde wandelpaden en voor echte trekkers voert er een pad naar Kintail. Een 1265 ha groot inheems bosgebied omvat stukken oud Caledonisch naaldbos, waar het hele jaar door kuifmezen en kruisbekken te zien zijn. De steenarend en het auerhoen zijn minder vaak te zien.

GLENELG

➕ 320 D7 🚢 Veerboot naar Kylerhea op Skye, half mei–okt. dag., apr.–half mei ma.–za.

Deze geïsoleerde plek is vanaf de zuidoever van Loch Duich bereikbaar via de steile Mam Ratagan-pas. Het dorp strekt zich uit langs een ondiepe baai. Ten noorden ervan kijkt de verlaten 18e-eeuwse kazerne Bernera over de smalle Sound of Sleat heen uit op Skye. 's Zomers vaart er een kleine veerboot op Kylerhea. Kijk of u zeehonden ziet in het kolkende water. De weg gaat verder naar het zuiden, boven Sandaig langs, waar Gavin Maxwell (1914–1969), de schrijver van *Ring of bright water*, woonde en begraven ligt, en

Een monument in Spean Bridge herinnert aan de commando's die in de Great Glen zijn opgeleid

biedt een spectaculair uitzicht op het geïsoleerde Knoydart.
Niet te missen Dun Telve en Dun Toddan, de goed bewaard gebleven resten van twee uit de IJzertijd stammende *brochs* — ronde stenen bouwsels met dubbele muren — in Glen Beag.

GLENFINNAN

➕ 320 E8 ℹ️ Cameron Centre, Cameron Square, Fort William PH33 6AJ, tel. 01397 703781 🌐 Glenfinnan

Op 19 augustus 1745 hief prins Charles Edward Stuart hier boven aan Loch Shiel zijn vaandel voor de jacobieten die zijn vaders aanspraken op de troon van Schotland steunden. Het was het begin van de laatste veldtocht van de Stuarts, die bij Culloden (blz. 125) jammerlijk zou eindigen. Een monument herinnert aan de gebeurtenis – een pilaar met daarop het beeld van een soldaat in kilt, opgericht in 1815. De National Trust for Scotland beheert vlakbij een informatief bezoekerscentrum *(apr.–juni en sept.–okt. dag. 10–17, juli–aug. 9.30–17.30 uur)*.

GREAT GLEN

➕ 321 F7 ℹ️ Castle Wynd, Inverness IV2 3BJ, tel. 01463 234353 ℹ️ Cameron Centre, Cameron Square, Fort William PH33 6AJ, tel. 01397 703781

Tussen Inverness in het noordoosten en Fort William in het zuidwesten volgt de Great Glen over een afstand van bijna 100 km een grote breuklijn. Het is een rechte geolo-

gische depressie tussen bergen met kale toppen, waar wegen (met name de A82), een lange-afstandswandelpad en een fietsroute (zie blz. 236) doorheen lopen. Kijk uit naar de zogeheten Parallel Roads op de heuvelhelling bij Glen Roy – volstrekt natuurlijk gevormde terrassen, achtergelaten door meren in de IJstijd. Op de bodem van de glen ligt een aantal lochs, waarvan Loch Ness het langst en het bekendst is.

In het smalle, 230 m diepe Loch Ness zou volgens sommige mensen een monster leven, dat in de 6e eeuw al is gesignaleerd. Over recente zoektochten leert u meer in het bezoekerscentrum Loch Ness 2000 in Drumnadrochit *(juli–aug. dag. 9–21, rest van het jaar 9–17 uur)*. Het lange, rechte meer is populair bij speedbootfanaten. Een monument langs de weg tussen Drumnadrochit en Invermoriston herinnert aan John Cobb, die hier in 1952 omkwam bij een poging het wereldsnelheidsrecord op het water te verbeteren.

De lochs van de Great Glen zijn met elkaar verbonden door het Caledonian Canal, een waterbouwkundig project van Thomas Telford uit 1801, dat in 1847 werd voltooid. Loch Oich is het hoogste punt in de keten, met een beroemde groep van acht sluizen, Neptune's Staircase, in Banavie bij Fort William (zie ook de wandeling op blz. 226–227).

Bij Spean Bridge werden tijdens de Tweede Wereldoorlog commando's opgeleid. Een monument uit 1952 van Scot Sutherland herinnert hieraan *(bij de A82, vrij toegankelijk)*.

HELMSDALE

➕ 327 H3 🌐 Helmsdale

Dit kleine havenplaatsje aan de noordoostkust werd in 1868 getroffen

Het leven in een blackhouse nagespeeld in Kingussie

Een voetbrug over de rivier de Ness in Inverness

De bergen Suilven en Cul Mòr in natuurreservaat Inverpolly

door de goudkoorts, nadat er goud was gevonden in de Strath of Kildonan. Er verrees een goudzoekerskamp bewoond door zo'n 3000 gelukszoekers. De lokale landeigenaar, de derde hertog van Sutherland, vond het te druk worden voor zijn herten en schapen en maakte een einde aan het avontuur. Hedendaagse bezoekers kunnen in het plaatsje een goudzeef kopen en een poging wagen.

Helmsdale werd begin 19e eeuw een vestigingsplaats voor kleine boertjes die verder landinwaarts plaats hadden moeten maken voor grootschalige schapenteelt tijdens de zogeheten Highland Clearances. Het Timespan Heritage Centre op Dunrobin Street gaat hier nader op in *(apr.–okt. ma.–za. 9.30–17, zo. 12–17 uur)*.

Niet te missen Een blik in restaurant La Mirage, dat eer bewijst aan de excentrieke schrijfster Barbara Cartland (1901–2000), die vlakbij een huis had.

HIGHLAND FOLK MUSEUM (KINGUSSIE EN NEWTONMORE)

322 G7 • Duke Street, Kingussie PH21 1JG ☎ 01540 661307
Kingussie: half apr.–sept. ma.–za. 9.30–17.30, okt. ma.–vr. 9.30–16.30 (elk uur rondleiding). Newtonmore: half apr.–aug. dag. 10.30–17.30, sept. dag. 11–16.30, okt. ma.–vr. 11–16.30 uur
Kingussie: volwassene £2, kind £1. Newtonmore: volwassene £5, kind £3. Seizoenskaart voor beide locaties voor een gezin: £15 Kingussie Alleen Newtonmore
www.highlandfolk.com

Dit museum omvat twee locaties 4 km bij elkaar vandaan, die duidelijk zijn aangegeven vanaf de A9. Samen geven ze een authentiek beeld van het leven in de Highlands in de loop der tijd, door middel van gebouwen die zijn nagebouwd, een in bedrijf zijnde *croft* (kleine boerderij) en collecties alledaagse voorwerpen.

Kingussie is de kleinste van de twee locaties, en het meest museumachtig, met een grote collectie landbouwwerktuigen en een nagebouwd *blackhouse* van Lewis. (Een *blackhouse* is een lang, laag onderkomen met muren van turf en een dak dat bedekt is met hei. Aan de ene kant woonden de mensen, de andere kant was voor het vee.) Newtonmore heeft een nagebouwd 18e-eeuws dorp, met een kleermakerswerkplaats, een kerk en een school. Op beide locaties brengen acteurs de geschiedenis tot leven, met landbouwwerkzaamheden en het uitoefenen van ambachten.

INNER HEBRIDES
Zie bladzijde 130–131

INVERARAY
Zie bladzijde 132

INVEREWE GARDENS
Zie bladzijde 133

INVERNESS

322 G6 Castle Wynd IV2 3BJ, tel. 01463 234353 Inverness
Inverness

Inverness is de bestuurlijke hoofdstad van de Highland-regio en in overeenstemming met die nieuwe stadsstatus wordt er volop gebouwd en ontwikkeld. Net als Fort William is het een regionaal centrum, dat in de zomer volstroomt met bezoekers die tochten naar de meer afgelegen gebieden willen ondernemen en hier profiteren van de winkels en restaurants.

Er komen drie belangrijke wegen samen: de A96 uit het noordoosten, de A9 uit het zuiden en de A82, die over de zijkant van de Great Glen (blz. 128) loopt. In Inverness eindigt ook het Caledonian Canal, waar de rivier de Ness uitmondt in de Moray Firth.

Het ontbreken van oude gebouwen in de stad is volgens de bewoners het gevolg van het feit dat de Highlanders de stad regelmatig platbrandden nadat de Engelse heerser Oliver Cromwell er in 1652 een fort had laten bouwen. De meeste gebouwen zijn 19e-eeuws, inclusief het rode zandstenen kasteel met zijn monument voor de heldin Flora MacDonald, die Bonnie Prince Charlie in 1746 hielp ontsnappen na zijn nederlaag op het nabijgelegen Culloden Moor (blz. 125). De ronde toren herbergt de Castle Garrison Encounter – gekostumeerde acteurs die het soldatenleven van vroeger naspelen *(mrt.–nov. dag. 10.30–18 uur)*.

INVERPOLLY

326 F4 Argyle Street, Ullapool IV26 2UB, tel. 01854 612135
Mei–sept. ma.–za. tweemaal daags boottocht vanaf de Badentarbat-pier in Achiltibuie naar de Summer Isles

Van Ullapool leidt een weg noordwaarts door een dunbevolkt gebied met veengronden, lochs, heidevelden en kale, rotsachtige bergen die eruitzien alsof ze lukraak in het landschap zijn neergesmeten. Dit is het nationale natuurreservaat Inverpolly, dat zich uitstrekt over 11.000 ha. De meest prominente rotsklompen zijn bergen van verweerd rood Torridonianzandsteen: Stac Pollaidh (612 m), Cul Beag (769 m) en Cul Mòr (849 m).

Het gebied heeft een rijke fauna. Er komen onder andere otters, herten en steenarenden voor, en in de rivieren leven zalmen. Bij Achnahaird, Garvie, Reiff en Badentarbat liggen mooie zandstranden.

Inner Hebrides (Binnen-Hebriden)

Langs de ruige westkust van Schotland rijgt zich een keten van eilandjes aaneen, elk met een eigen karakter en gemeenschapsleven.

In vrolijke kleuren geschilderde huizen aan Tobermory Bay, Mull

Bewerkte grafstenen op Iona

De bijzondere, ronde kerk in Kilarrow, Islay

SCORE	
Historisch interessant	● ● ● ●
Buitenactiviteiten	● ● ● ●
Fotogeniek	● ● ● ● ●
Bijzondere winkels	● ●

Geheel boven: verlaten vissersboten in Salen, Mull

Onder: Duart Castle, Mull, waar Cromwells schip, de Swan, *in 1653 aan de grond liep*

DE BINNEN-HEBRIDEN IN HET KORT

De eilanden die tot de Binnen-Hebriden behoren, liggen dicht onder de westkust van Schotland (zie voor Skye blz. 138–141) – dicht genoeg bij het vasteland om er een dagtochtje naar te kunnen maken. Er varen met enige regelmaat veerboten naartoe.

MULL EN IONA

Mull is met zijn 906 km² het grootste eiland. In het noorden liggen hoge bergen, in het ruige westen lopen Loch Scridain en Loch na Keal diep het binnenland in. De belangrijkste nederzetting, de 19e-eeuwse vissershaven Tobermory, ligt in het noordoosten. De afgelegen westkust vormt een ideale leefomgeving voor de opnieuw uitgezette zeearend en voor steenarenden, buizerds, slechtvalken en zeevogels. Roofvogels van dichtbij observeren kunt u in het natuurcentrum Wings Over Mull in Craignure *(Pasen–okt. dag. 10.30–17.30 uur)*.

Een smalspoortreintje *(apr.–okt. dag. 10–17.30 uur)* brengt u in een oogwenk naar Torosay Castle, een landhuis uit 1858 met een 4,8 ha grote tuin in Italiaanse stijl *(huis: apr.–okt. dag. 10.30–17 uur; tuin: 's zomers 9–19 uur)*. Het 13e-eeuwse Duart Castle aan de punt van Duart Bay is de zetel van de Maclean-clan *(mei–half okt. dag. 10.30–17.30, apr. zo.–do. 11–16 uur)*. Ten westen van Ben More, de hoogste berg op Mull, ligt Ardmeanach. Via een moeilijk begaanbaar pad bereikt u na 9 km de punt van dit schiereiland, waar een fossiele, 12 m hoge boomstam van meer dan 50 miljoen jaar oud te zien is.

Fionnphort is de haven van Iona, een betoverend eiland dat sinds de 6e eeuw bekendstaat als de wieg van het christendom in Schotland. De meeste bezoekers gaan rechtstreeks naar de abdij *(apr.–sept. dag. 9.30–18.30, okt.–mrt. 9.30–16.30 uur)*, maar neem ook de tijd voor de ruïnes van de 13e-eeuwse priorij, waar augustijner nonnen woonden. In 563 stichtte de H. Columba een klooster op Iona, vanwaar het christendom over Europa werd verbreid. Nu verwelkomt de Iona Community pelgrims uit de hele wereld in de abdij. Naast het klooster zijn Schotse koningen uit het verre verleden begraven, zoals Duncan en Macbeth. Bij de excursies naar Iona zijn ook het eiland Staffa met zijn zeshoekige basaltzuilen en Fingal's Cave inbegrepen.

COLL, TIREE, COLONSAY EN ORONSAY

De vlakkere eilanden Coll en Tiree, ten westen van Mull, staan bekend om hun zandstranden, *machair* (zeeweiden) en zeldzame vogels, zoals de kwartelkoning en de dwergstern. Ook op het zuidelijker Colonsay en Oronsay treft u mooie stranden en interessante vogels.

ISLAY

Hiermee vergeleken is Islay een bruisend, bedrijvig eiland, met zeven distilleerderijen, het uitstekende Museum of Islay Life in Port Charlotte *(Pasen–okt. ma.–za. 10–17, zo. 14–17 uur)* en een jaarlijks festival met muziek en whisky. Loch Finlaggan, ten westen van Port Askaig, was in de 14e en 15e eeuw de zetel van de Lords of the Isles en is nu een grote archeologische vindplaats *(mei–sept. dag. 13–16.30, okt.–apr. zo., di. en do. 13–16 uur)*. Op Islay broeden zo'n 110 vogelsoorten, waaronder de alpenkraai, een kauwachtige vogel met opvallend rode poten en snavel. Daarnaast overwinteren naar schatting 50.000 ganzen uit Groenland en IJsland op het eiland.

JURA EN GIGHA

Jura is zo te herkennen aan de Paps, drie kegelvormige bergen. Monolieten of *cairns* wijzen uit dat het eiland al rond 7000 v.Chr. bewoond werd. Gigha herbergt de fameuze tuinen van Achamore House met hun camelia's, azalea's en rododendrons *(hele jaar dag.)*.

De abdij van Iona is in 1910 gerestaureerd

TIPS

● De veerboten naar de eilanden varen niet zo vaak en de afvaarten zijn afhankelijk van de weersomstandigheden, dus plan uw bezoek zorgvuldig en bouw een extra marge in.
● Op de kleinere eilanden is de accommodatie beperkt, dus zorg dat u iets reserveert.

PRAKTISCH

🚊 315, 319, 320
ℹ The Pier, Craignure, Isle of Mull PA65 6AY, tel. 01680 812377
ℹ Morrisons Court, Bowmore, Islay PA43 7JP, tel. 01496 810254
ℹ Harbour Street, Tarbert PA29 6UD, tel. 01880 820429; in het seizoen
⛴ Mull: veerboot uit Oban, Kilchoan en Lochaline. Coll, Tiree, Colonsay: veerboot uit Oban. Islay en Jura: veerboot uit Kennacraig, bij Tarbert. Gigha: veerboot uit Tayinloan op het schiereiland Kintyre. Alle Caledonian MacBrayne, tel. 01475 650100.
❓ Islay brengt een folder uit met een whiskyroute, waarin de openingstijden van beroemde distilleerderijen als Laphroaig, Lagavulin en Bowmore worden vermeld.

Negentien grote beelden flankeren de Statue Walk, Torosay Castle

WAT TE ZIEN

Het zogenoemde Last House in John o'Groats

JOHN O'GROATS

🗺 327 J2 ℹ County Road, John o'Groats KW1 4YR, tel. 01955 611373; in het seizoen

In de volksverbeelding is John o'Groats de noordelijkste nederzetting op het Britse vasteland, 1405 km van Land's End in Cornwall. De plaats is vernoemd naar de Hollander Jan de Groot, die er in 1509 woonde; zijn achthoekige huis kijkt uit over het woeste water van de Pentland Firth. Kunstnijverheidsateliers, souvenirwinkels en een paar theesalons maken het heugelijke feit ten gelde. Dat de inwoners van het gehucht Scarfskerry, even naar het noordwesten, bezwaar maken tegen de claim wordt gemakshalve vergeten. Op het winderige Duncansby Head kunt u mooie wandelingen maken. Op de kliffen bij de vuurtoren nestelen papegaaiduikers.

Koningin-moeder Elizabeth (1900–2002) liet het nabijgelegen Castle of Mey restaureren als vakantieverblijf *(eind mei–juli en half aug.–half okt. di.–za. 11–16.30, zo. 14–17 uur)*. Het kasteel biedt een aantrekkelijke mengeling van kitsch, comfort en grandeur. **Niet te missen** Het allernoordelijkste punt van het Schotse vasteland: de door de wind geteisterde kaap van Dunnet Head, tussen John o'Groats en Thurso, met uitzicht op Orkney.

KILMARTIN

🗺 315 D10 ℹ 27 Lochnell Street, Lochgilphead PA31 8JN, tel. 01546 602344; in het seizoen

De *glen* die naar het gehucht Kilmartin, tussen Oban en Lochgilphead, voert, ligt bezaaid met hopen zilverkleurige stenen, de resten van *cairns* van omstreeks 3000 v.Chr. Eke steenhoop dekte een kleine grafkamer af. Samen met de monolieten van Ballymeanoch, de steenkring van

Woon een historische rechtszaak bij in Inveraray Jail

INVERARAY

Een fraai plaatsje met witgekalkte huizen aan een loch, met een trotse geschiedenis en veel bezienswaardigheden.

🗺 316 E10 ℹ Front Street PA32 8UY, tel. 01499 302063

SCORE	
Leuk voor kinderen	● ● ● ○
Historisch interessant	● ● ● ○
Fotogeniek	● ● ● ○
Beloopbaar	● ● ● ○

DAGTRIP
Loch Awe; Crarae Gardens

Inveraray ligt aan een baai aan de kop van Loch Fyne. Eeuwenlang was het de hoofdstad van Argyll; de Campbells, hertogen van Argyll, zetelden in een kasteel in de buurt. Toen de 3e hertog in 1743 met plannen voor een nieuw landhuis kwam, werd het dorpje naar de huidige locatie verplaatst, omdat het anders het uitzicht zou belemmeren. Het resultaat was een harmonieus geheel van gebouwen, vele ontworpen door Robert Mylne (1734–1811).

Van zijn hand is onder meer de parochiekerk, waar de hoofdstraat omheen loopt. De toren van bruine steen hoort bij de All Saints' Episcopalian Church, die bekendstaat om zijn 10 klokken en het panoramische uitzicht bovenin *(half mei–sept. dag. 10–13 en 14–17 uur)*. In het gerechtsgebouw en de gevangenis uit 1820 is nu een leuke interactieve expositie over het gevangenisleven ondergebracht *(apr.–okt. dag. 9.30–18, nov.–mrt. 10–17 uur)*.

In het haventje ligt de driemaster *Arctic Penguin* afgemeerd *('s zomers 10–18, 's winters 11–16 uur)*. Hier is een tentoonstelling te zien over de in Inveraray geboren schrijver Neil Munro (1864–1930), auteur van de komische verhalen over Para Handy. Deze schavuit was schipper op een *puffer*, een klein stoomschip dat op het Crinan Canal voer.

Ten noorden van het stadje ligt Inveraray Castle, een prachtig 18e-eeuws landhuis met peperbustorens en een fantastisch uitgevoerd interieur *(apr.–mei en okt. ma.–do. en za. 10–13 en 14–17.45, juni–sept. ma.–za. 10–17.45, zo. 13–17.45 uur)*. Op de achtergrond van het lommerrijke terrein doemt de wachttoren op Duniquoich Hill (255 m) op.

Niet te missen De Loch Fyne Oyster Bar voor verse en gerookte vis en zeevruchten, op de kop van Loch Fyne.

Hoewel de tuin op een noordelijker hoogte dan Moskou ligt, vriest het er bijna nooit extreem hard

INVEREWE GARDENS

Een exotische, 20 ha metende tuin aan de woeste noordwestkust, de beroemdste van Schotland.

In 1862 verwierf Osgood Mackenzie (1842–1922) het jachtlandgoed Inverewe, een kale, rotsachtige, door de zoute wind aangetaste kaap. Allereerst plantte hij windsingels aan, waarvoor grond en zeewier (als bemester) in manden moesten worden aangevoerd – een waar monnikenwerk. Dit was het onwaarschijnlijke begin van wat nu de beroemdste bostuin van Schotland is.

Mackenzie moest nog 20 jaar geduld uitoefenen voor de bomen voldoende waren aangeslagen. Pas toen kon hij serieus beginnen met de rest van de beplanting. Met het hem kenmerkende enthousiasme stelde hij zich ten doel 'elke zeldzame exotische boom en heester te verzamelen waarvan mij ter ore komt dat hij in Devon, Cornwall en het westen van Ierland aanslaat'. Inverewe profiteert net als deze streken van de milde invloed van de Golfstroom; strenge vorst komt er zelden voor. Na de dood van Mackenzie zette zijn dochter Mairi Sawyer zijn werk voort. In 1953 nam de National Trust for Scotland de tuin over.

DE TUIN VERKENNEN
U betreedt het complex via het bezoekerscentrum en de winkel. Eerst loopt u langs de ommuurde tuin op het zuiden en vervolgens door de rotstuin. Een netwerk van paden voert u over de Woodland Walk via de Pond Garden en de Wet Valley naar het uitzichtpunt Am Ploc Ard en de steiger aan de Camas Glas-baai. Via de Rhododendron Walk en de Jubilee Walk bereikt u de bamboetuin, Bambooselem. De beplanting is gevarieerd en exotisch; bijna altijd staat er wel wat in bloei. Naast prachtige rododendrons met lepelvormige bladeren uit de Himalaya ziet u in Inverewe magnolia's uit het Verre Oosten, eucalyptussoorten uit Tasmanië, olearia's uit Nieuw-Zeeland en de *Tropaeolum speciosum*, een Chileens familielid van de Oost-Indische kers met opvallend rode bloemen.

Van welke kant u ook komt, Inverewe wordt omringd door een van de mooiste stukken van de Highlands, waaronder Loch Maree en Gruinard Bay, wat een bezoek aan deze afgelegen plek zeer de moeite waard maakt.

Niet te missen De etageprimula's, een specialiteit van Inverewe.

SCORE
Leuk voor kinderen	●●
Fotogeniek	●●●●●
Bijzondere winkels	●●●●

PRAKTISCH
✚ 325 E5 • Poolewe, Achnasheen IV22 2LG ☎ 01445 781200
🕐 Tuin: apr.–okt. dag. 9.30–21, nov.–mrt. 9.30–16 uur. Bezoekerscentrum: dag. apr.–sept. 9.30–17, okt. 9.30–16 uur 🖾 (NTS) Volwassene £7, kind £5,25 (tot 5 jaar gratis), gezin £19
⛴ Aanlegsteiger bij de tuin, toegankelijk voor privé-vaartuig of rondvaartboot
❓ Gratis rondleiding: apr.–sept. ma.–vr. om 13.30 uur 📷 £3,50 🍴 🏛

www.nts.org.uk
Informatieve, efficiënte website voor alle (ongeveer 100) eigendommen van de National Trust for Scotland.

TIPS
● Aan de westkust valt zo'n 150 cm regen per jaar, dus neem een paraplu mee.
● Inverewe ontvangt niet voor niets 100.000 bezoekers per jaar, maar als de bussen op het parkeerterrein u afschrikken, neem dan eerst een pauze in het uitstekende restaurant of kom tegen het eind van de middag terug: dan zijn de dagjesmensen weer weg.
● Honden zijn niet toegestaan in de tuin en er zijn weinig parkeerplaatsen in de schaduw.

Grafstenen met bas-reliëf op het kerkhof van Kilmartin

Neem de boot naar de ruïne van Kilchurn Castle, Loch Awe

Het zeeleven op neusniveau in het aquarium in Macduff

WAT TE ZIEN

Temple Wood en de met holten en ringen bewerkte stenen in de omliggende heuvels behoren de *cairns* tot de opmerkelijkste prehistorische monumenten in Groot-Brittannië. Meer komt u te weten in Kilmartin House, het archeologische museum naast de kerk *(dag. 10–17.30 uur).*

Naar het zuiden ligt op een grote rots het heuvelfort Dunadd, in de 1e eeuw de hoofdstad van het Schotse koninkrijk Dalriada. Boven ziet u een in de rotsen uitgeholde voetstap.

Niet te missen Op het kerkhof grafstenen met bas-reliëfs van krijgers uit de 9e eeuw.

KINTYRE

➕ 315 D12 ℹ️ Harbour Street, Tarbert PA29 6UD, tel. 01880 820429; in het seizoen ℹ️ Mackinnon House, The Pier, Campbeltown PA28 6EF, tel. 01586 552056 ❌ Campbeltown 🚢 Veerboot: Lochranza op Arran naar Claonaig ('s zomers) en Tarbert ('s winters)

In 1098 liet de Noorse koning Magnus Barfud zijn schip over de smalle isthmus bij Tarbert slepen om zijn claim waar te maken dat het prachtige Kintyre als 'eiland' bij zijn rijk hoorde. Hoewel het schiereiland nu met de A83 aan de westkant een moderne, snelle ontsluiting heeft, ademt het nog steeds de sfeer van een afgezonderde wereld. De oostelijke route, via het vakantiedorp Carradale, is veel langzamer; u kunt er bovendien genieten van het uitzicht over het eiland Arran (blz. 57).

De landtong in het zuiden is de Mull of Kintyre. Noord-Ierland ligt hier slechts 20 km vandaan. Tarbert, in het noorden, is een aantrekkelijk havenplaatsje, waar zeiljachten en vissersboten af en aan varen. Campbeltown, aan de zuidpunt, heeft van oudsher een belangrijke streekfunctie voor de landbouwgemeenschap en is de vestigingsplaats van de Spring-

bank-distilleerderij *(eerst reserveren, apr.–sept. ma.–do. 14 uur).*

Niet te missen De kilometerslange zandstranden langs de Machrihanish Bay aan de Atlantische Oceaan.

LANDMARK FOREST HERITAGE PARK

➕ 322 H6 • Carrbridge PH23 3AJ, tel. 01479 841613 🕐 Apr.–half juli dag. 10–18, half juli–aug. dag. 10–19, sept.–mrt. dag. 10–17 uur 💷 Volwassene £7,95, kind £5,95 (tot 4 jaar gratis); goedkoper in de wintermaanden 🚉 Carrbridge 🚻 ♿ www.landmark-centre.co.uk

Het Landmark Forest Heritage Park is een themapark 10 km ten noorden van Aviemore, waar gedegen natuurinformatie wordt gecombineerd met attracties als een waterglijbaan. Wandelend over het Timber Trail komt u alles te weten over de houtindustrie. U kunt de trap (105 sporten) van de houten uitkijktoren bestijgen om boven te genieten van het uitzicht over de Cairngorms. Ancient Forest voert u door een bos van oude grove dennen, met een boomkroonpad en een voederplaats waar rode eekhoorns komen. MicroWorld is één en al pret met lenzen en loepen. In Ant City, een avontuurlijke speeltuin voor alle leeftijden, vindt u onder meer een klimmuur en een reusachtige glijbaan.

LOCH AWE

➕ 316 E10 ℹ️ Front Street, Inveraray PA32 8UY, tel. 01499 302063 ❌ Lochawe

Loch Awe, een langgerekt (23 km) meer in de dichtbeboste heuvels van Argyll, wordt omgeven door dorpjes, kastelen en hotels. Er zijn eilandjes en restanten van *crannogs* (blz. 101) te zien; het wemelt er van de forel en snoek. Het Duncan Ban McIntyre Monument (borden vanuit Dalmally) is een mooi uitzichtpunt.

In het moerasgebied aan de noordkant van het meer ligt de schilderachtige ruïne van Kilchurn Castle *(HS, toegang per boot, alleen 's zomers, tel. 01838 200400/200449).* Het kasteel werd in 1440 gebouwd door Colin Campbell van Breadalbane. In de 17e eeuw werden er nog delen aangebouwd.

In het noordwesten, waar het meer zich vernauwt tot de ontzagwekkende Pass of Brander, staat een waterkrachtcentrale; daarachter doemt Ben Cruachan (1124 m) op. Een minibusje brengt u 800 m de berg in, waar u de machtige turbines kunt aanschouwen *(Pasen–juli en sept.–half nov. dag. 9.30–17, aug. dag. 9.30–18 uur).*

MACDUFF MARINE AQUARIUM

➕ 323 K5 • 11 High Shore, Macduff AB44 1SL ☎ 01261 833369 🕐 Dag. 10–17 uur 💷 Volwassene £4,20, kind £1,80 (tot 5 jaar gratis); gezin £10,70 ♿ www.marine-aquarium.com

Dit juweeltje aan de noordoostkust biedt een leuke manier om meer te weten te komen over het zeeleven in de Moray Firth. Centraal in het moderne, cirkelvormige gebouw staat een diep zeeaquarium zonder overkapping, maar wel met een golfslagmachine, waarmee zo realistisch mogelijke omstandigheden worden nagebootst. Door de glazen wanden ziet u de planten en dieren die op verschillende diepten leven, van zeeanemonen met tere, franjeachtige armen en in spleten schuilende morenen tot consumptievissen als kabeljauw en wijting, bekend van uw bord. Driemaal per week kunt u er door het reusachtige raam in het theater getuige van zijn hoe duikers de vissen voeren. Het aquarium herbergt zo'n 100 soorten vissen en ongewervelde dieren.

De steencirkel in Calanais dateert van dezelfde tijd als het Engelse Stonehenge

LEWIS EN HARRIS

Eén eiland in twee delen, met schitterende baaien met zandstranden, veel vogels, uitstekende mogelijkheden om op forel en zalm te vissen en een langzaam levensritme.

Lewis en Harris zijn door een smalle landtong met elkaar verbonden, maar hebben een verschillend karakter. De Gaelic cultuur leeft nog sterk op het eiland, evenals de zondagsrust – houd er rekening mee dat restaurants, winkels en benzinestations op zondag gesloten zijn.

Lewis, het noordelijke deel, is overdekt met glooiend hoogveen en lochs; het kent een verrassend dichte bevolking voor zo'n afgelegen oord. Steornabhagh (Stornoway), een drukke vissershaven en de enige stad, is het bestuurlijke centrum. Goede wegen voeren naar gemeenschappen van keuterboertjes aan de kust en naar het bergachtige zuidwesten, waar de witte stranden van Uig en Reef en groene eilanden om het mooist strijden. Op heldere dagen zijn de pieken van St. Kilda, 80 km verderop, aan de horizon te zien. Harris, het zuidelijke deel, is het mooiste van de Buiten-Hebriden, met bergen en diep ingesneden baaien. De subtiele bruinen, groenen en grijzen van het landschap worden weerspiegeld in het beroemdste exportproduct van de streek, Harris Tweed, een hoogwaardige, handgeweven wollen stof die hier al sinds de jaren veertig van de 19e eeuw wordt vervaardigd.

BEZIENSWAARDIGHEDEN

Het eiland heeft veel prehistorische monumenten en monolieten, zoals de avenue en cirkel van 13 stenen in Calanais (Callanish), van ca. 3000 v.Chr. *(bezoekerscentrum: apr.–sept. ma.–za. 10–18, okt.–mrt. wo.–za. 10–16 uur).* De monolieten zijn van Lewis-gneis, het 2900 miljoen jaar oude vaste gesteente waaruit het eiland bestaat. Meer naar het noorden is de Dun Carloway Broch *(HS, vrij toegankelijk)* een goed voorbeeld van een cirkelvormige versterking van steen uit de IJzertijd. Achter het strand in Bosta ligt een gereconstrueerd huis uit de IJzertijd *(juni–aug. di.–za. 12–16 uur)* – vergelijk het met het 19e-eeuwse *blackhouse* (een soort plaggenhut) in Arnol *(HS, apr.–sept. ma.–za. 9.30–18.30, okt.–mrt. 9.30–16.30 uur).* De St. Clements Church in Roghadal (Rodel) dateert van ca. 1500.
Niet te missen Het oplichtende zand en turquoise water van Tràigh Luskentyre, met uitzicht op het eiland Taransay.

SCORE

Historisch interessant	● ● ● ● ●
Buitenactiviteiten	● ● ● ● ○
Fotogeniek	● ● ● ○ ○

PRAKTISCH

⊞ 324 C3/B4
🛈 26 Cromwell Street, Stornoway, Isle of Lewis HS1 2DD, tel. 01851 703088
🛈 Pier Road, Tarbert, Isle of Harris HS3 3DG, tel. 01859 502011; in het seizoen
🚢 Veerboot van Uig op Skye naar Tarbert, van Otternish op North Uist naar An T-ob (Leverburgh) en van Ullapool naar Stornoway
✈ Vluchten van Glasgow en Edinburgh naar Stornoway

TIPS

● Als u met de auto bent, denk er dan aan dat er weinig benzinestations zijn, dat ze ver uit elkaar liggen en dat ze vaak op zondag gesloten zijn.
● De wegen zijn goed, maar niet snel, dus neem de tijd voor uw reis.
● Het Gaelic op verkeersborden kan verwarrend zijn. Neem een goede kaart mee, bijvoorbeeld die van de Western Isles Tourist Board.
● Er is geen regulier openbaar vervoer op zondag.

Traditioneel pachtboerderijtje, North Uist

De bogen van McCaig's Tower, een folly in Oban

De kloosterkerk in Pluscarden, het hart van de gemeenschap

WAT TE ZIEN

MUSEUM OF SCOTTISH LIGHTHOUSES

323 L5 • Kinnaird Head, Fraserburgh AB43 9DU ☎ 01346 511022 Apr.–juni en sept.–okt. ma.–za. 10–18, zo. 12–17, juli–aug. ma.–za. 10–18, zo. 11–18, nov.–mrt. ma.–za. 11–16, zo. 12–16 uur Volwassene £4,75, kind £2, gezin £12 Goede boekandel met ansichtkaarten en souvenirs www.lighthousemuseum.co.uk

Het enige aan vuurtorens gewijde museum in Groot-Brittannië biedt een fascinerend uitstapje. Binnen vindt u een fantasierijke expositie met lenzen, prisma's, gebruiksvoorwerpen, werkende schaalmodellen en een interactieve kaart die de groei van het netwerk van vuurtorens aan de Schotse kust toont. Daarnaast kunt u in een echte vuurtoren zien hoe alles werkt en hoe de vuurtorenwachters leefden.

De vuurtoren van Kinnaird Head is in 1824 door de vermaarde bouwkundige Robert Stevenson ontworpen. Hij staat wat merkwaardig op een hoek van een vierkante woontoren. Boven hebt u een winderig, maar fraai uitzicht over de bedrijvige vissershaven Fraserburgh. De rondleiding in de vuurtoren is bij de toegangsprijs inbegrepen, maar u moet wel direct na aankomst een plekje reserveren. Met een beetje geluk wordt u rondgeleid door een voormalige vuurtorenwachter.

NORTH UIST, BENBECULA, SOUTH UIST EN ERISKAY

319 Pier Road, Lochmaddy, Isle of North Uist HS6 5AA, tel. 01876 500321; in het seizoen Pier Road, Lochboisdale, Isle of South Uist HS8 5TH, tel. 01878 700286; in het seizoen North Uist: veerboot van Uig op Skye naar Lochmaddy en van An T-ob (Leverburgh) op Harris naar Otternish. South Uist: veerboot naar Lochboisdale van Oban en Castlebay op Barra

Deze vier eilanden maken deel uit van de Buiten-Hebriden. Ze zijn met dammen met elkaar verbonden. Lage veengronden worden afgewisseld met honderden *lochans* (meertjes) vol forel, grote kale heuvels en in het westen witte stranden van schelpenzand. Vooral North Uist telt veel monolieten en andere prehistorische resten, die aantonen dat de eilanden al meer dan 4000 jaar menselijke bewoning kennen. Dorpjes zijn er talrijker dan men zou verwachten: ook in de 21e eeuw is kleinschalige landbouw op de vruchtbare *machair* (zeeweiden) nog haalbaar.

Het Kildonan Museum op South Uist verhaalt de geschiedenis van de inwoners *(apr.– half okt. ma.–za. 10–17, zo. 14–17 uur)* en heeft een leuk café.

De eilanden zijn *wetlands* voor vogels als de kwartelkoning, de grauwe franjepoot, de knobbelzwaan en ganzensoorten. De belangrijkste reservaten zijn Balranald en Loch Druidibeg.

In de Sound of Eriskay, die nu doorsneden wordt door een dam, liep in 1941 de met whisky geladen SS *Politician* aan de grond. Deze gebeurtenis inspireerde Compton Mackenzie tot zijn komische roman *Whisky Galore* (1947), die het jaar daarop in het naburige Barra (blz. 121) werd verfilmd.

Niet te missen De ruïne van de pachtboerderij *(croft)* op South Uist waar de jacobitische heldin Flora Macdonald (1722–1790) werd geboren. Volg de borden vanaf de hoofdweg bij de afslag naar Gearraidh Bhailteas.

OBAN

315 E9 Argyll Square PA34 4AR, tel. 01631 563122 Oban

Oban, eindstation en veerhaven voor de Western Isles, kwam in de 19e eeuw als badplaats tot ontwikkeling. De bedrijvige haven is het beginpunt van tochten naar de eilanden. Oban ligt aan een sikkelvormige baai in de beschutting van het lage eiland Kerrera. Op de hellingen achter het plaatsje prijkt het geraamte van een toren met stenen bogen, McCaig's Tower. De bankier en filantroop John Stuart McCaig liet het ding in 1897 bouwen als familiegedenkteken en werkverschaffingsproject. Er had een museum in moeten komen, met beelden in alle ramen, maar McCaig overleed voor het werk was voltooid. Nu is de toren een prachtig uitzichtpunt.

Oban is een populair streekcentrum, met goede winkels in de Corran Esplanade en George Street. Op natte dagen biedt de distilleerderij in het centrum een aangename afleiding *(dec.–feb. ma.–vr. 12.30–16, mrt. en nov. ma.–vr. 10–17, Pasen–juni en okt. ma.–za. 9.30–17, juli–sept. ma.–vr. 9.30–19.30, za. 9.30–17, zo. 12–17 uur).*

Ruim 6 km naar het noorden ligt Dunstaffnage Castle, in de 13e eeuw gebouwd tegen de vikingen en in 1810 platgebrand *(HS, apr.–sept. dag. 9.30–18.30, okt.–mrt. za.–wo. 9.30–16.30 uur).* De Scottish Sealife and Marine Sanctuary in Barcaldine is een opvangcentrum voor zieke en gewonde zeehonden *(apr.– half okt. dag. 9–17, jan.–mrt. en half okt.–nov. 9–16 uur).*

PLUSCARDEN ABBEY

322 J5 • Pluscarden, Elgin IV30 3UA ☎ 01343 890257 Dag. 9–17 uur Gratis www.pluscardenabbey.org

Dit is het enige middeleeuwse klooster in Groot-Brittannië dat nog voor het oorspronkelijke doel wordt gebruikt. Het ligt in een dal 10 km ten zuidwesten van Elgin en is de permanente behuizing van 27 benedictijner

Gezicht vanaf het strand van Morar op Rum

Teksten op whiskyvaten heten u welkom in Glenfiddich

Een verlaten pachtboerderij in de buurt van Bettyhill, Strathnaver

monniken en een retraitehuis voor mannen en vrouwen. Het klooster werd in 1230 door Alexander II gesticht voor een Franse orde. In de 16e eeuw werd het tijdens de Reformatie geleidelijk verlaten.

In 1943 begonnen benedictijner monniken van de Prinknash Abbey in Gloucestershire met de restauratie van het klooster, dat in 1974 de status van abdij kreeg. Tegenwoordig werken de monniken op het terrein en in de ateliers en zorgen ze voor de gebouwen. Deze staan rond de grote abdijkerk, waar het oude steen en fresco's contrasteren met het moderne glas-in-lood. **Niet te missen** De Gregoriaanse gezongen mis op zondag.

SKYE
Zie bladzijde 138–141

SMALL ISLES

🔲 320 C7/C8 🛈 Main Street, Mallaig PH41 4QS, tel. 01687 462170; in het seizoen 🚢 Per veerboot vanuit Mallaig via CalMac (www.calmac.co.uk); cruises vanuit Mallaig en Arisaig, tel. 01687 450224

Deze eilandengroep ten westen van Mallaig bestaat uit Canna, Rum, Eigg en Muck. Ze hebben elk een eigen karakter, maar kennen alle een interessant vogelleven. Zo komt de zeldzame zeearend er voor.

Rum (of Rhum) is het grootste eiland, met toppen als Askival (810 m) en Sgùrr nan Gillean (763 m) in het zuidoosten; de *midges*, venijnig stekende mugjes, zijn er berucht. Het voormalige privé-jachtterrein is nu een natuurreservaat van Scottish Natural Heritage en leefgebied van edelherten, wilde geiten en zo'n 100.000 noordse pijlstormvogels, die op de hellingen nestelen. De ongeveer 30 eilanders wonen in Kinloch, een kleine gemeenschap rond een verlaten Edwardian kasteel, dat een jeugdherberg bevat maar verder niet bezichtigd kan worden.

Muck is het kleinste en vlakste eiland. Het telt één boerderij, met een kunstnijverheidswinkel, tearoom en beperkte accommodatie. Canna, een vroege christelijke nederzetting, is bezit van de National Trust for Scotland. Het is bekend om Compass Hill, een basaltrots met zo'n hoog ijzergehalte dat kompassen in een straal van 5 km er door ontregeld raken. De rug van peksteenporfier op het eiland Eigg heet de Sgurr. Aan de aanlegsteiger ligt een complexje met een restaurant en kunstnijverheidswinkel. In 1997 maakten de bewoners faam door hun eiland te kopen.

SPEYSIDE

🔲 322 J6 🛈 17 High Street, Elgin IV30 1EG, tel. 01343 542666 🛈 54 High Street, Grantown-on-Spey PH26 3EH,

tel. 01479 872773; in het seizoen **www.**maltwhiskytrail.com

De Spey ontspringt in de Cairngorms bij Aviemore en stroomt in noordoostelijke richting door een landschap van lage heuvels en bossen, om tussen Lossiemouth en Buckie uit te monden in zee. Onderweg passeert hij de ijzeren brug bij Craigellachie, gebouwd door Thomas Telford (1757–1834), leent zijn naam aan de historische Strathspey Railway en het plaatsje Grantown-on-Spey en voert een stukje langs de Speyside Way, het langeafstandspad van Tomintoul naar Spey Bay.

Speyside is het gebied tussen Elgin, Keith en Grantown en wordt in één adem genoemd met enkele van de beroemdste Schotse single malt whisky's (blz. 242–243). De borden langs de weg doen denken aan een welvoorziene bar. Zeven distilleerderijen, de meeste van begin 19e eeuw, worden aangegeven op het bewegwijzerde Malt Whisky Trail: Glen Grant, Cardhu, Strathisla, Glenlivet, Benromach, Dallas Dhu en Glenfiddich. Elk biedt rondleidingen en een proeverij, maar denk eraan dat de openingstijden en grootte van de groepen variëren (raadpleeg de folder van het toeristenbureau).

De Speyside Cooperage, de kuiperij in Craigellachie *(ma.–vr. 9.30–16 uur)*, maakt en repareert duizenden eiken vaten voor de whiskyindustrie. **Niet te missen** Een in de rotsen uitgehouwen kast naast de *burn* (stroompje) in de tuin van de Glen Grant Distillery, waar de eigenaar zijn speciale whisky bewaarde. Het wordt de Major's Safe (kluis van de majoor) genoemd.

De vuurtoren van Kinnaird Head op zijn ongebruikelijke plek: de hoek van een woontoren. Hij maakt nu deel uit van het Museum of Scottish Lighthouses

Skye

Het meest romantische en schilderachtige lid van de Western Isles biedt lekker eten, hoge bergen en historische kastelen. Skye is zo'n 80 km lang, maar de gelede, rotsachtige kust beloopt wel 560 km.

Pastelkleurige huizen aan de haven van Portree

Het uitzicht van Beinn Edra en de Trotternish Ridge

Een blik in de luxeueze bibliotheek van Dunvegan Castle

SKYE IN HET KORT

Het Isle of Skye is het grootste en bekendste eiland van de Binnen-Hebriden. De naam is onlosmakelijk verbonden met de vlucht van Bonnie Prince Charlie na zijn nederlaag bij Culloden (blz. 125) in de 18e eeuw en met de teloorgang van het eiland-leven en de trek naar de Nieuwe Wereld in de 19e eeuw. Broadford is het centrum voor het zuiden, de toegangspoort tot de steile, uiterst schilderachtige route naar Elgol. Portree is een aantrekkelijker plaatsje en het centrum voor het noorden van Skye.

Skye is het kruispunt van verbindingen tussen de Western Isles. 's Zomers is het te bereiken met de veerboot uit Mallaig of Gairloch en met de kettingpont dwars door de sterke stromingen bij Glenelg, en het hele jaar door via de handige, maar controversiële tolbrug bij Kyle of Lochalsh. Veren naar de Buiten-Hebriden vertrekken uit Uig en naar het kleine Raasay uit Sconser.

HOOGTEPUNTEN

CUILLINS

Waar u ook bent op Skye, overal doemen de Cuillins (spreek uit: 'koelins') op, de scherpgetande bergen van donkere gabbro die in het zuiden hun hoogste top bereiken, de Sgùrr Alasdair (1009 m). Het zijn bergen waar men niet te licht over moet denken. *Munro-baggers* (blz. 15) zullen echter hun geluk niet op kunnen: de Cuillins tellen 12 toppen boven de magische grens van 3000 ft (914 m).

De Black Cuillins in het zuiden onderscheiden zich van het met puin bedekte graniet van de lagere Red Cuillins. Alle toppen zijn een uitdaging voor serieuze bergbeklimmers; de ontoegankelijkste zijn pas eind 19e eeuw bedwongen. In geologisch opzicht zijn de bergen vrij jong, net als IJsland slechts 20 miljoen jaar geleden door vulkanische activiteit gevormd en vervolgens in de IJstijd uitgesleten.

PORTREE

De havenplaats Portree aan de oostkust is de hoofdstad van Skye en het centrum van de eilandcultuur. De kleurige huisjes aan de haven en het formele plein zijn een lust voor het oog. Portree dankt zijn naam aan het bezoek in 1540 door Jacobus V: *port righ* betekent 'haven van de koning'. De Aros Experience biedt een inleiding op de

SCORE	
Historisch interessant	●●●○
Fotogeniek	●●●○
Buitenactiviteiten	●●●●○

TIPS

● De gulzigheid van de steekmuggen *(midges)* op Skye is legendarisch. Neem een goed muggenmiddel mee.
● In de zomer is het weer op het eiland onvoorspelbaar. Zware regen, dichte mist en felle zon kunnen elkaar binnen een paar uur afwisselen.
● Ook al lijkt Skye op de kaart niet groot, neem een paar dagen de tijd om het eiland te verkennen: de wegen zijn langzaam, het landschap is groots.
● Lekker eten kan niet altijd op de Schotse eilanden, maar Skye kan bogen op enkele uitstekende restaurants voor de fijnproever (blz. 286–287). De Talisker Distillery in Carbost levert bovendien een geurige, van turf doortrokken single malt whisky *(nov.–mrt. ma.–vr. 14–16.30, apr.–okt. ma.–za. 9.30–16.30 uur)*.

Boven: grijze zeehond, Dunvegan Links: gezicht op Loch Scavaig van Elgol, in het zuiden van Skye

De toppen van de Cuillins

natuur van Skye, met een audiovisuele voorstelling over de terugkeer van de zeearend *(hele jaar dag. 9–18 uur).*

DUNVEGAN CASTLE

Skye is al eeuwenlang het hard bevochten bezit van de MacLeods. Hun hoofdkwartier in het noordwesten, Dunvegan Castle, is een bezoek waard *(half mrt.–okt. dag. 10–17.30, nov.–half mrt. 11–16 uur).* De burcht is gebouwd op een hoge rots die ooit volledig door zee werd omringd en is al sinds de 13e eeuw bewoond. Ingrijpende restauraties in de 19e eeuw hebben het er niet mooier, maar wel imposanter op gemaakt. Binnen vindt u kostbare schatten. Het meest tot de verbeelding spreekt de Fairy Flag, de verschoten, gerafelde talisman van de clan, lang geleden aan een hoofdman geschonken door zijn geliefde, een elf. Het banier bezit krachten die de clan bij gevaar beschermen.

De tolbrug uit 1996 naar Skye voert over Eilean Ban

Een vissersboot voor anker bij het dorp Dunvegan

De scherpe tanden van de Quiraing, Trotternish

PRAKTISCH

✚ 320 C6

ℹ Bayfield House, Bayfield Road, Portree, Isle of Skye IV51 9EL, tel. 01478 612137

🚢 Autoveer van Mallaig naar Armadale (40 minuten, alleen 's zomers), van Glenelg naar Kylerhea (15 minuten, alleen 's zomers); voetveer van Gairloch naar Portree (1,5 uur, alleen 's zomers); tolbrug bij Kyle of Lochalsh.

www.skye.co.uk
Uitstekende website van de gemeenschap die zich op verschillende wijzen laat verkennen, met goede achtergrondinformatie en handige links.

Een kasteel van deze omvang onderhouden is een kostbare zaak. In 2000 bood de 29e chief, John MacLeod, de Black Cuillins te koop aan, in de hoop 10 miljoen pond bijeen te krijgen voor de restauratie van het dak. Grote publieke verontwaardiging en dreigende landhervormingen schrikten potentiële kopers af – voorlopig zal het clanhoofd op een andere manier aan geld moeten zien te komen.

U kunt een boottocht maken vanuit Dunvegan en de gewone en grijze zeehond op de rotsen zien luieren, of op een minicruise op het loch de geschiedenis en fauna van enkele van de vele eilandjes verkennen.

TROTTERNISH

Trotternish is het schiereiland dat als een lange vinger aan de noordpunt van Skye in zee steekt. Lavastromen hebben hier lang geleden steile kliffen gecreëerd, met afschuivingen en pieken en pilaren waar zachtere gesteenten het begaven onder het gewicht van de lava. De bekendste is de Old Man of Storr, een zwarte obelisk van 49 m. De grillige rotsformaties die de naam Quiraing dragen, ruim 30 km ten noorden van Portree, zijn van dichtbij te bekijken, mits u voorzichtig bent (zie wandeling blz. 232–233).

Aan de oostkust vormen basaltkolommen een grote klif, die de Kilt Rock wordt genoemd omdat het gesteente zich hier plooit als een Schotse kilt. Er is ook een spectaculaire waterval. Het uitzicht over de blauwe heuvels op het vasteland is hier prachtig.

EILEAN BAN

De brug naar Skye rust met één betonnen voet op het 2,5 ha grote eilandje Eilean Ban, een natuurreservaat dat beheerd wordt door een liefdadigheidsinstelling ten behoeve van de plaatselijke gemeenschap. U komt binnen via het Bright Water Visitor Centre aan de pier bij Kyleakin *(mei–okt. ma.–za. 9–17 uur),* dat informatie verschaft over de plaatselijke fauna en geschiedenis. Kinderen leren in interactieve presentaties meer over natuurbehoud. Eilean Ban biedt echter meer. Er staat een vuurtoren uit 1857, die in 1993 buiten gebruik werd gesteld. De auteur Gavin Maxwell, die zijn ervaringen met het fokken van otters beschreef in *Ring of Bright Water* (1960), kocht de huisjes van de vuurtorenwachter in de jaren zestig en restaureerde ze. Een van de kamers is nu opnieuw ingericht met bezittingen van Maxwell.

Het langgerekte, lage eiland Raasay, ten oosten van Skye, is eveneens een toevluchtsoord voor wilde dieren. Het is er rustiger dan op Skye. Als u de pech hebt geen zeeotters te zien in de kustwateren rond Skye, kunt u de observatiehut bij de Kylerhea Otter Haven eens proberen *(hele jaar zons-opgang–zonsondergang).*

ACHTERGRONDEN

Wie op Skye arriveert, merkt meteen dat hij in een andere cultuur is terechtgekomen. Zo is de bewegwijzering zowel in het Gaelic als het Engels gesteld. Skye heeft zijn Gaelic identiteit weten te behouden, daarin gestimuleerd door het Sabhal Mor Ostaig-college in Sleat. Toch richt het de blik ook naar buiten en is het verrassend kosmopolitisch: al generaties lang zijn bewoners, gedreven door economische omstandig-heden, naar elders geëmigreerd. Mensen wier voorouders uit Skye of de westelijke Highlands komen, melden zich voor genealogisch onderzoek bij Armadale Castle in het zuid-westen *(apr.–okt. dag. 9.30–17.30 uur).* Dit herbergt het Museum of the Isles en een bibliotheek en archief.
Veel Britten kennen Skye van de romantische 'Skye Boat Song'. Het lied verhaalt van de vlucht van Charles Edward Stewart (Bonnie Prince Charlie) na de rampzalige nederlaag in Culloden in 1746 (blz. 125). De jacobitische troonpretendent werd, ver-momd als Betty Burke, door Flora Macdonald van South Uist naar Skye gesmokkeld. Vandaar kon hij veilig doorrei-zen naar Raasay en Frankrijk, waar hij als balling leefde. Flora Macdonald werd nog tijdens zijn vlucht gearresteerd en korte tijd in de Tower in Londen gevangen gehouden. Later huwde ze een man uit Skye en emigreerde naar Amerika. Weer later keerden ze terug naar Kingsborough, waar Flora begraven ligt. Bij het ver-woeste Duntulm Castle, een voormalig bolwerk van de Macdonalds, is een gedenk-teken voor Flora opgericht.

U kunt een boottocht maken op het loch bij Dunvegan Castle

Torridon is een schitterend bergwandelgebied

18e-eeuwse huizen op de oever van Loch Broom, Ullapool

Urquhart Castle, een geliefde stek van Nessie-spotters

WAT TE ZIEN

STRATHNAVER

🞣 326 G2 🛈 Clachan, Bettyhill KW14 7SS, tel. 01641 521342; in het seizoen

Dit afgelegen dal ademt een desolate sfeer. Het landschap is bezaaid met kapotte muurtjes en met gras overgroeide resten van boerderijtjes. Strathnavers naam is verbonden met de Highland Clearances, in het bijzonder met de ontruimingen die de hertog van Sutherland en diens hardvochtige rentmeester Patrick Sellar tussen 1812 en 1819 uitvoerden om land vrij te maken voor de schapenteelt. Het was een tijd waarin de *crofters*, de pachtboertjes, uit het binnenland hun toevlucht moesten zoeken aan de onherbergzame kust of in de Nieuwe Wereld. Hun verhaal wordt verteld in het Strathnaver Museum bij Bettyhill *(apr.–okt. ma.–za. 10–13 en 14–17 uur)*. Bij het vroegere dorpje Rosal in het dal loopt een goed bewegwijzerd pad.

TORRIDON

🞣 320 E5 🛈 Auchtercairn, Gairloch IV22 2DN, tel. 01445 712130; in het seizoen

Torridon is een spectaculair gebied met woeste, kale bergen aan de noordwestkust. De 972 m hoge Beinn Eighe domineert de verlaten pas tussen Shieldaig en Kinlochewe; wit kwartsiet komt er als sneeuw naar beneden zetten. Dit is het oudste nationale park van Schotland, zoals het bezoekerscentrum ten noorden van Kinlochewe benadrukt. Het is op zijn mooist bij Loch Clair.

Liathach (1054 m), in het westen, is de hoogste top van het gebergte, met een kam die uit zeven pieken bestaat. Slechts iets lager is Beinn Alligin (985 m). De bergen zelf zijn een gebied voor serieuze bergwandelaars, maar over de noordoever van Loch Torridon loopt een gemakkelijker pad naar Redpoint.

In het bezoekerscentrum van de National Trust for Scotland, aan de toegangsweg naar het dorp Torridon, zijn video's te zien over de fauna van het gebied *(Pasen–sept. dag. 10–18 uur)*.

ULLAPOOL

🞣 325 E4 🛈 Argyle Street IV26 2UB, tel. 01854 612135 🚢 Veerboot naar Lewis

De witte huizen van dit plaatsje strekken zich uit langs de oever van Loch Broom. Het dorp draagt zijn status van buitenpost met waardigheid: het regelmatige stratenpatroon verraadt het geplande karakter van het dorp, dat in 1788 werd gebouwd door de British Fisheries Society. Tegenwoordig vormt het toerisme er de belangrijkste bron van inkomsten. Aangezien het de laatste grotere plaats is aan de noordwestelijke kustroute, is het er 's zomers meestal druk.

De MV *Summer Queen* vaart naar de groene Summer Isles, 20 km naar het noordwesten aan de monding van het loch *(boekingen: tel. 01854 612472)*. Tanera More, het grootste eiland, geeft zijn eigen postzegels uit – leuk voor verzamelaars. **Niet te missen** De spectaculaire Corrieshalloch Gorge, een kloof aan het eind van Loch Broom, en het uitzicht van de hangbrug aan de voet van de Falls of Measach.

URQUHART CASTLE

🞣 321 G6 • Drumnadrochit, Inverness IV63 6XJ ☎ 01456 450551 🕓 Apr.–sept. dag. 9.30–18.30, okt.–mrt. dag. 9.30–16.30 uur 💷 (HS) Volwassene £5,50, kind £1,20 (tot 5 jaar gratis) 🅿 ♿ www.historic-scotland.gov.uk

De verwoeste borstweringen van dit schitterende kasteel, 3 km ten zuiden van Drumnadrochit, getuigen van de sleutelrol die het van de 13e tot de 17e eeuw speelde. De vesting staat op een rotsige kaap die Loch Ness in

steekt; wie haar in handen had, beheerste de Great Glen (blz. 128). Het kasteel werd beurtelings bezet door de Durwoods, de Macdonalds en de Grants. Helemaal in het begin zaten de Engelsen er nog even en in de 14e eeuw Robert the Bruce. In 1691 werd de burcht opgeblazen om de jacobieten op afstand te houden.

In het moderne bezoekerscentrum zijn plaatselijke vondsten uit de Middeleeuwen te zien, waaronder een oude harp.

WICK HERITAGE CENTRE

🞣 327 J2 • 20 Bank Row, Wick KW1 5EY ☎ 01955 605393 🕓 Juni–sept. ma.–za. 10–17 uur 💷 Volwassene £2, kind 50p 🅿 Wick ♿

Net als Ullapool in het westen is Wick, in het noordoosten van het land, in de 19e eeuw door de British Fisheries Society gebouwd ten behoeve van de haringvangst. De nieuwe nederzetting, ontworpen door de beroemde civiel ingenieur Thomas Telford, verrees ten zuiden van de rivier, tegenover het oude dorp op de noordoever.

Het fascinerende Heritage Centre wordt beheerd door vrijwilligers. Het geeft een beeld van de hoogtijdagen van het plaatsje, dat een van de drukste haringhavens ter wereld was. In die tijd voeren de vissersschepen af en aan en nam de bevolking toe met trekarbeiders van de westkust en uit Ierland. Enkele boten en vertrekken zijn hier in hun oude staat te zien, evenals de oude haringrokerij, waar de roetaanslag nog op de muren zit.

Het hart van het museum wordt gevormd door de prachtige Johnston-fotocollectie, genoemd naar drie generaties van een plaatselijke familie. De foto's verschaffen een goed beeld van het leven in Wick tussen 1863 en 1977.

ORKNEY EN SHETLAND

De noordelijke eilanden van Orkney en Shetland
hebben evenveel verwantschap met Scandinavië
als met de Highlands. Deze contrasterende
eilandengroepen, met het rotsachtige, geïsoleerde
Fair Isle ertussenin, bieden bezoekers een verfrissende
en volstrekt eigen kijk op de wereld.

BEZIENSWAARDIGHEID

De prachtige schilderingen in de Italian Chapel

Daken van plaggen en steen op leegstaande crofts, Rackwick

ORKNEY

Een archipel van groene, vruchtbare eilanden ten noordoosten van het Schotse vasteland, die een vitale rol vervulde in beide wereldoorlogen.

➕ 327 ℹ️ 6 Broad Street, Kirkwall KW15 1NX, tel. 01856 872856
🚢 Van Aberdeen (7 uur) of Scrabster, via Thurso (1,5 uur) of Lerwick (8 uur)
✈️ Kirkwall
www.visitorkney.com

Deze archipel van meer dan 70 laaggelegen eilanden en rotsen, merendeels duidelijk zichtbaar vanaf het vasteland, ligt voor de noordkust van Schotland. Daartussen kolkt het water van de Pentland Firth. De eerste blik die men vanaf de veerboot vanuit Scrabster of Aberdeen opvangt van Hoy is misleidend: hoge rotsstapels en in platen gespleten kliffen van rode zandsteen.

Pas als de boot de haven van Stromness in draait toont de ware aard van Orkney zich: laaggelegen, groen en uiterst vruchtbaar, een landbouwgebied met veeteelt en akkerbouw, en lochs waar het wemelt van de zeeforel. Op een warme zomerdag is de geur van wilde bloemen in de schone lucht uitermate verkwikkend.

Kirkwall, aan de oostkant van Mainland, het grootste eiland van de archipel, is de hoofdplaats. Er valt veel te verkennen op de eilanden, die met elkaar verbonden zijn via dammen, veerboten en vliegtuigen. De kortste lijnvlucht ter wereld is die tussen Westray en Papa Westray: een kleine 2 minuten voor 2,5 km.

Orkney heeft net als Shetland een Scandinavisch verleden en beschouwt zich dan ook als een deel van Groot-Brittannië dat losstaat van Schotland. Het heeft bijvoorbeeld weinig gemeen met de intens religieuze en Gaelic cultuur op de Western Isles. Orkney werd pas in de 15e eeuw deel van Schotland; het hoorde bij de bruidsschat van Margaretha van Denemarken, die de Schotse koning Jacobus III huwde. Nog steeds hebben de plaatsnamen op de eilanden een Noorse klank, hoewel de Picten en Kelten er al minstens 3500 jaar eerder zaten dan de vikingen. De buitengewone restanten van hun aanwezigheid zijn te zien bij Maes Howe en Skara Brae.

Overal zijn ook de getuigen van een recenter verleden aanwezig, in de vorm van oude geschutsemplacementen en de reusachtige betonblokken van de Churchill Barriers. Ze herinneren aan de periode, die ook beide wereldoorlogen omvatte, dat de beschutte Scapa Flow een belangrijke marinebasis was.

HOY

➕ 327 J4 ℹ️ 6 Broad Street, Kirkwall KW15 1NX, tel. 01856 872856 🚢 Van Houton, op Mainland, naar Lyness en van Stromness naar Moaness

Hoy is het op één na grootste eiland van de archipel. De naam voert terug op het Oud-Noorse *Ha-ey*, wat 'hoog land' betekent. De bekendste blikvanger hier is de Old Man of Hoy, een rode zandstenen pilaar die vlak voor de westelijke kliffen uit zee oprijst. Hij vormt met zijn 137 m een ware uitdaging voor klimmers. De met heide begroeide heuvels Cuilags (433 m) en Ward Hill (477 m) zijn een fraai wandelgebied, dat uitzicht biedt over de Scapa Flow.

Deze beschutte baai was tijdens beide wereldoorlogen de thuishaven van de Royal Navy. Na de Eerste Wereldoorlog, in 1919, werd de Duitse vloot hier tot zinken gebracht. De wrakken zijn nu geliefd bij duikers. Meer komt u te weten in het fascinerende Scapa Flow Visitor Centre and Museum, in de voormalige marinebasis in Lyness *(half mei–sept. ma.–vr. 9–16.30, za. 9.30–16, zo. 10.30–16, okt.–half mei ma.–vr. 9–16.30 uur)*.

De Dwarfie Stane bij Rackwick is een unieke neolitische grafkamer die uit één rots is gehouwen.

ITALIAN CHAPEL

➕ 327 K4 • Dunedin, St. Mary's, Lamb Holm KW17 2RT ☎ 01856 781268
🕐 Dag. zonsopgang–zonsondergang
🎟️ Gratis, donatie welkom

In 1939 lukte het een Duitse onderzeeër om Scapa Flow binnen te varen en het marineschip HMS *Royal Oak* te torpederen; 833 opvarenden kwamen om. De toegang tot de natuurlijke haven moest beter afgeschermd worden. Italiaanse krijgsgevangenen werden ingezet om enorme

Constructies als deze stenen kast bleven bewaard toen de huizen onder het zand bedolven werden

SKARA BRAE

De restanten van een neolitisch dorp, eeuwenlang onder het zand bedolven, mag u niet overslaan. Ze bieden een unieke kijk in het dagelijks bestaan van een lang vervlogen wereld.

Het is verleidelijk om te denken dat onze prehistorische voorouders, die weinig informatie over hun dagelijkse bestaan achterlieten, niet bijster slim waren en in primitieve hutjes woonden. Een bezoek aan Skara Brae, 30 km ten noordwesten van Kirkwall, kan u op andere gedachten brengen. Hier liggen de resten van een dorpje uit de periode 3100–2500 v.Chr., dat destijds waarschijnlijk wat verder van zee lag.

Ergens in het verleden moet het zand zijn opgerukt en de huizen bedolven hebben. Niemand wist ervan tot een zware storm in 1850 de aanwezigheid van stenen bouwsels verried. Bij opgravingen kwamen negen vrijwel identieke huizen tevoorschijn, verbonden door kronkelende gangen. De gestapelde muren waren tot de dakrand toe omgeven door mestvaalten, die wellicht voor enige isolatie zorgden.

HET TERREIN VERKENNEN

Als u nu op het terrein rondloopt, kijkt u van bovenaf in de huizen, door wat daken van huiden en plaggen over een geraamte van houtspanten of walvisbeen zouden zijn geweest. Met plaatselijke flagstone werden de centrale haard, 'inbouwkasten', bedden, met klei bestreken troggen in de vloer en zelfs een kabinet vervaardigd. Dit alles suggereert een ontwikkelingsniveau dat even aansprekend als onverwacht is.

In een reconstructie van zo'n huis bij het bezoekerscentrum ziet u hoe de huizen comfortabel werden gemaakt met huiden en varens. Ook fragmenten van sieraden, gereedschap en aardewerk geven een beeld van de onbekende bewoners.

Niet te missen Een wandeling over het glinsterende witte zandstrand van Skaill Bay.

SCORE	
Leuk voor kinderen	● ● ● ●
Historisch interessant	● ● ● ● ●
Fotogeniek	● ● ● ●
Beloopbaar	● ● ●

PRAKTISCH

✚ 327 J4 • Sandwick KW16 3LR
☎ 01856 841815 ⊙ Apr.–sept. dag. 9.30–18.30, okt.–mrt. ma.–za. 9.30–16.30, zo. 14–16.30 uur 🏛 (HS) Volwassene £5, kind £1,30 (tot 5 jaar gratis) 🍴 Restaurant op het terrein met 90 plaatsen 🏪 Souvenirwinkel in het bezoekerscentrum met streekproducten van de Orkneys 🏪
www.historic-scotland.gov.uk

DAGTRIP

Maes Howe

Dankzij speciaal aangelegde plankiers kunt u van bovenaf in de woningen kijken

De voorname St. Magnus Cathedral op Orkney

Een lage passage van steen biedt toegang tot Maes Howe

De oude haven van Stromness, de op één na grootste plaats

WAT TE ZIEN

betonblokken te vervaardigen, waarmee tussen Mainland en de oostelijke eilanden Lamb Holm, Glimps Holm, Burray en South Ronaldsay dammen werden gebouwd, de Churchill Barriers.

De Italianen richtten een gedenkteken op door twee barakken van golfplaat tot een kapel te verbouwen en deze te verfraaien met afvalmaterialen. Het interieur bevat prachtige fresco's en trompe-l'oeils op gipsplaat en betonnen profielen; er is zelfs een koorhek. Het resultaat is een ontroerend eerbetoon aan de vindingrijkheid, vaardigheid en verbeeldingskracht van de gevangenen, en wordt door de eilandbewoners met zorg in stand gehouden.

KIRKWALL

➕ 327 K4 ℹ 6 Broad Street, Kirkwall KW15 1NX, tel. 01856 872856
❌ Kirkwall

Kirkwall is de belangrijkste plaats op Orkney. De nederzetting bestond al in de 11e eeuw, maar het merendeel van de compacte huizen die nu aan de smalle, geplaveide straatjes van de oude havenplaats staan dateert van de 16e tot de 18e eeuw. De lange hoofdstraat wordt geflankeerd door leuke winkeltjes, die ook dure kunstnijverheid en sieraden verkopen aan de welgestelde clientèle van de cruiseschepen die hier aanmeren.

Boven alles uit torent de rode zandstenen St. Magnus Cathedral op Broad Street. In 1137 begon graaf Rognvald, een achterneef van de 20 jaar eerder vermoorde St.-Magnus, aan de bouw; in de 15e eeuw werd de kerk voltooid *(apr.–sept. ma.–za. 9–18, zo. 14–18, okt.–mrt. ma.–za. 9–13 en 14–17 uur)*. Binnen creëren de enorme romaanse pilaren en het decoratieve steenwerk een sfeer van rust en ruimte. Gezien vanaf de ruïnes van het Bishop's

Palace is het buitenaanzicht op zijn mooist. Hier vindt u ook uitleg over de bouwfasen van de kathedraal *(HS, apr.–sept. dag. 9.30–18.30 uur)*.

Niet te missen De plaatselijke Highland Park-whisky van de noordelijkste distilleerderij van Schotland *(rondleiding elk half uur mei–aug. ma.–za. 10–17, zo. 12–17, apr. en sept.–okt. ma.–vr. 10–17 uur; nov.–mrt. alleen 14 uur)*.

MAES HOWE

➕ 327 J4 • Via Tormiston Mill, Mainland KW16 3HA ☎ 01856 761606
🕐 Apr.–sept. dag. 9.30–18.30, okt.–mrt. ma.–za. 9.30–16.30, zo. 14–16.30 uur Ⓦ (HS) Volwassene £3, kind £1 (tot 5 jaar gratis) ☐ ☐ www.historic-scotland.gov.uk

Op het eerste gezicht is Maes Howe gewoon een 7 m hoge, kunstmatige heuvel in een veld ten zuiden van Loch of Harray, aan de weg van Stromness naar Finstown. Onder het gras bevindt zich echter een kamergraf uit ca. 2800 v.Chr., dat op de Werelderfgoedlijst staat.

Bezoekers moeten één voor één kromgebogen door een 14,5 m lange passage lopen, voor ze in een prachtige binnenruimte van ongeveer 4,5 bij 4,5 m uitkomen. De muren zijn bekleed met precies op elkaar passende steenplaten, het dak is gekraagd; er zijn drie kleine zijkamers. Hoewel de onbekende inhoud al eeuwen geleden is geroofd, is het graf zelf min of meer ongeschonden gebleven, op wat runengraffiti van vikingen op doorreis na.

Niet te missen De nabijgelegen Ring of Brogar, een magnifieke steenkring die omringd wordt door een greppel.

De Ring of Brogar, een steenkring 8 km ten noordoosten van Stromness

SKARA BRAE
Zie bladzijde 145

STROMNESS

➕ 327 J4 ℹ Ferry Terminal Building, Ferry Road, Stromness KW16 3BH, tel. 01856 850716 ⛴ Van Scrabster

De geschiedenis van de op één na grootste plaats op Orkney, Stromness, is verweven met de zee. De huizen en pakhuizen aan het water, elk met een eigen scheepshelling, dateren van de 18e en 19e eeuw. U hebt er een mooi zicht op door de ramen van het Pier Arts Centre voor moderne kunst *(di.–za. 10.30–12.30 en 13.30–17 uur)*.

De bochtige hoofdstraat van Stromness is geplaveid met platen van lokaal gewonnen zandsteen, en met keien. Volg de straat in zuidelijke richting naar het Stromness Museum in Alfred Street *(apr.–sept. dag. 10–17, okt.–half feb. en half mrt.–apr. ma.–za. 11–15.30 uur)*. Dit uitstekende museum behandelt de zeevaartgeschiedenis van de stad. Stromness maakte begin 19e eeuw een enorme groei door als centrum voor de walvisvaart. Het was een belangrijke haven voor de schepen van de Hudsons Bay Company, die hier bemanning ronselden en voorraden innamen, plus vers water uit de naburige Login's Well. U ziet ook met zeepokken bezette voorwerpen die duikers aantroffen in de wrakken van de Duitse vloot in Scapa Flow.

De geschiedenis van Jarlshof
is in lagen blootgelegd

Gunnister Voe, een kreek in het noorden van Mainland

SHETLAND

Een afgelegen archipel van meer dan 100 ruige, rotsachtige eilanden en kale rotsen, waar men prat gaat op het vikingverleden.

⊞ 324 🛈 Market Cross, Lerwick ZE1 0LU, tel. 01595 693434
🚢 Van Aberdeen (14 uur); 's zomers ook veerboten vanuit het Noorse Bergen via Faeröer en IJsland ✈ Van Aberdeen naar Sumburgh, op de zuidpunt van Mainland

Shetland, met 24.000 inwoners, is het noordelijkste deel van Groot-Brittannië. Het ligt even dicht bij Faeröer en het Noorse Bergen als bij Aberdeen. De archipel ligt op de noordelijke handelsroutes. Dat uit zich in een kosmopolitisch karakter, een cultuur met meer viking- dan Schotse invloeden, een eigen dialect, het januarifeest Up Helly Aa, een rijke erfenis van ambachtelijk breiwerk en een levendige traditie van vioolmuziek die wereldwijd bekendheid geniet door muzikanten als Aly Bain (geboren 1945).

Het landschap is er woest en ruig, met lage heuvels, kale rotsen en drassige veen- en heidegronden. Er zijn maar weinig bomen die bestand zijn tegen de wind, maar wilde bloemen groeien en bloeien er uitbundig. De zee is nooit meer dan 8 km verwijderd. Zeehonden en bruinvissen worden regelmatig waargenomen langs de sterk gelede kust, waar duizenden zeevogels nestelen, zoals papegaaiduikers, zwarte zeekoeten en jan-van-gents.

De haven Lerwick, halverwege de oostkant van het hoofdeiland, is de hoofdstad. Scalloway, ten westen van Lerwick, was in de Middeleeuwen het hart van het eiland; het wordt beheerst door de ruïnes van een kasteel uit 1600. In het Scalloway Museum ziet u een vissersboot van de geheime 'Shetland Bus'-route naar het verzet in Noorwegen tijdens de Tweede Wereldoorlog *(mei–sept. ma. 9.30–11.30 en 14–16.30, di.–za. 10–12 en 14–16.30 uur).*

Shetlands welvaart nam eind 20e eeuw sterk toe door de olie- en gaswinning op de Noordzee. Het geld wordt gestoken in nieuwe wegen, nieuwe veerdiensten tussen de eilanden, moderne wijkcentra en andere openbare voorzieningen op de eilanden. Sullom Voe, een van de grootste olie- en gasterminals van Europa, ligt in het noorden van het hoofdeiland.

Van het vasteland wordt gevlogen op Sumburgh, op de zuidpunt. Er zijn nog meer verbindingen per veerboot en vliegtuig tussen de grotere eilanden en naar Fair Isle, het geïsoleerde eiland tussen Orkney en Shetland dat een beroemde halteplaats is voor meer dan 350 soorten trekvogels *(observatorium apr.–okt.).*

JARLSHOF PREHISTORIC AND NORSE SETTLEMENT

⊞ 324 A3 • Sumburgh ZE3 9JN
☎ 01950 460112 🕐 Apr.–sept. dag. 9.30–12.30 en 13.30–18.30 uur 🅰 (HS) Volwassene £3, kind £1 📖 🍴 In het naburige Sumburgh Hotel
www.historic-scotland.gov.uk

De gelaagde geschiedenis van deze fascinerende plek hoog boven zee bij de westpunt van Shetland kwam aan het licht toen de grond met plaggen tegelijk werd losgerukt tijdens een zware storm. Het enige bouwwerk dat boven de grond uitsteekt is het skelet van het 17e-eeuwse Laird's House. Daaronder ligt een prehistorische *broch* (versterking), die naar het zich laat aanzien in de IJzertijd werd verbouwd tot rondhuis. Op het terrein zijn resten gevonden van een vikingboerderij uit de 9e eeuw, inclusief de omtrekken van een gemeenschapshuis met een lengte van ruim 20 m. Andere lagen bevatten sporen van een nederzetting uit de 2e eeuw v.Chr. en een middeleeuwse boerderij uit de 14e eeuw – de intrigerende weerslag van het leven op deze plek. Borden verschaffen uitleg over wat u ziet. **Niet te missen** Wilde zwanen op hun trek in de herfst, in het Loch of Spiggie, een vogelreservaat.

LERWICK

⊞ 324 A2 🛈 Market Cross, Lerwick ZE1 0LU, tel. 01595 693434

Het is aan Hollandse haringvissers te danken dat Lerwick de hoofdstad van Shetland werd toen zij in de 17e eeuw gebruik begonnen te maken van de beschutte haven. Tegenwoordig strekt de compacte, grijze stad zich aan weerskanten van die haven uit. Eén huizenrij daarachter loopt de drukke doorgangsweg, Commercial Street.

De witte strook zand tussen St. Ninian's Isle en het hoofdeiland

In het voorjaar en de voorzomer broeden miljoenen zeevogels op de kliffen bij Hermaness, aan de noordpunt van Unst

WAT TE ZIEN

In de oude haven meren lokale veren, vissersboten en zeiljachten af. De grotere veerboten, cruiseschepen en bevoorradingsschepen voor de olie-industrie gebruiken de minder kleurrijke moderne haven 1,5 km naar het noorden. In de winkels is breiwerk met ingewikkelde traditionele patronen te koop. Als u niet kunt slagen, kunt u een kledingstuk met een patroon of kleuren naar keuze laten maken.

Het Shetland Museum in Lower Hillhead is een bezoek waard *(hele jaar ma., wo. en vr. 10–19, di., do. en za. 10–17 uur).* Fort Charlotte, uit 1665, is een van de oudste gebouwen op Shetland. Het wordt nog steeds als kazerne gebruikt door het Territorial Army. U hebt er een mooi uitzicht op het eiland Bressay.

MOUSA BROCH

324 A3 Market Cross, Lerwick ZE1 0LU, tel. 01595 693434 Boottochten op de *Solan IV* half apr.–half sept. ma.–do. en za. om 14 uur, vr. en zo. om 12.30 en 14 uur. Reserveren gewenst, tel. 01950 431367

Mousa Broch, een ronde toren met dubbele muren, dateert van 100 v.Chr.–300 n.Chr. Het is de

Hoog en droog in Sandwick Bay

best geconserveerde *broch* in Schotland. De muren zijn tot 13 m hoog; de smalle spleten tussen de stenen bieden plaats aan broedende stormvogeltjes.

De *broch* staat op een eilandje voor de zuidoostkust van Shetland. Die locatie doet vermoeden dat het om een verdedigingswerk gaat, maar niemand kent de functie van dergelijke torens of weet hoe men er woonde. Het eiland wordt niet meer bewoond en is aangewezen als een Site of Special Scientific Interest, dus honden zijn er niet toegestaan. 's Zomers kunt u er komen met het voetveer uit Leebitton, in Sandwick. Op de hoofdweg bij Sandwick hebt u een goed uitzicht op de *broch*.

ST. NINIAN'S ISLE

324 A3 Market Cross, Lerwick ZE1 0LU, tel. 01595 693434

St. Ninian's Isle is een juweeltje, een met gras overdekt eilandje voor de westkust van Zuid-Shetland. Het is door een sikkel van glinsterend schelpenzand met het hoofdeiland verbonden; alleen bij zeer hoog water kunt u er niet heen wandelen. St.-Ninian, afkomstig van het klooster bij Whithorn in Dumfries (blz. 67), was de eerste christelijke missionaris op Shetland. Op het eiland dat zijn naam draagt bevindt zich de ruïne van een kerk uit de 12e eeuw.

In 1958 werd een schat van schitterend bewerkt Pictisch zilver onder het schip

van de kerk ontdekt. De originelen zijn ondergebracht in het National Museum of Scotland in Edinburgh (blz. 78–81), maar replica's zijn te zien in het Shetland Museum in Lerwick.

UNST

324 B1 Market Cross, Lerwick ZE1 0LU, tel. 01595 693434 Regelmatige veerdienst van Yell naar Unst

Unst dankt zijn faam vooral aan het feit dat het het noordelijkste van de Shetland-eilanden is. In Skaw staat bijgevolg het noordelijkste huis van Groot-Brittannië. Het natuurreservaat bij Hermaness is daarentegen geen gimmick: 's zomers biedt het plaats aan 100.000 krijsende zeevogels, die op en rond de 167 m hoge kliffen broeden *(gratis toegang; bezoekerscentrum half apr.–half sept. dag. 8–17 uur).* U kunt er papegaaiduikers, zeekoeten, noordse stormvogels en roomkleurige jan-van-gents observeren, maar kom niet te dicht bij het nest van bruine grote jagers, want die vallen bezoekers aan als ze zich bedreigd voelen. **Niet te missen** Het uitzicht op de vuurtoren (1858) op de kale rotsen van Muckle Flugga.

Dit hoofdstuk geeft informatie over andere dingen die u kunt doen in Schotland behalve bezienswaardigheden bekijken. Per regio treft u een overzicht van activiteiten aan.

Wat te doen

WINKELEN

In de winkelgebieden in de grote steden van Schotland zijn vrijwel alle bekende winkels en warenhuizen vertegenwoordigd. Er is van alles te koop, van elektrische apparaten tot designmeubels. In de tabel hieronder vindt u een overzicht van de bekendste winkels die u in de winkelstraten kunt tegenkomen. In de kleinere steden is het winkelaanbod eenvoudiger en vindt u vaker onafhankelijke middenstanders, met een aanbod dat is afgestemd op de behoefte van de gemeenschap. In sommige plaatsen is of een of twee keer in de week een markt, of een keer in de maand een boerenmarkt, voor fruit, groente, vis, vlees en huishoudelijke artikelen.

ECHT SCHOTS

Schotland is bij uitstek het land van de wollen kleding, die overal in speciaalzaken en souvenirwinkels wordt verkocht. De gebreide truien, omslagdoeken en sjaals met de originele motieven van Shetland en Fair Isle liggen te kust en te keur in de winkels.

De geweven wollen stoffen in de sprekende kleuren van de Schotse ruit blijven natuurlijk het meest gewilde exportartikel. Er worden de meest uiteenlopende producten van gemaakt, van dekens tot kilts (en het motief is op bijna ieder souvenir terug te vinden). De Schotse ruit (ook bekend als 'tartan') is een betrekkelijk recente uitvinding uit het begin van de 18e eeuw. De Schotse ruit wordt vooral in verband gebracht met de Highlands en na de Schotse nederlaag bij Culloden in 1746 werd het dragen ervan verboden. Pas aan het eind van de 18e eeuw werd de Schotse ruit gebruikt om de diverse Schotse clans en districten van elkaar te onderscheiden.

De Schotse ruit is er in vele klassieke en moderne dessins. De oudste Schotse families hebben vaak verschillende varianten, zoals een ruit voor officiële gelegenheden en een jagersruit in bedekte kleuren.

Tweed wordt meestal in verband gebracht met de textielindustrie in Zuid-Schotland en heeft over het algemeen een kleiner ruitje en

WAT TE DOEN

NAAM	Dameskleding en/of -schoenen	Herenkleding en/of -schoenen	Kinderkleding en overige artikelen	Apotheek en toiletartikelen	Sieraden en accessoires	Souvenirs en cadeaus	Boeken, muziek en tijdschriften	Sport- en zwerfsportartikelen	Levensmiddelen en drank	Witgoed en elektrische apparaten	HOOFD-KANTOOR
BHS	✓	✓	✓	✓						✓	020 7262 3288
The Body Shop				✓							01903 731500
Boots			✓	✓					✓	✓	0131 225 4721
Burtons		✓									020 7636 8040
Clarks	✓	✓	✓								01883 343666
Debenhams	✓	✓	✓	✓	✓					✓	020 7408 4444
Dixons										✓	01442 353000
Edinburgh Woollen Mills	✓	✓	✓			✓					01387 380611
HMV							✓				020 7432 2000
House of Fraser	✓	✓	✓	✓			✓			✓	020 7963 2000
Jessops										✓	0116 232 6000
JJB Sports	✓	✓	✓					✓			01942 221400
John Lewis Partnership	✓	✓	✓	✓	✓		✓			✓	0207 828 1000
Marks & Spencer	✓	✓	✓	✓	✓				✓		020 7935 4422
Monsoon	✓			✓							020 7313 3000
Next	✓	✓	✓								08454 567777
Hector Russell	✓	✓	✓		✓	✓			✓		01877 339999
Thorntons						✓			✓		01773 540550
Tiso								✓			0131 554 9101
Waterstones							✓				020 8742 3800
WH Smith							✓				0141 848 6832
Woolworths			✓		✓		✓		✓	✓	0845 608 1101

warmere kleuren dan de Schotse ruit. Harris Tweed wordt nog steeds door de eilanders van de Buiten-Hebriden met de hand geweven en is de laatste jaren populair bij modeontwerpers.

De glasfabriek Edinburgh Crystal is bekend om zijn geslepen glas en Caithness Glass om zijn moderne ont-

Skye batik, een ongewoon souvenir

werpen en prachtig gekleurde presse-papiers. Ook het handbeschilderde aardewerk van Highland Stoneware met

Schotse afbeeldingen is overal te koop.

Het meest Schotse souvenir is nog altijd de fraaie trommel met zandkoekjes, maar tegenwoordig worden ook lokale producten zoals hertenvlees, vacuümverpakte gerookte zalm en de ingeblikte specialiteit *haggis* (al dan niet op smaak gebracht met whisky) mee naar huis genomen. Heidehoning, zoete koekjes uit de Border-streek en vruchtencake uit Dundee zijn eveneens gewilde souvenirs.

BELASTINGVRIJ WINKELEN
Als de artikelen die u hebt gekocht worden uitgevoerd naar een land dat niet bij de Europese Unie is aangesloten, hoeft u geen Value Added Tax (BTW, doorgaans 17,5 procent) te betalen. Dat kan een hele besparing zijn, maar u moet wel een minimumbedrag spenderen, dat per winkel verschilt. De VAT wordt pas terugbetaald op de luchthaven, dus niet ingehouden in de winkel. In de meeste warenhuizen

kunt u informatie krijgen over het beleid inzake belastingvrij winkelen.

OPENINGSTIJDEN
De openingstijden zijn in principe van 9.00 tot 17.00 uur (zonder lunchpauze). In grotere plaatsen blijven de winkels tot 17.30 uur open, in de drukke buurten zelfs tot 21.00

Overdekt winkelen in Glasgow

of 22.00 uur. Supermarkten zijn de hele avond open. Veel winkels zijn ook op zondag een paar uur open.

WAT TE DOEN

AANTAL WINKELS	BESCHRIJVING	WINKEL-WEBSITE
17	Betaalbare kledingzaak met enige huishoudelijke artikelen en verlichting	www.bhs.co.uk
23	Cosmeticaproducten op basis van natuurlijke, duurzame grondstoffen	www.thebodyshop.com
126	Drogisterij en opticien plus cosmetica, kinderkleding en levensmiddelen	www.boots.com
52	Betaalbare herenkleding	www.burtons.co.uk
26	Heren-, dames- en kinderschoenen	www.clarks.co.uk
10	Degelijk warenhuis voor modieuze merkkleding en huisraad	www.debenhams.com
20	Elektrische apparaten – van tv's en koelkasten tot fototoestellen en computers	www.dixons.co.uk
77	Mooie wollen truien, accessoires en overige kleding	www.ewm.co.uk
15	Cd's in ieder genre muziek en dvd's, video's en boeken	www.hmv.co.uk
4	Chic warenhuis voor modieuze merkkleding en huisraad	www.houseoffraser.co.uk
18	Uitgebreid assortiment fotografische apparatuur en accessoires, ook digitaal	www.jessops.com
58	Sportkleding en -schoenen voor dames en heren	www.jjb.co.uk
3	Prettig warenhuis voor modieuze merkkleding en huisraad	www.johnlewis.com
21	Betaalbaar warenhuis voor levensmiddelen, kleding en huisraad	www.marksandspencer.com
13	Dames- en kinderkleding, gespecialiseerd in feestkleding	www.monsoon.co.uk
27	Leuke, praktische kleding voor heren, dames en kinderen	www.next.co.uk
20	Schotse kwaliteitskleding en souvenirs en ook een Whisky Shop	www.hectorrussell.com
40	Zelfgemaakte chocola en toffees	www.thorntons.co.uk
10	Alles op het gebied van kamperen, trekken en buitenactiviteiten	www.tiso.com
12	De grootste Britse boekwinkelketen, met een overweldigend aanbod	www.waterstones.co.uk
56	Enorm assortiment aan tijdschriften, kantoorartikelen, boeken en cd's	www.whsmith.co.uk
80	Vooral goede en betaalbare kinderkleding, muziek en huisraad	www.woolworths.co.uk

AMUSEMENT

De uitgaansmogelijkheden variëren al naar gelang de plaats waar u verblijft. Het aanbod in Edinburgh en Glasgow is het grootst en meest gevarieerd, met een bruisend nachtleven en amusement op topniveau. De levendige kunstwereld wordt gevoed door uitstekende festivals, aangevoerd door het Edinburgh Festival (zie blz. 160-161). In pubs en dorpszaaltjes in het hele land is het hele jaar door live muziek te beluisteren. Als de muziekavond staat aangekondigd als *ceilidh* is er meestal ook een dansoptreden. Toneelstukken en musicals worden in eersteklas theaters maar ook in de piepkleine theatertjes op Mull opgevoerd. De meeste plaatsen hebben een bioscoop. Clubs en bars vindt u in de grotere steden, in de dorpen neemt de pub deze taken over.

Moderne Shakespeare in Dundee

KLASSIEKE MUZIEK, OPERA EN DANS
Schotland heeft drie grote orkesten, aangevoerd door | het Royal Scottish National Orchestra (RSNO). Het seizoen loopt van september tot april. Kijk ook uit naar de concerten van het Scottish Chamber Orchestra (vaak op toernee) en het BBC Scottish Symphony Orchestra. Kleinere orkesten als het BT Scottish Ensemble zijn ook de moeite waard.

De Scottish Opera heeft een internationaal repertoire. De Opera On A Shoestring uit Glasgow is experimenteler.

Het Scottish Ballet treedt regelmatig op in de grote steden. Het Scottish Dance Theatre in Dundee is een ensemble dat zich toelegt op moderne dans.
● Voor meer informatie zie **www.**visitscotland.com/ aboutscotland/culture

POPMUZIEK EN COMEDY
Stadions zoals SECC in Glasgow (blz. 186) geven onderdak aan bekende artiesten en de beste popmuzikanten. Maar ook jazz, blues and wereldmuziek komen aan bod, zoals in Henry's Jazz Cellar in Edinburgh, slechts een van de vele bekende lokaties.

Popmuziek van eigen bodem en volksmuziek floreren in clubs, op feesten en in kleinere zaaltjes overal in het land.

In de steden is de stand-up comedian populair. In clubs als de Stand Comedy Club wordt bijna iedere avond opgetreden.

FILM
De steden en wat grotere plaatsen hebben enorme, comfortabele megabioscopen die de nieuwste kassakrakers vertonen. Maar er zijn ook onafhankelijke filmhuizen, zoals het Glasgow Film Theatre (blz. 185). Buiten de steden zijn de bioscopen iets ouderwetser en ook het filmaanbod is minder uitgebreid.

TOEGANGSKAARTEN
Het is het gemakkelijkst om kaartjes aan de kassa van het theater te kopen of voor de grote evenementen via een reserveringsbureau (vaak met reserveringskosten).
● Ticketmaster, tel. 020 7344 4000; **www.**ticketmaster.co.uk

PUBS, BARS, CLUBS
De pub wordt niet meer exclusief door mannen bezocht. De uitbaters moedigen het bezoek van vrouwen en hele gezinnen juist aan. De meeste pubs serveren ook maaltijden en koffie en thee. Op het platteland bent u meestal voor vertier op de pub aangewezen. De pubs in de steden zitten op vrijdag- en zaterdagavond bomvol. In sommige steden wordt de sociale functie van de pubs en clubs overgenomen door bars. Overdag lijken de bars op een gewoon café, maar 's avonds veranderen ze in een kleine club, compleet met dj en dansvloer. In de meeste grotere plaatsen is er altijd wel één discotheek. In kleinere plaatsen moet men het vaak doen met een knullig zaaltje met slechte muziek.

De kledingvoorschriften verschillen per club. De meeste clubs accepteren wel nette vrijetijdskleding, maar geen T-shirts, spijkerbroeken en gympen.
● *The List* verschijnt eens in de twee weken op donderdag

Moderne megabioscoop in Falkirk

en kost £2,20. Het is een uitstekend uitgaanmagazine met informatie over film, muziek, comedy, clubs en de homoscene in Edinburgh en Glasgow.

SPORT EN ACTIVITEITEN

FIETSEN

Het fietsen over bospaden, langs opgeheven spoorlijnen en over rustige landwegen is een populaire vakantieactiviteit. Het National Cycle Network (Sustrans) omvat ruim 2092 km aan fietspaden, inclusief een natuurroute van 344 km tussen Glasgow en Iverness. De routes zijn te herkennen aan de blauwe borden. De National Byway is een landelijke fietsroute in het zuiden van Schotland. Het Schotse deel van de North Sea Cycle Route begint in Shetland en vervolgt zijn weg langs de oostkust naar het binnenland van Engeland.

Informatie over de vele korte fietsroutes is verkrijgbaar bij de toeristenbureaus. Het KM Cycle Trail van Dumfries naar Drumlanrig Castle is zo'n korte route. Hij dankt zijn naam aan de lokale held Kirkpatrick Macmillan (1813– 1878), uitvinder van de fiets.
● **www**.cycling.visitscotland. com voor fietsenverhuur.

SPORTVISSEN

Schotland, met zijn kustlijn van 6436 km en ontelbare rivieren en lochs, is hét land voor de sportvisser. Controleer vooraf welke regels er gelden. Soms zijn aan het gebruik van visgerei of aas restricties verbonden. Visvergunningen zijn verkrijgbaar bij het toeristenbureau of in de hengelsportzaak
● **www**.fish.visitscotland.com verstrekt uitgebreide informatie.

'Coarse angling'

Het vissen op voorn, zeelt, karper, snoek of baars is minder opwindend dan op zalm of forel vissen, maar het is zeer geschikt voor een korte vakantie. In Loch Ken, Loch Lomond en Loch Awe wordt voornamelijk op snoek gevist.
● Scottish Federation for Coarse Angling, 8 Longbraes Gardens, Kirkaldy KY2 5YJ,

tel. 01592 642242; **www**.SFCA.co.uk

Zeevissen

Een vergunning is niet nodig. Kabeljauw en koolvis vangt men voor de zuidoostkust en in de winter langs de noordelijke kusten. De beste kusten om te vissen liggen bij Dumfries en Galloway, waar u 's zomers koolvis vangt en in de winter kabeljauw en lipvis. Haringhaai, rog en heilbot zijn de spannende vangsten langs de noord- en westkust. Het vissen op makreel met een gewone lange zeehengel is 's zomers populair.
● Scottish Federation of Sea Anglers, Flat 2, 16 Bellevue Road, Ayr KA7 2SA, tel. 01292 264735

Zalm- en forelvissen

In de periode van 15 januari tot 30 november wordt er gevist op zeeforel en zalm, al

Vissen in de rivier de Tay

kan het begin of einde van het seizoen per streek verschillen. Houd er rekening mee dat het op zondag verboden is om op zalm te vissen. Een visstek in de grote zalmrivieren de Tweed, de Spey, de Tay en de Dee is heel duur. Het seizoen voor zalmforel loopt van 15 maart tot 6 oktober. De wilde zalmforel zwemt in lochs en rivieren in het hele land.
● Salmon and Trout Association, The National Game Angling Centre, The Pier, Loch Leven

KY13 8UF, tel 01577 861116; **www**.salmon-trout.org

GOLF

Golf is de nationale sport, die door jong en oud en arm en

Een zonnige dag op de golfbaan

rijk wordt beoefend. Schotland heeft 500 golfbanen. Win bij een toeristenbureau advies in voor het vinden en boeken van de juiste baan. Het golfseizoen loopt van april tot half oktober. Boek ruim tevoren een baan.
● **www**.scottishgolf.com geeft een adressenlijst en informatie over digitaal boeken.

Met de Golf Discount Pass (£5) kunt u tien dagen onbeperkt terecht op ruim 30 banen in Argyll, de Isles, Loch Lomond, Stirling en de Trossachs. Op sommige banen geldt een leeftijdsgrens.
● Zie voor informatie over privé-banen het overzicht per regio hierna.

PAARDRIJDEN

De ruiterpaden, zandstranden en de met hei begroeide heuvels maken Schotland tot een paardrijland bij uitstek. Raadpleeg het dichtstbijzijnde toeristenbureau voor de mogelijkheden ter plaatse. Het is raadzaam om alleen gebruik te maken van maneges met een keurmerk van de British Horse Society (BHS) of de Trekking and Riding Society of Scotland (TRSS)
● **www**.ridingscotland.com

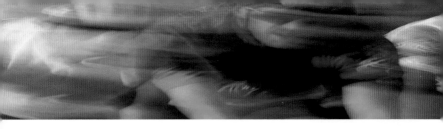

WANDELEN

Schotland heeft een netwerk van prachtige wandelpaden. Bij de toeristenbureaus is nadere informatie verkrijgbaar. In de meeste boekwinkels zijn kaarten van 'Detailed Ordnance Survey' te koop. Ook het boek van de AA, *100 Walks in Scotland,* bevat gedocumenteerde wandelingen op ieder niveau.

De toegang tot de heuvels is vrij, maar in het jachtseizoen (12 augustus tot begin december) kunnen bepaalde gebieden zijn afgesloten. Op sommige van de meest populaire heuvels staan telefoons van de Mountaineering Council, die het laatste nieuws op het gebied van de jacht doorgeven. Wanneer de schapen in het voorjaar lammeren krijgen (maart–mei), dient u uw hond aangelijnd te houden.

Veel klimmers vinden het een sport om de lijst van zogeheten *Munros* af te werken. Op deze lijst staan 284 heuveltoppen van meer dan

De Trossachs: mooi wandelgebied

3000 voet (914 m) hoog.

De *Munros* zijn vernoemd naar de klimmer die als eerste deze heuvels in kaart bracht. De lagere toppen staan op de lijsten van Corbett en Graham.

De bordjes met 'Walkers Welcome' bij overnachtingsgelegenheden, variërend van berghutten tot pensions, geven aan dat u hier onder meer uw kleding kunt drogen en vroeg kunt ontbijten.

● Voor informatie over lange-afstandspaden zie blz. 236.

WATERSPORT

De wateren langs de Schotse kust zijn geschikt voor kleine en middelgrote boten. Een aanrader zijn de wateren rond de Western Isles en grote meren als Loch Lomond. Ook binnenwateren als het Forth & Clyde and Union Canal lenen zich voor een watervakantie.

Langs de kust en op Loch Tay, Loch Lomond en andere zoetwatergebieden wordt veel gesurft. Elie en Lunan Bay in het oosten, Machrihanish in het westen, Sandhead Bay in zuidwesten en Thurso in het noorden zijn geliefde stranden. Tiree heeft zichzelf uitgeroepen tot surfhoofdstad van Schotland. Grotere lochs, zoals Loch Tay en Loch Lomond, zijn geschikt voor waterskiën.

WINTERSPORT

Schotland heeft vijf grote skioorden, waar u skiles kunt krijgen en ski's kunt huren. Een skipas voor volwassenen kost £17–£24. Het seizoen hangt af van de sneeuwval: zodra het sneeuwt gaan de pistes open. U hebt de meeste kans op sneeuw in januari of februari.

Nevis Range

Dit hooggelegen skioord bij Fort William heeft laat in het seizoen nog sneeuw. Back Corrie is een uitstekend vrij skigebied.

● www.nevis-range.co.uk

Cairngorm

In dit skioord bij Aviemore gaat u naar boven met een comfortabele kabelbaan. Pistes voor ieder niveau.

● www.cairngormmountain.com

The Lecht

Het meest oostelijke skioord is geschikt voor gezinnen met kinderen. Er is een snowboardpretpark met *snowtubing* en devalkarten.

● www.lecht.co.uk

Afdaling in Glencoe

Glencoe

Dit is het meest 'alpiene' skioord, gelegen aan de binnenlandzijde van de pas. De natuur is overweldigend en u vindt hier de steilste piste-afdaling van Schotland.

● www.ski-glencoe.co.uk

GlenShee

Schotlands grootste skigebied (38 pistes) ligt bij Braemar.

● www.ski-glenshee.co.uk

VOETBAL

Het voetbalseizoen loopt van augustus tot mei. De twee grote clubs van Edinburgh zijn Heart of Midlothian (Hearts) en Hibernian (Hibs). Het is moeilijk om aan kaarten voor een treffen tussen deze twee te komen, maar voor alle andere wedstrijden kunt u terecht op de websites. Celtic en Rangers zijn de grote rivalen in Glasgow. Vooraf boeken is noodzakelijk.

HEART OF MIDLOTHIAN FOOTBALL CLUB
Tynecastle Stadium, Gorgie Road, Edinburgh EH11 2NL
Tel. 0131 200 7201
www.heartsfc.co.uk
Het stadion van de Hearts ligt 1,5 km ten zuidwesten van het centrum.
🎟 Volwassene £16–£24, kind £10
🚌 23, 3a, 21, 25, 25a, 33

HIBERNIAN FOOTBALL CLUB
Easter Road Stadium, 12 Albion Place, Edinburgh EH7 5QG

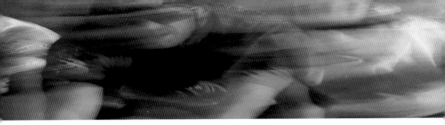

Tel. 0131 661 1875
www.hibs.co.uk
Het stadion van Hibs ligt bij Easter Road, in de richting van de wijk Leith op 1,5 km van het centrum.
🎫 Volwassene £16–£24, kind £10 🚇 1

CELTIC FOOTBALL CLUB
Celtic Park, Glasgow G40 3RE
Tel. 0141 551 8653 (toegangs-kaarten)/0141 551 4308 (rondleiding)
www.celticfc.net
De voetbalclub Celtic is opge-richt in 1888 en heeft thuis en in het buitenland een gepas-sioneerde schare supporters. Het stadion heeft 60.000 plaatsen en is daarmee een van de grootste in Europa. Het is vrijwel onmogelijk om de hand te leggen op kaarten

voor een *Old Firm*-wedstrijd (Rangers tegen Celtic in Glasgow).
🎫 Rondleidingen dag. behalve op speeldagen. Rondleiding: volwassene £8,50, kind £5,50, gezin £20. Wedstrijd: volwassene £17–£20 ZWalfrid Bistro
🏪 Winkel met Celtic-souvenirs

RANGERS FOOTBALL CLUB
Ibrox Stadium, 150 Edmiston Drive, Glasgow G51 2XD
Tel. 0870 6001993 (toegangskaar-ten)/0870 600 1972 (rondleiding)
www.rangers.co.uk
Maak een rondleiding in het vijfsterren UEFA-stadion of woon een wedstrijd bij in het Ibrox Stadium, ten zuiden van de rivier de Clyde.
🎫 Rondleiding ma. en vr. 12.30, 14.30, 16, zo. 10.30 uur 🎫 Rondleiding: vol-

wassene £7, kind £5. Wedstrijd: volwas-sene £17–£22 🍴

RUGBY
De internationale wedstrijden zijn ook buiten de vaste sup-portersgroep geliefd. De thuis-basis van het Schotse rugby is Murrayfield in Edinburgh.

MURRAYFIELD STADIUM
Bij Roseburn Terrace, Murrayfield, Edinburgh EH12 5PJ
Tel. 0131 346 5000
www.sru.org.uk
Vooraf boeken is noodzakelijk, want de wedstrijden worden het hele jaar door druk bezocht. De wijk Murrayfield ligt 1,5 km van het centrum. Voor alle leeftijden.
🎫 £10–£50 🚇 12, 31, 36

WAT TE DOEN

SCHOONHEID EN VERZORGING

ZUID-SCHOTLAND
STOBO
STOBO CASTLE
EH45 8NY
Tel. 01721 760600
www.stobocastle.co.uk
Op een uur rijden ligt ten zui-den van Edinburgh een luxe kuuroord, gevestigd in een 19e-eeuws kasteel. De eerste-klas faciliteiten behelzen ook een ozonbad, aromatherapie en modderbaden. Vooraf boe-ken is noodzakelijk.
🎫 Het hele jaar 🎫 Dagkaart £150; arrangementen vanaf £224 🍴

EDINBURGH
EDINBURGH FLOATARIUM
29 North West Circus Place, Stockbridge EH3 6TP
Tel. 0131 225 3350
www.edinburghfloatarium.co.uk
In dit centrum ligt de nadruk op massages en alternatieve therapieën, zoals de drijftank tegen pijn en stress, reflexthe-rapie, therapeutische massage en gezichtsbehandelingen. Ruim van tevoren boeken.
🎫 Ma.–vr. 9–20, za. 9–18, zo 9.30–16 uur 🎫 1 uur tank £25; 1 uur aromathera-piemassage £30; 2 uur antistressbe-

handeling £58 🚇 19a, 28 🏪 Essentiële oliën, kaarsen, wierook, boeken, cd's, kris-tallen en homeopathische middelen.

ONE SPA IN HET SHERATON GRAND
8 Conference Square EH3 9SR
Tel. 0131 221 7777
www.one-spa.com

Het dakzwembad van het Sheraton in Edinburgh is een attractie geworden

De luxueuze beautysalon naast het Sheraton Hotel heeft de laatste snufjes op het gebied van lichaamsverzorging en onder andere een 19 m lang ozonvriendelijk zwembad, fitnessruimte, thermisch bad, Finse sauna, hammam (geu-

rend stoombad) en modderba-den. Het buitenbad op het dak biedt een prachtig uitzicht op Edinburgh. Vooraf boeken is gewenst.
🎫 Ma.–vr. 6.30–22, za.–zo. 7–21 uur; kin-deruurtje dag. 15–17, en za.–zo. 8.30–21.30 uur 🎫 Dagbehandeling £60 (inclu-sief lunch); arrangement met 1 overnach-ting voor twee personen £340 🚇 10, 11, 16, 17 🍴 Spa café Santini Bis @ One

MIDDEN-SCHOTLAND
ST. ANDREWS
THE SPA
Old Course Hotel, Golf Resort and Spa KY16 9SP
Tel. 01334 474371
www.oldcoursehotel.co.uk
Dit beroemde golfhotel biedt een groot aantal faciliteiten voor dames en heren, waar-onder gezichtsbehandelingen. Probeert u eens reiki of reflex-therapie, massage met hete stenen of een weldadige pedicurebehandeling. Het 'Spa and Golf'-arrangement combineert sport met een opknapbeurt.
🎫 Dag. 7–21 uur ('s zomers 22 uur)
🎫 Behandelingen vanaf £45; dagbe-handeling vanaf £130

KINDEREN

ANNAN
WESTLANDS ACTIVITIES
Westlands, bij Hollee
Tel. 01461 800274
www.westlands.co.uk
Go-karten, quadbiken en paintball staan hoog op de lijst van dit centrum 6,5 km ten oosten van Annan. U kunt er onder begeleiding van een gids motorcrossen op een quadbike (viervielig gemotoriseerd vehikel) of go-karten voor (ook voor kinderen) of heerlijk vies worden bij het paintball. Kleding en uitrusting zijn bij de prijs inbegrepen. Vissen op forel of kleiduivenschieten is ook mogelijk.
⊙ Mrt.–okt. ma.–za. 10–17, zo. 10–16 uur ☻ Paintball vanaf £4; golf op korte baan vanaf £2; quadbikes vanaf £10

BIGGAR
PURVES WORLD OF PUPPETS
Biggar Puppet Theatre, Broughton Road ML12 6HA
Tel. 01899 220631
www.purvespuppets.com
Al 35 jaar geeft dit gezelschap voorstellingen in eigen land en daarbuiten. Ze staan in het poppentheater in Broughton (duidelijk aangegeven vanaf de hoofdweg) met wekelijks een gezinsvoorstelling. Een kijkje

achter de schermen is ook mogelijk. Alles is erop gericht om de kinderen een zo leuk mogelijke tijd te bezorgen. U dient ter plaatse te informeren naar speeldata en openingstijden.
⊙ Do.–za. 10–16.30 ☻ Vanaf £3 ▢

GATEHOUSE OF FLEET
CREAM O'GALLOWAY VISITOR CENTRE
Dairy Co Ltd, Rainton, Gatehouse of Fleet, Castle Douglas DG7 2DR
Tel. 01557 814040
www.creamogalloway.co.uk
In deze 17e-eeuwse boerenhoeve is een biologisch melkveebedrijf gevestigd. U ziet hoe men dertig soorten heerlijk ijs maakt en kunt daarna in de winkel uw favoriete ijsje kopen. In de bossen in de omgeving zijn natuurpaden aangelegd. Er is een expositie over het indijken met stenen en een 'avontuurlijke' speeltuin. Neem op de A75 de afslag naar Sandgreen; Na 2,5 km gaat u bij de wegwijzer linksaf naar Garrick.
⊙ Apr.–juni dag. 11–18, juli–aug. 10–20, sept.–okt. 10–17 uur, rest van het jaar za.–zo. 10–16 uur ☻ Gratis; klein bedrag voor de speeltuin ▢ ▦

KIRKCUDBRIGHT
GALLOWAY WILDLIFE CONSERVATION PARK
Lochfergus Plantation DG6 4XX
Tel. 01557 331645
Geniet van een gratis rondleiding met gids door dit bosrijke wildpark van 27 ha. Er leven zo'n 200 ruimbehuisde wilde dieren, onder andere panda's, lynxen, Schotse wilde katten, slangen, herten en lama's. Volg de borden in het centrum.
⊙ Mrt.–nov. dag. 10–18, feb.–nov. vr.–zo. 10–16 uur ☻ Volwassene £4,95 kind £3,50 ▢ ▦

BO'NESS
BO'NESS & KINNEIL RAILWAY
Bo'ness Station, Union Street EH51 9AQ
Tel. 01506 822298
www.srps.org.uk
Wat is er leuker voor kinderen dan een treinrit in een antieke stoomtrein? De reis gaat van Bo'ness, ten westen van Edinburgh, naar de donkere holen van Burkhill Mine. De Scottish Railway Exhibition op het station van Bo'ness toont oude locomotieven. In de mijnen kunt u onder begeleiding 300 miljoen jaar oude fossielen bewonderen. Ook worden er speciale evenementen georganiseerd, zoals paaseieren rapen of een ritje in een trein die is omgetoverd tot het locomotiefje 'Thomas the Tank Engine'.
⊙ Pasen en eind mrt.–juni en sept.–okt. za.–zo, juli–aug. do.–zo. ☻ Volwassene £4,50, kind £2; met *fireclay mine*: volwassene £7,50, kind £3,70 🍴 Restaurant Carriages

COMRIE
AUCHINGARRICH WILDLIFE CENTRE
PH6 2JS
Tel. 01764 679469
In dit wildpark van ruim 40 ha in de heuvels van Perthshire is veel te zien en te doen. U vindt er onder andere Highland-runderen, lama's, aardeekhoorns, bevers, stekelvarkens en meerkatten. Het park heeft ook de grootste watervogelpopulatie van Schotland, met zowel sierals bejaagbare vogels. Er is een enorme speelschuur met echte tractoren, een zandbak, schommels, een 'flying fox'-luchtbaan, een avontuurlijke speeltuin en een kinderboerderij. U kunt er picknicken en barbecuen. Er zijn drie lochs met forel waar u onder begeleiding met gehuurde hengels kunt vissen, tel. 07796 232885.
⊙ Half mrt.–half nov. ☻ ▢

DRUMMOND TROUT FARM AND FISHERY
PH6 2LD
Tel. 01764 670500
www.drummondtroutfarm.co.uk
Deze viskwekerij ligt ongeveer 1,5 ten westen van Comrie. U kunt kiezen uit zes vijvers om op forel te vissen. Een onderwatercamera laat de vissen zien en het aas is gratis. Van maandag tot en met vrijdag krijgt u gratis les. Kinderen krijgen een insigne en een diploma voor hun allereerste

gevangen vis. Na afloop kunt u de vis tegen betaling mee naar huis nemen. Picknicken is mogelijk.

🕐 Winter dag. 10–17, zomer 10–22 uur, 🕐 2 uur: volwassene £3,50, kind £3 🍴 Snacks, verse forel, paté en viskoekjes

DUNDEE
DUNDEE ICE ARENA
Camperdown Leisure Complex, Kingsway West DD2 3SQ
Tel. 01382 889369
www.dundeeicearena.co.uk
De kunstijsbaan ligt even buiten de stad. Men organiseert er ijsshows, disco's, en professionele ijshockeywedstrijden. U kunt er vrij schaatsen en les nemen. De kinderdisco's worden opgevrolijkt met lichteffecten en muziek.

🕐 Het hele jaar dag., informeer vooraf op welke dag er vrij schaatsen is
🎫 Schaatsen vanaf £3,10; disco £3,80; huur schaatsen £1,10 🖥

CAMPERDOWN WILDLIFE CENTRE
Camperdown Country Park, Coupar Angus Road DD2 4TF
Tel. 01382 432461
www.dundeecity.gov.uk/camperdown
In dit wildpark, net buiten de stad gelegen, leven 85 inheemse Schotse en Europese diersoorten, waaronder lynxen, beren, wolven, vleermuizen, poolvossen en boommarters. Langs het *Wildlife Trail* staan informatieborden en 's zomers kunt u zien hoe de dieren gevoederd worden. In het seizoen kunt u er golfen met het gezin en er zijn kinderfietsjes en trampolines. Iedere veertien dagen is er 'Creepy Crawly' met slangen en spinnen.

🕐 Mrt.–sept. dag. 10–16.30, rest van het jaar dag. 10–15.30 uur 🎫 Volwassene £2,20, kind £1,70, gezin £6,50

STIRLING
BLAIR DRUMMOND SAFARI AND ADVENTURE PARK
Blair Drummond, bij Stirling FK9 4UR
Tel. 01786 841456
www.safari-park.co.uk

In dit safaripark ten westen van Stirling rijdt u met de auto tussen het loslopend wild. U ziet er olifanten, giraffen, leeuwen en kamelen. In de kinderboerderij lopen lama's, ezels en pony's rond. Overige attracties zijn een zeeleeuwenshow en een bootsafari. Voor de kinderen is er een avonturenspeeltuin, een kanovijver, een klimterrein en de 'astraglide'-attractie. U kunt er picknicken en barbecuen.

🕐 Eind mrt.–sept. dag. 10–17.30 uur
🎫 Volwassene £8,50, kind £4,50 (tot 3 jaar gratis) 🖥 Ranch Kitchen

DE HIGHLANDS EN EILANDEN
CARRBRIDGE
LANDMARK FOREST HERITAGE PARK ZIE BLADZIJDE 121

KINGUSSIE
HIGHLAND WILDLIFE PARK
Kincraig PH21 1NL
Tel. 01540 651270
www.highlandwildlifepark.org
Dit reservaat heeft een uitkijkpost vanwaar u edelherten, Highland-runderen en zelfs enkele in het wild uitgestorven dieren als de bizon en oerrassen van schapen en paarden kunt waarnemen. Boven het wolventerrein is een wandelweg aangelegd. Voor de kinderen is er een speciale route uitgezet, er is een speeltuin en er worden speciale activiteiten georganiseerd. Het is aan te raden om in de winter bij slecht weer te informeren of het park geopend is. Ligging: ruim 11 km ten zuiden van Aviemore.

🕐 Apr.–mei en sept.–okt. dag. 10–18, aug. 10–19, rest van het jaar 10–16 uur
🎫 Volwassene £6, kind £4 🖥 🍴

LEWIS
LEWIS KARTING CENTRE
Creed Enterprise Park, Lochs Road, Stornoway HS2 9JN
Tel 01851 700222
www.lewiscarclub.co.uk
Deze kartbaan is geschikt voor volwassenen en kinderen. Voor kinderen van 3–8 jaar zijn er *Kiddie Karts* 'op batterijen met

een maximum snelheid van 9 km per uur. Een rit duurt 12 minuten. De kinderen krijgen instructies en een overall, helm en handschoenen.

🕐 Vr. 14–22, za. 12–22 uur
🎫 Volwassene £8; kind vanaf £4 🖥

OBAN
OBAN RARE BREEDS FARM PARK
Glencruitten PA34 4QB
Tel. 01631 770608
www.obanrarebreeds.com

De ganzen, lama's, alpaca's, konijnen, ezels, herten, runderen, eenden en varkens in dit speciaal voor kinderen ingerichte park mogen worden gevoed en geknuffeld. Er is een boswandeling uitgezet en er zijn picknickplaatsen. Ligging: 3,2 km ten oosten van Oban via de golfbaan aan de weg naar Glencruitten.

🕐 Half mrt.–okt. dag. 10-18, nov.–dec. za.-zo. 11–16 uur 🎫 Volwassene £5, kind £3,50, gezin £15 🖥 🍴

FORT WILLIAM
JACOBITE-STOOMTREIN
Fort William Railway Station
Tel. 01463 239026
www.steamtrain.info
Deze stoomtrein (dezelfde als de Zwijnstein-expres in de film *Harry Potter en de geheime kamer*) volgt het traject van de 'Road to the Isles'. De trein rijdt via Glenfinnan (het prachtige viaduct werd ooit gebruikt als filmdecor) naar Mallaig en neemt dezelfde route terug.

🕐 Half juni–begin okt. ma.–vr. 10.–20 uur, aug. ook zo. 🎫 Dagretour volwassene £24, kind £14 🖥 🍴 Souvenirwinkel aan boord van de trein

FEESTEN EN EVENEMENTEN

Schotland kent veel feesten en tradities. Hieronder vindt u een opsomming per maand van de belangrijkste jaarlijkse evenementen. Sommige feesten zijn gratis, maar voor de meeste betaalt u een toegangsprijs. In sommige gevallen zijn goedkopere seizoenskaarten te koop.

BA' GAME
1 januari
Kirkwall, Orkney
www.bagame.com
Het nieuwe jaar begint met een massaal voetbalspel, dat wordt gespeeld door twee groepen inwoners van Kirkwall, de Uppies en de Doonies. Het spel wordt al eeuwenlang gespeeld, maar niemand weet wanneer het precies begonnen is. De aftrap is om 13 uur bij het Mercat Cross voor de kathedraal. Het doel van de Uppies ligt in de buurt van de kathedraal en dat van de Doonies aan de haven.

CELTIC CONNECTIONS
Half januari
Glasgow, diverse locaties
Tel. 0141 287 5511
www.celticconnections.co.uk
Op het grootste Keltische en volksmuziekfeest van Schotland treden vermaarde muzikanten uit de hele wereld op. Twee weken lang vinden in de hele stad concerten, workshops en ceilidhs plaats.

UP HELLY AA
Eind januari
Lerwick, Shetland
Tel. 01595 693434
www.shetlandtourism.com
Op de laatste donderdag van januari is er een groot

vikingfeest, met fakkeloptochten, guizers, een rituele scheepsverbranding en overal feest. In februari en maart zijn er op de eilanden de plaatselijke Up Helly Aa-feesten.

SHETLAND FOLK FESTIVAL
Eind april/begin mei
Shetland, Lerwick en diverse locaties
Tel. 01595 694757
www.sffs.shetland.co.uk
Vier dagen lang genieten van een zeer levendig muziekfestival, met locaties zelfs op Fair Isle. Er zijn artiesten als Aly Bain en Phil Cunningham, Frances Black en Elvis Costello te beluisteren. Het Isleburgh Community Centre organiseert jamsessies en workshops.

SPIRIT OF SPEYSIDE WHISKY FESTIVAL
Begin mei
Speyside, diverse locaties
Tel. 01343 542666
www.spiritofspeyside.com
Vier dagen lang met whisky besprenkeld plezier in Speyside. Van fijnproeverij in de trein tot rondleidingen in distilleerderijen.

CAMANACHD CUP FINAL
Half juni
De locatie is ieder jaar anders
www.shinty.com
De Camanachd Association is de bond van de Gaelic sport shinty. De cupfinale om de zilveren beker is het hoogtepunt van het seizoen.

T IN THE PARK
Half juni
Balado, Fife
www.tinthepark.com
Op het grootste rockfestival van Schotland treden ongeveer honderd van de beste nationale en internationale bands

op, van Idlewild en Super Furry Animals tot Radiohead. Ze spelen een weekend lang op zeven podia.

ROYAL HIGHLAND SHOW
Ingliston, bij Edinburgh
Tel. 0131 335 6200
www.rhass.org.uk
De grootste landbouwtentoonstelling van Schotland duurt vier dagen en biedt onder andere het keuren van prijsvee, paardendressuur, oude ambachten en stands van het bedrijfsleven. Locatie: bij de luchthaven van Edinburgh.

COMMON RIDINGS
Juni–juli
Selkirk, Hawick, Galashiels
Tijdens dit traditionele Borderfeest rijden 400 ruiters achter de stadsvlag aan, die rond de meent wordt gedragen.

ST. MAGNUS FESTIVAL
Eind juni
Orkney, diverse locaties
www.stmagnusfestival.com
Prestigieus zomerfestival met muziek (hoofdzakelijk klassiek, maar ook folk en jazz), theater, literatuur en beeldende kunst. Hoofdlocatie: St. Magnus Cathedral.

SCOTTISH TRADITIONAL BOAT FESTIVAL
Juni/juli
Portsoy
Tel. 01261 842894
www.scottishtraditionalboatfestival.co.uk
Drie dagen lang vindt in dit mooie, oude plaatsje aan de

Banffshire Coast een groot maritiem feest plaats. Oude houten zeilboten herinneren aan de gloriedagen van de vissersvloot. Ook races, door de kustwacht georganiseerde tentoonstellingen, folk, bier en plezier.

GLASGOW INTERNATIONAL JAZZ FESTIVAL

Begin juli
Glasgow, diverse locaties
Tel. 0141 552 3552
www.jazzfest.co.uk
Dit is een vijfdaags festival met concerten van internationale topmuzikanten, ook op de kleinere podia.

EDINBURGH INTERNATIONAL ARTS FESTIVAL

Augustus
Zie bladzijde 160–161

EDINBURGH FRINGE FESTIVAL

Augustus
Zie bladzijde 160–161

MILITARY TATTOO

Augustus
Zie bladzijde 160–161

WORLD PIPE BAND CHAMPIONSHIPS

Half augustus
Glasgow, diverse locaties
Tijdens deze jaarlijkse internationale muziekwedstrijd van doedelzakspelers, trommelaars en doedelzakbands verandert de Glasgow Green in een Schots geruite zee.

COWAL HIGHLAND GATHERING

Eind augustus
Dunoon
Tel. 01369 703206
www.cowalgathering.com
De Highland Games trekken 3500 deelnemers, zelfs uit British Columbia en Nieuw-Zeeland. Drie dagen lang genieten van Highland-dansen, doedelzaksolo's en atletiek.

BRAEMAR GATHERING

Begin september
Braemar, Deeside
Tel. 01339 755377
www.braemargathering.org
Deze bijeenkomsten ter ere van de koning vinden al 900 jaar plaats. Het beroemdste van alle Highland Games-evenementen wordt regelmatig door de Engelse koningin bij-

gewoond. Naast doedelzakspelers, atleten en dansers doen er ook militaire teams mee.

SCOTTISH BOOK TOWN FESTIVAL

Eind september
Wigtown, diverse locaties
Tel. 01988 402036
www.wigtown-booktown.co.uk/festival
Dit literaire festival in het ontspannen decor van Schotlands 'boekenstad' krijgt steeds meer waardering. Gastsprekers, signeren van boeken en een kinderfestival.

ROYAL NATIONAL MOD

Begin oktober
De locaties veranderen per jaar
www.the-mod.co.uk
Alles in dit festival staat in het teken van de promotie van de Gaelic taal, kunst en cultuur.

ACCORDION AND FIDDLE FESTIVAL

Half oktober
Shetland, diverse locaties
Tel. 01595 693434 (toeristenbureau van Lerwick)
www.shetland-music.com/musevnt2.htm
'Dans tot je erbij neervalt' zou het motto kunnen zijn van dit vierdaagse hectische muziekfestival, dat een ode is aan de twee populairste instrumenten van Schotland, de accordeon en de viool. Overal op de eilanden wordt muziek gemaakt.

HOGMANAY

31 december/1 januari
Princes Street, Edinburgh
Tel. 0131 473 3800
www.edinburghshogmanay.org
Hogmanay is het grootste jaarlijks terugkerende feest van Schotland. Met veel muziek, dans en adembenemend vuurwerk wordt oud en nieuw gevierd. Het bijwonen van de festiviteiten is gratis, maar u moet wel een pasje aanvragen. Voor meer informatie kunt u terecht op de website.

FLAMBEAUX

31 december/1 januari
Comrie, Perthshire
www.hogmanay.net/scotland/perth
Dit oude *hogmanay*-feest wordt om middernacht gevierd met een fakkeloptocht met 3 m lange toortsen (flambeaux). De toortsen worden in de Earn gedoofd. Een doedelzakband voert de toortsdragers aan, een carnavalesk aangeklede menigte sluit de rijen.

HIGHLAND GAMES

De Highland Games vinden de gehele zomer in heel Schotland plaats en bezoekers zijn van harte welkom op deze kleurrijke evenementen. De aloude vormen van krachtmetingen zijn tegenwoordig vervangen door atletieknummers als het kogelslingeren en paalwerpen. Bij het paalwerpen wordt een stuk boomstam opgetild en verticaal over de kop gegooid, waarbij het de bedoeling is dat hij zoveel mogelijk in een '12-uurs'-positie neerkomt.
Ook uit typisch Schotse onderdelen als Highland-dansen, doedelzakspelen, paardrijwedstrijden en behendigheidswedstrijden voor schaapshonden maken deel uit van de Games. Wend u voor nadere informatie tot de plaatselijke toeristenbureaus.

EDINBURGH FESTIVAL

Het grootste culturele festival ter wereld trekt ieder jaar miljoenen bezoekers. Onderstaande informatie en tips helpen u bij een zo efficiënt mogelijke voorbereiding van uw bezoek.

EDINBURGH INTERNATIONAL ARTS FESTIVAL

Ieder jaar in augustus staat Edinburgh drie weken lang in het teken van het Edinburgh International Festival, dat opera, dans, klassieke muziek en theater van de allerhoogste kwaliteit biedt. Het gratis programmaboek komt eind maart uit en is te verkrijgen bij het Edinburgh Festival Office. Vanaf half april kunt u kaartjes bestellen. Wacht hier niet te lang mee, want veel voorstel-

De voorstelling op straat aanprijzen is onderdeel van de festivalpret

lingen zijn snel uitverkocht. De festivalvoorstellingen vinden plaats in de grote en meer prestigieuze theaters van Edinburgh, zoals Usher Hall.
● Edinburgh Festival Office The Hub, Castlehill EH1 2NE, tel. 0131 473 2000; **www.eif.co.uk**

EDINBURGH FRINGE FESTIVAL

De *Fringe*, het alternatieve festival, wordt ieder jaar groter en biedt een podium aan honderden verschillende producties van wisselende kwaliteit. Waar maar mogelijk wordt er toneel, dans, comedy en

muziek gebracht. Een goede of slechte recensie bepaalt of u wel of niet gemakkelijk aan kaartjes kunt komen. Het programmaboek van de Fringe komt uit in juni en is te bestellen bij het Fringe-kantoor aan de Royal Mile. Tijdig bestellen is gewenst.
● Festival Fringe Office, 180

Het vuurwerk boven het kasteel luidt de Military Tattoo uit

HOE U KUNT GENIETEN VAN HET FESTIVAL ZONDER EEN FORTUIN UIT TE GEVEN

● Op de eerste zondag van de Fringe – Fringe Sunday in Queen's Park – geven theatergroepen, muzikanten en stand-up comedians een gratis voorproefje onder *Arthur's Seat*.
● De Festival Cavalcade langs Princes Street is een mooie gelegenheid voor de artiesten om reclame te maken voor hun voorstelling en voor u om er gratis van te genieten.
● Op de Royal Mile en voor de National Gallery of Scotland is iedere dag straattheater.
● Het Bank of Scotland-vuurwerk vanuit Edinburgh Castle vindt plaats op de laatste dag van het festival. In Princes Street en Calton Hill kunt u het vuurwerk uitstekend gadeslaan.
● Koop op de dag zelf niet-afgehaalde kaarten van officiële festivalproducties voor de helft van de prijs. Verkrijgbaar bij The Hub tussen 13 en 17 uur, of een uur voor aanvang aan de kassa.
● De krant de *Scotsman* deelt vrijkaarten voor Fringe-voorstellingen uit aan de eerste persoon die zich met hun krant in de hand bij het Fringe Office meldt.
● De grote zalen programmeren de meer gevestigde, bekende producties. Lees voor 'meer gevestigd': duurder. Dus: hoe kleiner de zaal, hoe goedkoper de plaats.
● De leuke, onafhankelijke bioscoop Cameo maakt officieel geen deel uit van het festival, maar verkoopt iedere maandag kaartjes voor £ 3,50.
● In deze periode van het jaar komen de galeries in Edinburgh vaak met nieuwe tentoonstellingen. Deze zijn gratis te bezoeken.

WAT TE DOEN

DE BESTE FESTIVALTIPS

● Let op de voorstellingen die op de dag dat u in de rij staat bij het Fringe-kantoor uitverkocht zijn en boek meteen voor de volgende dag. Als bij zo'n grote keus een voorstelling uitverkocht is, dan moet het een goede voorstelling zijn.

● Als u naar de Tattoo gaat, neem dan ook het volgende mee: verrekijker, heupflesje, regenkleding, kussen en plaid. Het kan dan wel zomer zijn, maar dit is Schotland.

● De beste locaties om gezichten te zien die u misschien kent van de televisie zijn de Pleasance en de Assembly Rooms in George Street.

● Neem echt de tijd om het Fringe-programmaboek door te werken. Het heeft dan wel het formaat van een telefoonboek, maar het is gratis en iedere Fringe-voorstelling staat erin.

● Probeer een voorstelling in de Royal Botanic Gardens bij te wonen. De tuinen zijn maar heel zelden 's nachts open voor het publiek en het is een prachtige, sfeervolle omgeving. Ook hier geldt: warme kleding en een plaid meenemen.

● Waag een gokje. De Mongoolse keelzangers waren hét grote succes van het jaar 2000. Echt waar.

● Boek uw accommodatie ruim voordat u komt. Op sommige dagen in augustus kunnen de hotels, B&B's en jeugdherbergen volledig volgeboekt zijn.

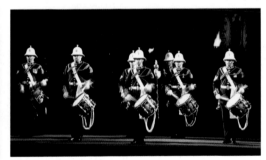

Militaire kapellen uit de hele wereld nemen deel aan de Tattoo op het voorplein van het kasteel

High Street EH1 1QS, tel. 0131 226 5257; **www.**edfringe.com

EDINBURGH INTERNATIONAL BOOK FESTIVAL

De twee weken durende boekenbeurs wordt niet ver van de chaos van de Fringe, maar wel ervan gescheiden, in de rustige Charlotte Square Gardens gehouden. Er zijn lezingen en voordrachten en vragenuurtjes met bekende schrijvers, en natuurlijk kunt u er uw favoriete schrijver ontmoeten of boeken kopen tijdens signeersessies. De boekenbeurs is ook leuk voor kinderen. Er is een speciaal kinderprogramma.

● Tel. 0131 228 5444; **www.**edbookfest.co.uk

EDINBURGH INTERNATIONAL FILM FESTIVAL

Het filmfestival bestaat al vijftig jaar en vertoont internationale en onafhankelijke films in de filmhuizen van Edinburgh. Tot de hoogtepunten behoren de vertoningen gevolgd door een debat met de regisseur. Er worden echter geen films uit de Hollywoodfabrieken getoond.

● Filmhouse Cinema, 88 Lothian Road EH3 9BZ, tel. 0131 228 4051; **www.**edfilmfest.org.uk

EDINBURGH INTERNATIONAL JAZZ AND BLUES FESTIVAL

Het jazzfestival duurt tien dagen en presenteert musici uit de hele wereld, die overal in de stad in pubs en clubs spelen. Zie de website voor data – in 2003 was bijvoorbeeld het Edinburgh Festival al geëindigd voordat het officiële jazzfestival van start ging.

● Tel. 0131 225 2202; **www.**jazzmusic.co.uk

EDINBURGH MILITARY TATTOO

De Tattoo, vergelijkbaar met de Taptoe in Delft, wordt drie weken in augustus gehouden, met doedelzakbands en soldaten in kilts. De shows zijn snel uitverkocht, dus bestel uw toegangskaarten via internet of koop ze tijdig aan de kassa.

● Tattoo Office, 32–34 Market Street EH1 1QB, tel. 0131 225 1188; **www.**edintattoo.co.uk

ZUID-SCHOTLAND

Bezoekers die niet beter weten komen vaak alleen maar op doorreis door de Borders en laten het zuidwesten links liggen om maar zo snel mogelijk in de Highlands aan te komen. Maar er is zoveel te beleven in dit zuidelijke deel van Schotland, van gezellig winkelen in stadjes als Jedburgh, Melrose en Kelso en golfen op eersteklas banen in Troon en Turnberry tot watersporten op Loch Ken. De streek kan bogen op de 'boekenstad' van Schotland en op galeries en 'arty' winkels in Kirkcudbright en Castle Douglas. In Livingstone en Gretna vindt u outlets met betaalbare designkleding. In Caerlaverock, Glen Trool en Laggan O'Dee lopen veel inheemse dieren rond en in Newton Stewart kunt u exotische fauna bewonderen. Dumfries heeft alles van een grote stad en is verbonden met de Schotse dichter Robert Burns. Er zijn uitstekende Lowland-distilleerderijen, zoals Glenkinchie in Tranent. Arran is een wereld op zich, met een brouwerij, distilleerderij en cosmeticaproducten.

WAT TE DOEN

ANNAN

LONSDALE CINEMA
Moat Road
Tel. 01461 206901
www.lonsdalecitycinemas.co.uk
Deze doorsnee bioscoop met twee zalen is niet zo duur. Er draaien meestal populaire films en soms films van vrije producenten. Snacks te koop. Gratis parkeren.
🎬 Dag., in het weekeinde en tijdens vakanties zijn er nacht- en middagvoorstellingen

ARRAN (ISLE OF)

ARRAN AROMATICS
The Home Farm, Brodick KA27 8DD
Tel. 01770 302595
www.arranaromatics.com
Hier worden met de hand bad- en cosmeticaproducten gemaakt op basis van natuurlijke ingrediënten. Op het erf vindt u ook de Arran Aromatics-winkel met speciale aanbiedingen, een cadeauwinkel, een rokerij en een winkel met boerenkaas.
🎬 Mrt.–sept. 9–17.30, okt.–dec. 9.30–17, jan.–feb. 10–16 uur 🔲 De tearoom serveert snacks en lunch

ISLE OF ARRAN DISTILLERS
Distillery and Visitor Centre, Lochranza KA27 8HJ
Tel. 01770 830264
www.arranwhisky.com
De distilleerderij in het noorden van het eiland stookt Arrans eigen single malt

whisky. Tijdens de rondleiding met gids is er een proeverij. Geniet van de tentoonstelling en koop in de winkel een cadeaufles whisky.

🎬 Half mrt.–eind okt. dag. 10-18 uur; informeer vooraf voor nov.–mrt.
🎟 Volwassene £3,50, kind £2,50 (tot 12 jaar gratis) 🔪 Restaurant met goede regionale gerechten, Italiaanse koffie en gebak uit eigen keuken. 🔲

ISLE OF ARRAN BREWERY COMPANY
Cladach, Brodick KA27 8DE
Tel. 01770 302353
www.arranbrewery.com
Drinkt u liever bier, bezoek dan eens de brouwerij in Cladach bij Brodick. De entreeprijs is inclusief een glas bier.
🎬 Ma.–za. 10–17, zo. 12–17 uur
🎟 £1,50 🔲

AYR

HOURSTON'S
22–30 Alloway Street KA7 1SH
Tel. 01292 267811

Het is onmogelijk om dit grote warenhuis in Alloway Street, boven aan High Street, te missen. Houston's verkoopt mode, accessoires, huisraad, glaswerk en cadeaus, maar ook porselein van Royal Doulton en glaswerk van Edinburgh Crystal.
🎬 Ma.–vr. 9.30–17.30, za. 9–17.30 uur
🔪 Restaurant op de bovenste etage voor soep, sandwiches, thee en warme maaltijden

ODEON
10 Burns Statue Square KA7 1UP
Tel. 0870 5050 007
www.odeon.co.uk
De bioscoop staat tegenover het station. Er draaien voornamelijk publiekstrekkers. Popcorn, snoep en frisdrank.
🎬 Dag. vanaf 12.30 uur 🎟 Vanaf £5

GAIETY THEATRE
Carrick Street KA7 1NU
Tel. 01292 611 222
www.gaietytheatre.co.uk
Dit drukbezette theater ligt in het centrum van Ayr. Het hele jaar door is er een gevarieerde programmering met toneel, comedy, jazz, pop en ballet.
🎬 Kassa ma.–za. 10–17 uur 🎟 Vanaf £8 🔲 Popplewell's café/bar ma.–za. 10–16 uur

TAM O'SHANTER INN
230 High Street KA7 1RQ
Tel. 01292 611684
Deze kleine, traditionele pub met rieten dak stamt uit 1749. Het knusse interieur heeft een open haard en de muren zijn met gedichten van Burns beschreven.
🎬 Dag. 10–12.30 uur. Keuken dag. geopend van 10 tot 21 uur

AYR SEA ANGLING CENTRE
South Harbour Street KA7 1YD
Tel. 07754 730536
Het centrum organiseert tochten op zee voor de beginneling en de ervaren visser. Visgerei is te huur. 's Zomers zijn er avondtochten naar de zeehondenkolonie op Lady Isle. Vooraf boeken is noodzakelijk.

Niet geschikt voor jonge kinderen.

🕐 's Zomers dag, 's winters in het weekeinde, indien er vraag is 👤 Vanaf £14 per persoon, minimaal 4 personen per tocht van vier uur

BENTPATH

ESK & BORDERS GUIDE SERVICE

Netherknock, Bentpath, bij Langholm DG13 0PB
Tel. 01387 370239
www.flyfishing.fsbusiness.co.uk
De Guide Service geeft les en begeleiding aan diegenen die willen vliegvissen op zalm, zeeforel, forel, vlagzalm en snoek op de verschillende lochs en rivieren in de regio van Dumfries en Galloway. Alle leeftijden. Vooraf boeken is noodzakelijk.

🕐 Juni–aug. dag en nacht, feb.–mei ma.–za. 9–17 uur 👤 Volwassene £25 per uur; dagprijs £150

BIGGAR

ATKINSON-PRYCE BOOKS

27 High Street ML12 6DA
Tel. 01899 221225
Een smalle gevel aan de voet van High Street verbergt een leuke boekwinkel vol verrassingen. De winkel verkoopt voornamelijk Schotse titels, waaronder reisboeken, poëzie en literatuur. Er is een grote verscheidenheid aan kinderboeken en cd's met klassieke en volksmuziek.

🕐 Ma.–vr. 9.30–17, za. 10–17 uur

BLADNOCH

BLADNOCH DISTILLERY AND VISITOR CENTRE

DG8 9AB
Tel. 01988 402605
www.bladnoch.co.uk
Bladnoch ligt ruim 3 km ten zuiden van Wigtown en is de meest zuidelijke distilleerderij van Schotland. Het bedrijf werd in 1817 opgericht en biedt een videoprogramma, een rondleiding met gids en een proeverij. Op het terrein van de distilleerderij is een picknickplaats. In het vlakbij gelegen Cotland Wood groeien

zeldzame orchideeën en is het heerlijk wandelen.

🕐 Volwassene £3 (tot 18 jaar gratis)
🎁 Cadeauwinkel Pasen–okt. ma.–vr. 9–17 uur

BROUGHTON

BROUGHTON GALLERY

Broughton Place ML12 6HJ
Tel. 01899 830234

www.scottishbordersartsandcrafts.co.uk
Het museum is gehuisvest in een prachtig kasteel in Borderstijl. De collectie omvat schilderijen, etsen en kunstnijverheid van hoge kwaliteit van de hand van plaatselijke en Britse kunstenaars.

🕐 Apr.–sept. en half nov.–Kerstmis do.–di. 10.30–18 uur

CAERLAVEROCK

CAERLAVEROCK WILDFOWL AND WETLANDS TRUST CENTRE

East Park Farm DG1 4RS
Tel. 01387 770200
www.wwt.org.uk
Dit natuurreservaat van 560 ha ligt bij de B725, 14 km ten zuidoosten van Dumfries. In de herfst, de winter en het voorjaar wordt het gebied onder andere door duizenden wilde ganzen bevolkt. Vanuit een van de vele observatietorens hebt u een prachtig uitzicht over het reservaat en zijn gevleugelde bevolking. 's Zomers zijn de natuurpaden open voor het publiek en wordt er dagelijks om 11 en 14 uur een gratis safari georganiseerd.

🕐 Dag. 10–17 uur 👤 Volwassene £4, kind £2,50, gezin £10,50 🍴 Eenvoudig cafetaria

CASTLE DOUGLAS

CLOG AND SHOE WORKSHOP

Balmaclellan DG7 3QE
Tel. 01644 420465
www.clogandshoe.co.uk
Deze ongebruikelijke werkplaats voor (maat)schoenen en klompen ligt 21 km ten noorden van Castle Douglas. Hij heeft een klein museum met een internationale schoenencollectie.

🕐 Pasen–okt. ma.–vr. 10–17 uur

DESIGNS GALLERY & CAFÉ

179 King Street DG7 1DZ
Tel. 01556 504552
www.designsgallery.co.uk
Deze kunstnijverheidszaak en galerie in de hoofdstraat van Castle Douglas verkoopt goede, eigentijdse kunst en kunstnijverheid. De sieraden, keramiek, schilderijen en het glaswerk zijn van hoge kwaliteit.

🕐 Ma.–za. 9.30–17.30 uur

LOCHSIDE THEATRE

Lochside Road DG7 1EU
Tel. 01556 504506
www.lochsidetheatre.co.uk
Dit tot theater verbouwde kerkje heeft een capaciteit van 200 stoelen en is de thuisbasis van de Lochside Theatre Company. Het door vrijwilligers bestierde theater biedt ook een podium aan reizende theater- en muziekgezelschappen.

🕐 Het hele jaar; kassa ma., wo. en vr.–za. 12–14 uur 👤 Vanaf £4

SULWARTH BREWERY

209 King Street DG7 1DT
Tel. 01556 504525
www.sulwarthbrewers.co.uk
Dit piepkleine familiebrouwerijtje in het centrum brouwt vijf soorten bier. Tijdens de boeiende rondleiding is er gelegenheid tot proeven.

🕐 Ma.–za. 10–16 uur 👤 Rondleiding met gids £3,50, inclusief een glas bier of een flesje bier om mee te nemen

DALTON

DALTON POTTERY ART CAFÉ

Meikle Dyke, Dalton DG11 1DU
Tel. 01387 840236

De klokken, vazen en andere stukken uit de pottenbakkerij zijn een lust voor het oog. U kunt er ook zelf pottenbakken. Het gebruik van de werkplaats en de oven is gratis, u betaalt alleen voor uw eigen baksel. Kinderen vanaf vier jaar kunnen hier al veilig een potje bakken. De pottenbakkerij staat aangegeven in Carrutherstown, bij de A75 tussen Dumfries en Annan.

🎨 Pasen–okt. dag. 10–17 uur, rest van het jaar di.–zo. 💰 Vanaf £3,50 🍽 Dag. 10–17 uur; gebak uit eigen keuken, ook kindermaaltijden 📅 Dag. 10–17 uur

DRUMMORE

MULL OF GALLOWAY VISITOR CENTRE

Bij Drummore
Tel. 01776 830682
www.mull-of-galloway.co.uk
Dit natuurreservaat ligt op de meest zuidelijke punt van Schotland, 35,5 km ten zuiden van Stranraer, en is beroemd om zijn zeevogels. Een rondwandeling in het reservaat is de moeite waard. De medewerkers van het park beantwoorden graag uw vragen.

🎨 Apr.–okt. dag. 10–16 uur 💰 Gratis

DUMFRIES

ODEON

Shakespeare Street DG1 2JJ
Tel. 0870 5050 007
www.odeon.co.uk
Dit bioscoopje met één filmzaal staat naast Theatre Royal in het centrum en draait populaire films. Snacks verkrijgbaar.

🎨 Dag. 💰 Vanaf £4,60

ROBERT BURNS FILM THEATRE

Robert Burns Centre, Mill Road DG2 7BE
Tel. 01387 264808
www.rbcft.co.uk
Dit bioscoopje is gehuisvest in het Robert Burns Centre op de andere oever van de Nith tegenover het centrum. Hier draaien populaire en internationale films en ook cultfilms die men niet gauw in het Odeon zal zien.

🎨 Di.–za. Vaak alleen avondvoorstellingen 💰 £4 🍽 Restaurant Hullabaloo ligt erboven, di.–za. 11–16 uur en 18 uur tot laat

THEATRE ROYAL

Shakespeare Street DG1 2JH
Tel. 01387 254209
www.theatreroyaldumfries.co.uk
Het Theatre Royal is het oudste gebouw in Schotland dat nog steeds als theater fungeert. In 2004 is het voor £7 miljoen verbouwd. Het amateurgezelschap van de stad, Guild of Players, voert hier toneelstukken en pantomimevoorstellingen op. Het theater wordt ook bespeeld door reizende toneel- en muziekgezelschappen en ook de Scottish Opera geeft hier uitvoeringen.

🎨 Gehele jaar 💰 Vanaf £8,50 ♿

GRACEFIELD ARTS CENTRE

28 Edinburgh Road DG1 1NW
Tel. 01387 262084
www.web-link.co.uk/gracefield
Het Arts Centre organiseert diverse activiteiten en biedt wisselende exposities van hedendaagse beeldende kunst en kunstnijverheid. De vaste collectie Schotse schilderijen wordt van tijd tot tijd tentoongesteld.

🎨 Di.–za. 10–17 uur 💰 Meeste exposities zijn gratis 🍽 Café voor lichte lunch en gebak uit eigen keuken 🛍 Di.–vr. 11–16, za. 10–17 uur, kunstnijverheid, sieraden en ansichtkaarten uit de regio

THE GLOBE INN

56 High Street DG1 2JA
Tel. 01387 252335
www.globeinndumfries.co.uk

Deze 400 jaar oude pub is beslist een bezoek waard. Het was de stamkroeg van de dichter Robert Burns. De pub omvat kleine, met eikenhout gelambriseerde vertrekken met verweerde balken. De stamkamer van de dichter is nog in dezelfde staat als in 1730 en zijn eigen stoel staat nog steeds naast de open haard. U vindt de pub in een steegje aan de voet van High Street. Hier schenkt men echte ale en alle soorten malt whisky.

🎨 Ma.–wo. 10–23, do.–za. 10–24, zo. 12–24 uur

GATEHOUSE OF FLEET

MILL ON THE FLEET VISITOR CENTRE

High Street DG7 2HS
Tel. 01557 814099
Aan het eind van Gatehouse of Fleet staat een 18e-eeuwse fabriek met twee nog werkende watermolens. Het is nu een bezoekerscentrum met een café, boekwinkel, kunstnijverheidswinkel, galerie en een natuurexpositie. In de tuinen staan picknicktafels en mooie beelden.

🎨 Apr.–okt. dag. 10.30–17 uur 🍽 Terrascafé met uitzicht op de rivier 🛍 Boekwinkel met nieuwe en tweedehands boeken

GRETNA

THE WORLD FAMOUS OLD BLACKSMITH'S SHOP CENTRE

Gretna Green DG16 5EA
Tel. 01461 338224
www.gretnagreen.com
Hoewel Gretna Green als romantisch bekend staat, is er niets romantisch te zien aan

WAT TE DOEN

dit door en door commerciële, witgekalkte complex. De nadruk ligt op het toerisme, met de verkoop van gebreide kleding, whisky, Schotse levensmiddelen, houtsnijwerk, porselein en sieraden. De kwaliteit variëert van goed (kasjmier van Johnston uit Elgin en Wedgwood-porselein) tot slecht (plastic poppetjes met kilt). Uw aankopen kunnen worden nagezonden.

🕐 Het hele jaar dag. vanaf 9 uur, wisselende sluitingstijden
🍴 Groot café

GRETNA GATEWAY OUTLET VILLAGE
Glasgow Road DG16 5GG
Tel. 01461 339 100
www.gretnagateway.com

Dit enorme winkelcentrum in Gretna zelf heeft een voetgangersstraat met aan beide zijden outlets met designkleding tegen lage prijzen. Winkels als Polo Ralph Lauren, Reebok, Tag Heuer, Hilfiger en Van Heusen geven permanent korting op hun assortiment.
🕐 Dag. 10-18 uur 🍴 Café Vienna en Café Thorntons voor thee, koffie en een lichte lunch

JEDBURGH

R & M TURNER LTD
34–36 High Street TD8 6AG
Tel. 01835 863 445

In de hoofdstraat van Jedburgh is een antiekzaak van drie etages gevestigd – een schatkist vol oud zilver, meubelen, schilderijen, vingerhoeden en porselein. Uw aankopen kunnen worden nagezonden.
🕐 Ma.–vr. 9.30–17.30, za. 10–17 uur

HARESTANES COUNTRYSIDE VISITOR CENTRE
Bij Ancrum TD8 6UQ
Tel. 01835 830 306
Het bezoekerscentrum, met een expositieruimte, ligt bijna 5 km ten noorden van Jedburgh in een bosrijk gebied waar het heerlijk wandelen en spelen is. De kunstnijverheidsateliers verkopen leren kleding, tegels en houten voorwerpen van meubels tot snijplanken. De kinderen worden vermaakt met onder andere verhalen en schminksessies.
🕐 Eind mrt.–okt. dag. 10–17 uur
🎟 Gratis 🍴 Kindvriendelijke tearoom met gebak uit eigen keuken, lichte lunch en Doddington-ijs

JEDFOREST DEER & FARM PARK
Camptown TD8 6PL
Tel. 01835 840364
www.aboutscotland.com/jedforest
Ongeveer 8 km ten zuiden van Jedburgh ligt een boerenbedrijf met een hertenkamp en een roofvogelpark. Dagelijks zijn er demonstraties met gieren, uilen en haviken. Sommige activiteiten staan onder leiding van de park-

beheerders. Zij verzorgen ook lezingen over het bedrijf en het milieu. Voor de kinderen is er een overdekte en een buitenspeelplaats en er worden voor hen speciale activiteiten georganiseerd. Op het terrein kunt u picknicken en barbecuen.
🕐 Mei–aug. dag. 10–17.30, sept.–okt. 11–16.30 uur 🎟 Volwassene £4, kind £2,50, gezin £12 🍴 🏠

CHRISTOPHER RAINBOW
8 Timpendean Cottages TD8 6SS
Tel. 01835 830326
www.btinternet.com/christopher.rainbow
Dit bedrijf verhuurt tandems, mountainbikes en toerfietsen. Desgewenst worden de fietsen bij u bezorgd. De rustige Four Abbeys Cycleway door Melrose, Dryburgh en Kelso is een traject van 100 km. De route is goed aangegeven en voert langs de rivieren de Tweed en Teviot. U krijgt een reparatieset mee.
🕐 Gehele jaar 🎟 Vanaf £15 per dag

KELSO

BORDER GALLERY
6 Bowmont Street TD5 7JH
Tel. 01573 226002
www.scottishbordersartsandcrafts.co.uk
Deze kleine galerie in een witgekalkt gebouw verkoopt betaalbare moderne aquarellen, olieverfschilderijen, glaswerk, sieraden, beelden en textiel.
🕐 Di.–za. 10–17 uur

THE HORSESHOE GALLERY
22 Horsemarket TD5 7HD
Tel. 01573 224 542
www.scottishbordersartsandcrafts.co.uk
Achter een groene gevel op de hoek van Horsemarket gaat een smaakvolle winkel schuil met een ongebruikelijke combinatie van artikelen: schilderijen en speelgoed. De historische olieverfschilderijen en aquarellen, evenals de prenten en etsen, zijn redelijk geprijsd. U vindt er echter ook een uitgebreid assortiment teddyberen en cadeaus.
🕐 Ma.–za. 10–17 uur; jan.–mrt. wo. gesloten

ROXY CINEMA
Horsemarket TD5 7AE
Tel. 01573 224609.

🕐 Di.–wo. en za.–zo. 18 uur tot laat
💶 £2,50

Dit kleine bioscoopje – tevens lokale bingohal – in het centrum van Kelso draait twee avondvoorstellingen per avond met populaire films.

KIPPFORD

KIPPFORD HOLIDAY PARK
Kippford, Dalbeattie DG5 4LF
Tel. 01556 620636
www.kippfordholidaypark.co.uk

Dit bosrijke park is voor een deel privé-eigendom en werd bekroond voor goed beheer. U kunt er wandeltochten maken met een gids, fietsen huren, golfen op een 9-hole baan en vissen. Het park biedt uitzicht op het Lake District (65 km verderop). Er is een speeltuin.
🕐 Hele jaar geopend, maar de watersporten) kunnen alleen in de zomer worden beoefend 💶 Prijzen variëren per activiteit 🏪 Pasen–sept. is een levensmiddelenzaak open

KIRKCUDBRIGHT

JO GALLANT
Ironstones, 70 High Street DG6 4JL
Tel. 01557 331130
www.jogallant.co.uk

In de etalage van dit traditionele natuurstenen gebouw bij het Tolboth Art Centre ligt allerlei luxueus textiel. De machinaal geborduurde en gewatteerde wandtapijten, kussens en sjaals zijn verre van goedkoop, maar de kwaliteit is er dan ook naar.
🕐 Di.–za. 10–17 uur

THE CORNER GALLERY
75 St. Mary Street DG6 4DU
Tel. 01557 332020

Deze winkel op de hoek van Gladstone Street verkoopt wollen merkkleding van hoge kwaliteit. De truien, hoeden, sjaals en handgebreide kunstwerken worden door kleine zelfstandige bedrijfjes in Schotland en op de eilanden geproduceerd.
🕐 Half mrt.–half jan. ma.–za. 10–17 uur; do. na 13 uur gesloten, behalve in juni–aug.

TOLBOOTH ART CENTRE
High Street DG6 4JL
Tel. 01557 331 556
www.dumfriesmuseum.demon.co.uk

Het centrum huist in een voormalige gevangenis en gerechtsgebouw. Een videoprogramma en een permanente tentoonstelling werpen licht op de kunstenaarskolonie van Kirkcudbright. Er zijn ook exposities met eigentijdse kunst en kunstnijverheid.
🕐 Okt.–mei ma.–za. 11–16 uur, juni–sept. ook zo. 14–17 uur
💶 Volwassene £1,50, kind gratis
🏛 Schilderijen, kunstnijverheid en kunstboeken 🍴 Café voor koffie, thee en lekkernijen uit de streek

LAGGAN O'DEE

GALLOWAY RED DEER RANGE
Laggan o'Dee, New Galloway DG7 3SQ

Tel. 07771 748401
www.forestry.gov.uk

Als u edelherten van dichtbij wilt zien, dan is dit bijna 800 km² grote gebied met bos, heide en lochs voor u de juiste plaats. Het park ligt tussen New Galloway en Newton

Stewart in het prachtige Galloway Forest Park.
🕐 Half juni–sept. di. en do. 11 en 14, zo. 14.30 uur 💶 Volwassene £3, kind £1

LIVINGSTON

MCARTHURGLEN DESIGNER OUTLET
Almondvale Avenue EH54 6QX
Tel. 01506 423600
www.mcarthurglen.com

Dit is het grootste overdekte outletcentrum van Schotland, met honderd winkels, een bioscoop en eetgelegenheden. U vindt er onder andere de merken Jane Shilton, Mexx, Regatta en Burberry.
🕐 Za.–di. 10–18, wo.–vr. 10–20 uur

LOCH KEN

GALLOWAY SAILING CENTRE
Castle Douglas DG7 3NQ
Tel. 01644 420 626
www.lochken.co.uk

Dit watersportcentrum aan het schitterende Loch Ken is een familiebedrijf. Tot de vele activiteiten behoren zeilen, surfen, kajakken, kanovaren, quadbiken en muurklimmen. Wij raden u aan om vooraf voor activiteiten in te schrijven. Niet alle activiteiten zijn geschikt voor jonge kinderen. U kunt op het terrein kamperen of een cursus volgen met verblijf in het watersportcentrum.
🕐 Half mrt.–okt. 💶 Huurprijzen per dag: mountainbike £13,50, surfplank £27, kajak £16,50 🍴 Lunch, snacks en drankjes verkrijgbaar

KEN-DEE MARSHES NATURE RESERVE
Tel. 01671 402861
www.rspb.org.uk

Het reservaat ligt halverwege de zuidkant van Loch Ken, bij het viaduct. Langs het loch en langs de rivier de Dee is een natuurroute door de bossen en moerassen uitgezet. In de winter treft u er overwinteraars als de Groenlandse kolgans en in de zomer is het een rustplaats voor trekvogels als de gekraagde roodstaart

WAT TE DOEN

en de bonte vliegenvanger.
🕐 Dag. bij daglicht 💶 Gratis

LOCH KEN WATER SKI SCHOOL

Loch Ken Marina, bij Castle Douglas
Tel. 07050 092792
www.skilochken.co.uk
In dit watersportcentrum op Loch Ken kunt u leren waterskiën. Voor oud en jong is er wel iets op het water te doen. Uitrusting is bij de prijs inbegrepen. Vooraf boeken is gewenst.
🕐 Apr.–okt. ma.–vr. 10–21.30, za.–zo. 8.30–21.30 uur. 💶 Prijzen variëren per activiteit; 15 minuten waterskiles vanaf £13,50

THE WYND GALLERY

Buccleuch Street TD6 9LD
Tel. 01896 822 221
www.wyndgallery.co.uk
Deze mooie 19e-eeuwse cottage van natuursteen was vroeger een smidse. Het is nu een galerie met exposities van hedendaagse kunst.
🕐 Ma.–di. en do.–za. 11–17.30 uur

THE CRAFTERS

High Street TD6 9PA
Tel. 01896 823 714

www.melrose.bordernet.co.uk/traders/crafters
The Crafters is een uniek samenwerkingsverband van plaatselijke ambachtslieden die in dit winkeltje hun eigen werk verkopen. Het assortiment omvat kunstkaarten, zijde, sieraden en houtsnijwerk.
🕐 Apr.–okt. ma.–za. 10–17, rest van het jaar 10–16.30 uur

PYROCANTHUS

32 The Market Square TD6 9PP
Tel. 01896 822 590
Dit galerieachtige keramiekwinkeltje tegenover de Ship Pub verkoopt stijlvol, eigentijds aardewerk en glaswerk uit alle delen van het Verenigd Koninkrijk.
🕐 Ma.–za. 10–17 uur

THE WHOLE LOT

St. Dunstans, High Street TD6 9RU
Tel. 01896 823 039
Deze goedgevulde winkel met antiek, kunst en cadeauartikelen is gevestigd in een rood gebouw, iets van de weg af gelegen tegenover de rugbyclub. De antiekafdeling verkoopt sieraden, keramiek, meubelen en schilderijen. Op de cadeau-afdeling vindt u keukengerei, speelgoed, kleding, aardewerk, sjaals en manden van goede kwaliteit.
🕐 Ma.–vr. 9.30–17, za. 9.30–17.30, zo. 12–17 uur

ABBEY MILL

Annay Road TD6 9LG
Tel. 01896 822 138
Deze winkel met kleding, Schotse levensmiddelen en speelgoed is gehuisvest in een korenmolen even buiten de stad voorbij Melrose Abbey. De molen dateert uit de Middeleeuwen en voorzag de abdijbrouwerij van mout.
🕐 Dag. 🍴 Abbey Mill Tea Room voor lichte maaltijden en snacks

THE WYND THEATRE

The Wynd TD6 9PA
Tel. 01896 823 854
www.thewyndtheatremelrose.co.uk
Het programma van dit dorpstheater in een zijstraat van High Street bestaat uit films, folkmuziek, blues, big bands en toneel. Bar open op voorstellingsavonden.
🕐 Het hele jaar 💶 Vanaf £5

ACTIVE SPORTS

Chain Bridge Cottage, Annay Road
TD6 9LP
Tel. 01896 822452
www.activitiesinscotland.com

Dit is het enige buitensportcentrum in de Borders. U kunt kiezen tussen een halve dag of een hele dag mountainbiken, quadbiken of kanovaren. Het watersportcentrum is gevestigd in Melrose, maar de meeste activiteiten vinden even buiten Selkirk plaats. Niet iedere activiteit is geschikt voor jonge kinderen. Vooraf boeken is gewenst.
🕐 Het hele jaar open, watersporten alleen in mei–okt. 💶 Afhankelijk van activiteit

BAILEY MILL TREKKING CENTRE

Bailey TD9 0TR
Tel. 01697 748617
www.holidaycottagescumbria.co.uk
Dit vakantiecomplex met accommodatie is geschikt voor paardrijliefhebbers en fietsenthousiastelingen. De uitgezette paden gaan door de Schotse Borders en Cumbria. Vooraf boeken gewenst.
🕐 Het hele jaar 💶 Paardrijtocht £10 per uur, les £7 per half uur 🍴

TROPIC HOUSE

Carty Port DG8 6AY
Tel. 01671 404050 (day) of 01671 402485 (evening)
In de tropische tuin bij Newton Stewart vliegen bonte vlinders en insecten boven de mooiste collectie vleesetende planten in het Verenigd Koninkrijk.
🕐 Half apr.–sept. dag. 10–17, rest van het jaar 10 uur–schemering
💶 Volwassene £2,50, kind £1,50, gezin £6 🍴 Tearoom

EDINBURGH CRYSTAL VISITOR CENTRE

Eastfield, Penicuik EH26 8HB
Tel. 01968 675128
www.edinburgh-crystal.com
Het beroemde kristal uit Edinburgh wordt in deze fabriek gemaakt. In de winkel hebt u een grote keus aan kristallen karaffen, vazen en whiskyglazen. Bij aanschaf van meer dan één artikel geldt een

korting. Voor £10 mag u proberen uw eigen glas te blazen en uw naam laten graveren. De fabriek staat aangegeven bij de A701, op 30 minuten rijden ten zuiden van het centrum van Edinburgh.

🕐 Ma.–za. 10–17, zo. 11–17 uur
🎫 Rondleiding: volwassene £3,50, gezin £9,50 ☕ Coffeeshop, gebak uit eigen keuken, warme en koude snacks

PENTLAND HILLS ICELANDICS
Windy Gowl Farm, Carlops, Penicuik EH26 9NL
Tel. 01968 661095/07836 729988
www.phicelandics.co.uk
Geniet van een rit of dagtocht door de Pentland Hills op een een IJslandse pony. De manege is goedgekeurd door de Trekking and Riding Society of Scotland. Warme kleding en stevige schoenen of laarzen (geen gympen) worden aanbevolen. Minimum leeftijd 6 jaar. Vooraf boeken is gewenst.

🕐 Het hele jaar vr.–wo., vertrek om 10 en 14.30 uur 🎫 1 uur 30 minuten £23, 2 uur £28, 3 uur £38

TRANENT

GLENKINCHIE DISTILLERY
Pencaitland EH34 5ET
Tel. 01875 342004
www.malts.com
De distilleerderij waar de Edinburgh Malt vandaan komt biedt een expositie over malt whisky en een proeverij. Kinderen onder de 8 jaar worden niet in de distilleerderij toegelaten.

🕐 Juni–sept. ma.–za. 10–17, zo. 12–17 uur 🎫 Toegang £4 inclusief een kortingsbon voor de whiskywinkel

TROON

ROYAL TROON
Craigend Road KA10 6EP
Tel. 01292 311555
www.royaltroon.com
Op deze eersteklas golfbaan worden open kampioenschappen voor de wereldtop gehouden. Royal Troon is zeer populair en om er te kunnen spelen, moet u maanden van tevoren boeken. Minimumleeftijd 18 jaar.

🕐 Dag. 💷 Vanaf £100 voor twee ronden op de Portland-baan, inclusief lunch; £170 voor één ronde op de Portland en één op de Old Course. Ma.–di. en do. ☕ 🍽 Restaurant in clubhuis 🏧

TURNBERRY

TURNBERRY
KA26 9LT
Tel. 01655 334032
www.turnberry.co.uk
Deze wereldberoemde club die open kampioenschappen organiseert ligt 24 km ten zuiden van Ayr. De minimumleeftijd is 16 jaar (indien begeleid door een volwassene). Het Westin Turnberry Resort heeft een centrum voor buitensporten en een bekroond kuuroord.

🕐 Dag. 💷 Een ronde voor hotelgasten van Turnberry Ailsa kost £105, twee weken van tevoren boeken ☕ 🍽 Clubhuis met restaurant 🏧

WIGTOWN

THE BOOK SHOP
17 North Main Street DG8 9HL
Tel. 01988 402499
www.the-bookshop.com
Deze tweedehands boekwinkel is de droom van iedere

boekenliefhebber. Ruim 700 m kastruimte met 65.000 boeken. De koffie is gratis, uw stoel bij de haard staat klaar.

🕐 Ma.–za. 9–17 uur

GC BOOKS
The Old Bank Bookshop, 7 South Main Street DG8 9EH
Tel. 01988 402005
www.gcbooks.demon.co.uk
GC Books is gevestigd in een voormalige bank beneden aan de hoofdstraat heeft een grote collectie tweedehands boeken over onder meer ornithologie, krijgsgeschiedenis, schaak, en Robert Burns.

🕐 Ma.–za. 9–17 uur

MING BOOKS
Beechwood, Acre Place DG8 9DU
Tel. 01988 402653
Ming Books is de grootste handelaar in tweedehands detectives van het Verenigd Koninkrijk. Daarnaast worden er boeken op het gebied van maritieme geschiedenis, biologie en Winston Churchill verkocht. De vriendelijke eigenaars Marion en Robin Richmond zenden graag uw aankoop per post na.

🕐 Dag. 10–18 uur

READING LASSES
17 South Main Street DG8 9EH
Tel. 01988 403266
www.reading-lasses.com
Deze middelgrote boekhandel is gespecialiseerd in vrouwenstudies, politiek en psychologie. Er is ook werk van plaatselijke vrouwelijke kunstenaars te koop.

🕐 Mei–okt. ma.–za. 10–17, zo. 12–17 uur ☕ Café met gebak uit eigen keuken

EDINBURGH

Edinburgh gonst in de zomer van festivalactiviteiten. Voor iedere smaak en voor iedere beurs is er wat te doen. De stad heeft overigens het hele jaar door een rijk cultuur- en nachtleven. Het culturele leven speelt zich af in zes theaters, een groot aantal bioscopen en in vele kleine en grote concertzalen. Het nachtleven bruist in de vele kleine cafés en clubs. U kunt een literaire kroegentocht of een heksentocht met gids maken. Bij een rondleiding door de stad komt u langs alle interessante en mooie plaatsen. In de exclusieve modewinkels in het centrum en in Princes Street geeft u gemakkelijk een klein fortuin uit aan kasjmier en mode van de bekende modehuizen. Jenner's is het deftigste warenhuis. Hier heerst een heel andere sfeer dan in het moderne warenhuis Harvey Nichols. De stad is heel goed te voet of per fiets te verkennen. Daarna kunt u zich heerlijk ontspannen in de Commonwealth Pool.

WINKELEN

OCEAN TERMINAL SHOPPING CENTRE
Ocean Drive, Leith EH6 6JJ
Tel. 0131 555 8888
www.oceanterminal.com

Ocean Terminal is ontworpen door Jasper Conran en werd in 2001 geopend. Dit uitgebreide complex van winkels en bioscopen kijkt uit op de Firth of Forth en het koninklijke jacht *Britannia* (zie blz. 86). Grote zaken als het warenhuis Debenhams, Top Shop en HMV zijn in het centrum ook te vinden, maar het gratis parkeren maakt het winkelen hier aantrekkelijk. In de overdekte middenruimte worden uiteenlopende exposities gehouden. Alles van kunst tot tenten wordt hier tentoongesteld.
🕐 Ma.–vr. 10–20, za. 10–18, zo. 11–18 uur 🚇 1, 11, 22, 34, 35, 36 🅿 🍴 🛒 Horecaketens als Costa Coffee en Starbucks voor koffie, de chique Zinc Bar & Grill is een exclusief restaurant, (tel. 0131 553 8070), Ocean Kitchen

voor zelfbediening en Ocean Bar voor exclusieve drankjes

PRINCES MALL
Princes Street EH1 1BQ
Tel. 0131 557 3759
www.princesmall-edinburgh.co.uk
Dit ruim opgezette ondergrondse winkelcentrum is verbazingwekkend licht. Alle bekende mode- en cadeauwinkels zijn hier vertegenwoordigd (Benetton, Oasis, Warehouse, Body Shop). Aanraders zijn de handgemaakte bonbons van Maxwell & Kennedy en Orkney-sieraden in Ortak.
🕐 Ma.–wo. en vr.–za. 9–18, do. 9–19, zo. 11–17 uur 🛒 Restaurants op de benedenverdieping: McDonald's, Costa Coffee, Rollover Hotdogs en Spud-U-Like (gepofte aardappelen)

ST. JAMES CENTRE
Leith Street EH1 3SS
Tel. 0131 557 0050
www.thestjames.co.uk
Bekende winkels als HMV, Boots en River Island domineren dit moderne winkelcentrum aan het oostelijke eind van Princes Street. De grootste trekpleisters zijn het hoofdpostkantoor en het warenhuis John Lewis, met alles op het gebied van woninginrichting, kleding en cosmetica. Het café biedt een prachtig uitzicht en er is volop parkeergelegenheid.
🕐 Ma.–wo. en za. 7.30–18.30, do.–vr. 7.30–20.30, zo. 10.30–17 uur 🛒

FRASERS (HOUSE OF FRASER)
145 Princes Street EH2 4YZ
Tel. 0870 160 7239
www.houseoffraser.co.uk

Het prijsniveau van dit populaire warenhuis ligt tussen dat van John Lewis in het St. James-winkelcentrum en Jenners in. Frasers heeft een goed assortiment accessoires, parfums, kleding (inclusief DKNY en Ralph Lauren) en keukengerei. Het staat op de westhoek van Princes Street.
🕐 Ma., wo. en vr. 9–17.30, di. 9.30–17.30, do. 9–19.30, za. 9–18, zo. 11–17 uur 🛒 Café (5e etage), koffie, lichte lunch en driegangenmaaltijden

HARVEY NICHOLS
30–34 St. Andrew Square EH2 3AD
Tel. 0131 524 8388
www.harveynichols.com

In 2002 opende dit schitterende warenhuis uit Londen zijn eerste Schotse filiaal in Edinburgh. Hiermee kregen de exclusieve winkels tussen St. Andrew Square en Charlotte Square er een chique concurrent bij, met kleding en accessoires van Gucci, Burberry,

WAT TE DOEN

WINKELEN 169

Prada, Fendi en Dior. St. Andrew Square ligt bij het Waverley Station.

Ⓣ Ma.–wo. 10–18, do. 10–20, vr.–za. 10–19, zo. 12–18 uur Ⓓ Bar, brasserie restaurant op de bovenste verdieping

JENNERS
48 Princes Street Edinburgh EH2 2YJ
Tel. 0131 225 2442
www.jenners.com
Het oudste onafhankelijke warenhuis ter wereld dateert uit 1838 en is nog snobisti-

scher dat zijn nieuwste rivaal Harvey Nichols. Het interieur is een doolhof van niveaus en etages en de open galerij in het middendeel lijkt op die van Liberty's in Londen. Met een gidsje in de hand vindt u gemakkelijker wat u zoekt. Hier verkoopt men designkleding en -schoenen, maar ook speelgoed, glaswerk, levensmiddelen en parfums. Artikelen kunnen ook via internet worden gekocht. Het warenhuis staat op de hoek van St. David Street, tegenover Waverley Station.

Ⓣ Ma., wo, en vr.–za. 9–18, di. 9.30–18, do. 9–20, zo. 11–17 uur
Ⓓ Vier cafés op verschillende etages voor koffie, snacks en warme maaltijden

ANTA
32 High Street, Royal Mile EH1 1TB
Tel. 0131 557 8300
www.anta.co.uk
Exclusieve zaak voor serviezen, tegels, tapijt, en koffers van Schotse makelij. Ook verkoopt men er stoffen van hoge kwaliteit en plaids en kussens van wol en tweed in een veelheid aan moderne en klassieke

Schotse dessins. Chic en duur. Tegenover het John Knox House.

Ⓣ Ma.–za. 9.30–17.30, zo. 11–17 uur

CRUISE
94 George Street EH2 3DF
Tel. 0131 226 3524
31 Castle Street EH3 2DN
Tel. 0131 220 4441
Deze winkel voor modebewuste mensen verkoopt kleding, schoenen en accessoires van merken als Gucci, Prada en Paul Smith. De prijzen zijn niet afgestemd op de kleine beurs. De herenkledingzaak is gevestigd op George Street 94, de dameskledingzaak op Castle Street 31.

Ⓣ Ma.–wo. en vr.–za. 10–18, do. 10–19, zo. 12–17 uur

FRONTIERS
254 Canongate EH8 8AA
Tel. 0131 556 2791
Frontiers is gespecialiseerd in handgebreide mode. De kasjmieren sjaals, hoeden, truien, accessoires en tassen zijn van zeer goede kwaliteit. Frontiers is een van de vele wolwinkels aan de Royal Mile. U vindt hem net voor het kruispunt met Jeffrey Street.

Ⓣ Ma.–za. 10–18, zo. 12–17 uur

HAWICK CASHMERE COMPANY
71-81 Grassmarket EH1 2HJ
Tel. 0131 225 8634
www.hawickcashmere.com
De winkel ligt aan de voet van Victoria Street en het uithangbord met 'Cashmere Made In Scotland' geeft aan dat het hier om dure kleding van zeer goede kwaliteit gaat. De truien en sjaals zijn er in alle kleurschakeringen.

Ⓣ Ma.–za. 10–18, zo. 11–16 uur

HECTOR RUSSELL
95 Princes Street EH2 2ER
Tel. 0131 225 3315
www.hector-russell.com
Dit filiaal van een van de bekendste ketens voor kilts in Princes Street is de juiste zaak voor de aanschaf of huur van

een kilt en alle bijbehorende accessoires, zoals de *sgian dubh* (mes dat traditioneel in de kous wordt gedragen). Een complete kiltuitrusting kost minstens £500. De aanschaf kan ook per post worden nagezonden. De damesafdelingen zijn in High Street en Lawnmarket.

Ⓣ Ma.–za. 9–18, zo. 11–18 uur

OLD TOWN BOOKSHOP
8 Victoria Street EH1 2HG
Tel. 0131 225 9237
Dit is de beste zaak voor tweedehands boeken op het gebied van poëzie, muziek, reizen, kunst en natuurlijk Schotland en zijn schrijvers. U vindt er ook een uitgebreide collectie prenten en landkaarten.

Ⓣ Ma.–za. 10.30–5.45 uur

PALENQUE
56 High Street, Royal Mile EH1 1TB
Tel. 0131 557 9553
www.palenque.co.uk
Deze kleine juwelierszaak vlak bij de kruising met South Bridge is gespecialiseerd in betaalbare, eigentijdse, zilveren sieraden en handgemaakte accessoires. Een tweede filiaal bevindt zich in Rose Street.

Ⓣ Ma.–za. 10–18, zo. 11–17 uur

RAGAMUFFIN
276 Canongate EH8 8AA
Tel. 0131 557 6007
In de etalage van deze grote winkel op de hoek van St. Mary's Street ligt een aantrekkelijke, kleurige collectie van grofgebreide kleding, sjaals en

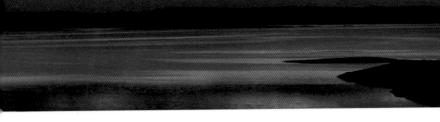

speelgoed uit alle delen van Engeland en Schotland.

🕐 Ma.–za. 10–18, zo. 12–17 uur

ROYAL MILE WHISKIES

379 High Street, Royal Mile EH1 1PW

Tel. 0131 225 3383

www.royalmilewhiskies.com

Deze speciaalzaak voor whisky tegenover St. Giles Cathedral heeft een uitgebreid assorti-

ment malt whisky's op voorraad, waarvan sommige 100 jaar oud zijn. Voor liefhebbers van zeldzame whisky's is dit dé winkel. Telefonisch of via internet bestellen is mogelijk.

🕐 Ma.–za. 10–18, zo. 12.30–18 uur ('s winters tot 17 uur)

TARTAN WEAVING MILL AND EXHIBITION

555 Castlehill, The Royal Mile EH1 2ND

Tel. 0131 226 4162 (winkel)/0131 226 1555 (weverij)

www.tartanweavingmill.co.uk

In dit enorme gebouw boven aan de Royal Mile zijn een weverij, een expositieruimte en een winkel gevestigd. De winkel verkoopt Highland-kleding in ieder traditioneel patroon en ander geweefd textiel. U kunt een foto van uzelf in vol Highland-ornaat laten maken of zelf een stukje weven. Amerikanen en Canadezen proberen hier bij het Clans and Tartans Bureau hun Schotse familiegeschiedenis te achterhalen. Het gebouw was vroeger het waterreservoir van de oude stad.

🕐 Ma.–za. 9–17.30, zo. 10–17.30 uur; in de zomer is het gebouw soms langer open 🎫 Gratis; rondleiding ma.–vr., volwassene £4,50, kind £2,5 📷

TISO

123-125 Rose Street EH2 3DT

Tel. 0131 225 9486

www.tiso.com

Tiso is de beste winkel in Edinburgh voor zwerfsportkleding. Het kundige personeel dient u graag aan advies bij de aanschaf van uw kleding en uitrusting. Hier verkoopt men alles op het gebied van wandelen, klimmen, kamperen of skiën. Er is ook een uitstekende afdeling met reis- en bergsportboeken.

🕐 Ma., wo., vr.–za. 9.30–17.30, di. 10–17.30, do. 9.30–19.30, zo. 12–17 uur

WATERSTONE'S

128 Princes Street EH2 4AD (vestiging aan het westelijke eind)

Tel. 0131 226 2666

www.waterstones.co.uk

De grootste boekhandelketen van Groot-Brtittannië heeft een aantal filialen in Edinburgh. Deze winkel aan het westelijke eind van Princes Street heeft verscheidene verdiepingen vol boeken over ieder denkbaar onderwerp. Vanuit het café op de bovenste verdieping hebt u een prachtig uitzicht op het kasteel. Het filiaal aan de andere kant van Princes Street heeft een grote Schotse literatuur- en reisafdeling. Er zijn ook filialen in George Street en in de Ocean Terminal.

🕐 Ma.–za. 8.30–20, zo. 10.30–19 uur 📷

BIOSCOPEN

CAMEO

38 Home Street EH3 9LZ

Tel. 0131 228 4141 (kassa); 0131 228 2800 (dag en nacht informatie via een antwoordapparaat)

www.cpicturehouses.co.uk

Dit kleine filmhuis vertoont Amerikaanse, internationale en onfhankelijke films die met een klein budget zijn gemaakt.

🎫 £5,20; ma. behalve bank holidays alle kaartjes £3,50 📷 Leuk café met exposities van plaatselijke kunstenaars

DOMINION

18 Newbattle Terrace, Morningside EH10 4RT

Tel. 0131 447 4771 (kassa); 0131 447 2660 (informatie)

www.dominioncinema.com

Deze bioscoop in de zuidelijke buitenwijk Morningside is een familiebedrijf en de ultieme

tegenhanger van de megabioscopen die overal de kop opsteken. Het bioscoopje heeft gemakkelijke leren Pullmanstoelen en men draait er zowel onafhankelijke films als publieksfilms. In de Gold Class zit u zelfs met een drankje en een knabbeltje op een sofa. In het theater hangen foto's van beroemdheden die hier naar een film zijn komen kijken.

🚶 Vanaf £5,10 🚌 11, 15, 16, 23

FILMHOUSE

88 Lothian Road EH3 9BZ

Tel. 0131 228 2688 (inlichtingen); 0131 228 2689 (bandje met informatie)

www.filmhousecinema.com

Dit filmhuis (tegenover Usher Hall) met drie zalen vertoont de beste onafhankelijke en internationale films in heel Edinburgh. Er worden ook filmfestivals gehouden.

🍴 Filmhouse Café voor een kop koffie of een maaltijd voorafgaand aan de film, 10–22 uur 🚶 Vanaf £5,50

ODEON

7 Clerk Street EH8 9JH

Tel. 0870 505 0007

www.odeon.co.uk

Odeon is een grote bioscoop met vijf zalen in het zuidelijke deel van het centrum. Er draaien hoofdzakelijk populaire films.

🍴 Kleine bar gaat ma.–vr. om 18 uur open en za.–zo. om 14 uur; alleen drankjes

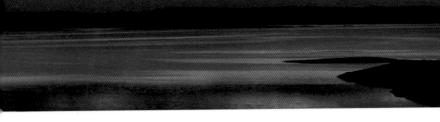

STER CENTURY
Ocean Terminal, Ocean Drive, Leith
EH6 7DZ
Tel. 0131 553 0700
www.stercentury.co.uk

In deze bioscoop met 12 zalen vindt vindt u de grootste multiplexbeeldschermen van heel Scotland en het nieuwste op het gebied van *digital surround*-geluid. De stoelen zijn zeer comfortabel. Boven aan de roltrap hebt u het mooiste uitzicht van heel Edinburgh. Gratis parkeren.

Vanaf £5,60 Trendy Ocean Bar 11, 22, 38

WARNER VILLAGE
Omni Leisure Building, Greenside Place, Leith Street EH1 3EN
Tel. 0131 557 3964 (inlichtingen); 08702 406020 (dag en nacht informatie en reserveringen)
www.warnervillage.co.uk

Deze megabioscoop is gevestigd in een glazen gebouw tegenover John Lewis. De zalen zijn als amfitheaters ingericht en de luxe Gold Class heeft leren stoelen en een scherm van muur tot muur. Tijdens de voorstelling kunt u bij de bar een drankje halen.

Ma.–vr. vanaf lunchtijd, za.–zo. ook ochtendvoorstellingen Vanaf £5,60 7, 11, 14, 22

THEATERS
EDINBURGH FESTIVAL THEATRE
13–29 Nicolson Street EH8 9FT
Tel. 0131 529 6000
www.eft.co.uk

Dit voorname theater ligt aan de oostkant van Edinburgh en is een podium voor internationale en Britse dans- en toneelproducties, musicals en operavoorstellingen van de Schotse Opera.

Het hele jaar Vanaf £8 Café Lucia in de foyer Drie andere bars

EDINBURGH PLAYHOUSE
18–22 Greenside Place EH1 3AA
Tel. 0131 524 3333;Ticketmaster 0870 606 3424 (dag en nacht)
www.cclive.co.uk

Hier moet u zijn voor groots opgezette musicals en dansvoorstellingen van reizende gezelschappen. Het theater ligt 5 minuten lopen van het oostelijke eind van Princes Street, naast de enorme Warner Village-bioscoop.

Het hele jaar Vanaf £10

KING'S THEATRE
2 Leven Street EH3 9LQ
Tel. 0131 529 6000
www.eft.co.uk

Dit majestueuze Edwardian gebouw is het oudste theater in Edinburgh. De programmering is afgestemd op het grote publiek, met musicals, pop shows, familievoorstellingen en blijspelen. Maar ook Shakespeare komt hier aan bod. Een paar bushaltes van West End.

Het hele jaar Vanaf £10 Twee, voor een drankje in de pauze

NETHERBOW CENTRE
43-45 High Street EH1 1SR
Tel. 0131 556 9579
www.storytellingcentre.org.uk

Dit kleine, intieme theatertje programmeert modern kindertheater, Schots repertoire en avonden met traditionele vertelkunst en poëzie.

Het hele jaar

ROYAL LYCEUM THEATRE
Grindlay Street EH3 9AX
Tel. 0131 248 4848
www.lyceum.org.uk

Dit vooraanstaande theater programmeert alleen eigen voorstellingen. Het repertoire bestaat uit eigentijds en

klassiek toneel, inclusief Shakespeare. Het theater staat in een zijstraat van Lothian Road in de buurt van West End.

Het hele jaar Vanaf £7

TRAVERSE THEATRE
10 Cambridge Street EH1 2ED
Tel. 0131 228 1404
www.traverse.co.uk

Het Traverse is een theater voor experimenteel toneel en dans. Het is ook de plek waar het allernieuwste werk van Schotse toneelschrijvers wordt gespeeld. Het ligt naast Usher Hall in de buurt van West End.

Het hele jaar Vanaf £9 Traverse Bar Café in souterrain met veel soorten bier van de tap Blue Bar Café, op de bovenverdieping, is een van beste restaurants van Edinburgh, tel. 0131 221 1222

MUZIEK
EDINBURGH CORN EXCHANGE
11 Newmarket Road EH14 1RJ
Tel. 0131 447 3500
www.ece.uk.com

Deze zaal voor pop- en rockconcerten ligt 3 km ten zuidwesten van het centrum. Hij werd in 1999 geopend door Blur. Bands als Blur, Travis, Pulp, Fun Lovin' Criminals en Coldplay hebben er opgetreden.

Het hele jaar Vanaf £10

HENRY'S JAZZ CELLAR
8 Morrison Street EH3 8BJ
Tel. 0131 467 5200
www.jazzmusic.co.uk

Dit is de beste club in Edinburgh voor eigentijdse jazzmuziek, soms afgewisseld door Latin, vrije en Jamaican jazz. De bar serveert geen maaltijden. Morrison Street ligt in de buurt van West End.

Het hele jaar Vanaf £4

QUEEN'S HALL
Clerk Street EH8 9JG
Tel. 0131 668 2019
www.queenshalledinburgh.co.uk

Queen's Hall is wat intiemer dan Usher Hall en een uitgelezen locatie voor jazz, blues en soul, maar ook voor klassieke muziek en comedy. Er treden artiesten op als Courtney Pine en Ruby Turner. Het theater ligt ongeveer 10 minuten lopen ten oosten van Princes Street.

🕐 Het hele jaar 💷 Vanaf £8 ☕ Cafés op twee verdiepingen, lekkere koffie en belegde broodjes 🍺 Goede echte ales en malt whisky's

USHER HALL
Lothian Road EH1 2EA
Tel. 0131 228 1155
www.usherhall.co.uk
Usher Hall is de meest prestigieuze concertzaal van

Edinburgh. Er worden concerten gegeven door toporkesten als het English Chamber Orchestra en het Moscow Philharmonic Orchestra. Het prachtige, ronde gebouw met zijn hoge koepel is vanaf bijna ieder punt in de stad te zien.
🕐 Het hele jaar 💷 Vanaf £10 🍺 Drie bars

THE VENUE
15–21 Calton Road EH8 8DL
Tel. 0131 557 3073
In deze intieme (of sjofele, het is maar hoe je het bekijkt) club treden voornamelijk gevestigde en veelbelovende rock-, funk-, pop en indiebands op. The Venue ligt op twee minuten lopen van het Waverley-treinstation, Princes Street en de megabioscoop Warner Village.
🕐 Het hele jaar 💷 Vanaf £4; kaarten te koop bij Ripping Records, 91 South Bridge, tel. 0131 226 7010

BAILLIE BAR
2 St. Stephen Street, New Town
EH3 5AL
Tel. 0131 225 4673
Deze pub in een kelder heeft een driehoekige bar, een laag plafond en een weelderig donkerrood interieur. Er is een lounge-gedeelte waar u kunt genieten van echte ales. De pub zit op de hoek van St. Stephen Street en North West Circus Place, in Stockbridge.
🕐 Ma.–do. 11–24, vr.–za. 11–1, zo. 12.30–23 uur

BELUGA
30a Chambers Street, Old Town
EH1 1HU
Tel. 0131 624 4545

Hier komt men om te zien en gezien te worden. In het restaurant op de begane grond kunt u lunchen in een ontspannen sfeer. 's Avonds zijn de bar in het souterrain en de overvolle dansvloer het domein van de jet-set. Beluga ligt tegenover het Royal Museum of Scotland.
🕐 Dag. 10–1 uur 💷 Gratis entree

BLUE MOON
1 Barony Street, New Town EH1 3SB
Tel. 0131 556 2788
Iedereen is welkom in deze homobar, die bekendstaat om zijn uitstekende keuken. Naast vele soorten bier en wijn serveert men ook Mexicaanse gerechten, zelfs vegetarische *haggis* en *neeps en tatties* (stamppot van koolraap en aardappelen). Het interieur is warm rood, met een open haard en aquaria. De bar is

---

gevestigd in een zijstraat van Broughton Street op een paar minuten lopen vanaf het oosteinde van Princes Street.
🕐 Ma.–vr. 11–24, za.–zo. 10–1 uur

BONGO CLUB
Holyrood Road EH8 8AQ
Tel. 0131 556 5204
www.thebongoclub.co.uk
De muziekavonden in de Bongo club zijn zeer afwisselend en de muziekstijlen variëren van hip hop tot reggae en folkmuziek. Overdag is het een gratis internetcafé met expositieruimte. Gratis parkeren.
🕐 Variabel; café open vanaf 12 uur
💷 Tot £10

BOW BAR
80 The West Bow , Victoria Street, Old Town EH1 2HH
Tel. 0131 226 7667

De Bow bar ligt halverwege Victoria Street. Deze blauwgeschilderde pub met zijn houten lambrisering en oude spiegels aan brouwerijen schenkt ongeveer 140 soorten whisky en meestal is er wel een merk in de aanbieding. Ook echte ales.
🕐 Ma.–za. 12–23.30, zo. 12.30–23 uur

CAFÉ ROYAL CIRCLE BAR
19 West Register Street EH2 2AA
Tel. 0131 556 1884
Deze traditionele pub is ruim 150 jaar oud en staat op de monumentenlijst van Edinburgh. Hij kan bogen op het meest indrukwekkende Victoriaans interieur van de stad. Aan de muren hangen portretten van Doulton-tegels, de ramen zijn van glas-in-lood

en u zit er in comfortabele leren stoelen. De pub is gevestigd in een steegje achter

Burger King aan het oostelijke eind van Princes Street.
🕐 Ma.–wo 11–23, do. 11–24, vr.–za. 11–1, zo. 12.30–23 uur

CASK AND BARREL
115 Broughton Street, New Town EH1 3RZ
Tel. 0131 556 3132
De Cask is een gewone, traditionele buurtpub, maar het ijzondere is dat er heel goede, steeds wisselende merken ale wordt getapt. Tijdens belangrijke voetbalwedstrijden staan de buurtbewoners schouder aan schouder naar de tv's rond de bar te kijken. De pub zit aan het begin van Broughton Street.
🕐 Ma.–wo. 11–0.30, do.–za. 11–1, zo. 12–0.30 uur

DORIC TAVERN
15–16 Market Street, Old Town
Tel. 0131 225 1084
De pub bestaat al 400 jaar en gaat schuil achter een eenvoudige gevel, waar u gemakkelijk voorbij loopt. Het ruikt er naar lekker eten en er heerst een warme sfeer. Market Street ligt achter het Waverley-treinstation.
🕐 Ma.–za. 12–1, zo. 12.30–23 uur

ESPIONAGE
4 India Buildings, Victoria Street, Old Town EH1 1EX
Tel. 0131 477 7007
Espionage is een bar/dancing van vijf verdiepingen met vier thematische bars en twee dansvloeren. Het is overdag

gesloten en trekt voornamelijk jonge mensen, die tot in de kleine uurtjes willen dansen. Het gebouw staat boven aan Victoria Street, bij de George IV Bridge.
🕐 ledere avond 19–3 uur (tijdens het festival tot 5 uur) 🕐 Gratis entree

GRAPE
The Capital Building, 13 St. Andrew's Square EH2 2BH
Tel. 0131 557 4522
De Grape is een modieuze, modern ingerichte wijnbar in George Street, waar u ook terecht kunt voor een kop koffie. Gezeten op een comfortabele bank ziet u boven u een prachtig beschilderd plafond.
🕐 Ma.–di., do. 11–24, wo. 11–23, vr.–za.11–1, zo. 12.30–23 uur

GREYFRIARS BOBBY
34 Candlemaker Row EH1 2QE
Tel. 0131 225 8328
Achter de traditionele houten gevel gaat een vriendelijke pub schuil, die zijn naam dankt aan een beroemde trouwe hond uit annalen van Edinburgh. De clientèle bestaat uit studenten en toeristen. U vindt de pub bij de Greyfriars Kirk.
🕐 Ma.–za. 11–1, zo. 12.30–1 uur
🚌 23, 27, 103

JOLLY JUDGE
7 James Court, Old Town EH1 2PB
Tel. 0131 225 2669

Het is niet gemakkelijk om deze charmante, kleine pub te vinden, maar het is de moeite waard om hem te zoeken. De pub heeft een 17e-eeuwse uitstraling door

het lage beschilderde balkenplafond. In dit eeuwenoude interieur kunt u genieten van vele soorten malt whisky's. Het Schotse parlement ligt om de hoek en menige MP drinkt hier na het werk een goed glas. Aan het eind van de Royal Mile staat de pub op een bord aangegeven. Loop daarvandaan East Entry af naar James Court. U ziet de pub direct aan uw linkerhand.
🕐 Ma. en do.–za. 12–24, di.–wo. 12–23, zo. 12.30–23 uur

LAUGHING DUCK
24 Howe Street, New Town EH3 6TG
Tel. 0131 220 2376
Modieuze homobar met nissen en mahoniehouten meubilair. Hij ligt aan het begin van Howe Street. Men serveert er goedkope maaltijden, in het weekeinde treden er dj's op.
🕐 Zo.–do. 12–24, vr.–za. 12–1 uur

PO NA NA
43B Frederick Street EH2 1EP
Tel. 0131 226 2224
www.ponana.co.uk
Po Na Na is een populaire bar/nachtclub in het centrum van de stad. De inrichting is marokkaans met knusse nissen. Als u zin hebt om te dansen in een gezellige omgeving raden wij u aan om al om 22 uur in de rij te gaan staan. De club ligt net achter George Street.
🕐 Ma.–za. 10–3 uur 🖐 Vanaf £2

RICK'S
55a Fredrick Street, New Town EH2 1LH
Tel. 0131 622 7800
Rick's is een trendy, summier ingerichte bar in een kelder midden in het centrum. Het is niet alleen een café met twintig soorten wodka, het dient ook als restaurant, cocktailbar, ontbijtcafé en boetiek.
🕐 Dag. 7–1 uur

STAND COMEDY CLUB
5 York Place EH1 3EB
Tel. 0131 558 7272
www.thestand.co.uk

WAT TE DOEN

In dit donkere, intieme zaaltje treden iedere avond bekende Schotse stand-up comedians op. Daar de weekends meestal zijn uitverkocht, is vooraf reserveren gewenst.

🕐 Ma.–za. 19.30–1, zo. 12.30–24 uur
💷 £1–£8

RONDLEIDINGEN

ADRIAN'S EDINBURGH CITY CYCLE TOUR
Tel. 07966 447 206
www.pedalculture.com
Deze fietstocht met gids langs alle attracties van Edinburgh duurt drie uur. De prijs is inclusief een helm en regenkleding. U krijgt een indruk van de geschiedenis van de stad, de architectuur, Holyrood en vele andere attracties. De tocht begint bij de hekken van Holyrood Palace. Vooraf boeken is gewenst. Niet geschikt voor kinderen onder 10 jaar.

🕐 Dag. om 10 en 14.30 uur
💷 Volwassene £15 🚌 25 naar Holyrood Palace

BLACK HART STORYTELLERS
40 Candlemaker Row EH1 2QE
Tel. 0131 225 9044 /0771 5422 750/1
www.blackhart.uk.com
Onder begeleiding van een gids maakt u een wandeling door de geheimzinnige, donkere stegen van de oude stad. De wandeling begint bij St. Giles Cathedral en eindigt in een spookmausuleum op het kerkhof van Greyfriars. Vooraf reserveren is gewenst. De tocht is niet geschikt voor jonge kinderen.

🕐 Iedere avond 20.30, 21.15 en 22 uur
💷 Volwassene £6, kind £5

MERCAT TOURS
Niddry Street South EH1 1NS
Tel. 0131 557 6464
www.mercattours.com
Deze wandeling met gids door de spookachtige ondergrondse stad van Edinburgh voert u door de gewelven bij South Bridge. Reserveren is noodzakelijk. Het vertrekpunt is bij Mercat Cross op de Royal Mile.

🕐 Mei–sept. dag. 11, 12, 13, 14, 15 en 16 uur, okt.–apr. dag. 12, 14 en 16 uur
💷 volwassene £6, kind £4, gezin £16
🚌 35 naar St. Giles

EDINBURGH BUS TOURS
Waverley Bridge EH1 1BQ
Tel. 0131 220 0770
www.edinburghtour.com
Een ritje in een bus met open dak is een geweldige manier om de stad te zien. Het kaartje is de hele dag geldig, dus u kunt onderweg uitstappen en later weer verdergaan. U kunt opstappen op de haltes Waverley Bridge, Lothian Road, Grassmarket, Royal Mile, Princes Street of George Street. Kaartjes zijn te koop op de bus of bij een toeristenbureau.

🕐 Dag. ieder kwartier vanaf 9.30 uur; van Pasen tot sept. is de laatste rit om 18.30 uur en van okt. tot Pasen om 15.30 uur 💷 Volwassene £8,50, kind tot 15 jaar onder begeleiding van een volwassene £2,50 (tot 5 jaar gratis), gezin £19,50

THE EDINBURGH LITERARY PUB TOUR
Tel. 0131 226 6665
www.scot-lit-tour.co.uk
Tijdens deze literaire kroegentocht van twee uur gunnen acteurs u onderweg ook een blik op de Schotse literatuurgeschiedenis. De tocht begint bij de Beehive Inn op de Grassmarket. Vanaf 18 jaar.

🕐 Iedere avond om 19.30 uur; 's winters alleen op vr. 💷 £8

THE WITCHERY TOUR
84 West Bow, EH1 2HH
Tel. 0131 225 6745
www.witcherytours.com
De heksentocht duurt anderhalf uur. Tijdens de wandeling

hoort u verhalen over hekserij, martelingen en builenpest. Restaurant Witchery op Castlehill is het vertrekpunt.

Niet geschikt voor jonge kinderen. Vooraf reserveren noodzakelijk.

🕐 Ghosts and Gore Tour mei–sept. iedere avond 19 en 20 uur; Murder and Mystery Tour het hele jaar, afhankelijk van het aantal deelnemers, iedere avond 21 en 22 uur 💷 Volwassene £7, kind £4 (inclusief het boek Witchery Tales) 🚌 40, 41, 42, 46 naar kruispunt Royal Mile en Mound

ACTIVITEITEN

BIKE TRAX
7–11 Lochrin Place, Tollcross EH3 9QX
Tel. 0131 228 6633
www.biketrax.co.uk
Vlak bij het King's Theatre zijn mountainbikes, waterfietsen, kinderfietsen, tandems en kinderzitjes te huur.

🕐 's Zomers ma.–vr. 9.30–18, za. 9.30–17.30, zo. 12–17, 's winters ma.–za. 9.30–17.30 uur 💷 Mountainbike vanaf £10 per dag 🚌 10, 11, 16, 17, 23, 27

ROYAL COMMONWEALTH POOL
21 Dalkeith Road EH16 5BB
Tel. 0131 667 7211
www.edinburgh.gov.uk
Dit Olympische zwembad bij Arthur's Seat heeft naast de gebruikelijke faciliteiten als glijbanen, diep bad en kinderbad, ook een sauna, een sportschool en Clambers – een zachte, veilige speelruimte voor de kleintjes.

🕐 Ma.–do., vr. 9–21.30, wo. 10–21.30, za.–zo. 10–16.30 uur 💷 Volwassene £3,10, kind £3,10, gezin £7,80; ma.–vr. tot 16 uur met korting 🚌 14, 21, 33 🚌

MIDDEN-SCHOTLAND

Dit prachtige en gemakkelijk toegankelijke gebied leent zich uitstekend voor buitenactiviteiten. De vakantieganger heeft keuze uit boogschieten, valkerij, watersport, trektochten met gids, fietsen, quadbiken, vissen, kleiduivenschieten en adrenalinesporten. Knockhill heeft een Formule-3-circuit en St. Andrews is de bakermat van de golfsport. Er zijn tientallen maneges voor een kort ritje of een dagtocht met gids. Als u het wat kalmer aan wilt doen, dan is een boottocht op Loch Lomond of Loch Katrine een uitkomst, of vaar naar Isle of May en geniet van de papegaaiduikers en andere zeevogels. Dundee en Perth zijn grote steden, die de faciliteiten en het nachtleven bieden die u van een grote stad mag verwachten. St. Andrews, Stirling en Pitlochry zijn de rustige stadjes. De wollen kleding en het aardewerk en andere kunstnijverheid uit de streek zijn de moeite van het bekijken en kopen waard.

ABERFELDY

ABERFELDY GALLERY
9 Kenmore Street PH15 2BL
Tel. 01887 829129
www.aberfeldygallery.co.uk

Ruim honderd Schotse kunstenaars exposeren hier met schilderijen, fotografie, houtsnijwerk, beelden en aardewerk.
🕐 Mrt.–dec. ma.–za. 10–17, zo. 12–16 uur

DEWAR'S WORLD OF WHISKY
PH15 2EB
Tel. 01887 822010
www.dewarswow.com
De distilleerderij ligt even buiten Aberfeldy en heeft in de 19e-eeuwse mouterij een modern en opvallend bezoekerscentrum. Na de rondleiding en de videofilm weet u precies hoe whisky wordt gemaakt. Ook zijn er audiogidsen in zeven talen.
🕐 Pasen–okt ma.–za. 10–18 en zo. 12–16, rest van het jaar ma.–vr. 10–16 uur 🎟 Volwassene £5, kind £2,50 (tot 5 jaar gratis), gezin £12

🍴 Klein café voor koffie en gebak
🎁 Whisky en souvenirs

HIGHLAND ADVENTURE SAFARIS
Drumdewan PH15 2JQ
Tel. 01887 820071
www.highlandadventuresafaris.co.uk

Ontdek de Highlands per landrover. U rijdt door de prachtige heuvels tot een hoogte van bijna 1000 m, met inheemse wildsoorten als fazanten, sneeuwhazen, edelherten en steenarenden. Vooraf boeken is noodzakelijk. Voor een verrekijker, telescoop en versnaperingen wordt gezorgd.
🕐 Het hele jaar 🎟 Rondrit 2 uur en 30 minuten: volwassene £30, kind £10; 1 uur en 30 minuten: volwassene £15, kind £5

ANSTRUTHER

EAST NEUK OUTDOORS
Cellardyke Park KY10 3AX
Tel. 01333 311929
www.eastneukoutdoors.co.uk
Dit populaire centrum aan de

kust organiseert activiteiten voor het hele gezin, zoals boogschieten, abseilen, golfen en oriënteringstochten. U kunt hier ook een fiets huren of golfen. De minimumleeftijd voor deelname is 8 jaar. Vooraf boeken is gewenst.
🕐 Apr.–sept. dag. 10–17 uur 🎟 Vanaf £15 per halve dag 📅

ISLE OF MAY
Afvaart vanuit de haven van Anstruther
Tel. 01333 310103 (dag en nacht informatie op een bandje)
www.isleofmayferry.com
De overtocht op de *May Princess* naar het nationale natuurreservaat op dit kleine eiland duurt vijf uur. Het ruige en kale eiland is de verblijfplaats van eidereenden, papegaaiduikers en alken. De wandeling voert ook langs de ruïnes van een 12e-eeuws klooster. Kaartjes zijn tot een uur voor de afvaart te koop .
🕐 Mei-okt. een afvaart per dag
🎟 Volwassene £14, kind £6, kortingsprijs £12
🍴 Snackbar aan boord

BLAIRGOWRIE

KIRKMICHAEL RIDING
Kirkmichael, Blairgowrie PH10 7NX
Tel. 01250 881309/07884 060648
www.kirkmichaelriding.co.uk
Maak eens een tocht op een pony of paard door de heuvels en naaldbossen van het hoogland van Perthshire. De duur van de tocht (1 tot 6 uur) is afhankelijk van de omstandigheden. Geschikt voor volwassenen en kinderen vanaf 10 jaar. Voor een helm wordt gezorgd.
🕐 Het hele jaar 🎟 £17-£70

BRACO

PHOENIX FALCONRY SERVICES
Gardeners Cottage, Braco Castle Estate FK15 9LA
Tel. 01786 880539
www.scottishfalconry.co.uk
Op een tocht van een hele of halve dag of een avond komt

u van alles te weten over de eeuwenoude valkerij. U mag het zelf ook proberen. De dagtocht is inclusief lunch. Het Eagle Odyssey-arrangement (zelf roofvogels hanteren) is voor personen van 16 jaar en ouder. Vooraf boeken is noodzakelijk. Braco ligt bij de A9.

🕐 Dag, bij daglicht 🎟 3 uur durende Meet the Birds Experience £45; avondveldtocht van 2 uur £49.50

CLUNY

CLUNY CLAYS
Cluny Mains Farm, Cluny, bij Kirkcaldy KY2 6QU
Tel. 01592 720374
www.clunyclays.co.uk
Hier kunt u kleiduivenschieten, boogschieten, schieten met een luchtbuks of golfen. Voor iedere activiteit krijgt u instructie of kunt u les nemen. Vooraf boeken is noodzakelijk. Sommige activiteiten zijn niet geschikt voor kinderen.

🕐 Dag. 8.30–21.30 uur
🎟 Kleiduivenschieten vanaf £27; golf vanaf £8; boogschieten vanaf £21 🍴 Restaurant open voor lunch ma.–do. en voor lunch en diner vr.–zo. ☕ Café voor koffie en gebak, hele dag open

CUPAR

GRISELDA HILL POTTERY
Kirkbrae, Ceres KY15 5ND
Tel. 01334 828273
www.wemyss-ware.co.uk

Deze familiepottenbakkerij heeft het beroemde Wemyssaardewerk weer nieuw leven ingeblazen. De grappige katten en gebloemde varkens waren zeer populair in de 19e eeuw. De unieke, handbeschilderde beelden staan uitgestald in de showroom. Volg de bordjes met de grijnzende gele kat.

🕐 Ma.–vr. 9–16.30, za. 10–17, zo. 12–17 uur

SCOTTISH DEER CENTRE
Bow-of-Fife KY15 4NQ
Tel. 01337 810391
www.tsdc.co.uk
De wolven, roofvogels en natuurlijk ook de negen hertenrassen in dit wildpark kunt u van dichtbij bekijken. Het park ligt ruim 19 km ten westen van St. Andrews. 's Zomers is er driemaal per dag een valkerijdemonstratie, in de winter eenmaal per dag. Er is een speeltuin en een picknickplaats.

🕐 Pasen–sept. dag. 10–17.30, rest van het jaar dag. 10-16.30 uur
🎟 Volwassene £4,75, kind £3,25
☕ Café voor lichte lunch en gebak uit eigen keuken 🛍 Enkele dure winkels voor onder andere buitensportkleding en golfuitrusting

DUNDEE

OVERGATE
DD1 1UH
Tel. 01382 314201
www.overgate.co.uk
In dit moderne winkelcentrum van twee verdiepingen vindt u bekende winkels, maar ook minder bekende, zoals Ortak, de juweliers van Orkney.

🕐 Ma.–wo. en vr.–za. 9–18, do. 9–19.30, zo. 12–17 uur ☕ Onder andere Costa Coffee en gepofte aardappelen

WELLGATE
DD1 2DB
Tel. 01382 225454
www.wellgatedundee.co.uk
Dit grote winkelcentrum telt drie etages met bekende winkels waaronder T K Maxx, British Home Stores en McDonald's.

🕐 Ma.–za. 8–18, zo. 11–17 uur
☕ Diverse mogelijkheden

DUNDEE REP
Tay Square DD1 1PB
Tel. 01382 223530
www.dundeerep.co.uk
Het belangrijkste repertoiregezelschap van Schotland huist in het West End van Dundee.

Naast de zomerprogrammering nodigt Dundee Rep ook Britse en Europese gezelschappen uit. Tevens de thuisbasis van het Scottish Dance Theatre, dat eigentijds werk brengt.

🎟 Vanaf £5 ☕ Gezellig café, serveert ook maaltijden 🍸 Twee bars

DUNDEE CONTEMPORARY ARTS (DCA)
152 Nethergate DD1 4DY
Tel. 01382 909900
www.dca.org.uk
De opleving van het culturele leven in de stad is vooral te danken aan DCA en het Dundee Rep-theater. DCA is niet alleen een expositieruimte, maar huisvest ook de enige bioscoop in het centrum. Men draait er populaire en internationale films.

🎟 DCA en exposities gratis; bioscoop vanaf £3,50 🍸 Trendy Jute Café Bar

SOCIAL
10 South Tay Street DD1 1PA
Tel. 01382 202070

De glazen wand van dit trendy café biedt uitzicht op Tay Square en het Dundee Reptheater. Het koele, eigentijdse interieur is het decor voor evenementen als een quizavond of live muziek variërend van R&B tot reggae. Er is elke avond iets te doen. Populair bij jongeren.

🕐 Ma.–za. 11–24, zo. 12–24 uur

OLYMPIA LEISURE CENTRE
Earl Grey Place, Dundee DD1 4DF
Tel. 01382 434173
www.dundeecity.gov.uk
Wanneer u over de brug naar Dundee rijdt valt het glazen

zwembad met zijn drie glij-banen direct op. Het complex heeft een 25-meterbad, een duikbad, een golfslagbad, een sportschool en een sauna. De openingstijden variëren per leeftijdsgroep voor de verschillende faciliteiten.

🕐 Hoofdbad ma.–vr. 6.30–19.30 uur; recreatiebaden ma.–vr. 16–19.30 uur;

alles za.–zo. 10–17.30 uur 💷 Volwassene vanaf £3,50 🍴

DUNKELD

STRATHBRAAN TREKS
Bob Noble, Beechgrove, Trochry
PH8 0DY
Tel. 01350 723201/07711 678546
www.strathbraan-treks.co.uk
Ontdek het hoogland van Perthshire onder begeleiding van een ervaren bergbeklimmer. Tijdens de wandeling doet u diverse locaties rond Tayside aan, inclusief enkele *Munros*. Er zijn ook wandelingen die door de wat lager gelegen bossen gaan. U dient zelf te zorgen voor laarzen, regenkleding, eten en drinken. Vooraf boeken is noodzakelijk.
🕐 Het hele jaar 💷 £60–£120

ELIE

ELIE WATER SPORTS
Elie Harbour
Tel. 01333 330962
www.eliewatersports.com
De beschutte Elie Bay is de juiste locatie voor een watersportcursus. Hier kunt u leren surfen, zeilen en kanovaren. Het watersportcentrum ligt bij de Ship Inn en verhuurt ook mountainbikes. Vooraf boeken is gewenst.
🕐 Pasen–sept. 💷 Huur surfplank en

les £15 per uur; huur kano en les £10 per uur; huur mountainbike vanaf £7

FALKIRK

CINEWORLD MULTIPLEX
Central Retail Park, Old Bison Works
FK2 7AN
Tel. 01324 617860/01324 616920 (reserveren en informatie)
www.cineworld.co.uk
Falkirk heeft twaalf zalen waar voornamelijk films van het populaire genre worden vertoond. De nadruk bij de programmering ligt op films van Britse makelij. Snacks verkrijgbaar.
🕐 Het hele jaar 💷 Volwassene vanaf £5,40; di. korting

KENMORE

TAYMOUTH TRADING CO
PH15 2HG
Tel. 01887 830285
In deze ruime kunst- en kunstnijverheidswinkel verkoopt men aardewerk, sieraden, cadeaus en dingen voor in huis. De winkel ligt om de hoek van het postkantoor. Buiten voor de winkel hebt u een spectaculair uitzicht op Loch Tay.
🕐 Dag. 10–18 uur

CROFT-NA-CABER
Loch Tay PH15 2HW
Tel. 01887 830588
www.croftnacaber.com
In dit buitensportcentrum naast het Scottish Crannog Centre kunt u terecht voor wildwatervaren, vissen, quadbiken, mountainbiken, boogschieten en cruises met de *Maid of the Tay* op de lochs.
🕐 Het hele jaar, maar 's winters met beperkte activiteiten 💷 Huur kano vanaf £15; boogschieten vanaf £12; loch-cruise volwassene £6,50, kind £2,50

KNOCKHILL

KNOCKHILL RACING CIRCUIT
By Dunfermline, Fife KY12 9TF
Tel. 01383 723337
www.knockhill.co.uk
Van april tot oktober worden er in de weekends op het National Motorsport Centre superbike wedstrijden en

Formule-3-races gehouden. U kunt ook zelf op het circuit motorrijden, quadbiken, of in een race-, rally- of terreinwagen rijden. Voor de meeste activiteiten geldt een leeftijds-

grens. Voor kinderen is er een kartbaan. Vooraf boeken.
🕐 's Zomers 9–18.30, 's winters 9–18 uur 💷 Entree £7–£20

LAKE OF MENTEITH

LAKE OF MENTEITH FISHERIES
'Ryeyards', Port of Menteith FK8 3RA
Tel. 01877 385664
www.menteith-fisheries.co.uk
Lake Mentieth is zeer geschikt voor vliegvissen op regenboogforel. Bij het boekingskantoor kunt u een boot huren (vooraf boeken). Begeleiding van een ervaren instructeur is ook mogelijk.
🕐 Eind mrt.–okt. ma.–za. 9.30–17.30 uur 💷 Dagprijs vanaf £35 per boot

LARBERT

BARBARA DAVIDSON DESIGNER POTTERY
Muirhall Farm FK5 4EW
Tel. 01324 554430
De pottenbakkerij is ondergebracht in een 300 jaar oude boerderij. Het aardewerk is te koop en bestaat uit bekers, serviezen, vazen en kandelaars. In juli en augustus kunt u tegen een kleine vergoeding zelf pottenbakken. Larbert ligt 14 km ten zuiden van Stirling.
🕐 Ma.–za. 10–17 uur

LOCH KATRINE

SS *SIR WALTER SCOTT*
Trossachs Pier Complex FK17 8H2
Tel. 01877 376316
www.lochkatrine.org.uk

Aan het boord van het honderd jaar oude stoomschip *Sir Walter Scott* geniet u van de prachtige omgeving van Loch Katrine. De afvaarttijden variëren. U kunt de tocht ook combineren met een fietstocht rond het meer. Voor informatie kunt u belllen met Katrinewheelz cycle hire, tel. 01877 376284.

🕐 Mrt.–okt. afvaart dag. 11, 13.45 en 15.15 uur; wo. ochtend geen afvaart 💰 Volwassene €5,80, kind €4,30 (tot 5 jaar gratis) 🍴 Captains Rest Café 📶

LOCH LOMOND

LOCH LOMOND OUTLET SHOPPING CENTRE
Main Street, Alexandria G83 0UG
Tel. 01389 710077
www.lochlomondoutletcentre.co.uk
In een indrukwekkend Edwardian gebouw (vroeger een autofabriek) is nu een overdekt outletcentrum gevestigd, met modezaken, sportzaken, boekwinkels en cadeaushops. Grote merken als Adidas, Nike en Ecco geven vaak tot 50 procent korting. In de weekends zijn er antiek- of chocolademarkten een keer per maand is er een boerenmarkt. Er is ook een museum voor antieke motorvoertuigen. Het winkelcentrum ligt bij de A82.
🕐 Ma.–za. 9.30–17.30, zo. 10–17 uur 🍴 Gallery Café voor gebak uit eigen keuken

LOCH LOMOND SHORES
Ben Lomond Way, Balloch G83 8QL
Tel. 01389 721500
www.lochlomondshores.com
Deze autovrije winkelstraat in de vorm van een halvemaan

ligt in een prachtige omgeving met een schitterend uitzicht op Loch Lomond. De meeste bezoekers komen voor Jenners, een filiaal van het beroemde warenhuis in Edinburgh. Balloch ligt aan de zuidzijde van het loch.
🕐 Apr.–sept. dag. 9–19, rest van het jaar 10–17 uur 🍴 Restaurant in de serre van Jenners

DRUMKINNON TOWER
Bij Loch Lomond Shores, Ben Lomond Way, Balloch G83 8QL
Tel. 01389 721500
www.lochlomondshores.com
De toren, een moderne interpretatie van een oud kasteel, werd in 2002 geopend. Ook hier hebt u een mooi uitzicht op Loch Lomond. Er is een bezoekerscentrum met een expositie over de natuur en cultuur van het loch. Een van de attracties is een 12 minuten durende voorstelling, Beneath the Loch. De Tower ligt bij Loch Lomond Shores.
🕐 Apr.–sept. 9–19, rest van het jaar 10–17 uur 💰 Gratis. Beneath the Loch: volwassene €4,95, kind €3,65 (tot 5 jaar gratis), gezin €9,95 📶 🍴 🍽 🌳 Restaurants en cafés zijn ook 's avonds geopend

MAID OF THE LOCH
The Pier, Pier Road, Balloch G83 8QX
Tel. 01389 711865
www.maidoftheloch.co.uk
De raderstoomboot *Maid of the Loch* ligt afgemeerd in Balloch. Hij is gebouwd in 1953 en is nu open voor het publiek. De vrijwilligers op de boot beantwoorden graag uw vragen. 🕐 Pasen.–okt. dag. 10–16 uur; 's winters alleen in de weekends 💰 Gratis 🍽 📶 🌳

GLENGOYNE DISTILLERY
Dumgoyne, near Killearn, Glasgow G63 9LB
Tel. 01360 550254
www.glengoyne.com
Deze schilderachtige distilleerderij is de moeite van een bezoek en een proeverij waard. Vanuit de bezoekersruimte hebt u zicht op de

waterval. Locatie: 22 km ten noorden van Glasgow aan de A81.

🕐 Ma.–za. 10–16, zo. 12–16 uur. Rondleiding start ieder uur 💰 Volwassene €3,95, tot 18 jaar gratis; bijzondere rondleiding vanaf €5,95

PERTH

CAITHNESS GLASS VISITOR CENTRE
Inveralmond PH1 3TZ
Tel. 01738 492320
www.caithnessglass.co.uk

De glasblazerij is het hele jaar op weekdagen voor het publiek geopend en in de maanden juli en augustus ook in de weekends. In de winkel bij de fabriek verkoopt men de producten die hier worden gemaakt. U kunt uw glaswerk in de winkel laten graveren en desgewenst per post laten nazenden. Caithness Glass heeft ook een bezoekerscentrum in Wick *(tel. 01955 605200)* en een fabriekswinkel in Oban *(tel. 01631 563386).*
🕐 Half sept.–half juni ma.–za. 9–17, half juni–half sept. ma.–za. 9–18, mrt.–nov. ook zo. 10–17, dec.–feb. 12–17 uur 💰 Gratis 🍴 De hele dag geopend 📶

GIG@BYTES

5 St. Paul's Square PH1 5QW
Tel. 01738 451580
www.gig-at-bytes.com

In het internetcafé van Perth kunt u internetten, e-mailen, schrijven, faxen en printen en een kop koffie, thee of chocola drinken. Het café ligt bij de Old High Street achter de vroegere St. Paul's Church.

🕒 Ma.–za. 10–18.30, zo. 12–17 uur
💷 Internet vanaf £1,50 per 15 minuten

ONCE A TREE

255 High Street PH1 5QN
Tel. 01738 636213
www.onceatree.co.uk

Deze grappige cadeauwinkel is gespecialiseerd in houten voorwerpen, zoals houtsnijwerk, ornamenten, schaakspellen en opbergdoosjes. U vindt hem op de hoek van South Methven Street en Old High Street.

🕒 Ma.–za. 9.30–17.30 uur

P.D. MALLOCH

259 Old High Street PH1 5QN
Tel. 01738 632316
www.pdmalloch.com

Malloch heeft alles voor de visser, van vergunningen voor forelvissen op de rivieren de Tay en de Almond tot kleding, visgerei en levend en dood aas. Zij weten ook waar u een vergunning voor zalmvissen kunt verkrijgen.

🕒 Ma.–za. 9–17.30 uur

PERTHSHIRE VISITOR CENTRE

Bankfoot PH1 4EB
Tel. 01738 787696
www.macbeth.co.uk

Het overdekte bezoekerscen-

trum ligt 11 km ten noorden van Perth aan de A9. U kunt er terecht voor kleding, Schotse levensmiddelen en cadeaus. De Macbeth Experience is een multimedia-spektakel.

🕒 Apr.–sept. dag. 9–20, rest van het jaar ma.–do. 9–19 en vr.–zo. 9–20 uur
💷 Macbeth Experience: volwassene £2, kind £1 🍴 Streekgerechten

PERTH THEATRE

185 High Street PH1 5UW
Tel. 01738 621031
www.perththeatre.co.uk

Achter een art-decogevel in High Street ligt het enige theater van Perth, met een eigen gezelschap. Filmster Ewan McGregor heeft hier het vak geleerd. Muziek en toneelstukken.

🕒 Het hele jaar 💷 Vanaf £10 🍴 💺 ♿

PLAYHOUSE CINEMA

6 Murray Street PH1 5PJ
Tel. 01738 623126 (24 uur informatie op tape)
www.caledoniancinemas.co.uk

Deze megabioscoop met zeven zalen vertoont publieksfilms. Er zijn snacks te koop. Comfortabel kijken in een luxe stoel is ook mogelijk.

💷 Vanaf £4,40, do. gereduceerd tarief

THE FAMOUS BEIN INN

Glenfarg PH2 9PY
Tel. 01577 830216
www.beininnmusic.com

Deze pub 8 km ten zuiden van Perth, bij de M90, heeft een kleine concertzaal waar ongeveer tien concerten per maand worden gegeven. De pub is beroemd vanwege de optre-

dens van folk-, rock en country-artiesten uit binnenen buitenland.

🕒 Dag. tot 23.30 uur 💷 Toegang vanaf £6 🍴 Eetcafé in het souterrain

TWA TAMS

79–81 Scott Street PH2 8JR
Tel. 01738 634500

Dit is de beste pub in de stad voor live muziek, van rock tot reggae. Hier treden geen coverbands op, maar talenten van eigen bodem. De pub heeft ook een menukaart. 's Zomers is de biertuin open en 's winters gaat de open haard aan.

🕒 Ma.–do. 11–23, vr.–za. 11–23.45, zo. 12.30–23 uur 💷 Vanaf £3 op muziekavonden

PERTHSHIRE ACTIVITY DAYS

Tel. 01577 861186
www.perthshire.co.uk/adventure

Dit centrum voorziet in een groot aantal activiteiten, zoals abseilen, kanovaren, *gorge walking*, wildwaterkanoën en autocrossen.

🕒 De activiteiten zijn seizoensgebonden 💷 Kanovaren vanaf £30; paardrijden vanaf £14

PITLOCHRY

ESCAPE ROUTE

8 West Moulin Road PH16 5AB
Tel. 01796 473859
www.escaperoute.biz

In dit fietsenverhuurbedrijf werken alleen maar fietsfanaten. Zij informeren u graag over de vele fiets- en wandelroutes in de streek. Men verhuurt er mountainbikes, tandems, hybride fietsen, karretjes en kinderzitjes. Ook worden er routekaarten verkocht.

🕒 Ma.–za. 9–17.30, zo. 10–17 uur

CELTIC COUNTRY THE SHEEP SHOP

69 Atholl Road PH16 5BL
Tel. 01796 473559
www.thesheepshop.uk.com

Ieder artikel in deze winkel is voorzien van een afbeelding van een schaap. U kunt het zo gek niet bedenken of er staat

een schaap op, van pantoffels tot T-shirts. De winkel ligt halverwege de hoofdstraat.
🕐 Ma.–za. 10–17.30, zo. 11.30–16 uur

HERITAGE JEWELLERS
104 Atholl Road PH16 5BL
Tel. 01796 474333
www.heritage-jewellers.co.uk
Deze kleine exclusieve juwelierszaak op de hoek van Atholl Road en Mill Lane verkoopt sieraden in goud en zilver, kweekparels en Keltische sieraden van Schots goud uit Orkney.
🕐 Ma.–za 9–17, zo. 12–16 uur; soms op do. en zo. in nov.–mrt. gesloten

PITLOCHRY FESTIVAL THEATRE
PH16 5DR

Tel. 01796 484626
www.pitlochry.org.uk
Dit moderne theater kijkt prachtig uit op de stad aan de overkant van de rivier. In de zomer en herfst is het theater dagelijks geopend met concerten en theaterproducties van reizende gezelschappen.
🕐 Mei–okt. 🎫 Vanaf £15,50 🏢 🍴 Reserveren

EDRADOUR DISTILLERY
Moulin PH16 5JP
Tel. 01796 472095
www.edradour.co.uk
De kleinste distilleerderij van Schotland produceert slechts 12 vaten malt whisky per week. De distilleerderij staat in een Anton Pieck-achtige omgeving ten oosten van Pitlochry. De witgekalkte gebouwen geven de distilleerderij het aanzien van een miniatuurdorpje.

🕐 Mrt.–okt. ma.–za. 9.30–18 en zo. 11.30–17, nov.–half dec. ma.–za. 9.30–17, zo. 12–17, jan.–feb. ma.–za. 10–16, zo. 12–16 uur 🎫 Gratis 🏢

FREESPIRITS
Riverside Inn, Grandtully PH9 0PL
Tel. 01887 840400
www.freespirits-online.co.uk
Dit centrum voor buitensportactiviteiten wordt geleid door een ex-zeeman en expert in wildwaterkanoën. Op en langs de rivieren de Tay en de Tummel worden activiteiten als kanovaren, bungeejumpen van een rots, abseilen en wildwatervaren georganiseerd. Ook voor kinderen vanaf 8 jaar. Vooraf boeken is noodzakelijk.
🕐 Het hele jaar; kanovaren en bungeejumpen alleen apr.–sept.
🎫 Wildwatervaren vanaf £25; kanovaren £30

■ ST. ANDREWS

DAVID BROWN GALLERY
9 Albany Place KY16 9HH
Tel. 01334 477840
Antiekliefhebbers en golfenthousiastelingen kunnen hier hun hart ophalen. De zaak staat propvol met antiek zilver, prenten en schitterende golfboeken.
🕐 Pasen–sept. ma.–za. 9–18, rest van het jaar 10–17 uur

DI GILPIN DESIGN STUDIO
Hansa House, Burghers Close, 141 South Street KY16 9UN
Tel. 01334 476193
www.handknitwear.com
Deze exclusieve winkel verkoopt unieke, handgemaakte sieraden van befaamde ontwerpers, gebreide kleding en accessoires. Hij heeft ook een uitgebreid assortiment breiwol en modieuze patronen.

🕐 Ma.–wo. en vr.–za. 10–17, do 10–20, zo. 12–17 uur

INDIGO
1st Floor, 127 South Street KY16 9UH
Tel. 01334 470034
www.artgalleryuk.com
Galerie Indigo legt zich toe op werk van vooraanstaande hedendaagse Schotse schilders, beeldhouwers en glasontwerpers. De galerie ligt op de eerste verdieping en is te bereiken via een smal steegje opzij van South Street.
🕐 Di.–za.10.30–17 uur

NEW PICTURE HOUSE
117 North Street KY16 9AD
Tel. 01334 474902/01334 473509 (informatie op een bandje)
www.nphcinema.co.uk
Deze bioscoop met drie zalen draait populaire, onafhankelijke en ook wat internationale films. Snacks en drankjes.
🕐 Dag. 🎫 Vanaf £3,60

BYRE THEATRE
Abbey Street KY16 9LA
Tel. 01334 475000
www.byretheatre.com

Het Byre-theater ligt verscholen in een steeg bij de kathedraal. Het is het hele jaar geopend en heeft een gemengde programmering op het gebied van dans, muziek, toneel en poëzie.
 Vanaf £10  Café/bar open tot 24 uur (1 uur do.–za.)

YOUNGER HALL
University of St. Andrews, North Street KY16 6YD
Tel. 01334 462226
www.st-and.ac.uk/services/music
De Younger Hall ligt midden in het centrum. De concerten, musicals en koormuziek worden door professionele musici en studenten uitgevoerd. Soms is er een concert in een van de kleinere universiteitskapellen. Informeer hiernaar tijdens het reserveren van uw kaartjes.
 Alleen geopend tijdens collegemaanden. Lunchconcerten wo. 13.15 uur  Vanaf £1

CENTRAL BAR
79 Market Street KY16 9NU
Tel. 01334 478296
Dit bekende café wordt voornamelijk door studenten en buurtbewoners bezocht. Natuurlijk kunt u hier de echte pubsnacks zoals sandwiches, worstjes en aardappelpuree eten. Het café ligt op de hoek van College Street en Market Street.
 Ma.–do. 11–24, vr.–za. 11–1, zo. 12.30–24 uur

CRAIGTOUN COUNTRY PARK
KY16 8NX
Tel. 01334 473666
www.fifeattractions.com
Een gezellig park ten zuiden van St. Andrews, waar voor het hele gezin wel iets te doen is. U kunt er golfen op een grote of kleine baan, trampolinespringen, een bootje huren, een rit maken in een miniatuurtreintje of wandelen door de prachtig aangelegde tuinen en kassen. Het bezoekerscentrum heeft informatie over de inheemse fauna.
 Mei-aug. dag. 10.45–17.30, okt.–

mrt. 8.30 uur–schemering, apr. en sept. za.–zo. alleen 10.45–17.30 uur  Mei-sept. volwassene £4, kind £3, gezin £12, rest van het jaar gratis

ORIGINAL ST. ANDREWS WITCHES TOUR
3A Drybriggs, Balgarvie Road, Cupar KY15 4AJ
Tel. 01334 655057
Heerlijk griezelen tijdens een heksentocht met gids door het centrum van St. Andrews. Onderweg hoort u spannende heksenverhalen. Vooraf boeken is gewenst.
 Apr.–okt. vr. 20 uur, juni vr. en zo. 20 uur, juli–aug. do.–vr. en zo. 20 uur, rest van het jaar vr. 19.30 uur
 Volwassene £6, kind £4

ST. ANDREWS LINKS
Pilmour House KY16 9SF
Tel. 01334 466666
www.standrews.org.uk
Dit is het grootste golfcomplex van Europa. Het bestaat uit zes golfbanen, waarvan er drie voor kampioenschappen geschikt zijn: de Old Course, de New Course en de Jubilee Course. Er zijn twee clubhuizen, een oefencentrum en drie winkels. Reserveren is noodzakelijk. De wachtlijst varieert van weken tot jaren. Op de website staan de regels en vereisten, die per baan verschillen. Als u op de Old Course wilt spelen geldt een handicap van 24 (heren) of 36 (dames), en een reserveringstijd van twee jaar. Het is ook mogelijk om de dag voor u wilt spelen aan de dagelijkse loterij mee te doen.
 Het hele jaar; Old Course zo. gesloten  Strathtyrum Course £20; Old Course £105

STIRLING

CRAWFORD ARCADE
King Street FK8 1AX
Tel. 07710 086076
De Victoriaanse winkelgalerij in het centrum van de stad heeft vierentwintig winkels, waaronder een uitstekende boekwinkel. De Changing Room is de eigentijdse galerie van Stirling.

 Ma.–za. 8–17.30 uur, juni-aug. en dec. ook zo. 11–16 uur

CARLTON
28 Alan Park FK8 2LT
Tel. 01786 474137
www.alanpark.co.uk
In de twee zalen van deze bioscoop in een zijstraat van Dumbarton Road worden voornamelijk populaire Hollywoodfilms vertoond. Er zijn Snacks en snoep verkrijgbaar.
 Het hele jaar  Volwassene £5, ma. korting

TOLBOOTH
Jail Wynd FK8 1DE
Tel. 01786 274000
www.stirling.gov.uk/tolbooth
De Tolbooth dateert uit 1705 en was oorspronkelijk een gevangenis en gerechtsgebouw. Nu is het een centrum voor wereldmuziek, *ceilidhs*, jazz, comedy en vertelkunst. Let u eens op de verborgen trap buiten de toiletten. Het gebouw staat tegenover de oude gevangenis.
 Ma.–vr. vanaf 9, za. vanaf 10, zo. vanaf 11 uur  Juni–aug. rondleiding: volwassene £2   Tolbooth Restaurant open di.–zo. voor lunch en diner

WHISTLEBINKIES
75 St. Mary's Wynd
Tel. 01786 451256
www.scenicscotland.net
Deze traditionele pub, boven aan St. Mary Wynd, dateert uit 1786. Op zaterdagavond is er live muziek en op zondagavond is er live Schotse muziek. Kinderen mogen in de tuin spelen.
 Vr.–za. 12–1, zo.–do. 12–24 uur

GLASGOW

De tweede stad van Schotland is altijd befaamd geweest om zijn vlooienmarkt, de Barras. Het centrum wordt nu volledig overheerst door exclusieve modezaken en chique winkelcentra met onder andere designerboetieks, luxe bonbonwinkels en dure, modieuze juweliers. De vele terrassen maken deel uit van de trendy ontwikkeling, maar de tearoom, de specialiteit van Glasgow, bestaat ook nog steeds. Er zijn bloedstollende griezeltours en kroegentochten die worden afgesloten met een *ceilidh* om het bloed weer te laten stromen. Glasgow heeft veel pubs en een levendig uitgaansleven, met onder andere het beroemde King Tut's Wah Wah House, zes theaters en tal van bioscopen en concertzalen. Het Scottish Exhibition and Conference Centre organiseert wisselende tentoonstellingen. En als het u allemaal te druk wordt, kunt u uitblazen in een raderstoomboot op de rivier de Clyde.

WINKELS/MARKTEN

ARGYLE ARCADE
Buchanan Street G2 8BD
Dit elegante, met glas overdekte winkelcentrum tegenover Fraser's is gespecialiseerd in sieraden. Er zijn vijfentwintig juweliers gevestigd, met moderne en antieke sieraden.
🕐 Ma.–za. 9–18, zo. 12–17 uur

BARRAS
Gallowgate en London Road, tussen Ross Street en Bain Street
Tel. 0141 552 4601
www.glasgow-barraland.com
Deze beroemde vlooienmarkt bestaat uit een hal met 150 winkels en een buitenmarkt met 1000 stalletjes. De meeste spullen zijn tweedehands en van wisselende kwaliteit. De Barras is erg druk, dus pas op voor zakkenrollers. (Zie ook blz. 104)
🕐 Za.–zo. 10–17 uur

BUCHANAN GALLERIES
220 Buchanan Street G1 2FF
Tel. 0141 333 9898
www.buchanangalleries.co.uk
Buchanan is een van de grootste overdekte winkelcentra in Glasgow en ligt aan het eind van Buchanan Street. Het centrum telt vier verdiepingen en achter de glazen gevel ziet u de roltrappen kriskras door het gebouw gaan. De ruim tachtig grote zaken verkopen merken als John Lewis, Next en Gap.

De kwaliteit ligt iets hoger dan in het St. Enoch Centre.
🕐 Ma.–wo. en vr.–za. 9–18, do. 9–20, zo. 11–17 uur 🍴 Restaurant op de tweede verdieping

ITALIAN CENTRE
Ingram Street G1 1DN
Tel. 0141 552 6368

Zoals de naam al aangeeft ligt hier de nadruk op Italiaanse mode. De winkels, waaronder Armani en Versace, liggen rond een stijlvolle piazza. Het centrum is zeer in trek bij modebewuste Glaswegians.
🕐 Ma.–wo. en vr.–za. 10–18, do. 10–20, zo. 12–17 uur 🍴

MERCHANT SQUARE
71–73 Albion Street G1 1NY
Merchant City, aan de oostkant van George Square, is het meest recente winkelcentrum van de stad, met onder andere de exclusieve winkel Gift Merchant, restaurants en bars. Neem ook een kijkje bij Kshocolat, met handgemaakte

en biologische bonbons.
🕐 Ma.–wo. en vr.–za. 9.30–18, di. 9.30–19, zo. 12–17 uur

PRINCES SQUARE
48 Buchanan Street G1 3JX
Tel. 0141 204 1685
www.princessquareglasgow.co.uk

Via een ingang in art-decostijl komt u in dit mooie winkelcentrum met dure modezaken, schoenwinkels, cadeauwinkels en de parfumerie Jo Malone. Het Scottish Craft Centre is hier ook gevestigd.
🕐 Ma.–wo. en vr. 9.30–18, do. 9.30–20, za. 9–18, zo. 12–17 uur 🍴 Cafés en restaurants op de bovenste verdieping, sommige zijn tot 24 uur geopend

ST. ENOCH SHOPPING CENTRE
55 St. Enoch Square G1 4BW
Tel. 0141 204 3900
www.stenoch.co.uk

In het grootste glazen gebouw van Europa is een winkelcentrum van twee verdiepingen gevestigd. Onder de tachtig zaken vindt u ook Debenhams en Boots. St. Enoch heeft ook het grootste restaurantplein van Schotland met onder meer filialen van ketens als McDonald's. 🅦 Ma.–wo. en vr.–za. 9–18, do. 9–20, zo. 11–17.30 uur 🅡 St. Enoch

AVALANCHE RECORDS
34 Dundas Street G1 2AQ
Tel. 0141 332 2099
Deze grote, onafhankelijke muziekwinkel ligt in de buurt van Queen Street Station. Het heeft een ruime collectie nieuwe, zeldzame en tweedehands cd's en ook een kleine collectie vinylplaten met indie, rock en punk.
🅦 Ma.–wo. en vr.–za. 9.30–18, do. 9–19, zo. 12–18 uur

BORDERS
98 Buchanan Street G1 3BA
Tel. 0141 222 7700
www.borders.com
Dit enorme filiaal van de welbekende keten verkoopt de nieuwste boeken cd's en dvd's. De winkel kijkt uit op Royal Exchange Square.
🅦 Ma.–za. 8.30–22, zo. 10–20 uur
🅒 Starbucks op de 1e verdieping

CRUISE
180-187 Ingram Street G1 1DN
Tel. 0141 572 3232
Cruise is een paradijs voor de modelliefhebber. Hier vindt u merken als Gucci, Prada en Fendi voor kleding, schoenen, tassen en accessoires. Cruise ligt ten oosten van het stadscentrum.
🅦 Ma.–wo. en vr. 10–18, do. 10–19, za. 9.30–18, zo. 12–17 uur

FRASERS (HOUSE OF FRASER)
45 Buchanan Street G1 3HR
Tel. 0141 221 3880
www.houseoffraser.co.uk
Dit grote warenhuis op de hoek van Buchanan Street en Argyle Street heeft naast het gebruikelijke assortiment de beste collectie herenkleding van Glasgow.
🅦 Ma.–wo. en vr. 9.30–18, do. 9.30–20, za. 9–18, zo. 12–17.30 uur
🅒 Cappuccinobar op de eerste verdieping, café op de bovenste verdieping

GEOFFREY (TAILOR) KILTMAKERS & WEAVERS
309 Sauchiehall Street G2 3HW
Tel. 0141 331 2388
www.geoffreykilts.co.uk
Hier werken de beste kiltmakers en specialisten in Highland-kleding van Schotland. De winkel is tot de nok gevuld met alle soorten kilts, Schots geruite stoffen en accessoires. De kleding, ook de exclusieve modelijn 21st Century Kilts, is te koop of te huur. De maatkostuums kunnen per post worden nagezonden. U vindt de zaak op de hoek van Sauchiehall Street en Pitt Street.
🅦 Ma.–wo. en vr.–za. 9–17.30, do. 9–19, zo. 11–17 uur

GLASGOW PRINT STUDIO
22 and 25 King Street G1 5QP
Tel. 0141 552 0704
www.gpsart.co.uk
De professioneel ingerichte drukkerij is gevestigd op nummer 22, de winkel op nummer 25. Het gehele jaar zijn er exposities van eigentijdse, nationale en internationale kunstenaars, met werk dat veelal te koop is. In de buurt van Tron Theatre, ten zuidoosten van het centrum.
🅦 Di.–za. 10–17.30 uur

SOLETRADER
164a Buchanan Street G1 2LW
Tel. 0141 353 3022
www.soletrader.co.uk
Hier verkoopt men ieder denkbaar type schoen, van gympen tot designschoenen. De merken zijn onder andere Hugo Boss, Paul Smith, Diesel en Adidas.
🅦 Ma.–wo. en vr.–za. 9–18, do. 9–19.30, zo. 11.30–17.30 uur

TIM WRIGHT ANTIQUES
Richmond Chambers, 147 Bath Street G2 4SQ
Tel. 0141 221 0364
www.timwright-antiques.com
Deze familiezaak heeft de grootste en mooiste collectie antiek in Glasgow. De winkel staat volgepakt met meubels,

keramiek, porselein, sieraden en snuisterijen. De winkel is gevestigd op de hoek van Bath en West Campbell.
🅦 Ma.–vr. 10–17, za. 10–15 uur

TISO GLASGOW OUTDOOR EXPERIENCE
50 Couper Street, bij Kyle Street G4 0DL
Tel. 0141 559 5450
www.tiso.com
Tiso is een van de beste zwerfsportzaken in Groot-Brittannië. Men verkoopt er alles op het gebied van de buitensport. Het bijzondere aan de winkel is de interactieve afdeling met een 15 m hoge rots, een waterval en een 7 m hoge muur van natuurijs, waar u direct uw uitrusting kunt beproeven.
🅦 Ma.–di. en vr.–za. 9–18, wo. 9.30–18, do. 9–19, zo. 11–17 uur 🅒

URBAN OUTFITTERS
157 Buchanan Street G1 2JX
Tel. 0141 248 9203
www.urbanoutfitters.com
Deze enorme winkel van drie verdiepingen is gespecialiseerd in hippe, buitenissige kleding en accessoires voor in huis. Het assortiment is zo groot dat u veel tijd nodig zult hebben om alles te bekijken. Op de muziekafdeling, Carbon Records, draait een dj de nieuwste muziek.
🅦 Ma.–wo. en vr.–za. 9.30–18.30, do. 9.30–20, zo 12–18 uur

VICTORIAN VILLAGE
93 West Regent Street G2 2BA
Tel. 0141 332 9808
Een oude huurkazerne halverwege West Regent Street is het onderkomen van een aantal antiekzaken die betaalbare kleding, namaaksieraden, zilver en snuisterijen verkopen.
🅦 Ma.–za. 10–17 uur

BIOSCOPEN
CENTRE FOR CONTEMPORARY ARTS (CCA)
350 Sauchiehall Street G2 3JD
Tel. 0141 352 4900 (bioscoopkaartjes)
www.cca-glasgow.com
Dit toonaangevende centrum voor eigentijdse kunst, films,

muziek en beeldende kunst is gevestigd op de hoek van Sauchiehall Street en Scott Street. De films variëren van klassiekers tot internationaal werk. Alleen al voor de architectuur is CDA een bezoek waard.
🎬 Het hele jaar; gratis rondleiding

za.–zo. 14 uur 🎬 Bioscoop vanaf £4; meeste exposities gratis 🍴 Cowcaddens 🚇 Tempus Café Bar met een interessante menukaart, 11–21.30 uur 🍸 Donkere en stijlvolle bar op de eerste verdieping, 11–23 uur 🏧

GLASGOW FILM THEATRE
12 Rose Street G3 6RB
Tel. 0141 332 8128
www.gft.org.uk
Het beste filmhuis in Glasgow heeft een nostalgische inrichting. In twee zalen vertoont men eigentijdse films, klassiekers, onafhankelijke en buitenlandse films. Op de hoek van Rose Street en Sauchiehall Street.
🎬 Dag. 🎫 £4,90 🚇 Café Cosmo voor maaltijden dag. tot 17 uur

ODEON CITY CENTRE
56 Renfield Street G2 1NF
Tel. 0141 332 3413 (informatie)/0870 505 0007 (reserveren)
www.odeon.co.uk
In deze grote bioscoop in het centrum van de stad draait het populaire genre. Gevestigd op de hoek van Renfield en West Regent.
🎬 Dag. 🎫 £5, ma. korting

UGC CINEMA
7 Renfrew Street G2 3AB
Tel. 08709 070789
www.ugccinemas.co.uk
Dit is de grootste bioscoop van

Schotland, met vrijwel alleen Hollywoodfilms.
🎬 Het hele jaar 🍸 Drankjes en snacks

THEATERS/CONCERTZALEN
ARCHES
253 Argyle Street G2 8DL
Tel. 0141 565 1023
www.thearches.co.uk
Arches ligt onder de gewelven van de spoorbrug in het centrum van de stad. De programmering omvat toneelvoorstellingen, muziek en culturele festivals. Het gebouw dient 's avonds als nachtclub.
🎬 Het hele jaar 🎫 Vanaf £4 🍸 Café/bar waar men gezien wil worden, erg druk in de weekends, ma.–za. 11– 24 en zo. 12–24 uur

CITIZENS THEATRE
Gorbals Street G5 9DS
Tel. 0141 429 0022
www.citz.co.uk
Het huisgezelschap van dit Victoriaanse theater ten zuiden van de rivier in de wijk Gorbals speelt Brits en Europees klassiek repertoire.
🎬 Het hele jaar 🎫 Volwassene vanaf £12, di. korting 🚌 5, 7, 12, 20, 31, 37, 66, 74, 75, 267 🍸 Twee bars

KING'S THEATRE
297 Bath Street G2 4JN
Tel. 0141 240 1111; Ticketmaster (dag en nacht, reserveringskosten) tel. 0870 400 0680

www.kings-glasgow.co.uk
Hét adres in Glasgow voor groots opgezette musicals, af en toe afgewisseld door toneel van het lichtere genre en comedy.
🎬 Het hele jaar 🎫 Vanaf £8 🚌 18, 42, 57 🍸 Café/bar

PAVILION THEATRE
121 Renfield Street G2 3AX
Tel. 0141 332 1846
www.paviliontheatre.co.uk
In dit laatste bastion van de variété in Glasgow kunt u genieten van blijspelen, musicals en familievoorstellingen.
🎬 Het hele jaar 🎫 Vanaf £10 🍸 Open tijdens voorstellingsavonden

THEATRE ROYAL
282 Hope Street G2 3QA
Tel. 0141 332 9000
www.theatreroyalglasgow.com
www.scottishopera.org.uk
www.scottishballet.co.uk

Dit theater boven aan Hope Street, op de hoek van Cowcaddens Road, wordt bespeeld door de Scottish Opera en het Scottish Ballet. Het beste op het gebied van opera, ballet, moderne dans en toneel.
🎬 Het hele jaar 🎫 £4–£60 🍽 Café Royal geopend voor diners vooraf en soupers 🚇 Cirde Café

TRAMWAY
25 Albert Drive G41 2PE
Tel. 0845 330 3501
www.tramway.org
Dit theater richt zich op avantgardetheater en -dans. Ook exposities van beldende kunst.
🎬 Het hele jaar, ma. gesloten 🎫 Vanaf £4; exposities gratis 🚌 28, M29, 38, 45, 47, 48, 57, 59 🚆 Van Central station 3 minuten met de trein naar Pollokshields East 🚇 Tramway Café op de begane grond.

TRON THEATRE
63 Trongate G1 5HB
Tel. 0141 552 4267
www.tron.co.uk
Eigentijds, Schots en interna-

tionaal repertoire met tragedies, blijspelen, concerten en dansvoorstellingen. Het theater is gemakkelijk te herkennen aan zijn kerktoren.

🎫 Vanaf 10 uur 🎟 Vanaf £5 🍴 Twee cafés voor lunch en diner

SCOTTISH MASK AND PUPPET THEATRE
8-10 Balcarres Avenue, Kelvindale G12 0QF
Tel. 0141 339 6185
www.scottishmaskandpuppetcentre.co.uk
Iedere zaterdag is er een kindervoorstelling. In het theater is een expositie van maskers en poppen.
🎫 Za. 14 uur, soms om 12 uur
🎟 Volwassene £4, kind £3,50 🍴

BARFLY
260 Clyde Street G1 4JH
Tel. 0141 204 5700/08709 070999 (ticketlijn)
www.barflyclub.com
Barfly is een podium voor veelbelovende rock-, punk- en indiebands. Het ligt op de noordoever van de Clyde.
🎫 Bijna iedere avond is er een concert. Weekdagen bar open tot 23 uur, weekends tot 3 uur 🎟 Vanaf £3

BARROWLAND
244 Gallowgate G4 0TS
Tel. 0141 552 4601/0870 903 3444 (boekingen met creditcard)
www.glasgow-barrowland.com
In dit sfeervolle rockpaleis treden de grote namen in de pop- en rockscene op. Entreekaarten verkrijgbaar bij Ticket Scotland, tel. 0141 204 5151.
🎟 Vanaf £10 🚇 Op 5 minuten lopen van St. Enoch 🍴 Bar open tijdens concerten

GLASGOW ROYAL CONCERT HALL
2 Sauchiehall Street G2 3NY
Tel. 0141 353 8000
www.grch.com
De Royal Concert Hall is de meest prestigieuze concertzaal van de stad en de thuisbasis van het Royal Scottish National Orchestra. De programmering omvat naast klassieke muziek ook optredens van pop- en rockbands. In januari en februari wordt er het internationale Celtic Connections-muziekfestival gehouden. Het gebouw staat naast Buchanan Galleries.
🎫 Het hele jaar 🎟 £5–£30 ♿
🍴 The Green Room voor een diner vooraf, tel. 0141 353 8000 🍴 Café/bar op de begane grond (ma.–za. vanaf 10 uur), plus nog eens vier bars

KING TUT'S WAH WAH HUT
272a St. Vincent Street G2 5RL
Tel. 0141 221 5279/08770 169 0100 (Ticketmaster)
www.kingtuts.co.uk

In King Tut's Wah Wah Hut werd de band Oasis ontdekt. Deze gemoedelijke zaal is een podium voor de nieuwste indie-, rock- en popbands. Tickets zijn verkrijgbaar bij Ticket Scotland, tel. 0141 204 5151.
🎫 Het hele jaar 🎟 Vanaf £5
🍴 Moderne bar of eenvoudig café met pooltable

QUEEN MARGARET UNION
22 University Gardens G12 8QN
Tel. 0141 339 9784
www.qmu.org.uk
In deze concertzaal van de

universiteit treden minder bekende pop-, rock- en indiebands op. Een enkele keer is er een optreden van een bekende groep. Entreekaarten zijn verkrijgbaar bij Ticket Scotland, tel. 0141 204 5151.
🎫 Een à twee concerten per week
🚇 Hillhead 🍴 Bar van de studenten-vakbond, met goedkope drankjes

SCOTTISH EXHIBITION & CONFERENCE CENTRE (SECC)
G3 8YW
Tel. 0870 0404000
www.secctickets.com
Dit enorme complex op de noordoever van de Clyde, tegenover het Science Centre, wordt ook wel 'The Armadillo' genoemd vanwege zijn indrukwekkende, zilverkleurige pantser. Naast vele andere sterren traden hier Elton John,

Dolly Parton en de Manic Street Preachers op.
🎟 Van £6 tot £50 🚇 Exhibition Centre
🍴 Diverse 🍴 Diverse

CLUBS/PUBS/BARS

ARCHES
253 Argyle Street G2 8DL
Tel. 0141 565 1023
www.thearches.co.uk
Een van de populairste clubs van Glasgow, gevestigd in de Arches en met een industriële inrichting. Hiphop, house, soul en beroemde dj's. Geen toegang onder de 18 jaar.
🎫 Vr.–zo. tot laat geopend
🎟 Vanaf £5

BABBITY BOWSTER
16–18 Blackfriars Street, Merchant City G1 1PE
Tel. 0141 552 5055

Deze traditionele club staat bekend om zijn eenvoudige Schotse gerechten. Op zaterdag is er live volksmuziek. De pub tapt echte ale en het is de enige pub in de stad met een vergunning voor een biertuin.

Het gebouw dateert uit 1790 en werd gebouwd door Robert Adam. Geen toegang onder de 18 jaar.
🕐 Ma.–za. 11–24, zo. 12.30–24 uur

BACCHUS
80 Glassford Street G1 1UR
Tel. 0141 572 0080
In deze stijlvolle, gezellige bar kunt u goed lunchen en op een groot tv-scherm naar voetbalwedstrijden kijken. Er wordt rustige muziek gedraaid en in het weekend is er een dj. Glassford Street ligt ten oosten van het centrum. Geen toegang onder de 18 jaar.
🕐 Dag. 11–24 uur

BLACKFRIARS
36 Bell Street, Merchant City G1 1LG
Tel. 0141 552 5924
Deze huiselijk ingerichte pub heeft een uitstekend assortiment echte ales van de tap, bier en een malt whisky van de maand. In de weekends is er live jazzmuziek. Geen toegang onder de 18 jaar.
🕐 Ma.–za. 12–24, zo. 12.30–24 uur

BUDDHA
142a St. Vincent Street G2 5LA
Tel. 0141 248 7881
Buddha is een populair café in het centrum waar de nieuwste muziek wordt gedraaid. Op zaterdag is er een dj. De inrichting is Turks, met een scheme-

rige, gezellige bar. Geen toegang onder de 18 jaar.
🕐 Ma.–za. 11–3, zo. 12.30–3 uur

HORSE SHOE BAR
17 Drury Street G2 5AE
Tel. 0141 229 5711
Deze pub in het centrum heeft naar eigen zeggen de langste bar aan één stuk in het Verenigd Koninkrijk. Men tapt er echte ale, het eten is redelijk geprijsd en er is karaoke. Geen toegang onder de 18 jaar.
🕐 Ma.–za. 11–24, zo. 12.30–24 uur

JONGLEURS
11 Renfrew Street G2 3AB
Tel. 0141 332 2815
www.jongleurs.com
Deze zaal behoort tot een landelijke keten van comedyclubs. Driemaal per week zijn er optredens. De club is gevestigd in het UGC-gebouw, het hoogste gebouw van Europa. Geen toegang onder de 18 jaar.
🕐 Do.–za. deur open om 19 uur, voorstelling begint 20.30 uur 💷 Vanaf £7

OCTOBER
Op het dak van Princes Square Shopping Mall, 48 Buchanan Street G1 3JX
Tel. 0141 221 0303
www.princessquare.co.uk
Overdag is het boven op het winkelcentrum Princes Square druk met winkelende mensen die er voor een kop koffie of lunch komen. 's Avonds verandert het in een chique cocktailbar, waar twee regels gelden: profiteer van de afgeprijsde cocktails en kleed u netjes aan. Het in mahoniehout uitgevoerde café is met een glazen lift te bereiken.
🕐 Ma.–za. 11–24, zo. 12–17 uur

SADIE FROST'S
8–10 West George Street G2 1DR
Tel. 0141 332 8005
Sadie Frost's is een kleine, intieme homobar waar veel te doen is. Er worden onder andere quizavonden georganiseerd en er is een dj in de weekends en karaoke op donderdag.
🕐 Dag. 12–24 uur

SCOTIA BAR
112 Stockwell Street G1 4LW
Tel. 0141 552 8681
Deze traditionele pub gaat terug tot 1792 en is de oudste pub van Glasgow. In knusse hoekjes kunt u ongestoord van een drankje genieten. Er worden echte ales getapt en tot 17 uur zijn er snacks verkrijgbaar. Bijna iedere avond is er live muziek. Geen toegang onder de 18 jaar.
🕐 Ma.–za. 11–24, zo. 12–24 uur

STAND COMEDY CLUB
333 Woodlands Road G3 6NG

Tel. 0870 600 6055
www.thestand.co.uk
In deze club treden vijf dagen per week Schotse en buitenlandse comedians op. De club ligt ten noordwesten van het centrum aan de andere kant van de M8. Geen toegang onder de 18 jaar.
🕐 Wo.–zo., deur open om 19.30 uur, voorstelling begint 20.30/21 uur
💷 £3–£8 🚇 Kelvin Bridge

UISGE BEATHE
232-246 Woodlands Road, West End G3 6ND
Tel. 0141 564 1596
Bij een pub met een Gaelic naam voor whisky kan het niet anders dan dat men er wel honderd soorten malt whisky's schenkt. De pub heeft een laag plafond en u zit op kerkbanken. De muren hangen vol met een wonderlijke verzameling oude spulletjes en portretten.
🕐 Ma.–za. 12–24, zo. 12.30–24 uur
🚇 St. George's Cross 🚌 411, 44
🚊 Charing Cross

MISS CRANSTON'S
33 Gordon Street G1 3PF
Tel. 0141 204 1122
www.misscranstons.com
De tearoom is in Glasgow een deftig instituut dat u niet zomaar voorbij mag lopen. Miss Cranston's bijvoorbeeld verkoopt de producten van de beroemde plaatselijke bakkerij Bradford. De tearoom is vernoemd naar Kate Cranston, die aan Charles Mackintosh opdracht gaf het interieur te ontwerpen. U vindt Miss Cranston's op de eerste etage boven een brood- en banketbakkerij. Thee met een scone met jam en room kost £1,95.
🕐 Ma.–za. 8–17.30 uur

WILLOW TEAROOMS
217 Sauchiehall Street G2 3EX
Te.l 0141 332 0521
www.willowtearooms.co.uk

Deze beroemde tearoom is ook ontworpen door Charles Rennie Mackintosh. Hij is gevestigd in een galerij boven de juwelierszaak Henderson. Heel bijzonder is de 'Room de Luxe' aan de voorkant, met een even krachtige als ingetogen inrichting. Een *afternoon tea* kost £8,95 (sandwiches, scone en taart).
🕐 Ma.–za. 9–17, zo. 11–16.30 uur

GUIDE FRIDAY
Tel. 0141 248 7644
www.guidefriday.com
Een heel goede manier om Glasgow te bekijken is per bus met open dak en gids. De rit begint op George Square, bij het toeristenbureau. Uw buskaartje is een hele dag geldig, dus u kunt zo vaak als u wilt in- en uitstappen. Het kaartje wordt op de bus verkocht.
🕐 Ma.–vr. 10–15.45, za.–zo. 10–16 uur
💷 Volwassene £8, kind £3 (tot 5 jaar gratis), gezin £19,50

JOURNEYMAN TOURS
Tel. 0800 093 9984 (gratis)
www.journeymantours.co.uk
Het oorlogsmonument in George Street is het vertrek-

punt voor een wandeling met gids naar een oude pub. Onderweg hoort u verhalen over het verleden en de bewoners van de stad. In de weekends wordt men meegenomen naar een *ceilidh*, een traditionele Schotse dansavond. Vooraf boeken is noodzakelijk.
🕐 Zo.–do. 7.30–21, vr.–za. 7–24 uur
💷 Doordeweekse rondleiding £5; pubtour en *ceilidh* £15 🚇 De pub Glasgow Cross en Scotia Bar

MERCAT TOURS
Tel. 0141 586 5378/07761 092948 (mobiel)
www.mercat-glasgow.co.uk
In de 19e eeuw werd Glasgow onveilig gemaakt door een moordenaar. De Horror Tour vertelt dit verhaal en geeft antwoord op de enge vraag: 'Wie is er tweemaal op Ramshorn Kirkyard begraven?' De avondwandeling duurt 90 minuten en is niet geschikt voor jonge kinderen. Vertrek vanaf het toeristenbureau op George Square.
🕐 Wisselende tijden 💷 Horror Tour: £7 inclusief versnapering; Historic Glasgow Tour: £6

WALKABOUT TOURS LTD
Tourist Information Centre, 11 George Square G2 1DY
Tel. 0141 204 4400
www.walkabout-tours.com
Dit is een 2,5 km lange stadswandeling met audiogids, die u op eigen gelegenheid en in uw eigen tijd kunt maken.
🕐 Verkrijgbaar mei–sept. ma.–za. 9–18, zo. 10–18 uur 💷 Volwassene £5, gezin £15

WAVERLEY EXCURSIONS LTD
33 Landsfield Quay G3 8HA
Tel. 0845 130 4647

www.waverleyexcursions.co.uk
De *Waverley* is de enige zeewaardige raderstoomboot ter wereld. Hij werd in 1947 in Glasgow gebouwd. U vaart over de rivier de Clyde naar de lochs en eilanden aan de westkust.
🕐 Juni–aug. 💷 Vanaf £15 🍴 Snacks, lunch en maaltijden verkrijgbaar aan boord 🚇 Anderston, Central

CLYDE TO LOCH LOMOND CYCLEWAY
Tel. 0141 287 9171 (Glasgow City Council), 0131 624 7660 (informatienummer National Cycle Network)
www.nationalcyclenetwork.org.uk
Er beginnen in het centrum verschillende fietsroutes. De Clyde to Loch Lomond Cycleway is 34 km lang en ook geschikt voor wandelaars. U komt langs Clydebank, Dumbarton, de Vale of Leven en Balloch. U fietst door bossen, over smalle wegen en langs oude spoorlijnen en jaagpaden. Vraag naar de brochure 'Cycling in Scotland'.

WAT TE DOEN

DE HIGHLANDS EN EILANDEN

Noord-Schotland is dunbevolkt en heeft daardoor minder faciliteiten te bieden dan de overige streken. Toch bent u van harte welkom. Voor de grotere winkels en het vertier moet u in Aberdeen of Inverness zijn. In Oban kunt u duiken, maar ook gezellig winkelen of een kijkje nemen in de distilleerderij, die midden in de stad staat. Het uitgaansleven in Noord-Schotland wordt grotendeels bepaald door de pubs met live muziek en dans. Het stadje Mull is hierop een uitzondering, met zijn eigen kleine theatertje. De kunstnijverheid bloeit echter wel in deze streek en vooral op de eilanden verstaat men de kunst van het weven, pottenbakken en edelsmeden. Fort William is de belangrijkste uitvalsbasis voor wandelaars en bergbeklimmers en Aviemore is het wintersportcentrum. Activiteiten voor het hele gezin vindt u op landgoederen als Rothiemurchus. Het noorden is het leefgebied van veel diersoorten, zoals dolfijnen, zeehonden, otters en herten. Bij Loch Garten broedt de zeldzame visarend. Bent u meer iemand voor het monster van Loch Ness, ga dan naar Drumnadrochit. Ontdek de natuur met de Cairngorm Mountain Railway, de Strathspey Steam Railway en de West Highland-lijn. In beroemde distilleerderijen als Glenfiddich ziet u hoe whisky wordt gestookt, maar een wijnmakerij en bierbrouwerij behoren ook tot de attracties.

ABERDEEN

BON ACCORD
George Street AB25 1HZ
Tel. 01224 647470
Het hele blok tussen Harriet Street en School Hill is een groot, modern winkelcentrum van twee verdiepingen met 52 winkels, waaronder ook een filiaal van het warenhuis John Lewis.
🕐 Ma.–wo. 9–17.30, do. 9–20, vr.–za. 9–18, zo. 11–17 uur 🍴 Keuze uit zeven restaurants

ESSLEMONT & MACINTOSH
26-38 Union Street AB10 1GD
Tel. 01224 651328
Dit warenhuis uit 1873 aan de 'Granite Mile' is een instituut in Aberdeen. Een groot winkelplein met een overdekte loopbrug heeft een ruime keus aan kleding, parfum, serviesgoed, cadeaus en huishoudelijke artikelen.
🕐 Ma., wo., vr.–za. 9–17.30, di. 9.30–17.30, do. 9–19.30, zo. 12–16 uur 🍴 Cafés op de eerste en bovenste verdieping

THE BELMONT
49 Belmont Street AB10 1JS
Tel. 01224 343536 (bookings); 01224 343534 (informatie op band)

www.picturehouse-cinemas.co.uk
Dit populaire filmhuis in het centrum van de stad draait klassieke en buitenlandse films van onafhankelijke producenten. Belmont Street is een zijstraat van Union Street.
🕐 Dag. 💷 £5,70 🍴 Café/bar met exposities, live bands en iedere di. een quizavond

LIGHTHOUSE
10 Ship Row AB11 5BW
Tel. 0870 2404442
www.sbcmovies.com
Deze bioscoop met zeven zalen vertoont hoofdzakelijk publieksfilms. De bioscoop kent een afdeling eerste klas met grote, leren stoelen.
🕐 Dag. 💷 Vanaf £5,90 🍴 Klein Haagen-Dazs-café voor koffie en ijs 🍴

UGC
Queens Link Leisure Park, Links Road AB24 5EN
Tel. 0870 1550502
www.ugccinemas.co.uk
UGC is een megabioscoop met negen zalen waar kassuccessen en publieksfilms worden vertoond. De bioscoop is gehuisvest in het grote complex aan de boulevard en u vindt hem achter het

themarestaurant TGIs.
🕐 Dag. 💷 £5,90, vóór 12 uur geldt een korting 🍴 Drankjes en snacks

LEMON TREE
5 West North Street AB24 5AT
Tel. 01224 642230
www.lemontree.org
Hier komt u voor klassieke muziek, traditionele Ierse muziek, funk-, blues- of rockconcerten, modern theater, dans en comedy.
💷 Vanaf £5 🍴 Gezellig café/bar met maaltijden do.–zo. 12–3 uur; vr. en zo. live jazz

HIS MAJESTY'S THEATRE
ABERDEEN
Rosemount Viaduct AB25 1GL
Tel. 01224 63778/641122 (kassa)
www.hmtheatre.com
In de grote schouwburg van Aberdeen worden musicals, grote shows, opera, dans- en familievoorstellingen gegeven.
🕐 Het hele jaar 💷 Vanaf £10 🍴 Twee bars voor een drankje vooraf en in de pauze

MUSIC HALL
Union Street AB10 1QS
Tel. 01224 641122 (kassa)
www.musichallaberdeen.com

Naast klassieke concerten van onder andere het Royal Scottish National Orchestra is hier ook lichte muziek en jazz te beluisteren. Met kerst is er de traditionele *pantomime*.
🕐 Het hele jaar 💷 Vanaf £6 🍴

OLD BLACKFRIAR'S
52 Castle Street AB11 5BB
Tel. 01224 581922

Deze knusse, vriendelijke pub stamt uit de tijd van de Schotse koningin Mary Stuart. Men schenkt er een goed glas bier. De slogan van de pub luidt: 'Voor de prijs van slechts een glas bier krijgt u geschiedenisles hier'.
Ma.–za. 11–24 en zo. 12.30–23.30 uur

PO NA NA
5 Union Street AB11 5BU
Tel. 01224 582702
www.ponana.co.uk
Deze populaire, trendy club heeft een Marrokkaans interieur. De muziek wordt verzorgd door dj's en men draait er voornamelijk funk, soul en disco. Geen toegang onder 18 jaar.
Zo.–do. 22.30–2, vr.–za. 22.30–3 uur £5 op clubavonden

ACHNASHEEN
THE STUDIO
Achnasheen, bij Strathconon Forest IV22 2EE
Tel. 01445 720227
www.studiojewellery.com
Deze moderne, galerieachtige winkel heeft de grootste collectie gouden en zilveren sieraden van de Highlands. Ook verkoopt men Harris Tweed, Schotse muziek en glaswerk.
Studio Café met prachtig uitzicht

ARDFERN
ARDFERN RIDING CENTRE
Bij Lochgilphead PA31 8QR
Tel. 01852 500632/500270 ('s avonds)
www.aboutscotland.com/argyll/appaloosa
In deze manege wordt alleen op schimmels gereden. Hij ligt mooi aan de jachthaven, met aan de horizon de Binnen-Hebriden. U kunt er dagtochten boeken, les nemen en paarden huren. Reserveren.
Het hele jaar 1 uur rijden £15, 2 uur rijden £27; les £20 per uur

AVIEMORE
ELLIS BRIGHAM
9–10 Grampian Road PH22 1RH
Tel. 01479 810175
www.ellis-brigham.com

Deze grote sportwinkel verkoopt ski- en snowboardkleding en -uitrusting en alles op het gebied van bergbeklimmen en andere buitensporten.
Dag. 9–18 uur

AVIEMORE KART RACEWAY
Grampian Road PH22 1PF
Tel. 01479 810722
www.aviemorekartraceway.co.uk
Deze kartbaan in de bergen is geschikt voor jong en oud. Voor een helm wordt gezorgd. Voor kinderen van 3 tot 7 jaar is er de Aviemore Junior Grand Prix. Er zijn ook karts voor een volwassene en 1 kind.
Dag. 10–laat £4

CAIRNGORM MOUNTAIN RAILWAY
CairnGorm Mountain Ltd PH22 1RB
Tel. 01479 861261
www.cairngormmountain.com
De Mountain Railway-kabelspoorbaan is 2 km lang en de hoogste van het land. De rit naar boven is geschikt voor iedere leeftijd en conditie. Op de top van de Cairn Gorm hebt u een spectaculair uitzicht over het dal. Tijdens het hoogseizoen is vooraf boeken gewenst.
Mei–okt. dag. 10–17.30 uur; de trein vertrekt ieder kwartier; laatste trein om 16.30 uur Volwassene £8, kind £5 (tot 5 jaar gratis), gezin £22 Het Ptarmigan Restaurant, met een panoramaterras, is het hoogste restaurant van het Verenigd Koninkrijk. Open voor lunch, alleen 's zomers vr.–zo. diner Cadeauwinkel op de top

CAIRNGORM REINDEER CENTRE
Glenmore PH22 1QU
Tel. 01479 861228
www.reindeer-company.demon.co.uk
Dit rendierpark ligt bijna 10 km ten zuidoosten van Aviemore. Hier graast de enige rendierkudde van het land. De tocht brengt u dicht bij de kudde, u kunt de dieren zelfs aanraken. Stevige schoenen en warme kleding worden aanbevolen en er zijn desgewenst kaplaarzen te huur.

Het hele jaar dag. 10–17 uur; bezoek aan de kudde 11uur; mei–sept. 14.30 uur Volwassene £6, kind £3 (tot 5 jaar gratis), gezin £18

LOCH MORLICH WATERSPORTS
Glenmore Forest Park, by Aviemore PH22 1QU
Tel. 01479 861221
www.lochmorlich.com
Dit watersportcentrum bij Loch Morlich in Glenmore Forest Park biedt activiteiten als kanovaren, kajakken, surfen, mountainbiken, zeilen en wandelen.

Vooraf boeken is noodzakelijk.
Apr.–sept. Kajak £7 per uur; roeiboot £14 per uur; surfplank £15 per uur Café aan het loch

ROTHIEMURCHUS ESTATE
Bij Aviemore PH22 1QH
Tel. 01479 812345
www.rothiemurchus.net
Rothiemurchus Estate, ten zuiden van Aviemore, omvat bossen, rivieren, lochs en bergen. Het is het leefgebied van zeldzame inheemse dieren als het auerhoen en de rode eekhoorn. Het buitensportcentrum biedt wandelingen met gids, heuvelwandelingen, sportvis-

sen, kleiduivenschieten, fietsen en autocrossen. De heuvelwandeling en het gebruik van de fietspaden zijn gratis. Vooraf boeken is noodzakelijk.

Dag. 9–17.30 uur

STRATHSPEY STEAM RAILWAY
Aviemore Station, Dalfaber Road PH22 1PY
Tel. 01479 810725
www.strathspeyrailway.co.uk

Deze stoomspoorlijn werd in 1978 door enthousiaste hobbyisten heropend en wordt nog steeds door vrijwiligers in stand gehouden. Een rit in de 1e, 2e of 3e klasse gaat van Aviemore via Boat of Garten naar station Broomhill. In december rijdt de *Santa Train*.

Apr.–begin jan. Volwassene vanaf £8,40, kind £4,20 (tot 5 jaar gratis), gezin £21 Buffetkar

BARCALDINE
ARGYLL POTTERY
Barcaldine, by Oban PA37 1SQ
Tel. 01631 720503
www.scottishpotters.org

De pottenbakkerij annex winkel staat aan de zuidoever van Loch Creran, 13 km ten noorden van Oban. De eenvoud

van de ontwerpen benadrukt de kwaliteit van het aardewerk.

Het hele jaar ma.–vr. 10–18, za. 14–17 uur

SCOTTISH SEA LIFE SANCTUARY
Barcaldine, by Oban PA37 1SE
Tel. 01631 720386
www.sealsanctuary.co.uk

Dit is het grootste opvangcentrum voor zeedieren in Schotland. De zeehonden, vissen en otters zijn hier in goede handen. Het publiek wordt bij het voederen toegelaten. Er is een onderwaterkijkraam en voor de kinderen is er een speelterrein.

's Zomers dag. vanaf 10 uur; 's winters vaak alleen op za.–zo.

Volwassene £7,50, kind £5,50, gezin £24,50

BEAULY
MADE IN SCOTLAND
Station Road IV4 7EH
Tel. 01463 782821
www.madeinscotlanddirect.com

In deze grote delicatesse- en cadeauwinkel verkoopt men alleen kwalitietsproducten van Schotse makelij – kunstnijverheid, meubels, levensmiddelen, gebreide kleding, sieraden en keramiek.

Ma.–za. 9.30–17.30, zo. 10–17 uur

BLACK ISLE
BLACK ISLE BREWERY
Old Allangrange, Munlochy IV8 8NZ
Tel. 01463 811871
www.blackislebrewery.com

In een 18e-eeuws huis, 10 minuten van de A9 ten noorden van de Kessock Bridge, is een kleine onafhankelijke brouwerij gevestigd. Men brouwt er

licht, donker en biologisch bier. Ieder half uur is er een gratis rondleiding.

Ma.–za. 10–18 uur; apr.–okt. ook zo. 10–18 uur De brouwerij is eigenaar van de pub Kilcoy Arms Hotel.

CARRBRIDGE
THE ARTIST STUDIO
Main Street PH23 3AS
Tel. 01479 8413328
www.carrbridgestudios.com

Deze galerie verkoopt schilderijen en prenten met de natuur van de Cairngorms als onderwerp. Het decoratieve aardewerk en de keramische sieraden komen uit de nabijgelegen Carrbridge Studios (11 km ten noorden van Aviemore). Bezoek en eventueel zelf iets maken gaan op afspraak.

Apr.–okt. ma.–vr. 9–17, za. 10–14, zo. 12–16 uur; rest van het jaar ma.–vr. 10–16.30, za. 10–14 uur

CORPACH
SNOWGOOSE MOUNTAIN CENTRE
The Old Smiddy, Station Road, Corpach, by Fort William PH33 7JH
Tel. 01397 772467
www.highland-mountain-guides.co.uk

Dit buitensportcentrum aan de A830 naar Glenfinnan organiseert in de zomer abseilen, wandeltochten, kajakken en rotsklimmen. Van oktober tot april kunt u er alle wintersporten beoefenen. Kinderen vanaf 8 jaar. Reserveren is noodzakelijk.

Het hele jaar, dag. Prijs hangt af van activiteit

CRAIGELLACHIE
THE MACALLAN DISTILLERY
Easter Elchies, Craigellachie, Aberlour AB38 9RX
Tel. 01340 872280
www.themacallan.com

Brengt u eens een bezoek aan de distilleerderij en proef de meest geliefde single malt van Schotland (21 km van Elgin). Het bezoekerscentrum kijkt uit over de rivier de Spey.

Pasen–okt. ma.–za. 9.30–17, nov.–Pasen ma.–vr. 11–15 uur, Gratis

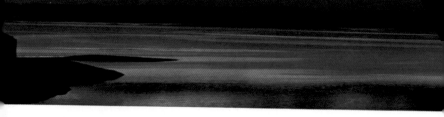

DRUMNADROCHIT

LOCH NESS CRUISES
The Original Loch Ness Visitor Centre
IV3 6UR
Tel. 01456 450395
www.lochness-cruises.com
Tijdens een tocht op het loch wordt jacht gemaakt op het monster van Loch Ness. De schippers hebben deze wateren jarenlang bestudeerd en aan boord bevindt zich sonar- en radarapparatuur om 'Nessie' te kunnen localiseren. U vaart ook langs het fotogenieke Urquhart Castle.
🕐 Het hele jaar, in de zomer ieder uur
💰 Volwassene £9, kind £5, gezin £26

DUFFTOWN

GLENFIDDICH DISTILLERY
Dufftown, Keith AB55 4DH
Tel. 01340 820373
www.glenfiddich.com
Glenfiddich is de enige Highland-malt die in de distilleerderij zelf wordt gestookt, gerijpt en gebotteld. De stokerij, ten noorden van Dufftown, werd in 1887 in gebruik genomen.
🕐 Het hele jaar ma.–vr. 9.30–16.30, Pasen–okt. ook za. 9.30–16.30 en zo. 12–16.30 uur 💰 Gratis

EASDALE

SEA.FARI
Easdale Harbour, Seil Island, bij Oban
PA34 4RF
Tel. 01852 300003
www.seafari.co.uk

Easdale is het vertrekpunt voor een opwindende tocht langs de kust in een rubberboot. U ziet herten, wilde geiten, zeehonden, zeevogels, bruinvissen, dolfijnen en soms een dwergvinvis. Voor passende kleding wordt gezorgd. De minimumleeftijd is 4 jaar. Vooraf boeken is noodzakelijk. Easdale ligt op het eiland Seil.
🕐 Het hele jaar, voornamelijk tussen Pasen–okt. en afhankelijk van de weersomstandigheden.
🚤 2 uur durende Corryvreckan Special: volwassene £22, kind £16,50

ELGIN

JOHNSTON'S OF ELGIN CASHMERE VISITOR CENTRE
Newmill IV30 4AF
Tel. 01343 554099
www.johnstonscashmere.com
Dit is de enige nog werkende spinnerij en weverij van kasjmier in Schotland. Een tentoonstelling laat u de geschiedenis van het vak zien. De grote, bijbehorende winkel verkoopt kwaliteitskleding van kasjmier of lamswol in alle mogelijke kleuren.
🕐 Juli–sept. ma.–vr. 9–18, za. 9–17.30, okt.–juni ma.–za. 9–17.30, juni–dec. ook zo. 11–17 uur 🛒

FOCHABERS

BAXTERS HIGHLAND VILLAGE
IV32 7LD
Tel. 01343 820666
www.baxters.com
Aan de A96 staan de witgekalkte fabrieksgebouwen van het familiebedrijf Baxter, bekend van de blikjes soep. De rondleiding laat zien hoe de producten worden bereid. Er zijn kookdemonstraties en u kunt de nieuwste producten proeven. De winkels bij de fabriek verkopen levensmiddelen, keukengerei en souvenirs.
🕐 Jan.–mrt. dag. 10–17, apr.–dec. 9–17.30 uur 🍴

MORAY FIRTH WILDLIFE CENTRE
Tugnet, Spey Bay IV32 7PJ
Tel. 01343 820339
www.mfwc.co.uk
In Spey Bay en het nabijgelegen natuurreservaat leven veel verschillende vogels, zoogdieren en planten – onder andere otters, auerhanen, zeehonden en tuimelaars. Er is een dolfij-

nententoonstelling. Van mei tot september zijn er boottochten naar open zee. Om bij het centrum te komen neemt u de B9014 en slaat u na 8 km bij hotel Spey Bay linksaf. Voor de boottocht is vooraf boeken gewenst.
🕐 Apr.–okt. dag. 10.30–17, half feb.–mrt. en okt.–half dec. za.–zo. 10.30–17 uur 💰 Tentoonstelling gratis; tocht van 2,5 uur £25; tocht van 4 uur £30; dagtocht met lunch aan boord £55
🍴 ♿

FORRES

BRODIE COUNTRYFARE
Brodie IV36 2TD
Tel. 01309 641555
www.brodiecountryfare.com
Tussen Forres en Nairn staat een groepje lage, witgekalkte winkels met mooie Schotse souvenirs en cadeaus, sportkleding, keuken- en serviesgoed, speelgoed, spelletjes en Schotse specialiteiten.
🕐 Ma.–wo. en vr.–za. 9.30–17.30, 's winters tot 17 uur, do. 9.30–19, zo. 10–17.30, 's winters tot 17 uur
🍴 Eenvoudig restaurant voor koffie, snacks en maaltijden

LOGIE STEADING VISITOR CENTRE
IV36 2QN
Tel. 01309 611378
www.logie.co.uk
De winkels in deze voormalige boerenhoeve verkopen tweedehands boeken, antieke meubels, kristal, planten en eigentijdse Schotse kunst. Findhorn Valley ligt bijna 10 km ten zuiden van Forres. Het bezoekerscentrum geeft informatie over de rivier de Findhorn.
🕐 Half mrt.–dec. dag. 10.30–17 uur 🛒

FORT WILLIAM

HEBRIDEAN JEWELLERY
95 High Street PH33 6DG
Tel. 01397 702033
www.hebridean-jewellery.co.uk
De aparte sieraden zijn voorzien van Keltische motieven en worden op de Hebriden met de hand vervaardigd. De winkel verkoopt ook cd's met Schotse muziek. Filialen in Uist

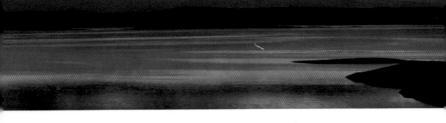

en Stornoway op Isle of Lewis.
⊙ Ma.–za. 9–17.30 uur

NEVISPORT
High Street PH33 6EJ
Tel. 01397 704921
www.nevisport.com
In een opvallend driehoekig
glazen atrium tegenover hotel
Alexandra vindt u de beste
sportzaak van de regio. U kunt
er ondere andere terecht voor
waterafstotende kleding, laarzen, tenten, boeken en kaarten. Het personeel is kundig
en op de hoogte van alle buitenactiviteiten in de streek.
De sportafdeling is in het sou-
terain; het café, een kunstnijverheidszaak en de boeken-
afdeling zijn op de begane
grond.
⊙ Ma.–za. 9–17.30 ('s zomers 19), zo.
9.30–17 uur ▣ ▣ Open vanaf 11 uur

SCOTTISH CRAFTS & WHISKY CENTRE
135–139 High Street PH33 6EA
Tel. 01397 704406
Voor gebreide kleding van top-
kwaliteit, tapijten, aardewerk,
glaswerk, boeken en goede
whisky is dit de beste winkel
van Fort William.
⊙ 's Zomers dag. 9–20, 's winters
ma.–vr. 9.30–16 uur

STUDIO CINEMA
Cameron Centre, Cameron Square
PH33 6TJ
Tel. 01397 705095
www.westcoastcinemas.co.uk
De enige bioscoop in dit
Highland-stadje heeft twee
zalen en draait voornamelijk
publieksfilms.
⊙ Het hele jaar

BEN NEVIS
103 High Street PH33 6DG
Tel. 01397 702295
In deze grote, gezellige pub
aan de hoofdstraat van Fort
William zit u in gemakkelijke
leren stoelen bij een echt vuur
en met een echte ale in de
hand. Pooltafel aanwezig. De
bar serveert tot 17 uur snacks,
het restaurant is boven.
⊙ Ma.–wo. 11–23.45, do.–za. 11–0.45,
zo. 12.30–23.30 uur

NEVIS RANGE
Torlundy PH33 6SW
Tel. 01397 705825
www.nevis-range.co.uk
Dit ski- en snowboardoord
heeft de hoogste skihelling van
Schotland en pistes voor ieder
niveau. Er is een snowboardpretpark, u kunt buiten de
piste skiën, ski- en snowboard-
lessen nemen. Per gondel gaat
u naar de top van Aonach Mor.

⊙ Dag., begin dec. gesloten
🚡 Gondel: volwassene £7,50, kind
£4,60; huur ski's: £14,50 per dag; huur
snowboard £17,50 per dag; dagpas vanaf £11 ▣ ▥ Restaurant en café van
Snowgoose bij het laatste gondelstation

INVERNESS

CASTLE GALLERY
43 Castle Street IV2 3DU
Tel. 01463 729512
www.castlegallery.co.uk
Deze bijzondere galerie verkoopt werk van eigentijdse
Schotse en Engelse kunstenaars, edelsmeden, glasblazers
houtbewerkers en keramisten.
Het gebouw, met muren van
vlechtwerk en pleisterkalk,
stamt uit de 18e eeuw.
⊙ Ma.–za. 9–17 uur

STUDIO GALLERY
Abertarff House, Church Street IV1 1EU.
Tel. 01463 250999
www.studiojewellery.com

Deze galerie is gespecialiseerd
in schilderijen, keramiek, houtsnijwerk en sieraden van
eigentijdse Schotse kunstenaars. Er is ook een afdeling
met cadeaus, ansichtkaarten
en boeken. De galerie is gevestigd in een mooi, oud pandje
uit 1593.
⊙ Ma.–za. 10–17 uur

TARTAN COMPANY
111 Academy Street IV1 1LX
Tel. 01463 709900
www.thetartanco.com
Dit winkeltje boven de baby-
winkel van Lilliput in een zijstraat van High Street verkoopt
moderne spreien en sjaals met
Schotse ruit, zijden kleding en
bijzondere sieraden.
⊙ Ma.–vr. 9–17 uur, za. 10–17.30 uur

EDEN COURT
Eden Court, Bishop's Road IV3 5SA
Tel. 01463 234234
www.eden-court.co.uk
Eden Court heeft een theater,
een bioscoop en een galerie
onder één dak. De bioscoop
draait populaire, klassieke
en internationale films. Het
theater programmeert con-
certen, toneel, opera, dans
en comedy.
⊙ Het hele jaar 🖼 Galerie gratis;
bioscoopkaartjes vanaf £4,80
▣ Café/bar is open ma.–za. 10 uur–
laat. Speciaal kindermenu.

WARNER VILLAGE CINEMA
Inverness Retail and Business Park,
Eastfield Way IV2 7GD

WAT TE DOEN

Tel. 08702 406020
www.warnervillage.co.uk
Deze megabioscoop met zeven zalen vertoont alleen publieksfilms. Ten oosten van Inverness aan de A96. Snacks en drankjes verkrijgbaar
🕒 Dag. 💷 £5,50 🍴 Burger King en Pizza Hut

CLACHNAHARRY INN
17–19 High Street, Clachnaharry IV3 8RB
Tel. 01463 239806
In de tuin van deze 17e-eeuwse herberg hebt u een prachtig uitzicht op Moray Firth. Men schenkt er goede whisky en bier van het vat. De hele dag kunt u eenvoudige maaltijden bestellen. 's Avonds alleen voor boven de 18 jaar. De pub ligt 3 km buiten de stad, richting Beauly.
🕒 Ma.–wo. 11–23, do.–vr. 11–1, za. 11–23.45, zo 12.30–23 uur

HOOTANANNY
67 Church Street IV1 1ES
Tel. 01463 233651
Voor lekker eten en goede traditionele muziek bent u hier in de juiste pub. Meestal is er na het diner live muziek. De pub heeft houten vloeren, roodgeverfde muren en het houtsnijwerk van de deurlijsten is geïnspireerd op de reizen van de eigenaar. Na 20 uur alleen voor boven de 18 jaar.
🕒 Ma.–vr. 10–1, za. 10–24.30, zo. 19–24 uur. Keuken: ma.–za. 12–15 en 18–20 uur 🎫 Tentoonstelling 'Gaelic Word' en proeverij £4 🈺

JOHNNY FOXES
26 Bank Street IV1 1QU
Tel. 01463 236577
www.johnnyfoxes.co.uk
In deze pub aan de rivier is muziek de hoofdattractie. Er is iedere woensdag karaoke en om de avond live muziek. In de weekends is het zeer druk. De gerechten die de pub op het menu heeft staan variëren van biefstuk tot vegetarische hamburgers. Na 20 uur alleen voor boven de 18 jaar.
🕒 Ma.–do. 11–1, vr.–za. 11–1.30, zo. 12.30–24 uur

ARDBEG DISTILLERY
Port Ellen PA42 7EA
Tel. 01496 302244
www.ardbeg.com
In het bezoekerscentrum komt u alles te weten over de Islay-malt en u kunt hem zelfs proe-

ven. De stokerij werd in 1815 opgericht en in 1997 geheel gerestaureerd. Het is nu een van de zeven distilleerderijen op Islay (er waren er 21).
🕒 Juni–aug. dag. 10–17, rest van het jaar ma.–vr. 10–16 uur; rondleiding 11.30 en 14.30 uur 🎫 Rondleiding: volwassene £2, kind gratis 🍴 🈺

MOSAIC CRAFTS AND GIFTS
21 North Beach, Stornoway HS1 2XQ
Tel. 01851 700155
In dit kunstnijverheidswinkeltje met Schots en etnisch werk wordt u door Gaelicsprekend personeel geholpen.
🕒 Ma.–vr. 9.30–17.30, za. 10–17 uur

OISEVAL GALLERY
Brue HS2 0QW
Tel. 01851 840240
www.oiseval.co.uk
De fotograaf James Smith heeft in zijn eigen huis een galerie met eigen foto's van het prachtige landschap van de Hebriden. Alle tentoongestelde foto's zijn te koop.
🕒 Ma.–za. 10.30–17.30 uur

HIGHLAND AIRWAYS
Stornoway Airport HS2 0BN
Tel. 0845 450 2245
www.highlandairways.co.uk
Bekijkt u eens de Hebriden in vogelvlucht. De vliegtuigjes vertrekken vanaf het vliegveld

Stornoway op Lewis. U vliegt boven Harris, Uist en Taransay. Het vertrek is afhankelijk van de weersomstandigheden. Vooraf boeken is noodzakelijk.
🕒 Vanaf £46

LOCH GARTEN OSPREY CENTRE
Tulloch, Nethy Bridge PH25 3EF
Tel. 01479 821409
www.rspb.org.uk
Loch Garten behoort tot het reservaat Abernethy Forest. Dit natuurgebied is bekend om de zeldzame visarend. Deze roofvogel leeft van vis en broedt in de omgeving. Een camera staat onafgebroken op een nest gericht en de beelden worden in het bezoekerscentrum vertoond.
🕒 Apr.–aug. dag. 10–18 uur
🎫 Reservaat gratis; Osprey Centre: volwassene £2,50, kind 50p, gezin £5 🈺

LOCH INSH WATERSPORTS
Bij Loch Insh, Kincraig PH21 1NU
Tel. 01540 651272
www.lochinsh.com

In dit drukke watersportcentrum kunt u een dag of halve dag kanoën, surfen of zeilen. Het centrum heeft ook faciliteiten voor boogschieten, u kunt er vissen, mountainbiken en skiën op een helling van kunstsneeuw. Voor de kinderen is er een avontuurlijke speeltuin met een klimwand. Loch Insh ligt 11 km ten zuiden van Aviemore.
🕒 Het hele jaar dag. 8.30–17.30 uur; half apr.–half okt. watersporten 🎫 2 uur skiën: volwassene £19,50, kind

£16,50; 2 uur zeilen: volwassene £25,50, kind £20,50 🏠 Feb.–okt. bar en restaurant in het boothuis geopend 10–22 uur, rest van het jaar 10–18 uur 🏛

MONIACK CASTLE

MONIACK CASTLE WINERIES
Moniack Castle, Inverness IV5 7PQ
Tel. 01463 831283
www.moniackcastle.co.uk
Dit 16e-eeuwse kasteel ligt 11 km te westen van Inverness. Men maakt er wijn, sterkedrank en jams van ingredienten uit de streek. De berk, de vlierbes, de aardbei en de sleepruim laten zich goed verwerken tot wijn. De producten zijn in de kasteelwinkel te koop.
⊙ Mrt.–okt. ma.–za. 9.30–17, rest van het jaar 10–16 uur; rondleiding ieder kwartier 💷 Volwassene £2, kind gratis 🏛

MULL (ISLE OF)

TOBERMORY CHOCOLATE COMPANY
56–57 Main Street, Tobermory PA75 6NT
Tel. 01688 302526
www.tobchoc.co.uk
De snoepwinkel ligt boven de chocolaterie waar handgemaakte bonbons worden vervaardigd. Kinderen mogen hier hun eigen bonbons maken om lekker thuis op te eten.
⊙ Ma.–za. 9.30–17 uur, 's zomers ook zo. 11–16 uur 🅿

ISLAND ENCOUNTER
Arla Beag, Aros PA72 6JS
Tel. 01680 300441
www.mullwildlife.co.uk
Steenarenden, slechtvalken en uilen, maar ook otters, zeehonden en bruinvissen leven op en rond dit eiland. De kans is groot dat u ze tijdens de wandeling zult zien. Lunch, snack en verrekijker zijn inbegrepen. Niet voor jonge kinderen.
⊙ Het hele jaar, afhankelijk van de vraag 💷 £28,50

MULL THEATRE
Royal Buildings, Tobermory PA75 6NU
Tel. 01688 302828
www.mulltheatre.com

De reputatie van dit piepkleine theatertje uit 1966 is vele malen groter dan zijn afmetingen. Het hoofdgebouw met 43 stoelen ligt even buiten het dorp Dervaig en het tweede zaaltje is in de Masonic Hall in Tobermory. Het plaatselijke gezelschap speelt er 's zomers eigen werk en bekend repertoire. Ze gaan ook op toernee in de Highlands. Vooraf boeken is noodzakelijk.
⊙ Mei–sept. en sommige dagen in de winter 💷 Volwassene £12, kind £9

NORTH UIST

UIST OUTDOOR CENTRE
Cearn Dusgaidh, Lochmaddy HS6 5AE
Tel. 01876 500480
www.uistoutdoorcentre.co.uk
De buitenactiviteiten bestaan uit duiken, kanoën, zeekajakken, rotsklimmen en abseilen. Lochmaddy staat bekend om zijn rijkgeschakeerde vogelpopulatie. Vooraf boeken is noodzakelijk. Overnachten in het centrum behoort ook tot de mogelijkheden.
⊙ Het hele jaar 💷 Dagprijs: volwassene £48, kind £36; prijs halve dag: volwassene £24, kind £18

OBAN

HIGHLAND THEATRE
George Street PA34 5NX
Tel. 01631 562444
Het Highland Theatre is geen theater maar een bioscoop met twee zalen. Er draaien voornamelijk publieksfilms.

⊙ Het hele jaar 💷 £5

O'DONNELL'S IRISH BAR
Breadalbane Street PA34 5NZ
Tel. 01631 566159

Deze Ierse pub in het centrum van de stad is geliefd bij jong en oud. 's Zomers is er bijna iedere avond live muziek. De pub serveert maaltijden van de bar. Het restaurant is gevestigd in een eetzaal uit 1882. Pub alleen voor boven de 18 jaar.
⊙ Zo.–wo. 17–2, do.–za. 14––2 uur

OBAN INN
1 Stafford Street PA34 5NJ
Tel. 01631 562484
In een groot, wit gebouw aan de boulevard is al sinds 1790 een gerenommeerde pub gevestigd. U kunt kiezen uit 50 soorten malt whisky's en een wisselend aanbod van echte ales. Moules marinière is de specialiteit van het huis. Tot 20 uur zijn kinderen welkom in de bar boven.
⊙ Ma.–za. 11–24.45, zo. 12.30–0.45 uur

PUFFIN DIVE CENTRE
Port Gallanach PA34 4QH
Tel. 01631 566088
Boekingen: George Street PA34 5NY
Tel. 01631 571190
www.puffin.org.uk
De zee aan de westkust van Schotland biedt een rijk onderwaterleven. Met een ervaren instructeur duikt u naar die onbekende wereld. Het duikcentrum ligt 2,5 km ten zuiden van Oban bij Port Gallanach. Prijs is inclusief duikuitrusting. Niet geschikt voor kinderen onder 8 jaar.
⊙ Dag. 8 uur–laat 💷 1,5 uur Try-a-Dive: £42,50 🏛

OBAN DISTILLERY
Stafford Street PA34 5NH
Tel. 01631 572004
www.malts.com
De kustplaats Oban heeft al sinds 1794 een whiskystokerij. Tijdens de rondleiding snuift u de typische geuren op die bij dit dorpje aan zee passen en die de smaak van de whisky bepalen, die rijk is en zoet, met het aroma van een vleugje zeezout. Kinderen tot 8 jaar worden niet toegelaten in de stokerij.

Dec.–feb. 12.30–16, mrt. en nov. ma.–vr. 10–17, Pasen–juni en okt. ma.–za. 9.30–17, juli–sept. ma.–vr. 9.30–19.30, za. 9.30–17, zo. 12–17 uur, 🎫 Volwassene £4, kind gratis 📅

RAASAY

RAASAY OUTDOOR CENTRE
Raasay House IV40 8PB
Tel. 01478 660266
www.raasayoutdoorcentre.co.uk
Op het eilandje Raasay bij Skye (met otters, herten, arenden en zeehonden) kunt u onder andere de volgende activiteiten boeken: vissen, wandelen, abseilen, boogschieten, kanoën en zeilen. Vooraf boeken is gewenst. Hotel en camping aanwezig.
🎫 Apr.–okt. 🎫 Halve dag vanaf £22 🍴 Dolphin Café and Bar open 9–23 uur 🚢 Veerboot vanuit Sconser op Skye ma.–za. ieder uur tussen 8 en 19 uur. Overtocht duurt 15 minuten.

ROY BRIDGE

FISHING SCOTLAND
Roy Bridge PH31 4AG
Tel. 01397 712812
www.fishing-scotland.co.uk
In de wateren rond Lochaber wordt gevist op beekforel en regenboogforel. De dag- en avondtochten zijn inclusief les en visgerei. Vooraf boeken is noodzakelijk. Minimumleeftijd 8 jaar.
🎫 Vistocht het hele jaar, al naar gelang de visseizoenen 🎫 Privé-tocht voor twee personen £160

SKYE (ISLE OF)

SKYE SILVER
The Old School, Colbost, Dunvegan IV55 8ZT
Tel. 01470 511263
www.skyesilver.com

De gouden en zilveren sieraden, keramiek en overige spullen in deze cadeauwinkel zijn bijna allemaal gedecoreerd met unieke Keltische motieven. De winkel ligt ruim 3 km voorbij Dunvegan aan de B884 naar Glendale.
🎫 Mrt.–okt. dag. 10–18 uur

SKYE BATIKS
The Green, Portree IV51 9BT
Tel. 01478 613331
www.skyebatiks.com
Men verwacht in Schotland geen batik, maar deze winkel (en ook die in Armadale) verkoopt sjaals, rokken, tafelkleden en wat dies meer zij van batik met oud-Keltische motieven. Ook tweed, tassen en zilveren sieraden.
🎫 's Zomers ma.–vr. 9–21, za.–zo. 9–18, 's winters ma.–vr. 9–17 uur

SPEAN BRIDGE

SPEAN BRIDGE MILL
PH34 4EP
Tel. 01397 712260
www.foreverscotland.com/mini_sites/spean_bridge

Een voormalige fabriek met veel bijgebouwen doet nu dienst als winkelcentrum met voornamelijk Schotse artikelen zoals whisky, Schotse specialiteiten, kasjmier, Harris Tweed, souvenirs en buitensportkleding. Ook kunt u hier weefdemonstraties bijwonen. Veel Engelsen, Amerikanen en Canadezen komen hier naar het *tartan centre* om te proberen hun Schotse voorouders te traceren.
🎫 Dag. vanaf 10 uur 🍴

STRATHDON

LECHT 2090
Lecht 2090 Ski and Multi Activity Centre
AB36 8YP
Tel. 01975 651440
www.lecht.co.uk
Dit ski- en snowboardcentrum is geheel op gezinnen met kinderen ingesteld. Het centrum werkt met een puntensysteem. U bepaalt hoeveel geld u wilt uitgeven en dat bedrag wordt in punten op een pasje gezet. U betaalt voor iedere activiteit met uw pasje. Fun-karts voor kinderen vanaf 10 jaar, quadbikes vanaf 6 jaar en kiddiekarts voor de kleintjes van 4–10 jaar. Het centrum ligt aan de A939 tussen Cockbridge en Tomintoul.
🎫 Dag. 10–17 uur; skiën dag. vanaf 8.30 uur 🎫 Daghuur ski's: volwassene £14, kind £8,50; 2-daags arrangement inclusief skipas, ski's en les: volwassene £75, kind £65. Overige activiteiten vanaf £4 🍴

ULLAPOOL

HIGHLAND STONEWARE
North Road IV26 2UN
Tel. 01854 612980
www.highlandstoneware.com

In de pottenbakkerij in Ullapool (en in een andere aan de kust in Lochinver) kunt u zien hoe het aardewerk door bekwame vaklieden met de hand wordt beschilderd. Het serviesgoed en ander aardewerk zijn in de winkel te koop. Tegels naar uw eigen ontwerp kunnen op bestelling worden geleverd.
🎫 Ma.–vr. 9–18 uur; Pasen–okt. is alleen de winkel ook za. 9–17 uur geopend

WAT TE DOEN

ORKNEY EN SHETLAND

De bezoekers van deze eilanden zijn vooral uit op rust. Ze willen genieten van de zeevogels en andere dieren die hier leven. Bij Scapa Flow liggen een paar oude scheepswrakken onder water, die voor duikers bereikbaar zijn. Een reeks vrolijke muziekfestivals houdt de tradities en de eigen cultuur op deze afgelegen eilanden levend. Voor amusement bent u aangewezen op volksmuziek en ceilidhs in de plaatselijke pub. Er zijn weinig winkels, wel kunt u er de traditionele, hand-gebreide truien van Shetlandwol kopen.

ORKNEY

JUDITH GLUE
25 Broad Street, Kirkwall KW15 1DH
Tel. 01856 874225
www.judithglue.com
De handgebreide truien van ontwerpster Judith Glue vallen op door de sterke patronen en prachtige kleuren. Haar winkel

tegenover St. Magnus Cathedral verkoopt ook kunst-nijverheid uit de streek, sie-raden en manden met de producten van Orkney. U kunt ook per post en via internet uw bestellingen plaatsen.
🕐 Ma.–za. 9–17.30, juni–sept. ook zo. 10–17.30 uur

ORTAK
Hatston, Kirkwall KW15 1RH
Tel. 01856 872224
www.ortak.co.uk
Op Orkney wordt de traditie van het edelsmeden al 5000 jaar in ere gehouden. Deze juwelierszaak met bezoekers-centrum (een van de beste op de eilanden) vindt u in de regio Hatston, ten westen van Kirkwall. Hier ziet u de edel-smeden aan het werk. Bezoek de permanente expositie of snuffel eens rond in de winkel.
🕐 Ma.–za. 9–17 uur 💷 Gratis

NEW PHOENIX CINEMA
Muddisdale Road, Kirkwall KW15 1LR
Tel. 01856 879900
www.pickaquoy.com
De meest noordelijke bios-coop van Groot-Brittannië ligt in het recreatiecentrum Pickaquoy. De bioscoop vertoont iedere avond de nieuwste kassuccessen; de matinees in het weekeende zijn goedkoper. Het centrum heeft ook een sportzaal, een sportarena en een atletiek-baan.
🕐 Dag. 💷 Volwassene vanaf £4,10

ORKNEY ARTS THEATRE
Mill Street, Kirkwall
Tel. 01856 872047
In dit amateurtheatertje wor-den het hele jaar toneel- en operavoorstellingen gegeven. Informeer ter plaatse naar het programma. De bar is open op voorstellingsavonden.

PIER ARTS CENTRE
Victoria Street, Stromness KW16 3AA
Tel. 01856 850209
www.pierartscentre.com
In twee verbouwde panden aan de haven vindt u eigen-tijdse beeldende kunst van

plaatselijke, Schotse en inter-nationale kunstenaars. Er is een vaste collectie met modern werk van onder an-deren Barbara Hepworth en Ben Nicholson en er worden ook tijdelijke exposities georg-aniseerd.
🕐 Di.–za. 10.30–12.30 en 13.30–17 uur

ROVING EYE ENTERPRISES
Westrow Lodge, Orphir KW17 2RD
Tel. 01856 811360
www.orknet.co.uk/rov

Een drie uur durende boot-tocht voert naar het wrak van een Duits oorlogsschip dat in Scapa Flow ten onder ging. Een op afstand bediend voertuig met een camera daalt af naar het wrak en stuurt de beelden naar de boot. Op de terugtocht wordt er aandacht besteed aan de zeehonden en de vele zee-vogels. Van tevoren boeken is noodzakelijk.
🕐 Mei–aug. dag. om 13.20 uur
💷 volwassene £25, kind (tot 12 jaar) £12,50

ANDERSON & CO
62 Commercial Street, Lerwick ZE1 0BD
Tel. 01595 693714
www.shetlandknitwear.com

De wollen truien, sjaals en hoeden in prachtige kleuren en met traditionele Shetland-patronen worden allemaal door thuiswerksters op het eiland gebreid. Alle artikelen zijn ook per post te bestellen. Ⓒ Ma.–za. 9–17 uur

HIGH LEVEL MUSIC
1 Gardie Court, Lerwick ZE1 0GG
Tel. 01595 692618
Deze goedgesorteerde winkel heeft ook een grote collectie volksmuziek uit Shetland en de rest van Schotland op cd en cassettebandjes. U kunt hier bovendien terecht voor muziekinstrumenten, accessoires en boeken over muziek. Ⓒ Ma.–za. 9–17 uur

SHETLAND TIMES BOOKSHOP
71–79 Commercial Street, Lerwick ZE1 0AJ
Tel. 01595 695531
www.shetlandtoday.co.uk
De Shetland Times Bookshop is een heerlijke winkel, vlak bij het marktkruis, met duizenden boeken over Shetland, Orkney en de rest van Schotland. Tot de uiteenlopende onderwerpen behoren onder meer archeologie, breien en geschiedenis. De winkel verkoopt ook bladmuziek met traditionele wijsjes en cd's met Schotse muziek. Bestellen per post is mogelijk. Ⓒ Ma.–vr. 9–18, za. 9–17 uur

GARRISON THEATRE
Isleburgh Community Centre, King Harald Street, Lerwick ZE1 0EQ
Tel. 01595 692114
www.islesburgh.org.uk
Garrison Theatre is het grootste theater van Shetland voor de uitvoerende kunsten. Het programma omvat toneel- en dansvoorstellingen, concerten en films. In het gebouw worden ook de dorpsfeesten gevierd. Tijdens de voorstellingsavonden is de bar open.

Ⓒ Het hele jaar Ⓜ Bioscoop £5, theater vanaf £4

ISLAND TRAILS
Tel. 01595 693434
www.island-trails.co.uk

Dit bedrijf organiseert diverse wandeltochten onder begeleiding van een gids, onder andere een verkenningstocht in Lerwick. De excursie naar St. Ninian Isle, beroemd vanwege zijn watergeul, geschiedenis en smokkelverhalen, duurt 3 uur, inclusief een wandeling van bijna 5 km. Stevige schoenen of laarzen en regenkleding zijn een vereiste. Vooraf boeken bij het toeristenbureau in Lerwick is noodzakelijk.

Ⓒ St. Ninian's Isle: het hele jaar, op afspraak; mei–sept. wandeling Historic Lanes in Lerwick di. 11 uur, Ⓜ Historic Lanes: volwassene £6, kind £3,50

BRESSA BOATS
Tel. 01595 693434/07831 217042 (na kantoortijd)
www.seabirds-and-seals.com
De boottocht naar de natuurreservaten Noss en Hermaness staat onder leiding van een deskundige gids. De tweemotorige boot heeft een verwarmde kajuit en onderwatercamera's. Excursies van een dag zijn inclusief lunch. Vertrekpunt voor alle tochten is de kleine haven in Lerwick. Vooraf boeken is noodzakelijk. Ⓒ Mei–aug. halve dag do.–di. 9.30 en 14.30 uur; hele dag wo. 10 uur; rest van het jaar, afhankelijk van het weer: dag. 9.30 uur Ⓜ excursie van 2,5 uur: volwassene £30, kind £20; excursie van een dag: £70

HIGHLAND PARK
Holm Road, Kirkwall KW15 1SU
Tel. 01856 874619
www.highlandpark.co.uk
Dit is de meest noordelijk gelegen malt whisky-stokerij van de wereld. De distilleerderij dateert uit 1798. Na de audiovisuele presentatie 'The Spirit of Orkney' kunt u ook nog een rondleiding met gids maken.

Ⓒ Apr.–juni en okt. ma.–vr. 10–17, juli–aug. ma.–vr. 10–17 en za. 12–17 uur; nov.–mrt. rondleiding alleen ma.–vr. om 14 uur en winkel geopend 13–17 uur Ⓜ Volwassene £4, kind (tot 13 jaar) £2,25 ▢ Klein café voor thee, koffie en snacks ▦

WAT TE DOEN

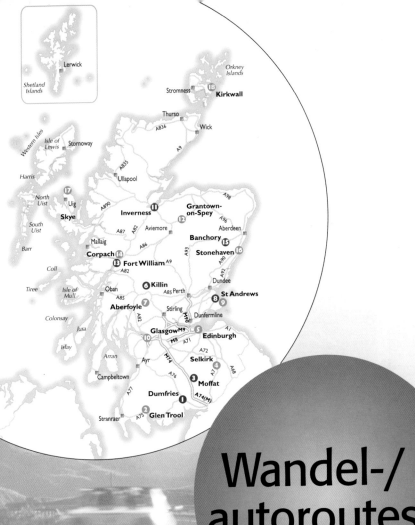

Wandel-/ autoroutes

De wandelingen en autoroutes zijn opeenvolgend genummerd. Het begin van elke route is hier aangegeven met een rode (autoroute) of groene (wandeling) stip. Zie voor accommodatie blz. 237–288.

ZUIDWESTKUST

Deze schilderachtige rit vanuit de oude stad Dumfries voert u langs enkele van de mooiste plaatsjes aan de zuidwestkust en voert terug via het Galloway Forest Park.

DE AUTOROUTE

Afstand: 193 km

Tijdsduur: 1–2 dagen

Begin/eind: Dumfries, kaart 313 H14

Toeristeninformatie:
64 Whitesands, Dumfries DG1 4TH, tel. 01387 253862

Dumfries zelf ❶ is de moeite van een bezoek waard vanwege zijn relatie met de dichter Robert Burns (1759–1796), die begraven ligt in St. Michael's Kirkyard. In het aan de rivier de Nith gelegen Robert Burns Centre *(apr.–sept. ma.–za. 10–17, zo. 14–17 uur, rest van het jaar di.–za. 10–13 en 14–17 uur)* leert u meer over zijn verhouding met de stad.

Verlaat Dumfries via de A710 (de weg langs de Solway Coast) en volg hem 11 km zuidwaarts naar New Abbey (blz. 64). Ga verder over de A710 langs de noordkust van de Solway Firth. Na 30 km bereikt u Dalbeattie.

De wadden en zoutmoerassen van de ondiepe Solway Firth zijn beroemd om hun vogels. Sandyhills Bay bezit een erg goed zandstrand. Dalbeattie is een steengroevestad die bekend is om zijn grijze graniet. Gesteente uit Dalbeattie werd voor de bouw van de grote haven in Valetta zelfs naar het eiland Malta geëxporteerd.

Verlaat de stad via de A711 en sla rechtsaf de A745 in. Na 10 km bereikt u Castle Douglas ❷.

Castle Douglas is een aangename oude marktstad met een hoofdstraat die breed genoeg is voor de paarden- en veemarkten die er vroeger werden gehouden, en die bovendien enkele interessante kleine winkels telt. De welvaart van de stad was gebaseerd op mergel, die in Carlingwark Loch werd gewonnen en als meststof werd gebruikt. De Threave Garden (blz. 66) van de National Trust for Scotland ligt aan de rand van de plaats.

Verlaat de stad via de B736 en sla linksaf als u de A75 bereikt. Ga bij de A711 naar links en volg deze richting Kirkcudbright.

Rij langs de Tongland-waterkrachtcentrale aan de rivier de Dee, een van de waterkrachtcentrales van het Galloway Hydroelectric Scheme. Tongland Bridge, gebouwd door de grote ingenieur Thomas Telford (1757–1834), ligt stroomafwaarts.

U bereikt het mooie kunstenaarsdorp Kirkcudbright ❸ (blz. 62). Verlaat het dorp via de A755 en sla linksaf de A75 in. Ga bij de B796 naar rechts en rijd naar Gatehouse of Fleet.

Dit was ooit een welvarend spinners- en weversdorp. Er wordt beweerd dat Burns het strijdlied 'Scots Wha Hae' in het Murray Arms-hotel schreef.

Rij terug via de B796 en sla rechtsaf bij de A75, rechts van de kruising staat Cardoness Castle.

Cardoness kijkt uit op Fleet Bay en was in de 15e eeuw een belangrijk bolwerk van de McCullochs.

Volg de weg naar Creetown. Sla na 13 km rechtsaf een smalle

weg in met een wegwijzer naar Cairn Holy.

Cairn Holy ❹ *(gratis toegang)* telt twee meer dan 3000 jaar oude begraafplaatsen, die ook bij ceremonies kunnen zijn gebruikt. Cairn Holy I, de belangrijkste attractie, is 52 m lang. Hij heeft een façade met zuilen en twee graven die oorspronkelijk door een enorme berg stenen waren bedekt, net als de cairns bij Kilmartin (blz. 132).

Keer terug naar de A75 en ga naar rechts. Verlaat de A75 door bij de weg naar Creetown rechtsaf te slaan.

De ruïne van Carsluith Castle ligt links voor de ingang van de stad. Creetowns beste attractie is het Gem Rock Museum *(Pasen–sept. dag. 9.30–17.30, okt.–nov. en mrt.–Pasen 10–16, dec. en feb. za.–zo. 10–16 uur)*, met een fascinerende collectie mineralen, fossielen en andere objecten uit de hele wereld. Ten noorden van de stad ligt de eenzame heuvel Cairnsmore of Fleet (710 m), een prominent monument dat in verband wordt gebracht met de vlucht van Richard Hannay in John Buchans roman *The Thirty-nine Steps* (1915).

Keer terug naar de A75 en sla rechtsaf. Sla bij de A712 rechtsaf, en rijd door langs het kunstmatige Clatteringshaws Loch en het Forest Wildlife Centre ❺.

Het loch maakt deel uit van het Galloway Forest Park en is omgeven door heidelandschap en coniferenplantages. Er leven kuddes wilde rendieren en wilde geiten. Een aan Robert the Bruce (1274–1329) gewijde herdenkingssteen herinnert aan de slag die hier plaatsvond in 1307, toen de Schotse soldaten hun Engelse vijand te slim af waren door hem in een land-

De nationale dichter Robert Burns stierf in 1796 in Dumfries

WANDEL-/AUTOROUTES

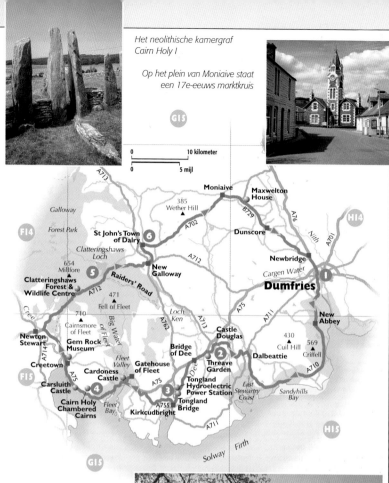

*Het neolithische kamergraf
Cairn Holy I*

*Op het plein van Moniaive staat
een 17e-eeuws marktkruis*

0   10 kilometer

0   5 mijl

Moniaive

Maxwelton
House

Galloway

385
Wether Hill

Forest Park

St John's Town
of Dalry

Dunscore

Clatteringshaws
Loch

654
Millfore

New
Galloway

Newbridge

Cargen Water

Clatteringshaws
Forest &
Wildlife Centre

Raiders' Road

Dumfries

471
Fell of Fleet

Loch
Ken

Castle
Douglas

New
Abbey

710
Cairnsmore
of Fleet

Newton
Stewart

Gem Rock
Museum

430
Cuil Hill

569
Criffell

Dalbeattie

Fleet
Valley

Bridge
of Dee

Creetown

Cardoness
Castle

Gatehouse
of Fleet

Threave
Garden

East
Stewartry
Coast

Sandyhills
Bay

Carsluith
Castle

Tongland
Hydroelectric
Power Station

Cairn Holy
Chambered
Cairns

Fleet
Bay

Tongland
Bridge

Kirkcudbright

Solway   Firth

verschuiving te begraven. Dit
is ook het beginpunt van de
Raiders' Road, een fraai bospad
dat een oude veedievenroute
volgt. Het dankt zijn naam aan
een roman van S.R. Crockett
(1860–1914).

Rijd 10 km verder over de A712
naar het vredige dorpje New
Galloway, dat boven het 14,5 km
lange Loch Ken ligt. Sla af bij de
A712, ga daarna linksaf de A713
op om aan te komen bij de
Johannesstad Dalry **6**.

Dalry bezit een hoofdstraat met
witgekalkte huizen. Aan het uiteinde staat een ongewone stenen stoel, die bekendstaat als
St. John the Baptist's Chair en
hier werd neergezet door een
kennis van Sir Walter Scott.
Het Southern Upland-lange-
afstandspad voert hier langs,
op zijn lange route van Portpatrick aan de westkust naar

*Maxwelton House is nog altijd
eigendom van de familie Laurie*

Cockburnspath aan de oostkust
(zie blz. 236).

Verlaat het dorp via de A702 en
volg deze over een afstand van
18 km naar Moniaive.

Moniaive staat bekend als de
geboorteplaats van de laatste
Covenanter die werd opge-
knoopt, James Renwick, die in

1688 op 26-jarige leeftijd werd
geëxecuteerd. Aan de rand van
het dorp staat een aan hem
gewijd monument. Ten oosten
hiervan staat Maxwelton House
uit 1370 *(privé-bezit)*, waarin de
in 1682 geboren Annie Laurie,
over wie een beroemde ballade
werd geschreven, woonde.

Rijd verder over de A702, sla bij
de B729 rechtsaf. Ga bij de A76
nogmaals naar rechts en keer
terug naar Dumfries.

GLEN TROOL — WAAR EEN VELDSLAG DE WEG NAAR ONAFHANKELIJKHEID OPENDE

Bospaden leiden naar de plaats waar tijdens de bittere onafhankelijkheidsoorlogen het tij voor Robert the Bruce begon te keren.

DE WANDELING

Afstand: 8 km

Tijdsduur: 2 uur

Begin/eind: Parkeerplaats bij de ingang van Caldons Campsite, Loch Trool (OS Explorer-kaart 318 Galloway Forest Park, coördinaten NX 396791)

Hoe komt u er: 21 km ten noorden van Newton Stewart, bij de A714; kaart 312 F14

De beroemde overwinning van Robert the Bruce op het Engelse leger in Bannockburn (blz. 24) in 1314 wordt gezien als het hoogtepunt van de onafhankelijkheidsstrijd. Maar Bannockburn was niet beslissend voor het conflict — een eerdere confrontatie, toen de twee landen elkaar bestreden bij Glen Trool, was een veel belangrijker stap op weg naar onafhankelijkheid.

Schotland was vóór deze oorlogen een onafhankelijk land, maar had na de dood van Alexander II in 1286 zonder koning gezeten. De *Guardians of Scotland* vroegen Edward I van Engeland om op te treden als arbiter voor de troonpretendenten. Hij stemde daarin toe, maar gebruikte het ook als een excuus om zijn claim als overheerser van Schotland te bevestigen, en liet het land door Engelse bestuurders leiden.

Het gewapend verzet tegen de Engelse bezetting werd geleid door ene William Wallace, iemand over wie weinig bekend is. Hij werd door de adel benoemd tot Guardian of Scotland en vervolgens in 1305

door hen verraden, naar Londen gebracht en daar geëxecuteerd.

Intussen eiste Robert the Bruce de Schotse troon op. Hij doodde zijn rivaal 'John the Red Comyn' in de Greyfriars-kerk in Dumfries en begon in het zuidwesten een reeks aanvallen op de Engelsen. Op 25 maart 2006 werd hij in Scone (blz. 199) tot koning van Schotland gekroond. Na een aantal nederlagen vluchtte hij naar Rathlin Island, nabij de Antrim-kust, waar hij zijn volgelingen hergroepeerde voordat hij begin 1307 naar Schotland terugkeerde.

Na zijn aanval op Engelse dorpen in Galloway zond men een leger om hem te vangen. Maar deze Schotse wildernis was eigen terrein voor Bruce en hij wist in Glen Trool met succes een hinderlaag te leggen. Vanaf dat moment werd Bruce succesvoller en behaalde meer overwinningen, met als laatste die in de Slag bij Bannockburn.

Edward I zette tussen 1317 en 1319 de tegenaanval in en veroverde de op de grens van Schotland gelegen stad Berwick. In 1322 deed de Schotse adel een beroep op de paus om de onafhankelijkheid te steunen in de Verklaring van Arbroath (blz. 24). Deze steun werd in 1324 verleend en in 1328 erkende Engeland de Schotse onafhankelijkheid in het Verdrag van Edinburgh.

Verlaat de parkeerplaats **1** en volg de duidelijke wegwijzers van

het Loch Trool Trail. Steek de brug over het Water of Trool over naar Caldons Campsite, sla daarna linksaf een voetpad op dat langs de oever van de rivier loopt. Steek een brug over en loop langs enkele toiletgebouwen **2**.

Volg dit goed bewegwijzerde pad door het picknickterrein van Caldons Campsite, loop over een groene brug en trek dan over een grasvlakte om het pad te volgen als dit heuvelopwaarts het bos in loopt.

Blijf het pad **3** heuvelopwaarts en door een open plek volgen, loop daarna door een draaihek en opnieuw het bos in. Wandel verder langs de zuidkant van Loch Trool totdat u nabij het uiteinde van het loch een bord met een tekst bereikt **4**.

Dit bord markeert de plaats waar Robert the Bruce en zijn leger de superieure Engelse troepen in een goed geplande hinderlaag lokten en in de pan hakten. Terwijl hij een deel van zijn leger gebruikte om de Engelsen naar de zuidelijke oevers van Loch Trool te lokken, verborg Bruce het gros van zijn mannen op de hellingen boven het loch. De Engelsen waren gedwongen om achter elkaar te lopen, de Schotten blokkeerden het pad en lieten zware stenen op hen neervallen.

Volg het pad vanaf hier, verlaat het bos en ga vervolgens heuvelafwaarts en naar links. Volg gedurende korte tijd de Southern Upland Way. Sla linksaf, wandel twee poorten door en loop over een houten brug. Steek de brug over de Gairland Burn over en loop verder. Na een tijdje bereikt u de brug over de Buchan Burn, ga eroverheen en sla het pad links in dat de heuvel op loopt **5**.

Spectaculaire herfstkleuren, Glen Trool

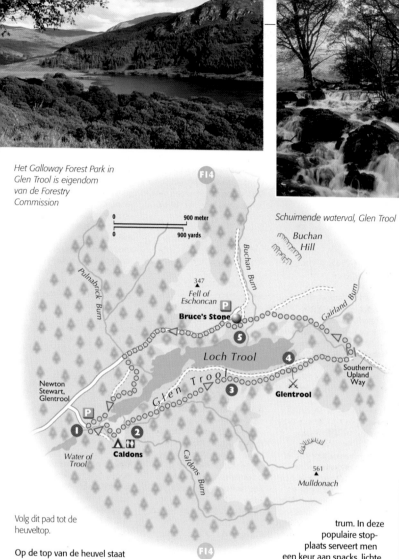

Het Galloway Forest Park in Glen Trool is eigendom van de Forestry Commission

Schuimende waterval, Glen Trool

0   **900 meter**
0   **900 yards**

Pulnabrick Burn

Newton Stewart, Glentrool

Water of Trool

Caldons

Buchan Hill

Buchan Burn

347
Fell of Eschoncan

Bruce's Stone

5

Loch Trool

Gairland Burn

4

Southern Upland Way

Glen Trool

3

Glentrool

1

2

Caldons Burn

561
Mulldonach

WANDEL-/AUTOROUTES

Volg dit pad tot de heuveltop.

Op de top van de heuvel staat Bruce's Stone ter herdenking van de overwinning bij de Slag van Glentrool, de eerste zege in de onafhankelijkheidsoorlogen. U hebt hier zeer fraai uitzicht op de heldere wateren van het loch en de beboste heuvels aan de overkant.

Volg het pad langs de steen, sla dan linksaf de smalle weg in en loop door naar de parkeerplaats. Loop door totdat u aan uw linkerhand een wegwijzer vindt die de weg wijst naar een bospad, dat u moet aflopen om terug te keren naar het begin van de wandeling.

ETEN EN DRINKEN

U vindt onderweg weinig eetgelegenheden, maar er zijn veel geschikte picknickplaatsen.

Het dichtstbijzijnde theehuis ligt enkele kilometers terug aan de weg naar Glentrool bij het Stroan Bridge-bezoekerscentrum. In deze populaire stopplaats serveert men een keur aan snacks, lichte maaltijden en heerlijke warme soep.

De monoliet Bruce's Stone markeert een beroemd uitzichtpunt bij het loch

LITERAIRE OMZWERVINGEN IN DE BORDERS

Deze in Moffot beginnende rondrit voert langs enkele van de mooiste landschappen van de Schotse grenzen, waar romanschrijvers John Buchan (1875–1940) en Sir Walter Scott (1771–1832) en dichters William Wordsworth (1770–1850) en James Hogg (1770–1835) hun sporen nalieten.

DE AUTOROUTE

Afstand: 193 km	
Tijdsduur: 1–2 dagen	
Begin/eind: Moffat, kaart 313 H13	
Toeristeninformatie: Churchgate, Moffat DG10 9EG, tel. 01683 220620	

Verlaat het aantrekkelijke 17e-eeuwse kuuroord Moffat **❶** via de A701, die de loop van het dal van de Tweed volgt. Sla bij de B712 rechtsaf naar de Dawyck Botanic Garden.

Dit is een onderdeel van de Royal Botanic Gardens in Edinburgh. De meer dan 300 jaar oude tuin staat bekend om zijn bomen. De berken en de esdoorns zien er in de herfst schitterend uit *(apr.–sept. dag. 10–18, mrt.–okt. dag. 10–17, rest van het jaar 10–16 uur)*.

Keer terug langs de B712, sla rechtsaf bij de A701 en volg deze naar Broughton **❷**.

Het in een verbouwde kerk in Broughton ondergebrachte John Buchan Centre *(mei–half okt. 14–17 uur)* vertelt de geschiedenis van de meesterlijke verhalenverteller wiens bekendste roman *The Thirty-nine Steps* is. Buchan, die ook historicus was, schreef belangrijke biografieën van Sir Walter Scott en Montrose. Toen hij in 1935 gouverneur-generaal van Canada werd, kreeg hij de titel Lord Tweedsmuir. Eveneens interessant is de Broughton Gallery, die in een sprookjesachtig kasteel op de heuvel is gehuisvest.

Rijd verder over de A701 en sla rechtsaf bij de A72. Sla linksaf bij de A721 en rechtsaf bij de A702. Volg deze tot in de smalle straten van West Linton **❸**.

In de 17e eeuw werd West Linton beroemd om zijn steenhouwers, die de belangrijkste grafsteenmakers van het gebied waren. Gifford's Stone, een verweerd bas-reliëf op een muur in de hoofdstraat,

werd gemaakt door James Gifford. Ertegenover bevindt zich een ander werk van hem, de Lady Gifford Well, die in 1666 werd gemaakt. De Cauld Stane Slap, een oeroud veepad over de Pentland Hills, ligt vlakbij.

Verlaat het dorp via de B7059. Sla rechtsaf bij de A701 en daarna linksaf bij de B7059. Ga bij de A72 naar rechts richting Peebles.

Als u Peebles (blz. 64) binnenrijdt ziet u rechts de robuuste toren van Neidpath Castle **❹**. Verlaat de plaats via de A72, waarbij u langs de Kailzie Gardens rijdt. Na 10 km bereikt u Innerleithen.

Dit is het oudste kuuroord van Schotland. Het kende zijn bloeitijd in de 19e eeuw, toen Sir Walter Scott een van zijn romans, *St. Ronan's Well* (1823), naar de mineraalwaterbronnen in de stad noemde. Het in de High Street gevestigde Robert Smail's Printing Works is een piepkleine drukkerij uit 1840. De drukpers werd toentertijd door water aangedreven *(NTS, Pasen en juni–sept. do.–ma. 12–17, zo. 13–17 uur)*. Het historische Traquair House (blz. 67) ligt iets meer dan 2 km naar het zuiden.

Blijf 20 km lang de A72 volgen tot u de drukke textielstad Galashiels **❺** bereikt.

Galashiels is beroemd om zijn weefkunst. In het bezoekers-

centrum van Lochcarron Cashmere Wool of Scotland kunt u hier meer over leren – tijdens fabrieksrondleidingen wordt getoond hoe tartan-stof wordt gemaakt *(ma.–za. 9–17 uur, juni–sept. ook zo. 12–17 uur)*. Ga op zoek naar Old Gala House, dat teruggaat tot 1583. Het nabije marktkruis, dat in het centrum van de oude stad staat, stamt uit 1695. Het speelt een rol in de Braw Lads Gathering, een jaarlijks feest waarbij de grenzen van de stad met een rit te paard worden bevestigd.

Verlaat de A7 richting Selkirk. Sla rechtsaf bij de B7060, daarna linksaf bij de A707 bij Yair Bridge. Volg deze weg, die nabij Selkirk in de A708 overgaat. Volg Ettrick Water en vervolgens Yarrow Water op de A708 naar Yarrowford **❻**, een afstand van 21 km.

De huizen van dit dorp liggen verspreid aan de leuke Yarrow Water-rivier, die de Engelse romantische dichter William Wordsworth tot niet minder dan drie gedichten inspireerde. Het voormalige koninklijke jachtverblijf Newark Tower uit 1423 ligt stroomafwaarts. Er werd in de heuvels rond Ettrick Forest gejaagd tot de 16de eeuw, toen het houden van schapen zijn intrede deed. Later werd dit de basis van de industrie van de streek.

De ruïne van Foulshiels House ligt hier ook. Dit was het geboortehuis van de ontdekkingsreiziger Mungo Park (1771–1806), die omkwam tijdens zijn zoektocht naar de bron van de Niger in Afrika (zie blz. 206–207). Bowhill House is een 19e-eeuws landhuis met Frans meubilair en een fraaie collectie schilderijen. Het wordt omgeven door een mooi park *(huis: juli dag. 13–16.30 uur; park: half april–aug. za.–do. 12–17, juli ook vr. 12–17 uur)*.

Een bronzen ram op de fontein in Moffat

Broughton Gallery is gehuisvest in een landhuis dat in 1937 door Basil Spence werd ontworpen

Deze stenen brug is een van de blikvangers in Dawyck

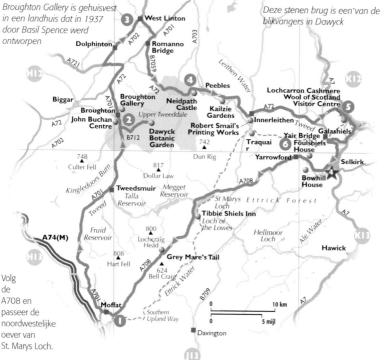

Volg de A708 en passeer de noordwestelijke oever van St. Marys Loch.

Het 5 km lange loch is een van de beste watersportgebieden van Zuid-Schotland. Aan het zuideinde van het loch, op een landtong die het van het klei- nere Loch of the Lowes scheidt, staat een rood zandstenen monument dat is gewijd aan de lokale dichter James Hogg, ook bekend als de Ettrick Shepherd. In de nabije Tibbie Shiels Inn bracht hij vele avonden door met zijn vriend Sir Walter Scott.

Rijd 15 km verder over de A708 en volg de borden naar de parkeerplaats bij de waterval Grey Mare's Tail (blz. 61). Als u vervolgens de A708 nog 16 km volgt, komt u weer aan in Moffat.

De schrijver John Buchan liep in zijn jonge jaren door de Border- heuvels

VAN SELKIRK NAAR
DE WILDERNIS VAN AFRIKA

Een mooie wandeling langs Ettrick Water, vol met herinneringen aan de grote ontdekkingsreiziger Mungo Park (1771–1806).

WANDEL-/AUTOROUTES

DE WANDELING

Afstand: 5 km	
Tijdsduur: 1 uur en 40 minuten	
Begin/eind: West Port Car Park, Selkirk. (OS Explorer-kaart 338 Galashiels, coördinaten NT 469286)	
Hoe komt u er: Via de A707 aan de westelijke rand van Selkirk; kaart 314 K13	

Het standbeeld op Selkirks High Street gedenkt Mungo Park, de bekende chirurg en ontdekkingsreiziger, die vlakbij in Fowlshiels werd geboren. Park kreeg les op Selkirk Grammar, werd opgeleid tot arts en kreeg een positie als assistent-chirurgijn op een schip dat naar het Verre Oosten voer. Hij keerde terug van de reis en vertrok alweer snel, dit keer naar Afrika om de rivier de Niger in kaart te brengen.

Parks reis duurde meer dan 2,5 jaar. Hij werd erg ziek, leed honger en werd verscheidene malen beroofd. Hij werd zelfs door een stamhoofd gevangen genomen. Na vier maanden ontsnapte hij en zette zijn reis voort. Hij volgde de Niger naar Sillis en staakte zijn reis pas toen hij te ziek was geworden om hem voort te zetten.

Toen Park naar Schotland terugkeerde publiceerde hij een boek over zijn ontdekkingsreis, *Travels in the Interior Districts of Africa* (1799), dat een bestseller werd. Vlak daarna trouwde hij en nam een betrekking als arts in Peebles (blz. 64).

In 1805 trok Park opnieuw naar Afrika, in gezelschap van zijn vriend George Scott en zwager Alexander Anderson, met de bedoeling om zijn reis langs de Niger te voltooien.

De onversaagde ontdekkingsreizigers keerden niet terug. Scott, Anderson en anderen stierven aan de koorts. Park weigerde het op te geven en

Het Selkirk-gerstebrood is een plaatselijke delicatesse — brood met gedroogd fruit

schreef: 'Ik zal het eindpunt van de Niger ontdekken of omkomen bij de poging.' Hij vervolgde zijn reis met enkele soldaten en dragers, maar het lot keerde zich tegen hem. In een poging om te ontsnappen aan een groep vijandige inboorlingen liet hij zich in het water van de Niger vallen en verdronk.

Het is ironisch dat zijn zoon ook spoorloos verdween toen hij 20 jaar later in zijn voetstappen volgde.

Loop van Parks standbeeld in High Street ❶ naar Market Place, sla linksaf naar Ettrick Terrace, ga bij de kerk vervolgens naar links en maak dan een scherpe bocht naar rechts, Forest Road in. Volg deze heuvelafwaarts naar Mill Street. Ga naar rechts en daarna naar links, Buccleuch Road in. Ga rechtsaf en volg de borden voor de wandeling langs de rivieroever en loop door het Victoria Park waarna u terechtkomt op een geasfalteerd pad.

Ga naar links ❷, loop langs de rivier, volg daarna de weg en steek vervolgens de brug over. Sla linksaf

Ettrickhaugh Road in en passeer een rij huisjes aan uw linkerhand. Sla meteen daarna linksaf en steek een piepkleine loopbrug over, neem vervolgens het onduidelijke pad links. Loop naar de rivieroever en sla rechtsaf ❸.

Volg het pad langs de rivier. Op sommige plaatsen is dit geërodeerd, dus let op waar u loopt. In de lente en de zomer passeert u onderweg vele wilde bloemen. Uiteindelijk komt u uit op een breder pad, dat naar links buigt. Volg dit pad tot u uitkomt bij een keerdam en een zalmtrap. Sla rechtsaf om de piepkleine brug over te steken ❹.

Ga hierna naar links en wandel door langs de rivier tot u het punt bereikt waar het Yarrow Water met het Ettrick Water samenkomt. Loop vervolgens zo'n 90 m terug en sla bij het kruispunt van de paden linksaf ❺.

Uw route voert door de bossen totdat u opnieuw over de kleine brug bij de keerdam komt. Neem het voetpad naar links en volg het graspad rond het weiland totdat u de watermolen ❻ bereikt.

Houd rechts aan (maar steek de brug niet over) en wandel langs het kleine kanaal links van u. Op de plaats waar het pad zich splitst moet u de linkerkant nemen en een recht, betonnen pad volgen dat naar de viskwekerij voert ❼ (het ruikt hier naar vis).

Loop om de gebouwen heen en ga daarna naar links om verder langs het kanaal te lopen. Steek de loopbrug links over, sla daarna rechtsaf waarbij u de huisjes opnieuw passeert. Bij de hoofdweg moet u rechtsaf gaan om de brug te bereiken. Ga hier niet overheen, maar volg het voetpad aan uw linkerhand ❽.

Een baronial toren geeft dit oude huis in Selkirk een typisch Schots karakter

De Ettrick Valley wordt geassocieerd met James Hogg, die bekend is om zijn roman Confessions of a Justified Sinner (1824)

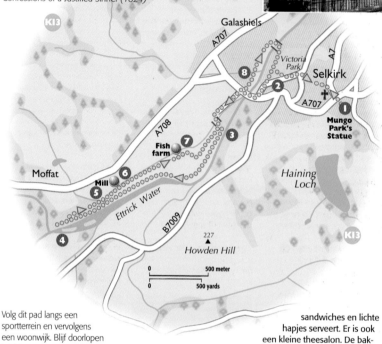

Volg dit pad langs een sportterrein en vervolgens een woonwijk. Blijf doorlopen totdat u een voetgangersbrug (aan uw rechterhand) bereikt. Steek hier de rivier over, ga naar rechts en keer terug naar Victoria Park en heuvelopwaarts naar Market Place en het beginpunt van de wandeling.

ETEN EN DRINKEN

Het centrum van Selkirk bezit enkele aanbevelenswaardige eetgelegenheden. Tot de hotels die barmaaltijden bieden behoort het Cross Keys bij Market Place, dat geroosterde sandwiches en lichte hapjes serveert. Er is ook een kleine theesalon. De bakkerijen verkopen het beroemde gerstebrood van Selkirk.

Sir Walter Scott was sheriff in Selkirk; zijn standbeeld staat op het stadsplein

EDINBURGHS ELEGANTE NEW TOWN

Een wandeling in het voetspoor van een handvol literaire reuzen.

DE WANDELING	
Afstand: 5 km	
Tijdsduur: 1 uur en 30 minuten	
Begin/eind: Toeristenbureau, Princes Street, Edinburgh (coördinaten NT 257739)	
Hoe komt u er: Via Waverley-treinstation, kaart 317 J11	

Edinburghs New Town is een elegante, 18e-eeuwse wijk met brede straten, halvemaanvormige rijen huizen en zachtgrijze Georgian gebouwen. De New Town werd al gauw een favoriete stek van Schotse schrijvers, van wie er vele in de trottoirtegels rond het Writers' Museum (blz. 88) zijn vereeuwigd.

De stad fascineert schrijvers al heel lang en er hebben veel ontmoetingen plaatsgevonden, waaronder die tussen de grootheden Walter Scott en Robert Burns. De oorlogsdichter Wilfred Owen (1893–1918) kwam vaak in Edinburgh toen hij was opgenomen in het nabijgelegen Craiglockhart War Hospital. Hij ontmoette er collega-dichter Siegfried Sassoon, die hem aanmoedigde om te schrijven.

Ga bij het toeristenbureau ❶ naar links en volg Princes Street.

Princes Street markeert de scheidslijn tussen de middeleeuwse oude stad aan uw linkerhand en de Georgian New Town (blz. 84–85), die zich rechts van u uitstrekt.

Vlak nadat u het Scott Monument (blz. 87) aan uw linkerhand bent gepasseerd, moet u de straat oversteken om Jenners, het beroemde warenhuis van Edinburgh, te bereiken. Loop verder langs Princes Street en ga daarna naar rechts Hanover Street op.

Neem de tweede zijstraat links ❷ en volg George Street.

De Engelse romantische dichter Percy Bysshe Shelley (1792–1822) verbleef in 1811 samen met zijn jonge bruid Harriet Westbrook op George Street 60.

Als u Charlotte Square, het hoogtepunt van Georgian elegantie in de stad, hebt bereikt, slaat u rechtsaf en gaat dan nogmaals rechts Young Street in. Aan het einde hiervan moet u linksaf North Castle Street aflopen om Queen Street ❸ te bereiken.

Kenneth Grahame (1859–1932), de schrijver van het klassieke kinderboek *The Wind in the Willows*, werd geboren op Castle Street 30. De romanschrijver en dichter Sir Walter Scott (1771–1832) werd ook in Edinburgh geboren en woonde op Castle Street 39.

Steek de straat over, sla linksaf en dan rechtsaf Wemyss Place over en ga rechts Heriot Row in.

Robert Louis Stevenson (1850–1894), bekend als de schrijver van de avonturenboeken *Schateiland* en *Kidnapped* en het macabere verhaal *Dr Jeykyll en Mr Hyde*, leefde in zijn kindertijd op Heriot Row 17.

Ga bij Howe Street linksaf en sla,

Het Scott Monument op de Princes Street

voordat u de kerk in het midden van de straat bereikt, weer linksaf en loop langs South East Circus Place. Ga langs Royal Circus en vervolgens Stockbridge in.

Steek de brug over ❹ en ga naar links langs Dean Terrace. Aan het eind moet u rechtsaf Ann Street in. Ga bij Dean Park Crescent rechtsaf en volg de straat naar Leslie Place en ga daarna weer Stockbridge in. Steek de straat over en loop St. Bernard's Row af (bijna recht aan de overkant). Volg deze en ga dan naar links Arboretum Avenue in ❺.

Loop verder langs het Water of Leith naar Inverleith Terrace. Steek over en wandel over Arboretum Place om bij de ingang van de botanische tuinen rechts (blz. 86) te komen. Ga na het bekijken van de tuinen naar links en loop terug naar Stockbridge.

Milne's Bar op Hanover Street werd veel bezocht door een aantal invloedrijke moderne Schotse dichters. Hugh MacDiarmid, Norman MacCaig en Sorley MacLean zijn enkele van de personen die hier in de 20e eeuw gewoon waren samen te komen. De muren van de pub zijn bedekt met herinneringen aan hen.

WANDEL-/AUTOROUTES

De oostelijke hekken van de Royal Botanic Gardens

Sla bij Hectors Bar **6** linksaf en loop de heuvel op, sla dan linksaf St. Stephen Street in. Volg de straat bij de kerk en sla dan linksaf Great King Street in. Ga aan het eind rechtsaf en dan meteen naar links door Drummond Place, Dublin Street en London Street.

Ga bij de rotonde **7** naar rechts en wandel Broughton Street in naar Picardy Place. Sla linksaf en passeer het standbeeld van Sherlock Holmes.

Het standbeeld van de detective is een eerbetoon aan zijn in Edinburgh geboren schepper Sir Arthur Conan Doyle, die vlak-bij op Picardy Place 11 (nu ge-sloopt) woonde. Conan Doyle studeerde geneeskunde aan de universiteit van Edinburgh en baseerde Holmes op een van zijn hoogleraren – dr. Joseph Bell, die de politie hielp bij het oplossen van verschillende moorden in de stad. Velen den-

Het uitzicht van Calton Hill is een van de beste van de stad

ken dat Conan Doyle Bell bij zijn werk assisteerde, en dus optrad als een soort dr. Watson.

Sla linksaf richting Playhouse Theatre. Steek over, loop verder naar links en dan rechtsaf Leopold Place op, en daarna rechtsaf Blenheim Place op. Sla bij de kerk rechtsaf, loop de trappen op en sla linksaf bij de plek waar de paden samenkomen.

Beklim de trappen rechts van u **8**, loop over Calton Hill en ga dan rechtsaf langs het kanon. Loop de heuvel af, neem de trap-pen links van u en loop Regent Road af. Ga naar rechts en loop terug Princes Street in.

ETEN EN DRINKEN

Naast Milne's Bar op Hanover Street telt de New Town vele andere pubs en bars. In George Street zijn verscheidene bistro's en restaurants gevestigd.

In Stockbridge kunt u ont-spannen in een koffiebar, zoals Patisserie Florentin, die heerlijk gebak serveert, of een hapje en een cappuccino in Maxi's of Hectors nemen.

DE TROSSACHS-ROUTE

Tijdens deze route maakt u kennis met het gevarieerde en schitterende landschap van het nieuwe nationale park Loch Lomond en de Trossachs (zie ook blz. 98).

DE AUTOROUTE

Afstand: 255 km

Tijdsduur: 2 dagen

Begin/eind: Killin, kaart 317 G9

Toeristeninformatie:
Breadalbane Folklore Centre, Falls of Dochart, Main Street, Killin FK21 8XE, tel. 01567 820254; in het seizoen Trossachs Discovery Centre, Main Street, Aberfoyle FK8 3UQ, tel 01877 382352

Verlaat het heuvelwandelcentrum Killin ❶ (blz. 95) via de A827 en volg deze 27 km in noordoostelijke richting naar Kenmore.

Wanneer u Loch Tay rechts van u passeert, ligt de grote, kaal ogende berg Ben Lawers (1214 m) aan uw linkerkant. Dit nationale natuurreservaat staat bekend om zijn arctische en alpiene flora, die goed gedijt op de kalksteenbodem. Hoger op de hellingen leven berghazen. De National Trust for Scotland bezit een bezoekerscentrum, dat met borden langs de weg is aangegeven *(mei–sept. dag. 11–17 uur)*. Glen Lyon (blz. 94) loopt parallel aan de andere kant van de bergkam. Kenmore is een klein vakantie- en watersportcentrum, dat wordt gedomineerd door de 19e-eeuwse ruïnes van Taymouth Castle *(privé-bezit)*. Een stukje in het loch staat een reconstructie van een huis uit de IJzertijd – het is het middelpunt van het Scottish Crannog Centre (blz. 101).

Rijd 10 km verder over de A827 naar Aberfeldy ❷ (blz. 90).

U passeert een herdenkingsmonument uit 1887 voor de mannen van de Black Watch aan de zuidelijke kant van de brug. Het Black Watch-regiment werd in 1739 in het Britse leger opgenomen en dankt zijn naam aan de donkere tartan van de soldaten, die zorgvuldig was uitgekozen om hen te onderscheiden van de *guardsmen* of 'Red Soldiers'.

Neem de A826 en volg deze ruige weg over de hoge heidegronden. Sla bij de A822 rechtsaf, daarna nogmaals rechtsaf bij de A85 en volg deze tot in Crieff (blz. 91). Rijd 30 km over de A85, via Comrie naar Lochearnhead ❸.

Deze kleine stad aan het westelijke uiteinde van Lochearn kwam tot bloei tijdens de aanleg van de spoorweg door Glen Ogle in het noorden. Hij loopt naar Killin en bereikt een hoogte van 289 m. Edinample Castle, een kasteelachtig landhuis uit 1630, staat op de plaats waar de Burn of Ample het loch inloopt.

Ga verder over de A84 en volg deze 22 km in zuidelijke richting naar Callander (blz. 91), waarbij u rechts van u Balquhidder passeert. Rob Roy MacGregor (1671–1734) ligt op het kerkhof hier begraven. Keer terug via de A84 en sla dan linksaf bij de A821. Voorbij het Trossachs Hotel moet u de borden (rechts) naar Loch Katrine volgen.

Laat uw auto achter op de parkeerplaats aan het uiteinde ❹ en maak een wandeling of een fietstocht langs dit drukke loch, dat 14,5 km lang is. De schoonheid van het met eilanden bezaaide loch werd legendarisch door Sir Walter Scotts beschrijving ervan in 'The Lady of the Lake'. Het loch is een populair recreatiegebied. Mensen komen er om van het landschap te genieten of een tocht met de stoomboot te maken. Daarnaast heeft het loch ook een belangrijke praktische functie: het voorziet het centrum van Glasgow via een 56 km lange pijpleiding van vers water.

Keer terug naar de A821 en ga naar rechts. Volg de A821 11 km over de heuvels door Duke's Pass en door het Achray Forest naar Aberfoyle.

Aberfoyle is omgeven door de dennenbossen van het Queen Elizabeth Forest Park. Het uitgebreide, 1,5 km noordelijker gelegen bezoekerscentrum biedt informatie over de vele wandelroutes in het gebied. Deze kleine plaats ligt in het hart van de Trossachs. Het Scottish Wool Centre *(mei–sept. dag. 9.30–18, rest van het jaar 10–17 uur)*, dat langs de weg met borden is aangegeven, trekt het hele jaar door bezoekers met zijn leuke schapenshow en winkels. Een goede plaats voor onder meer wollen kleding, boeken en geschenken.

Rijd verder via de A821 en de A81. Ga bij de kruising met de A811 rechtsaf en rijd langs Drymen. Rijd daarna door het dorp Gartocharn.

Gartocharn is bekend om het prachtige uitzicht op Loch Lomond vanaf de heuvel achter het dorp, Duncryne (142 m).

Rijd verder over de A811 door Balloch en ga rechtsaf de A82 op.

Graf van Rob Roy Balquhidder

Het Black Watch-monument in Aberfeldy werd opgericht in 1887

Uitzicht vanaf Glen Lyon op de met sneeuw bedekte Ben Lawers

G8

F9

H9

E10

H10

F11

G11

H11

```
Loch Rannoch
Tummel
                              Taymouth    Aberfeldy
Glen Lyon        Lyon          Castle                A826
Loch Lyon           1214                Kenmore
                  Ben Lawers ▲          Scottish Crannog
National Trust for Scotland   A827      Centre        A822
Visitor Centre        Loch Lawers                  Amulree
Lochay     1                Killin
Tyndrum                              929        Almond
                                   Ben Chonzie ▲          A822
1028▲  Crianlarich   A85  Glen Dochart    Loch   St Fillans
Ben Oss        A85          3  Dalveich  Earn            A85
          1171▲ Lochearnhead          Edinample          Crieff
          Ben More   Rob Roy's        Castle   Comrie
                     Grave    A84    ▲985                Earn
Ardlui    Loch Lomond and the      Ben Vorlich
          Trossachs National Park  Strathyre    Auchterarder
942 Ben   Loch
Vorlich ▲ Katrine        876▲                    A9
A83                      4  Ben Ledi  Callander          A823
Inveruglas
          Queen Elizabeth  Achray  Forest
Tarbet    Forest Park           Aberfoyle  A84
                     Rowardennan  Forth    A873    Dunblane
Inverbeg  Loch Lomond                              A91    Alloa
          National Park                A811               A907
5  Luss   Gateway Centre
                                        Stirling   M9
          Gartocharn  Drymen                  M80
Arden     142 Duncryne     A81                         M80
          Balloch
          Alexandria    A891    A803
```

0   10 kilometer
0   5 mijl

WANDEL-/AUTOROUTES

Volg deze hoofd-route noordwaarts en ga na ongeveer 15 km rechtsaf een niet geclassificeerde weg in met wegwijzers naar Luss en Loch Lomond Shores.

Onder aan Loch Lomond ligt het mooie dorp Luss ⑤, dat in

2002 een bezoekerscentrum, Loch Lomond Shores, en een bijbehorend ultramodern winkelcentrum kreeg. Samen vormen ze het National Park Gateway Centre *(dag. 10–17 uur, langer in de zomer)*. De Thistle Bagpipe Works ligt vlakbij. Rijd langs Inverbeg, waar het mogelijk is om een veerboot over het loch naar het geïsoleerde dorp Rowardennan te nemen.

Keer terug op de A82 en rijd verder langs de westoever van het loch. Wanneer u uw tocht door Glen Falloch naar Crianlarich

Het stoomschip is de enige motorboot op Loch Katrine

Het dorp Kenmore ligt aan het begin van Loch Tay

vervolgt, zult u zien dat de bergen na Ardlui ruiger worden. Ga bij Crianlarich rechtsaf de A85 op, die door Glen Dochart voert. Passeer Loch Lubhair aan uw linkerhand en Ben More aan uw rechterhand (1171 m). Sla bij de A827 linksaf om naar Killin terug te keren.

QUEEN ELIZABETH FOREST PARK

Een boswandeling met spectaculair uitzicht op een geologische breuklijn.

DE WANDELING

Afstand: 6,5 km

Tijdsduur: 3 uur

Begin/eind: Visitor Centre, Aberfoyle (OS Explorer-kaart 365 The Trossachs, coördinaten NN 519014)

Hoe komt u er: Aberfoyle ligt aan de A821, 35 km ten westen van Stirling, kaart 316 G10

Deze wandeling voert langs de Highland Boundary Fault, een geologische breuklijn die van Arran tot Stonehaven, even ten zuiden van Aberdeen, loopt. Het is een van de belangrijkste geologische fenomenen van Groot-Brittannië. De breuk scheidt de Highlands van de Lowlands.

Deze zwakke lijn in de aardkorst werd zo'n 390 miljoen jaar geleden gevormd toen de oude rotsen van de Highlands naar boven werden geduwd en de Lowland-rotsen naar beneden. Ten noorden van de breuklijn liggen Highland-rotsen die meer dan 500 miljoen jaar geleden ontstonden. Whinstone, dat veel als bouwsteen wordt gebruikt, ontstond door extreme druk op modder en zand. Leisteen wordt ook op deze manier gevormd, maar in lagen samengedrukt. Het is een goed dakbedekkingsmateriaal. Niet ver van de route ligt Duke's Pass, een van de grootste leisteengroeven van Schotland.

Bewegwijzerde tochten in het park voeren langs de Highland Boundary Fault

Ga bij de ingang van het bezoekerscentrum ❶ linksaf en loop een trapje af dat naar een geplaveid voetpad leidt. Volg de blauwe markeringen van het Highland Boundary Fault Trail. Loop verder via dit pad om de 17 m hoge waterval Little Fawn te bereiken. Ga vervolgens naar links om een brug over te steken en dan naar rechts. Volg de witte pijl links over een bosweg ❷.

Dit is een onderdeel van het National Cycle Network (NCN), u zult dus fietsers kunnen tegenkomen.

Loop heuvelopwaarts over deze weg en volg de blauwe Highland Boundary Fault-markeringen en de NCN Route 7-borden. Ga bij de kruising linksaf heuvelopwaarts totdat u bij een kruising komt ❸.

Sla bij de blauwe markeringen rechtsaf een kleinere en ruigere weg in. Het Boundary Fault Trail splitst zich op dit punt van de NCN Route 7. Het gebied is tamelijk vlak en dus weinig vermoeiend om te belopen. Loop door totdat u rechts een uitkijkpunt met een bankje ziet ❹.

De meeste hogere gebouwen in dit gebied zijn opgetrokken uit een gesteente genaamd Leny Gritt, dat ontstond toen zand en kiezel onder intense hitte en druk tot een gesteente werden gevormd. Een ander gesteente is Achray Sandstone, dat werd gevormd toen dit hoge berggebied onder de zee lag.

Vanaf dit punt gaat de weg heuvelopwaarts totdat u arriveert bij een markering bij een pad dat omhoogloopt naar een mast. Ga daar naar rechts en door een hek, en begin naar beneden te lopen. Hoewel dit een goed aangelegd pad is loopt het erg steil naar beneden en moet u dus oppassen.

Gezien de kwaliteit en de verscheidenheid van de rotsen in dit deel van het bos is het niet verbazend dat hier veel steengroeven hebben bestaan. Dit steil naar beneden lopende pad volgt de Limecraigs Railway, een spoorweg uit het begin van de 19e eeuw die werd gebruikt voor het vervoer van steen uit de Lime Craig-groeve. Het kalksteen werd in houten wagons naar de kalkovens onder aan de heuvel vervoerd.

De drie rails van de spoorweg worden ondersteund door zware houten dwarsliggers. Volle wagons reden op het middelste spoor en een van de zijsporen, en lege wagons gingen via het middelste en het andere zijspoor weer omhoog. De wagons waren met een touw aan elkaar gebonden en het gewicht van de volle werd gebruikt om de lege naar boven te trekken. Rond 1850 was de groeve uitgeput.

Blijf het heuvelafwaarts lopende pad ❺ volgen en ga door een ander hek op de plaats waar het pad door een bosweg wordt gekruist. Steek deze weg over, neem een volgend hek en wandel opnieuw heuvelafwaarts.

Onder aan de heuvel bevinden zich een aantal traptreden ❻ die

Het park, eigendom van de Forestry Commission, werd in 1953 opgericht ter gelegenheid van de kroning van Elizabeth II

Het bezoekerscentrum omvat een restaurant en een souvenirwinkel

260
Creag
Gownan

Callander

Queen Elizabeth
Forest Park

National Cycle Network Route 7

Highland Boundary Fault Trail

Limecraigs Railway

③ ④ ⑤ ② ⑥

G10

A821

P ℹ 🚻

Aberfoyle

B829

A821

Forth

Stirling

0 ___ 250 meter
0 ___ 250 yards

G10

rechtsaf de
heuvel op om bij
het beginpunt van de
wandeling terug te keren.

naar een bosweg leiden. Sla
rechtsaf en volg de blauwe markeringen. Blijf op deze weg totdat
u links een groene wegwijzer ziet
die naar het bezoekerscentrum
wijst. Sla linksaf een heuvelafwaarts lopend pad in en loop
het bos in.

Uiteindelijk bereikt u een bord dat
het einde van de route aangeeft.
Hiervandaan volgt u de borden
terug naar het bezoekerscentrum.
Als het pad zich splitst moet u

*Een bankje bij een van de
mooiste uitzichtpunten langs
de route*

ETEN EN DRINKEN

Het bezoekerscentrum in het
Queen Elizabeth Forest Park
*(juni–aug. dag. 10–18, Pasen–
juni en sept.–dec. 10–17, rest
van het jaar za.–zo. 10–17 uur)*
heeft een uitstekend restaurant,
waar u kunt genieten van een
kom warme soep, verscheidene
warme en koude dranken en
andere versterkingen variërend
van sandwiches tot warme
maaltijden. Het restaurant biedt
niet alleen eten, maar ook
prachtig uitzicht op het bos.

7 WANDELING 213

EEN RONDRIT DOOR FIFE

Deze rondrit voert langs de hoogtepunten van het Kingdom of Fife, een schiereiland aan de oostkust met sterke tradities op het gebied van landbouw, visserij en mijnbouw.

DE AUTOROUTE

Afstand: 155 km
Tijdsduur: 1 dag
Begin/eind: St. Andrews, kaart 318 K10
Toeristeninformatie:
70 Market Street, St. Andrews KY16 9NU, tel. 01334 472021

Neem bij de oude universiteitsstad St. Andrews ❶ (blz.100) de A917 naar het zuidoosten langs de kust richting Crail, waarbij u een afslag naar Schotlands geheime bunker passeert (blz. 101).

Crails pittoreske haven ligt onder aan een steile laan. De plaats is de eerste van de keten van vissersdorpen van East Neuk (blz. 96–97), met leuke oude vissershavens die zich uitstrekken langs de zuidoostkust van Fife. Ze kijken uit op het Isle of May, en over de Firth of Forth op de laaglanden van North Berwick.

Volg de A917 gedurende 6,5 km naar Anstruther, met het aan de kust gelegen Scottish Fisheries Museum (apr.–sept. ma.–za. 10–17.30, zo. 11–17, rest van het jaar ma.–za. 10–16.30, zo. 12–16 uur). Rijd nog 1,5 km verder over de A917 naar Pittenweem ❷, de drukste van de havens.

Kellie Castle in het noorden is een kort uitstapje waard (NTS, tuinen het hele jaar geopend 9.30–zonsondergang; huis juni–sept. dag. 13–17 uur). Dit eerbiedwaardige kasteel stamt uit 1360, maar het grootste deel dateert uit 1606. Het interieur werd eind 19e eeuw gerestaureerd door de familie van de architect Robert Lorimer en heeft een comfortabele, excentrieke uitstraling, met beschilderde panelen en enkele gepleisterde plafonds boven. Het huis kijkt naar het zuiden uit op de zee en aan de achterkant op de mooie ommuurde tuinen, schitterend beplant met ouderwetse rozen, fruit en groenten en overblijvende planten.

Rijd verder over de A917 om eerst St. Monans en daarna Elie met zijn gouden strand te bezoeken. Volg de A917 naar Upper Largo, neem daarna de A915 richting Windygates, waarbij u Largo Bay passeert en het vakantie- en golfpark Lundin Links. Ook Leven en Methil zijn vakantieplaatsen aan de rand van het industrie- en mijnbouwgebied dat zich uitstrekt tot Kirkcaldy.

Neem bij Windygates ❸ de A911 en rijd naar Glenrothes, een in 1949 planmatig aangelegde stad. Sla bij de rotonde op de kruising met de A92 rechtsaf en ga naar het noorden. Ga linksaf bij de A912 en volg deze tot het oeroude dorp Falkland (blz. 92), waar enkele goede eetgelegenheden zijn. Rijd verder over de A912 en sla linksaf bij de A91 en weer links bij de B919. Sla linksaf bij de A911 en volg deze naar Scotlandwell ❹.

Scotlandwell ligt op het vlakke land ten oosten van Loch Leven. Volgens gegevens uit 84 n.Chr. dronken Romeinse soldaten al uit de heilige bron alhier. In de Middeleeuwen was het een pelgrimsoord. Het huidige stenen waterreservoir dat de bron markeert stamt uit de 19e eeuw. Tegenwoordig is het dorp beter bekend om het nabijgelegen glidingcentrum.

Verlaat het dorp via de B920, sla rechtsaf bij de B9097 op de zuidelijke oever van Loch Leven, een natuurreservaat dat bekendstaat om zijn vogels. U passeert – links van u – het bezoekerscentrum Vane Farm van de Royal Society for the Protection of Birds (dag. 10–17 uur). Sla bij de kruising met de B996 rechtsaf en volg deze weg naar Kinross ❺.

Kinross, op de noordwestelijke oever van Loch Leven, is een voormalige graafschapshoofdstad en een populair visserijcentrum. Het biedt ook toegang tot Lochleven Castle (blz. 99). De tuinen van het 17e-eeuwse Kinross House zijn in de zomer geopend (mei–sept. dag. 10–19 uur) en werden ontworpen door William Bruce (1630–1710), beter bekend om zijn werk aan Holyrood Palace in Edinburgh.

Rijd verder over de B996, die zich bij de A922 voegt. Volg na Milnathor eerst nog de B996 en daarna de A91. Sla bij de A912 linksaf en bij de A913 rechtsaf naar Abernethy.

Door de Picten bewerkte stenen in de omgeving doen vermoeden dat dit rustige dorp ooit een centrum van zekere betekenis was. Er wordt gezegd dat de

Bij het dorp Elie van het strand en het uitzicht genieten

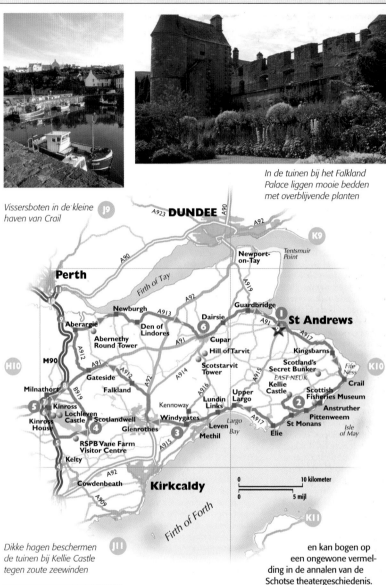

In de tuinen bij het Falkland Palace liggen mooie bedden met overblijvende planten

Vissersboten in de kleine haven van Crail

DUNDEE

Newport-on-Tay

Tentsmuir Point

Perth

Firth of Tay

Newburgh

Aberargie

Den of Lindores

Abernethy Round Tower

Dairsie

Cupar

Hill of Tarvit

Guardbridge

St Andrews

Kingsbarns

Scotland's Secret Bunker

Scotstarvit Tower

M90

Gateside

Falkland

Milnathort

Kinross

Lochleven Castle

Kinross House

Scotlandwell

Kennoway

Lundin Links

Upper Largo

Kellie Castle

Scottish Fisheries Museum

Anstruther

Pittenweem

St Monans

Fife Ness

Crail

EAST NEUK

Windygates

Glenrothes

RSPB Vane Farm Visitor Centre

Kelty

Leven

Methil

Largo Bay

Elie

Isle of May

Cowdenbeath

Kirkcaldy

0   10 kilometer

0   5 mijl

Firth of Forth

Dikke hagen beschermen de tuinen bij Kellie Castle tegen zoute zeewinden

Schotse Malcolm II hier in 1072 voor Willem de Veroveraar neerknielde. De beroemdste attractie is de vreemde, ronde 22,5 m hoge en uit de 11e eeuw stammende toren. Het is de enige van twee van dergelijke Iers-Keltische kerktorens in Schotland (de andere staat in Brechin).

Rijd verder over de A913 en volg deze ruim 20 km naar de drukke stad Cupar **6**.

Cupar, een koninklijke *burgh*, heeft al stadsrechten sinds 1363 en kan bogen op een ongewone vermelding in de annalen van de Schotse theatergeschiedenis. Hier werd in 1535 voor het eerst het zinnenspel *Ane Pleasant Satire of the Three Estates* van de dichter David Lyndsay opgevoerd. Het stuk werd door de protestanten verwelkomd als een levendige aanval op de corruptie van de Kerk en wordt nog altijd opgevoerd. In het zuiden nabij de A916 staat Scotstarvit Tower, een kasteelruïne uit 1579 die deel uitmaakt van het landgoed Hill of Tarvit (blz. 95).

Rijd verder over de A91 en volg deze terug naar St. Andrews.

UNIVERSITEITSTRADITIES IN ST. ANDREWS

Maak tijdens een gemoedelijke stadswandeling kennis met enkele ongewone gebruiken.

DE WANDELING

Afstand: 7 km

Tijdsduur: 2 uur

Begin/eind: Martyrs Monument, The Scores, St. Andrews (OS Explorer-kaart 371 St. Andrews & East Fife (coördinaten No 506170)

Hoe komt u er: St. Andrews ligt aan de A911, ruim 22 km ten zuiden van Dundee; kaart 318 K10

Het historische St. Andrews (blz. 100) is beroemd als golfstad en vanwege zijn zeer oude universiteit. Deze werd opgericht in 1410 en is de oudste universiteit van Schotland en de op twee na oudste van Groot-Brittannië. De relatief geïsoleerde ligging op de kust van Fife kan een van de redenen zijn geweest waarom prins William besloot om hier te gaan studeren.

De universiteit is trots op zijn tradities en het is mogelijk dat u studenten in hun kenmerkende scharlakenrode gewaden in de stad ziet rondlopen. Eerstejaars dragen ze over beide schouders, en naarmate de studiejaren vorderen laten ze het gewaad geleidelijk zakken totdat ze het in hun laatste jaar zo laten hangen dat het bijna achter hen aan sleept.

Elizabeth Garrett, de eerste vrouwelijke arts van Groot-Brittannië, kreeg in 1862 toestemming om zich als student bij St. Andrews in te schrijven, maar

werd vervolgens afgewezen toen de senaat besloot dat dit illegaal was. Hierna spande de universiteit zich in om de educatie van vrouwen te bevorderen. In 1892 kregen deze het recht op volledig lidmaatschap.

Als u vóór u het Martyrs Monument op The Scores ziet ❶, loop dan links langs de kiosk. Ga bij de straat naar rechts, loop naar het British Golf Museum en ga daarna naar links. Loop voorbij het clubhuis van de Royal and Ancient Golf Club aan uw linkerhand en ga dan bij de beek naar rechts om bij het strand uit te komen ❷.

Loop zo ver als u wilt langs de West Sands en keer vervolgens weer terug langs het strand of neem een van de paden door de duinen om bij de asfaltweg uit te komen. Loop terug naar het Golf Museum, sla daarna rechtsaf en wandel naar de hoofdstraat. ❸

Ga naar links en loop naar het St. Salvator's College.

In de Middeleeuwen konden studenten al op dertienjarige leeftijd tot de universiteit toetreden. Er ontstond hierdoor in de studentenwereld een sterke leeftijdshiërarchie. Nieuwe studenten werden in het studentencorps ingewijd op Raisin Monday, zo genoemd omdat zij

die dag een pond rozijnen moesten meebrengen. De traditie leeft nog altijd voort. In november, op Raisin Sunday, nemen de academische 'vaders' (ouderejaars) hun 'kinderen' (eerstejaars) mee uit om dronken te worden. Op de volgende dag, Raisin Monday, steken de 'moeders' hen in een mooi pak waarna zij in St. Salvator's samenkomen voor een meel-en-eieren-gevecht.

Werp door de boog een blik op de binnenplaats en let op de initialen PH in de straatstenen. Zij gedenken Patrick Hamilton, die hier in 1528 de marteldood stierf — men zegt dat studenten die er op staan zullen zakken voor hun examen.

Steek over en loop naar het uiteinde van College Street ❹. Sla rechtsaf en loop langs Market Street. Ga bij de hoek linksaf Bell Street in, en daarna weer links South Street in. Steek, vlak nadat u Church Street bent overgestoken, over naar St. Mary's College. Loop over het pad rechts van u naar Queen's Terrace ❺.

Ga naar rechts en loop door tot het bakstenen huis, ga daarna naar links het steil naar beneden lopende Dempster Terrace af. Steek aan het eind de beek over en loop naar de hoofdstraat. Steek over en loop Glebe Road uit. In het park volgt u het pad naar links, wandel langs de speelplaats naar Woodburn Terrace ❻.

Sla linksaf St. Mary Street in, ga weer naar links en vervolgens rechts over Woodburn Place. Loop naar links langs het strand.

U kunt genieten van het uitzicht op de Long Pier, waarop studenten traditioneel op zondagochtend na de kerkdienst wandelden, totdat de pier voor reparatie werd gesloten. Een andere traditie is de massale duik in de ijskoude zee op 1 mei.

Golfers bij de 18e hole op de beroemde Old Course

WANDEL-/AUTOROUTES

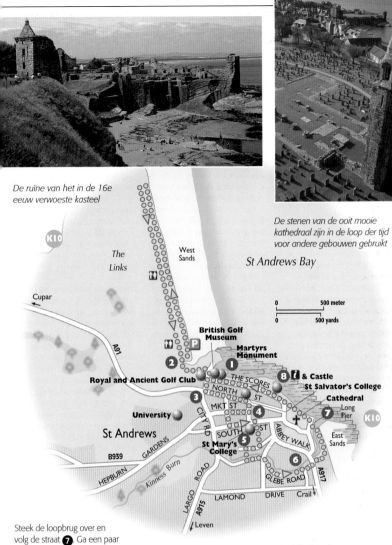

De ruïne van het in de 16e eeuw verwoeste kasteel

De stenen van de ooit mooie kathedraal zijn in de loop der tijd voor andere gebouwen gebruikt

St Andrews Bay

The Links

West Sands

Cupar

British Golf Museum

Martyrs Monument

Royal and Ancient Golf Club

THE SCORES

& Castle
St Salvator's College
Cathedral

NORTH ST

Long Pier

University

MKT ST

St Andrews

CITY RD

East Sands

B939

SOUTH ST

ABBEY WALK

St Mary's College

GARDENS

HEPBURN

Kinness Burn

LARGO ROAD

GLEBE ROAD

LAMOND DRIVE

Crail

A915

A917

Leven

0 — 500 meter
0 — 500 yards

K10

Steek de loopbrug over en volg de straat ❼. Ga een paar stappen naar rechts en loop vervolgens de trappen links op.

Deze leiden u naar de resten van een kerk en de ruïnes van de kathedraal *(gratis toegang)*. Een poort in de muur links biedt toegang tot de kathedraal.

Passeer het oude kasteel ❽ *(apr.–sept. dag. 9.30–18.30, rest van het jaar 9.30–16.30 uur)*.

Het kasteel, een voormalig koninklijk paleis en fort, speelde een belangrijke rol in de Reformatie — de protestantse leider John Knox heeft er gepreekt.

Loop langs het bezoekerscentrum van het kasteel en wandel daarna verder over The Scores om vervolgens naar het begin van de route terug te keren.

ETEN EN DRINKEN

St. Andrews bezit behalve vele pubs die zich richten op de altijd dorstige studenten ook een keur aan brasseries. Brambles, op de College Street, is een populaire brasserie die soep, snacks, gebak van eigen makelij en enkele vullender hoofdgerechten serveert.

Fisher and Donaldson, op Church Street, is een bakkerij die beroemd is om zijn fudgedonuts (ze zijn heel erg zoet – denk om uw gebit).

Een blik door de poort van St. Salvator's College

WANDEL-/AUTOROUTES

IN HET VOETSPOOR VAN ALEXANDER 'DE GRIEK' THOMSON

Ontdek een Victoriaanse stad en de architect die hem schiep.

DE WANDELING

Afstand: 10,5 km

Tijdsduur: 3 uur en 30 minuten

Begin/eind: Central Station, Glasgow (OS Explorer-kaart 342 Glasgow, coördinaten NS 587653)

Hoe komt u er: Central Station; kaart 317 G11

De architect Alexander Thomson, bekend om zijn innovatieve gebruik en interpretatie van klassieke Griekse ontwerpen, hielp bij de vormgeving van het 19e-eeuwse Glasgow. De in 1817 geboren Thomson bestudeerde als leerling-architect al de tekeningen en gravures van klassieke architectuur. Hun invloed op zijn eigen ontwerpen leverde hem de bijnaam 'de Griek' op, ofschoon hij nooit in Griekenland is geweest.

De gebouwen van Thomson variëren van kerken tot villa's, warenhuizen, huurkazernes en zelfs een serie trappen. Een groot deel van zijn werk werd in de Tweede Wereldoorlog verwoest en tijdens de modernisering van Glasgow in de jaren zestig en zeventig verdwenen nog meer gebouwen. De 24 gebouwen die zijn overgebleven geven een goed overzicht van zijn werk.

Thomsons eigen huis stond op Moray Place 1, een *terrace*huis dat in 1858 naar zijn ontwerp werd gebouwd. Het is nu het contactadres van de Alexander Thomson Society en, net als de meeste andere door hem ontworpen huizen, privé-bezit.

Een uitzondering is het huis Holmwood (blz. 110) in Cathcart, 7 km van het stadscentrum, dat nu eigendom is van de National Trust for Scotland. Het is misschien wel Thomsons mooiste creatie en ondergaat nu een volledige restauratie.

Hoewel hij tijdens zijn leven veel aanzien genoot en een grote invloed op architecten als Charles Rennie Mackintosh en Frank Lloyd Wright had, is Thomson in de vergetelheid geraakt.

Verlaat het Central Station ❶ en sla rechtsaf. Ga bij de kruising met Union Street naar rechts.

Het gebouw op de hoek ertegenover is het Ca' d'Oro-gebouw, een laat-19e-eeuws pakhuis in Italiaanse stijl van John Honeyman, dat hij baseerde op het Gouden Huis in Venetië. Een stukje verderop in Union Street, maar aan dezelfde kant als het Ca' d'Oro, staat Thomsons Egyptian Halls (1871–1973), een gebouw met een enorme natuurstenen gevel dat begon als een vroege versie van een winkelcentrum en nu een renovatie behoeft.

Steek over en loop verder door Union Street, sla bij de volgende kruising ❷ linksaf Argyll Street in. Steek Argyll Street over en wandel vervolgens verder naar kruising met Dunlop Street.

Hier vind u het Buck's Head-gebouw, dat is genoemd naar een herberg die vroeger op deze plaats stond.

Steek Argyll Street over en loop weer terug, sla rechtsaf Buchanan Street in. Ga naar links Mitchell Lane in, loop langs The Lighthouse (blz. 112) en sla rechtsaf ❸.

Loop Mitchell Street in, wandel verder door West Nile Street en ga daarna linksaf St. Vincent Street in. Volg deze zo'n 800 m heuvelopwaarts naar de kruising met Pitt Street.

U staat nu voor Thomsons kerk in St. Vincent Street (1857–1859), een van zijn grootste werken. Het is een opmerkelijk gebouw met Griekse zuilen en een indrukwekkende toren op

Holmwood is een creatie van Thomson op het hoogtepunt van zijn loopbaan, en de moeite van een bezoek waard

Thomsons indrukwekkende kerk op de hoek van Vincent Street

De Room de Luxe van Mackintosh is ingericht in opmerkelijk contrasterende stijlen

de helling van de Blythswood Hill.

Steek St. Vincent Street hier over en ga daarna via Pitt Street naar Sauchiehall Street ❹.

Thomsons Grecian Chamber (1865) staat op de hoek ertegenover en rechts aan Scott Street staat de Glasgow School of Art van Rennie Mackintosh (blz. 110).

Ga bij de Grecian Chamber naar links en loop Sauchiehall Street af naar Charing Cross. Loop vervolgens via de voetgangersbrug over de snelweg naar Woodlands Road. Volg deze tot hij eindigt bij Park Road, sla rechtsaf en ga dan weer linksaf Great Western Road in.

Ga rechtsaf Belmont Street in ❺ en vervolgens linksaf bij Quad Gardens, daarna opnieuw links bij Queen Margaret Drive. Steek de straat over en loop langs de Botanic Gardens (blz. 104) om daarna weer naar rechts, terug naar de Great Western Road, te lopen. Steek de straat over en vervolg uw weg naar het Great Western Terrace.

Dit is een ander meesterwerk (1869) van Thomson. Het staat bekend als de fraaiste huizenrij van Glasgow. U kunt zien dat hij de hoogste gebouwen in het midden van de rij plaatste, in plaats van aan de uiteinden.

Loop hiervandaan terug Byres Road op en ga dan naar rechts, sla onderaan linksaf University Avenue in.

Sla linksaf Oakfield Avenue ❻ in en loop langs Eton Terrace op de hoek met Great George Street.

Ga rechtsaf Great George Street in, dan rechtsaf Otago Street in en daarna linksaf Gibson Street in. Blijf deze volgen wanneer hij overgaat in Eldon Street. Sla tenslotte rechtsaf Woodlands Road in en keer terug naar Sauchiehall Street.

Volg deze naar de kruising met Renfield Street, ga naar rechts en loop de heuvel af naar het station.

ETEN EN DRINKEN

Bij een architectonische wandeling door Glasgow hoort eigenlijk maar één eetgelegenheid: de Willow Tearoom in Sauchiehall Street (blz. 114), ontworpen door Charles Rennie Mackintosh voor Kate Cranston, die een keten van theesalons bezat. Er staat altijd een rij voor de Room de Luxe uit 1904, waar alles — inclusief de stoelen en tafels — door Mackintosh is ontworpen. Het is het wachten waard en het eten is goed en niet duur.

KASTELEN, FORTEN EN SLAGVELDEN

Op deze Highlands-tocht ten oosten van Inverness komen legenden en geschiedenis tot leven.

DE AUTOROUTE

Afstand: 170 km

Tijdsduur: 1–2 dagen

Begin/eind: Inverness, kaart 322 G6

Toeristeninformatie:
Castle Wynd, Inverness IV2 3BJ,
tel. 01463 234353
High Street, Grantown-on-Spey PH26 3EH,
tel. 01479 872773; in het seizoen

Verlaat Inverness ❶ (blz. 129) via de A96 en rijd door de vlakte ten zuiden van de Moray Firth. Sla linksaf bij de B9039 om het vissersdorpje Ardersier te bereiken, neem daarna de B9006 naar Fort George, 20 km verderop.

Fort George werd tussen 1748 en 1769 gebouwd op een smalle, de Moray Firth in stekende strook land tegenover Chanonry Point op het Black Isle (blz. 121). Het sterk gefortificeerde complex was oorspronkelijk 30 ha groot en ontworpen om een garnizoen van meer dan 2000 soldaten te huisvesten. Het naar George II genoemde fort werd hier gebouwd om Inverness tegen aanvallen vanaf de zee te beschermen en als maatregel om de Highlands na Culloden (blz. 125) weer onder de duim te krijgen. Het nog intacte complex is een prachtig voorbeeld van een artilleriefort *(HS, apr.–sept. ma.–za. 9.30–18.30, zo. 12–16.30, rest van het jaar ma.-za. 9.30–16, zo. 12–16.30 uur)*.

Keer terug naar Ardersier en volg daarna de B9006 en de B9090 naar Cawdor Castle ❷.

Het schitterende 14e-eeuwse kasteel wordt geassocieerd met Shakespeares toneelstuk *Macbeth* (blz. 121). In het westen staat Kilravock Castle *(privé-bezit)*, de 15e-eeuwse familieresidentie van de Roses die door zijn beroemde buur wordt overschaduwd. Zowel Bonnie Prince Charlie als zijn vijand de hertog van Cumberland zijn er te gast geweest in de uren voor Culloden (1746).

Het 18e-eeuwse Fort George

Rijd verder over de B9090 en volg deze naar Nairn.

Filmster Charlie Chaplin (1889–1977) hield ervan om vakantie te vieren in deze welvarende vakantieplaats met zijn mooie strand, goede golfterrein en gezinsactiviteiten. De villa's en hotels liggen achter de aan de kust gelegen oude vissersplaats. In het dorpje staan de voormalige vissershuisjes dicht opeen. De haven stamt uit 1820 en werd ontworpen door de ingenieur Thomas Telford.

Rijd verder over de A96 en passeer Auldearn, in 1645 de locatie van een grote veldslag tussen Covenanters en koningsgezinden. Volg deze weg verder door het schaduwrijk Culbin Forest. Sla linksaf om Brodie Castle te bezoeken.

Brodie Castle, een kasteel uit 1567, ligt in een aantrekkelijk park dat beroemd is om zijn prachtige narcissen *(NTS, apr. en juli–aug. dag. 12–16, mei–juni en sept. zo.–do. 12–16 uur)*. Het in de 19e eeuw tot een comfortabel landhuis verbouwde kasteel is tot 1980 in handen van de familie Brodie gebleven. Daarna werd het eigendom van de National Trust for Scotland. De collectie kunst, boeken en meubels van de familie is bijzonder en omvat onder meer schilderijen van 17e-eeuwse Nederlandse meesters en Schotse Coloristen.

Keer terug op de A96 en volg deze weg naar de bloemenstad Forres (blz. 126). Rijd de stad in, sla bij de B9011 linksaf en volg deze naar Findhorn ❸.

Dit gebied wordt geteisterd door de zee en zandverschuivingen en dit is het derde dorp op deze locatie met de naam Findhorn — het eerste verdween in 1694, het tweede spoelde weg in 1701. Het was ooit een belangrijke haven, maar de haven wordt nu alleen nog door pleziervaartuigen bezocht. In 1962 werd hier door Peter en Eileen Caddy en Dorothy Maclean de Findhorn Community gesticht om een alternatieve, spirituele en duurzame manier van leven te ontdekken. De gemeenschap telt zo'n 400 inwoners en biedt een uitgebreid holistisch opleidingsprogramma en een ecologisch dorp *(rondleidingen mrt.–mei en sept.–okt. ma., wo. en vr. 15 uur, juni–aug. ook op za. en zo.)*.

Keer via de B9011 en de A96 terug naar Forres. Rijd zuidwaarts over de A940 en neem de A939 naar Grantown-on-Spey, een afstand van 43 km.

Grantown-on-Spey ❹ ligt aan de rand van het whiskygebied Speyside (blz. 137) en vormt een goede uitvalsbasis voor tochten. Het dorp werd eind 18e eeuw door James Grant ontworpen en de komst van de spoorweg in 1863 droeg bij aan zijn populariteit als kuuroord.

De centrale toren van Cawdor Castle stamt uit de 14e eeuw

Boven: een picknickplaats naast de oude brug over de Spey in Grantown, die in 1754 werd gebouwd. Het is een veel steviger bouwwerk dan de brug bij Dulnain hieronder, die nog geen 40 jaar daarvoor werd gebouwd

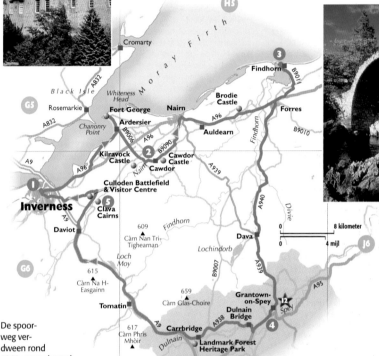

Een in 1881 gebouwde herdenkingscairn op Culloden Moor markeert de plaats waar 1200 jacobieten omkwamen

De spoorweg verdween rond 1960, maar de stad is nog altijd in trek bij wandelaars en sportvissers. In de winter overnachten er skiërs uit het nabijgelegen Aviemore. Het Grantown Museum vertelt het verhaal van de stad *(mei–dec. ma.–za. 10–16 uur)*.

Vervolg uw tocht over de A95 richting Aviemore en neem bij Dulnain Bridge de A938 naar Carrbridge, dat bekend is om zijn pittoreske brug uit 1717, en het Landmark Forest Heritage Park (blz. 134). Vervolg uw weg over de A938 en neem de A9 richting Inverness. Sla vlak na Daviot rechtsaf de B851 in. Sla linksaf bij de B9006 en volg deze tot de locatie van de grote veldslag bij Culloden Moor **5** (blz. 125).

Even ten oosten van Culloden loopt de secundaire weg B9091 langs Clava Cairns, drie van de belangrijkste gekamerde cairns van het land. Ze stammen uit de Bronstijd *(gratis toegang)*. De twee buitenste zijn ganggraven die zijn bedekt met een grote platte steen. Alle drie zijn ze omgeven door een ring van staande stenen, vaak met komvormige holten.

Rijd verder via de B9006 naar de A9. Rijd de A9 op en keer terug naar Inverness.

DE STAD VAN JAMES GRANT

Bezoek een oeroud naaldbos op de oevers van de Spey en een 18e-eeuwse stad.

DE WANDELING

Afstand: 11 km

Tijdsduur: 3 uur

Begin/eind: Grantown-on-Spey Museum (OS Explorer-kaart 419 Grantown-on-Spey, coördinaten NJ 035280)

Hoe komt u er: Grantown-on-Spey ligt aan de A939; kaart 322 H6

Rond het jaar 1750 keerde de jonge James Grant van zijn grote rondreis door Europa terug naar Speyside (zie blz. 137). Hij had Edinburghs New Town, die toen net werd gebouwd, gezien en meende dat Speyside dat ook kon. Het lukte hem om zijn vader Ludovic Grant over te halen, waardoor er boven de nieuwe militaire brug over de Spey een nieuwe stad verrees.

Kooplieden en ambachtslieden werden uitgenodigd om hun eigen huizen te bouwen volgens een vaststaand patroon, met daken van lei en muren van licht, gespikkeld graniet. De stad moest worden ondersteund door een linnenfabriek.

In 1766 werd het marktkruis in een processie van de oude stad naar de nieuwe stad verplaatst. Om de inwoners van de whisky af te houden werd er een brouwerij geopend. Ook bouwden de Grants een weeshuis en een moderne school.

James Grant moest echter de bouw van de meeste huizen en ook die van de linnenfabriek financieren. Door de Industriële Revolutie maakte men in Engeland goedkopere stoffen, waardoor de fabriek al in 1774 ten onder ging. In 1804 werd de stad bedreigd door een economische crisis en moest Grant zijn huis in Londen verkopen om de inwoners te voeden.

Grantown leefde voort als marktplaats voor de boeren uit het dal van de Spey. Met de komst van de spoorweg verschenen bezoekers uit de middenklasse. De inwoners van Grantown verhuisden naar optrekjes in hun eigen tuinen, terwijl artsen en advocaten met hun gezin de zomer in hun huizen doorbrachten. De granieten stad van James Grant is nadien altijd toeristen blijven trekken.

Loop langs het museum ❶ (blz. 137). Sla linksaf South Street in dan rechtsaf Golf Course Road in. Over het golfterrein loopt een geasfalteerd pad naar een klein hek dat toegang geeft tot Anagach Wood ❷.

Het brede pad voor u heeft een blauw/rode markering. Bij een kruising gaat de blauwe route naar rechts; sla linksaf en volg de Spey Way-markering en palen met een rode bovenkant. Blijf de rode markeringen volgen, sla bij de eerste kruising linksaf en ga bij de volgende weer naar links. Op het moment dat de route bij een nieuw hek komt en de beek links van u een bocht maakt, moet u rechtdoor blijven lopen en de Spey Way-markering volgen.

De route voert u langs open velden ❸. Sla na een brug te zijn overgestoken rechtsaf door een draaihek. Een pad met links naaldbomen leidt naar een pad bij de rivier de Spey (de brug van Cromdale ligt nu recht vooruit).

Maak op dit pad een scherpe bocht naar rechts ❹ en volg de rivier. Bij een vissershut loopt het pad opnieuw het bos in. Na 1 km gaat het pad over in een groen pad en loopt langs het huisje Craigroy naar het toegangspad.

Bij Easter Anagach ❺ ziet u rechts een grasland met rode markeringen en berkenbos in lopen. Als u voor u een hek ziet, moet u de markeringspalen naar links volgen. U betreedt een breed pad naast een vervallen hek.

Sla bij de volgende kruising rechtsaf en volg de rode paaltjes een helling op. Sla bij het afdalen vlak voor een blauw paaltje linksaf een kleiner pad met blauwe en rode paaltjes in. Deze loopt over een rotsheuvel en komt uit bij een bank boven een laantje ❻.

Aan het einde van de laan staat links de mooie brug die halverwege de 18e eeuw door majoor Caulfield werd gebouwd als onderdeel van een na de jacobietenopstand (blz. 28–29) aangelegd militair wegennet.

Het pad maakt een bocht naar rechts en komt uit bij een breder pad (de voormalige militaire weg). Sla rechtsaf een pad met groene paaltjes in. Bij een kleine vijver buigt het hoofdpad met blauwe en groene paaltjes 140 m naar links. Volg het pad met de groene palen rechtdoor. Ga bij de kruising naar links en zoek de volgende groene paal. Ga bij het golfterrein linksaf naar een parkeerplaats en informatiebord ❼.

De Spey is een van de beste zalmrivieren van Schotland

WANDEL-/AUTOROUTES

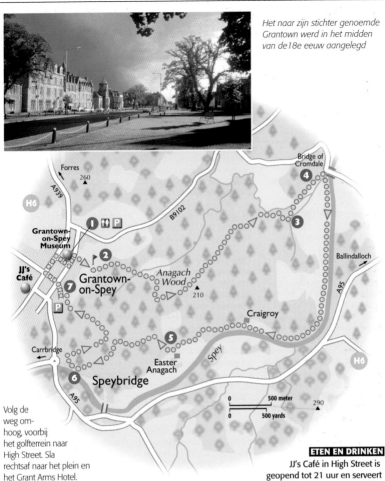

Het naar zijn stichter genoemde Grantown werd in het midden van de 18e eeuw aangelegd

Forres
260 ▲
A939

H6

① **🏛** **P**

Grantown-on-Spey Museum

JJ's Café

②

Grantown-on-Spey

⑦

P

B9102

Anagach Wood
210 ▲

③

④
Bridge of Cromdale

hotels

Ballindalloch

A95

Craigroy

⑤

Carrbridge

⑥

Speybridge

Easter Anagach

Spey

A95

H6

| 0 | 500 meter |
| 0 | 500 yards |

290 ▲

ETEN EN DRINKEN

JJ's Café in High Street is geopend tot 21 uur en serveert goede, eenvoudige kost. Het is bij de lokale bevolking zo populair dat het vaak vol zit — probeer dan een maaltijd in het Tyree House Hotel. Grantown bezit ook twee patatzaken en veel cafés en hotels.

Volg de weg omhoog, voorbij het golfterrein naar High Street. Sla rechtsaf naar het plein en het Grant Arms Hotel.

Toen koningin Victoria in september 1860 bij het Grant Arms halt hield, werd haar gevolg behoorlijk dronken. Haar secretaris generaal Grey ging winkelen en kocht een horloge voor zichzelf. De koningin genoot intussen van goede porridge.

Even voorbij het Grant Arms wijst een wegwijzer rechts de weg terug naar het museum.

De Old Spey Bridge, die voor militaire doeleinden werd gebouwd, werkte als katalysator voor de bouw van de nieuwe stad

DE WESTELIJKE HIGHLANDS

De 'Road to the Isles', een oude veedrijversweg die de westelijke Highlands in loopt, vormt het begin van een van de mooiste routes door Schotland.

DE AUTOROUTE

Afstand: 330 km	

Tijdsduur: 2–3 dagen

Begin/eind: Fort William, kaart 321 E8

Toeristeninformatie:
Cameron Centre, Cameron Square, Fort William PH33 6AJ, tel. 01397 703781
Main Street, Mallaig PH41 4QS, tel. 01687 462170; in het seizoen

Verlaat Fort William ❶ (blz. 126) via de A82 richting Inverness en ga dan bij de A830 naar links richting Mallaig. Ga bij de B8004 rechtsaf naar Banavie voor een kijkje bij de sluizen in het Caledonian Canal die Neptune's Staircase (blz. 226–227) worden genoemd. Keer terug naar de A830. Sla rechtsaf en volg de weg langs Loch Eil naar Glenfinnan ❷.

Glenfinnan, aan het begin van Loch Shiel, is verbonden met de mislukte jacobietenopstand van 1745 (blz. 28–29). Volg het korte pad achter het bezoekerscentrum van de National Trust for Scotland om het 21 bogen tellende Glenfinnan-viaduct van Robert MacAlpine (1847–1934) te zien. Eroverheen loopt de toeristische West Highland Railway naar Mallaig. De spoorlijn loopt grotendeels parallel aan de weg. Er rijden ook stoomtreinen over.

Volg A830 en rijd langs de oever van Loch nan Uamh.

Een cairn markeert de plaats waar Bonnie Prince Charlie Schotland verliet toen hij, na de

nederlaag bij Culloden in 1746 (blz. 125) en na zich maanden te hebben schuilgehouden op de Western Isles, uiteindelijk naar Frankrijk vluchtte. Hij werd in die periode door veel gewone mensen geholpen en ondanks de beloning van £30.000 niet verraden.

Rijd via de A830 door een bosgebied met beuken, eiken en berken naar het dorp Arisaig.

Tijdens WO II trainden er in dit gebied agenten van de Special Operation Executive (SOE), die allerhande vaardigheden kregen bijgebracht voordat zij in vijandelijk gebied in Europa werden gedropt. Hun basis was het nabijgelegen Arisaig House, een landhuis in een schitterende omgeving *(privé-bezit)*.

Ga over de A830 verder naar Morar, met uitzicht op de eilanden Eigg en Skye.

Morar is beroemd om zijn zilverachtige kiezelaarde en zijn monster, Morag, die in de diepten van Loch Morar (310 m) leeft.

Ga over de A830 verder naar Mallaig ❸.

Deze drukke vissershaven kijkt over de Sound of Sleat uit op het eiland Skye en fungeert als de haven voor de veerboten naar de Binnen-Hebriden, met Rum, Eigg, Muck en Canna, die bekendstaan als de Small Isles

Op de plaats aan de oever van Loch nan Uamh waar Bonnie Prince Charlie Schotland verliet staat een natuurstenen cairn

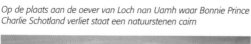

(blz. 137). Mallaig werd belangrijker na de komst van de spoorweg in 1901. Hiermee kon de visvangst snel naar het zuiden worden vervoerd. Dat was in de bloeitijd van de haringvisserij — nu vist men vooral op garnalen. U ziet ze in Marine World *(het hele jaar dag. 9–17 uur, jan.–feb. soms gesloten, extra lang geopend in de zomer)*. Mallaigvaig, aan het eind van de weg, kijkt uit op de heuvels van Knoydart, een van de meest afgelegen delen van Schotland.

Rijd over de A830 terug naar Lochailort. Sla bij de A861 rechtsaf en volg deze naar Kinlochmoidart en Acharacle ❹.

Het dorp ligt bij de zuidwestelijke punt van Loch Shiel. Een omweg over de B8044 leidt naar de ruïne van Castle Tioram aan Loch Moidart *(gratis toegang)*. Het kasteel ligt op een rotsachtig eilandje aan het uiteinde van een landtong en stamt uit het begin van de 13e eeuw, hoewel de centrale donjon ouder is. Het was de residentie van de Macdonalds van Clanranald. Toen Allan, het 14e clanhoofd, zich in 1715 bij de jacobietenopstand aansloot, is het kasteel in brand gestoken om te zorgen dat het niet in handen van de vijand kwam

Volg de A861 naar Salen en sla rechtsaf bij de B8007 om het schiereiland Ardnamurchan (blz. 119) te bekijken. Rijd verder over de B8007 langs Kilchoan naar Ardnamurchan Point ❺.

Het westelijkste punt van het Britse vasteland wordt door een vuurtoren gemarkeerd en biedt schitterend uitzicht op de eilanden van de Binnen-Hebriden Barra en South Uist.

Keer via de B8007 terug naar Salen en sla dan bij de A861 rechtsaf naar Strontian ❻.

Het element strontium is naar dit Highland-dorpje genoemd.

WANDEL-/AUTOROUTES

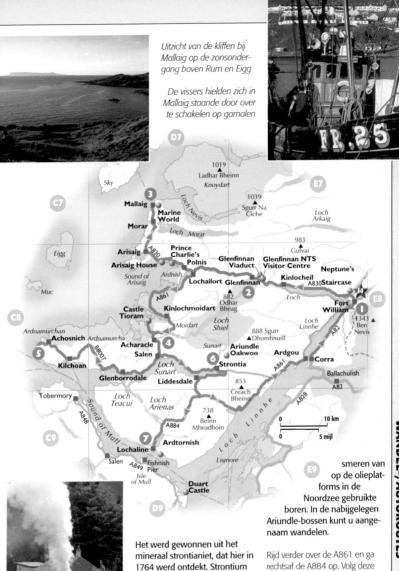

Uitzicht van de kliffen bij Mallaig op de zonsonder-gang boven Rum en Eigg

De vissers hielden zich in Mallaig staande door over te schakelen op garnalen

De Jacobite Express-stoomtrein vertrekt uit Glenfinnan

De ruïne van Castle Tioram kijkt uit op Loch Moidart

Het werd gewonnen uit het mineraal strontianiet, dat hier in 1764 werd ontdekt. Strontium wordt gebruikt voor de produc-tie van vuurwerk. Tussen 1722 en 1904 werden in het gebied lood, zink en zilver gewonnen; nu delft men er bariet voor het smeren van op de olieplat-forms in de Noordzee gebruikte boren. In de nabijgelegen Ariundle-bossen kunt u aange-naam wandelen.

Rijd verder over de A861 en ga rechtsaf de A884 op. Volg deze naar Lochaline **7**.

Lochaline ligt aan de Sound of Mull. Het biedt een veerdienst naar Fishnish en uitzicht op de ruïnes van Ardtornish Castle en Duart Castle op Mull. Men wint hier kiezelaarde voor de produc-tie van glas voor hoogwaardige optische instrumenten.

Keer via de A884 terug naar de kruising (rechts) met de B8043. Volg de niet-geclassificeerde weg naar de A861. Sla hier rechtsaf en volg de weg langs Loch Linnhe naar Ardgour. Neem de Corran-veerboot over het loch. Ga aan de overkant linksaf de A82 op en keer terug naar Fort William.

HET CALEDONIAN CANAL ONTDEKKEN

Een wandeling langs — en onder — Thomas Telfords waterbouwkundige meesterwerk.

DE WANDELING

Afstand: 7 km	
Tijdsduur: 1 uur en 45 minuten	
Begin/eind: Kilmallie Hall, Corpach (OS Explorer-kaart 392 Ben Nevis, Fort William, coördinaten NN 097768)	
Hoe komt u er: Corpach ligt aan de A830, 5 km ten noordwesten van Fort William; kaart 321 E8	

Het eerste onderzoek naar de mogelijkheid van een van kust tot kust lopend kanaal door Schotland om de lochs van de Great Glen met elkaar te verbinden, werd in 1767 verricht door James Watt, de uitvinder van de stoommachine. Maar pas in 1803, ten tijde van Napoleon, werd het noodzakelijk om zo'n kanaal aan te leggen.

Er kwam voor deze grote onderneming slechts één persoon serieus in aanmerking: Thomas Telford (1757–1834). Toen als steenhouwer opgeleide Telford aan een nieuwe brug voor zijn woonplaats Langholm werkte, maakte hij kennis met de poëzie van Burns en Milton en leerde zichzelf scheikunde. Hij bekwaamde zich in twee nieuwe technieken — de gietijzeren boog en de eerste hangbruggen. Terwijl hij aan het Caledonian Canal werkte, legde hij ook bijna 1000 km aan nieu-

we wegen aan en was betrokken bij de uitbreiding van de meeste havens in Schotland.

Het kanaal was een fraai staaltje waterbouwkunde. In de loop van 19 jaar werden zo'n 200 miljoen kruiwagenladingen zand verplaatst. Dankzij vier aquaducten konden beken en rivieren onder de waterweg door stromen. Bij Loch Lochy werd een dam gebouwd en de rivieren Oich en Lochy werden omgeleid. Verder moest Loch Oich worden verdiept. De stoombaggermachine die hiervoor nodig was, moest eerst worden uitgevonden voordat hij kon worden gebouwd.

Het kanaal, dat in de 20e eeuw ernstig in verval raakte, stond op het punt om te worden gesloten toen de regering in 1996 £20 miljoen voor een restauratie beloofde.

Loop van Kilmallie Hall ❶ langs het station van Corpach omlaag naar het kanaal en steek de zeesluis over die het zoute water van het zoete water scheidt.

De 29 sluizen in het Caledonian Canal zijn stuk voor stuk breed en lang genoeg voor een fregat met 40 kanonnen uit admiraal Nelsons vloot.

Volg het kanaal (links van u) tot u bij de volgende sluis komt. Rechts loopt een pad met een blauw voetpadbord en een Great Glen Way-markering. Het loopt onder hoge platanen naar de kust. Volg het pad langs de kust tot u een sportveld passeert, sla dan linksaf en loop door het gras naar een verkeersbord dat weggebruikers wijst op de nabijheid van een speeltuin. Een pad recht vooruit loopt over een beboste aardwal omhoog naar het jaagpad ❷.

Loop 800 m naar rechts over het jaagpad. Vlak voor de Banavie-draaibrug loopt rechts een pad met een Great Glen Way-markering naar beneden.

De Great Glen Way is een nationaal wandelpad dat parallel aan het jaagpad (blz. 236) loopt. Het is opnieuw bestraat als een van kust tot kust lopend fietspad.

Volg de markeringen op de verkeersborden naar een overweg en ga linksaf naar de andere draaibrug, waar een weg overheen loopt.

Sla even voor de brug ❸ rechtsaf bij de borden voor de Great Glen Way en de Great Glen Cycle Route en loop via het jaagpad verder naar Neptune's Staircase ❹.

Neptune's Staircase bestaat uit acht sluizen, elk groot genoeg om een 18e-eeuws oorlogsschip te bevatten

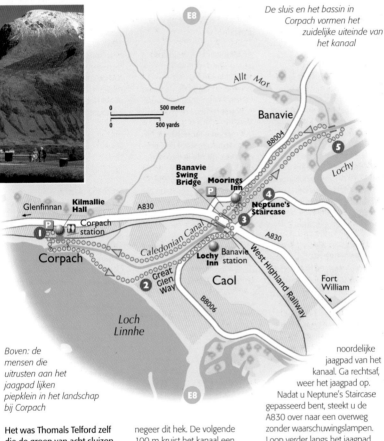

De sluis en het bassin in Corpach vormen het zuidelijke uiteinde van het kanaal

Boven: de mensen die uitrusten aan het jaagpad lijken piepklein in het landschap bij Corpach

Het was Thomals Telford zelf die de groep van acht sluizen zijn mooie naam gaf. Het kost boten ongeveer 90 minuten om door het systeem te komen. Terwijl elke sluis volloopt, komen er langzame, kolkende stromen van beneden, en wanneer ze leegstromen spuit water onder druk uit het metselwerk. De 18 m hoge klim langs de sluizen is het zwaarste stuk van deze tocht.

De bovenkant van de sluizen wordt gemarkeerd door een poort. Ongeveer 180 m verderop ligt achter een grijs hek aan uw rechterhand een autokerkhof;

negeer dit hek. De volgende 100 m kruist het kanaal een kleine bebost dal met rechts een zwart hek. U bereikt nu een volgend grijs hek. Loop erdoorheen naar een pad dat een scherpe bocht naar rechts maakt, afdaalt en een beek kruist **5**.

Rechts loopt de beek via een tunnel recht onder het kanaal door. Ernaast loopt een tweede tunnel die wandelaars naar de andere kant voert. Er druppelt water uit het kanaal in de tunnel, waar een griezelige sfeer hangt. Aan het einde van de tunnel loopt een pad omhoog naar het

noordelijke jaagpad van het kanaal. Ga rechtsaf, weer het jaagpad op. Nadat u Neptune's Staircase gepasseerd bent, steekt u de A830 over naar een overweg zonder waarschuwingslampen. Loop verder langs het jaagpad rechts. Na 1,5 km voert het jaagpad u terug naar de dubbele sluis van Corpach.

ETEN EN DRINKEN

De Moorings Inn in Banavie serveert restaurant- en barmaaltijden aan bezoekers en gebruikers van het kanaal. Aan de andere kant van de A830 en het kanaal staan de picknicktafels van de pretentieloze pub Lochy, die 'grote porties' belooft.

Bij het beginpunt is een Sparwinkel die warme pasteien verkoopt. Kilmallie Hall heeft een tuin met picknicktafels.

EEN RONDRIT DOOR KASTELENLAND

Deze rondrit begint in het aangename plaatsje Banchory en voert u langs enkele van de fraaiste kastelen van Noordoost-Schotland.

DE AUTOROUTE

Afstand: 230 km

Tijdsduur: 2 dagen

Begin/eind: Banchory, kaart 323 K7

Toeristeninformatie:
Bridge Street, Banchory AB31 5SX, tel. 01330 822000; in het seizoen St. Nicholas House, Broad Street, Aberdeen AB9 1DE, tel. 01224 632727

Breng voordat u Banchory verlaat een bezoek aan het plaatselijke historisch museum in Bridge Street *(apr. en okt. za. 11–13 en 14–16.30, mei–juni en sept. ma.–za. 11–13 en 14–16.30, juli–aug. ook zo. 14–16.30 uur)*. Het heeft vitrines over James Scott Skinner (1843–1927), een vioolvirtuoos die bekendstond als de 'Strathspey King' en die veel deuntjes componeerde die nog steeds worden gespeeld.

Verlaat Banchory ❶ via de A93 en ga na 5 km linksaf naar Crathes Castle (blz. 124). Rijd verder over de A93 en sla linksaf een niet-geclassificeerde weg in om Drum Castle ❷ te bereiken.

Het grote, grijze natuurstenen Drum Castle is een van de oudste woontorens van Schotland en stamt uit de 13e eeuw. Ernaast staat een fraai Jacobean huis uit 1619. Het geheel werd verfraaid in de 19e eeuw. Op het landgoed ligt een oeroud eikenbos *(NTS, apr.–mei en sept. dag. 12.30–17.30, juni–aug. 10–17.30 uur)*.

Rijd terug naar Crathes en ga linksaf de A957 op. Sla vlak daarna rechtsaf een secundaire weg in en volg deze langs de zuidoever van de Dee naar Bridge of Feugh. Ga linksaf de B974 op en volg deze zuidwaarts naar Fettercairn ❸, over de Cairn o'Mount (450 m).

Het centrum van dit leuke stadje van rood zandsteen wordt gedomineerd door een gotische boog die werd opgericht ter ere

Rond het historische landhuis Fasque ligt een hertenpark

van een bezoek van koningin Victoria in 1861. Verder naar het noorden ligt het kasteelachtige landhuis Fasque, ooit bezit van de 19e-eeuwse premier William Gladstone *(alleen open voor groepen)*.

Verlaat Fettercairn en rijd oostwaarts over de B966. Ga linksaf de A90 op en volg deze naar Stonehaven. Sla bij de stadsrand rechtsaf en ga vervolgens linksaf via een secundaire weg de stad in.

Het moderne Stonehaven ligt rond de haven, waar de Carron en Cowie de zee in stromen. Het 17e-eeuwse tolhuis op de kade bezit een trapgevel in Hollandse stijl en stamt uit een zware periode in de geschiedenis van de stad, die toen door het leger van Montrose in brand gestoken werd en vervolgens acht lange maanden door de troepen van Cromwell werd bezet. Deze belegerden Dunnottar Castle in het zuiden.

Keer terug op de A90 en rijd 24 km richting Aberdeen ❹ (blz. 119).

Verlaat Aberdeen via de A944. Ga rechtsaf de B977 op en sla dan linksaf een niet-geclassificeerde weg in naar Castle Fraser (blz. 121). Sla bij het verlaten van het kasteelterrein rechtsaf en volg de secundaire weg naar Craigearn. Sla linksaf en dan nogmaals linksaf de B993 in, richting Monymusk. Sla bij een secundaire weg rechtsaf om het dorpje te bezoeken.

Monymusk is een vredig dorp met een bijzondere Normandische kerk uit 1140, even oud als een augustijner priorij, die al heel lang niet meer bestaat. De stenen ervan zijn verwerkt in de vleugels van Monymusk House *(privé-bezit)*. Het beroemde Monymusk-relikwieënkistje, dat de resten van de H. Columba zou bevatten, werd hier vele jaren bewaard — het staat nu in in het National Museum in Edinburgh (blz. 78–81).

Keer terug naar de B993 en sla bij het voormalige tolhuis rechtsaf. Sla bij de A944 rechtsaf en volg deze naar Alford ❺.

Dit kleine plaatsje (uitgesproken als 'Afford') telt twee transportmusea. Het Grampian Transport Museum *(apr.–okt. dag. 10–17 uur)* bezit klassieke auto's, vrachtwagens en motorfietsen, trams en de bijzondere Craigivar Express, een door stoomkracht aangedreven driewieler die in 1895 in deze streek werd gebouwd. Elk jaar in augustus komen moderne milieuvriendelijke voertuigen hier samen voor testritten en wedstrijden. Op het smalspoor van de Alford Valley Railway tussen het station van Alford (met een klein museum) en Haughton Country Park *(juni–aug. dag. 13–16.30, apr.–mei en sept. za.–zo. 13–16.30 uur)* rijdt een stoomtrein.

Rijd verder over de A944 en sla linksaf de A97 naar Kildrummy in.

WANDEL-/AUTOROUTES

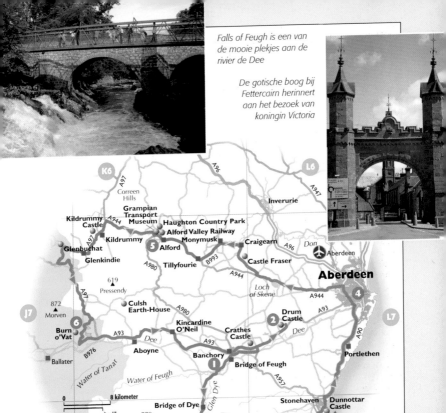

Falls of Feugh is een van de mooie plekjes aan de rivier de Dee

De gotische boog bij Fettercairn herinnert aan het bezoek van koningin Victoria

Een vroege Austin-tractor, Grampian Transport Museum

De Burn o'Vat is een enorm flesvormig gat dat door kolkend water in het gesteente werd uitgesleten . Het is een overblijfsel uit de IJstijd en werd 12.000 tot 15.000 jaar geleden gevormd toen smeltend ijs grote hoeveelheden puin van de bergen afspoelde. De paden in deze omgeving vormen een geologische wandelroute langs verschijnselen die tonen hoe het landschap werd gevormd.

Het nabije Culsh Earth House is een goed geconserveerde grafkamer met een ondergrondse gang met een dak bestaande uit platte stenen. Men vermoedt dat hij 2000 jaar oud is (gratis toegang).

Rijd verder over de B9119 en sla bij de A93 linksaf. Volg deze weg via Kincardine O'Neil om terug te keren naar Banchory.

Kildrummy werd rond 1230 gebouwd voor de graaf van Mar en groeide uit tot een van de grootste kastelen van Schotland. Het bouwwerk, met zijn zware, ronde torens bij de poort en op de hoeken, doet denken aan Harlech Castle in Wales. De kapel, deel van het oorspronkelijke bouwwerk, steekt op een vreemde manier door de muren. Kildrummy, dat in 1306 door de Engelsen werd belegerd, veranderde voordat het uiteindelijk in 1715 werd vewoest verscheidene malen van eigenaar (HS, apr.-sept. dag. 9.30–18.30 uur).

Volg de A97 en passeer aan uw rechterhand het 16e-eeuwse Glenbuchat Castle (privé-bezit). Ga na 29 km rechtsaf de B9119 op om bij de Burn o'Vat **6** aan te komen.

DE VERBORGEN SCHAT VAN STONEHAVEN

Een gezonde wandeling langs de kliffen naar de ruïne van Dunnottar Castle.

DE WANDELING

Afstand: 6 km

Tijdsduur: 1 uur en 30 minuten

Begin/eind: Market Square, Stonehaven (OS Explorer-kaart 273 Stonehaven, coördinaten NO 874858)

Hoe komt u er: Stonehaven ligt aan de A90 ten zuiden van Aberdeen; kaart 318 L8

Stonehavens aantrekkelijkste wijk ligt rond de oude haven

Dunnottar Castle is een prachtige, pittoreske ruïne op de rand van de kliffen, die wordt besproeid door de ijskoude noordelijke wateren. Het was de locatie van een van de fascinerendste en minst bekende episodes in de Schotse geschiedenis, want in Dunnottar Castle werden de Schotse regalia of kroonjuwelen verborgen.

De Schotse kroonjuwelen behoren tot de oudste van Europa. De als de Honours of Scotland bekende regalia bestaan uit een kroon, een rijkszwaard en een zilveren scepter. Samen vormen ze de krachtige symbolen van het onafhankelijke Schotland. Tegenwoordig kan men de Honours bewonderen in Edinburgh Castle (blz. 70–73), waar ook de beroemde Stone of Destiny te zien is.

Toen Oliver Cromwell Schotland in 1650 binnenviel was hij vastbesloten om ze te vernietigen, zoals hij eerder ook de Engelse kroonjuwelen vernietigd had. Zijn plan viel echter in duigen toen de regalia door George Ogilvie van

Dunnottar Castle in veiligheid werden gebracht.

Cromwells mannen belegerden het kasteel bijna een jaar lang, maar toen het eindelijk viel waren de juwelen verdwenen. Ze waren naar buiten gesmokkeld door de vrouw van James Granger, de predikant van het nabije Kinneff, en haar dienstmeid.

De juwelen werden verstopt in de kerk in Kinneff en hoewel Cromwells mannen de Grangers gevangen zetten en de vrouw van Ogilvie martelden, gaf niemand het geheim prijs. (Als u een bezoek brengt aan de oude kerk van Kinneff kunt u de aan hen gewijde gedenksteen zien.)

De kroonjuwelen werden na het herstel van de monarchie in 1660 naar Edinburgh teruggebracht. Na de Act of Union met Engeland in 1707 werden ze in een verzegelde kamer in een toren in Edinburgh Castle ondergebracht. Men vergat na verloop van tijd dat ze daar lagen en velen geloofden dat ze door de Engelsen waren gestolen. Sir Walter Scott ontdekte ze opnieuw. Ze hadden in een stoffige kist gelegen.

Loop van Market Square in Stonehaven ❶ terug naar Allardyce Street, sla rechtsaf en steek de straat over. Sla linksaf Market Lane in en ga, als u bij het strand bent aangekomen, rechtsaf om de loopbrug over te steken.

Ga bij de borden van Dunnottar Castle naar rechts en u komt bij de haven uit. Steek over en loop de Shorehead, aan de oostzijde van de haven, verder af. Passeer het Marine Hotel en ga dan rechtsaf Wallis Wynd ❷ in.

Ga linksaf Castle Street in. Als u op de hoofdweg uitkomt, moet u in dezelfde richting blijven doorlopen totdat de weg een bocht maakt. Blijf rechtdoor lopen over een geasfalteerd pad. U wandelt daarbij door akkerland en passeert rechts een oorlogsmonument. Steek over bij het draaihek aan het einde van het pad ❸.

Baan u een weg door het midden van het veld, steek een loopbrug over en passeer nog twee draaihekken. Loop langs een pad dat naar Castle Haven afdaalt en blijf het hoofdpad rond de klifrand volgen. Steek nog een loopbrug over en wandel heuvelopwaarts. Weldra vindt u aan uw linkerhand een trap die afdaalt naar Dunnottar Castle ❹ *(Pasen–okt. dag. 9–18 uur, nov.–Pasen vr.–ma. 9 uur–schemering)*.

De kasteelruïne staat op een rots met een vlakke top, 50 m boven de zee. Hij wordt gedomineerd door de restanten van een 14e-eeuwse woontoren. De overige gebouwen, waaronder stallen en een balzaal, stammen uit de 17e eeuw. Er zijn hier scènes opgenomen voor Mel Gibsons verfilming van *Hamlet*.

Loop hier naar rechts, langs een waterval, door een draaihek en dan omhoog naar een huis. Loop langs het huis om uit te komen bij de weg naar Stonehaven bij de Mains of Dunnottar. Sla rechtsaf, neem daarna de eerste links en loop dan in de richting van de radiomasten. Volg dit brede, verharde pad naar de A957 ❺, waarbij u aan uw linkerhand de masten en in East Newtonleys passeert.

Sla rechtsaf en neem de eerste afslag links. Volg dit pad totdat u bij een bord met 'Carron Gate' komt.

WANDEL-/AUTOROUTES

Dunnottar Castle was in 1990 een prachtig filmdecor

Ga naar rechts en neem het lagere pad dat rechts langs het beekje door de bossen loopt. Al gauw ziet u aan uw linkerhand het kleine Shell House **6**.

Loop er aan de linkerkant langs, wandel verder over het lagere pad, en klim vervolgens omhoog om weer op het bredere pad uit te komen. Ga naar rechts totdat u bij de rand van het bos aankomt. Loop door de woonwijk om uit te komen bij de Low Wood Road en de rivier **7**.

Sla linksaf en dan rechtsaf over de loopbrug met de groene railing. Sla rechtsaf en loop langs het water. Links passeert u het stijlvolle Carron Art Deco Restaurant en u komt uit bij de roomkleurige ijzeren brug. Ga hier linksaf, neem daarna de eerste afslag rechts om bij Market Square uit te komen.

ETEN EN DRINKEN

De Ship Inn bij de haven van Stonehaven is een populaire stek waar in het weekeinde de hele dag door vanaf de middag allerhande maaltijden worden geserveerd. U kunt hier smakelijke gerechten met vis of pasta en geroosterd brood krijgen.

Het nabije Marine Hotel serveert behalve koffie van 12 tot 14 uur ook lunch en van 17 tot 21.15 uur diner. Het hotel heeft prijzen gewonnen voor de kwaliteit van zijn bier.

Ook het Carron Restaurant, met terrastafeltjes, is de moeite waard. Het serveert visgerechten, baguettes, gebakken aardappels en sandwiches.

PRISON EN PINAKELS

Het vreemde lavalandschap van het noordelijke schiereiland van Skye verkennen.

DE WANDELING

Afstand: 8,5 km

Tijdsduur: 3 uur

Begin/eind: Stop boven aan de pas langs de weg tussen Staffin en Uig, Isle of Skye (OS Explorer-kaart 408 Skye, coördinaten NG 440679)

Hoe komt u er: Via een secundaire weg, 3 km ten westen van Brogaig; kaart 324 C5

De rotsen van Schotland variëren van heel oud — ongeveer 400 miljoen jaar — tot nog veel ouder dan dat, maar langs de westelijke rand is de situatie heel anders. Het grote oog van de Atlantische Oceaan heeft zich — geologisch gezien — nog maar net geopend.

Zestig miljoen jaar geleden lag de Midden-Atlantische Rug vlak voor de Schotse kust. Langs die rug ontstond een nieuwe zeebedding met exotisch en interessant vulkanisch gesteente dat nu het graniet van Arran, het basalt van Mull en Skye, en de gabbro van Skye vormt. Basaltlava is een glibberige vloeistof, die meer op melk dan op stroop lijkt. Het verspreidde zich in brede, ondiepe lagen over het land. Na erosie bleef er een landschap over met vlakke toppen en lange lage kliffen aan de randen en uitgestrekte met gras bedekte plateaus.

Ten noorden van Portree verspreidde de lava zich over ouder, zachter gesteente uit het Jura-tijdperk. Aan de rand van het schiereiland Trotternish heeft de zee het zachtere gesteente geleidelijk aan doen verdwijnen. Het basalt erboven brokkelde af in grote stukken die naar beneden gleden. De brokken helden voorover, braken in stukken en erodeerden: hierdoor ontstonden enkele buitengewone landschappen, waarvan Quiraing het vreemdst is.

Sommige rotsformaties, met intrigerende namen als de Prison, de Needle en de Fingalian Slab, zijn al toeristische attracties sinds de Victoriaanse tijd. Het gevolg hiervan is dat er een breed, goed aangelegd pad langs deze pieken loopt. Leg uw picknickkleed op de Table en werp een blik tussen de rotsen door op de Sound of Raasay en de ver weg op het vasteland gelegen heuvels van Torridon.

Volg het goed aangelegde pad dat tegenover de stopplaats ❶ begint bij een bord dat waarschuwt voor de bochten in de weg.

De gekartelde toren van gras en rots aan de horizon wordt de Prison (gevangenis) genoemd.

Het pad loopt over de steile helling naar de Prison en kruist een kleine beek die over de kale rotsen stroomt. Het passeert vervolgens een kleine waterval (in de hoogte) en voert naar rechts heuvelopwaarts een brede bergpas links van de Prison ❷ in.

Het hoofdpad daalt niet af, maar loopt rechtdoor, iets heuvelopwaarts, door een oud hek aan de voet van een steile rots. Volg het terwijl het van de ene steile helling naar de andere en vervolgens over een kleine veenpoel voert. Negeer een pad dat rechtsaf naar beneden loopt. Het hoofdpad gaat naar links een bergpas in waar een oude muur dwars op staat ❸.

Het pad daalt af in een aardverschuivingsdal dat over in plaats van onder aan de helling loopt en daarna links omhoog naar een bergpas met een draaihek ❹

voert. Loop door het draaihek en sla rechtsaf voor de tocht naar Sron Vourlinn.

Volg de bergkam over een enigszins rotsachtig gedeelte met daarna een korte afdaling. Keer terug op het hoofdpad dat langs een met gras begroeide weide voert. Na het bereiken van het hoogste punt loopt u nog iets verder heuvelafwaarts om uit te komen bij de noordtop ❺.

Hier kunt u zien dat het land nog altijd afglijdt. Naast de klifrand loopt een spleet waar een volgend smal stuk op het punt staat om er af te vallen.

Keer terug naar de bergpas met het draaihek (punt ❹) en vervolg uw tocht heuvelopwaarts.

De diepten liggen nu aan de linkerkant. U kijkt hier neer op de pieken rond de Table, een zachtjes golvend grasveld.

Na een tijdje bereikt u een ingestorte muur, waarvan een deel van beneden af gezien op een cairn lijkt. Het pad loopt vervolgens naar de klifrand aan uw linkerhand; u kunt rechtsaf slaan en rechtstreeks omhoog lopen naar de top van Meall na Suiramach ❻.

Volg een breed, licht heuvelafwaarts lopend pad naar een cairn aan de rand van de klif.

U kijkt nu recht naar beneden

Het wandelen in de Cuillin-bergen kan het best aan experts worden overgelaten, maar Trotternish is ook voor leken toegankelijk

De Old Man of Storr is een vanaf de hoofdweg zichtbaar herkenningspunt in deze bergen — het is een basalten monoliet van bijna 20 m hoog

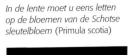

In de lente moet u eens letten op de bloemen van de Schotse sleutelbloem (Primula scotia)

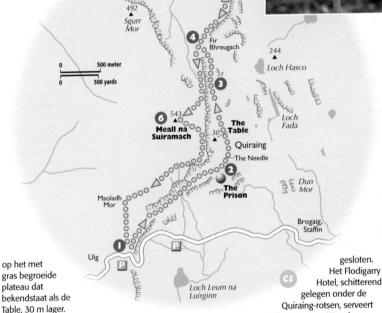

op het met gras begroeide plateau dat bekendstaat als de Table, 30 m lager.

Sla rechtsaf het brede pad in. Na 1,5 km begint het pad langs de rand van de klif af te dalen.

Wanneer de rand een halve bocht naar rechts maakt, moet u een volle bocht naar rechts maken. Het pad is vaag, maar verschijnt recht vooruit opnieuw langs de tamelijk steile, met gras begroeide helling. Eenmaal boven de parkeerplaats loopt het recht naar beneden voor een laatste steile afdaling.

ETEN EN DRINKEN
Het café Pieces of Ate in Brogaig

Het uitgestrekte hoge plateau van de Table, te midden van de pieken van de Quiraing

ligt onder aan de heuvelweg. Het serveert zelfgemaakte snacks en soep en is, zoals bijna alles op het eiland, op zondag gesloten. Het Flodigarry Hotel, schitterend gelegen onder de Quiraing-rotsen, serveert in zijn restaurant Waterhorse 's avonds diner en op zondag lunch. De specialiteit is kreeft. In de bar en de serre serveert men eenvoudiger kost.

ROND DE GLOUP

Een rondwandeling door het natuurreservaat Mull Head.

DE WANDELING

Afstand: 6,5 km

Tijdsduur: 2 uur en 30 minuten

Begin/eind: Mull Head-parkeerplaats (gratis), Mainland Orkney (OS Explorer-kaart 461 Orkney, coördinaten HY 590079)

Hoe komt u er: Ten noorden van de B9050; kaart 327 K4

De parochie Deerness is een schiereiland dat via een zeer smalle landtong met het vasteland van Orkney is verbonden. Het land is voortdurend beïnvloed door mensen en het klimaat. Opgravingen vlakbij hebben een nederzetting uit de IJzertijd, een Pictische boerderij, vikingresten en een grafsteen uit 1100 n.Chr. blootgelegd.

Deze wandeling volgt het verhaal van het landschap en verkent een opmerkelijk fenomeen dat geheel door de kracht van de Noordzee tot stand kwam. De Gloup — van het Oudscandinavische woord *gluppa*, wat 'kloof' betekent — is niet de enige ingestorte grot in Orkney, maar met zijn 30 m diepte is het wel de meest bezochte.

Mull Head werd in 1993 door de Orkney Islands Council uitgeroepen tot lokaal natuurreservaat, het negende in Schotland, en omdat het van moderne landbouwkundige 'verbeteringen' gespeend bleef, kent het nu een zeer rijke en interessante flora. Mull Head is nooit geploegd, maar Clu Ber, de eerste reeks kliffen die u ziet, is afgebrand, gecultiveerd en vruchtbaar gemaakt om vee te laten grazen. Ofschoon dit generaties geleden is gebeurd, heeft de verwoesting van de hei ertoe geleid dat gras en andere soorten kruiden op dit eiland gedijen.

Welke planten hier overleven is afhankelijk van hun locatie – hoe dicht ze bij de zee staan, hoe vruchtbaar de grond is waarop ze groeien, hoe moerassig het is en in welke mate het terrein door mensenhanden is beïnvloed. Planten bij de klifrand, die de sproeiregens van zout water moeten weerstaan,

zoals Engels gras of standkruid, klampen zich vast aan de grond. Behalve planten die zout verdragen groeien hier ook planten die moerasachtige omstandigheden prefereren.

Ook van invloed op de planten zijn de activiteiten van sommige vogels. Op de heidegronden zijn weelderige glasvlakten ontstaan op plaatsen waar grote mantelmeeuwen elke nacht rusten. De grassen profiteren van de natuurlijke mest.

Verlaat de parkeerplaats ❶ bij de hoek aan uw rechterhand en volg de richtingaanwijzer bij het gravelpad naar de Gloup, waar u twee uitkijkplatforms en een informatieplaquette zult vinden ❷.

De rotsen die u ziet als u over de kaap loopt zijn 350 miljoen jaar oud. Er zijn twee soorten: Eday-stapstenen, van plat rood zandsteen, en Rousay-stapstenen aan het zuideinde van het reservaat. Beide zijn gevormd toen dit land door het Orcadiemeer werd bedekt.

Voorbij de Gloup ziet u een roodgeschilderd draaihek en een naar links wijzende richtingwijzer; deze leidt u over een met gras begroeid voetpad naar de Brough of Deerness, maar interessanter is misschien de route rechtdoor en

daarna linksaf langs de klifrand, eveneens over een met gras begroeid pad.

Bij de Brough ❸ bevindt zich een andere informatieplaquette. Bij de klifrand kunt u een steile stenen trap afdalen. Als u beneden op het strand naar rechts gaat, komt u bij een beschutte baai, Little Burra Geo. In de Brough-muur ziet u een steil zandpad, dat u met behulp van een aan de rots bevestigde ketting kunt beklimmen. Het leidt naar de top van de Brough, waar een archeologische vindplaats is.

In de Nieuwe Steentijd lieten de eerste mensen hun sporen op Mull Head achter. Toen de Noormannen hier leefden graasde er vee op het oeroude, met struikgewas bedekte land. Veel later, in de 18e eeuw, ging men ertoe over de bovenste laag grond te verwijderen voor gebruik elders. Dit en het voortdurende grazen hebben geleid tot een sterk verarmde bodem.

Loop bij ❹ verder langs de kust. Een volgend roodgeschilderd draaihek aan uw rechterhand toont het voetpad dat naar de cairn bij Mull Head leidt.

Bij de cairn gaat het pad naar links en versmalt zich, al is het nog

Een luchtfoto van Deerness toont de zeer smalle verbinding met de oostelijke punt van het vasteland van Orkney

WANDEL-/AUTOROUTES

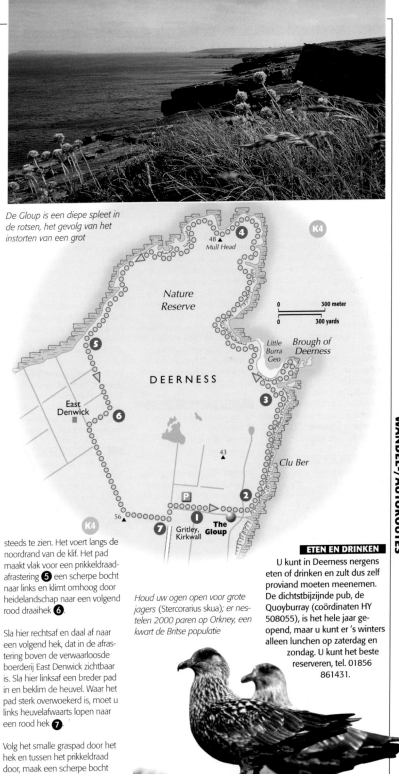

De Gloup is een diepe spleet in de rotsen, het gevolg van het instorten van een grot

Nature Reserve

48 ▲
Mull Head

K4

0 ——— 300 meter
0 ——— 300 yards

Little
Burra
Geo

Brough of
Deerness

DEERNESS

East
Denwick

43 ▲

Clu Ber

P

56 ▲

Gritley,
Kirkwall

**The
Gloup**

K4

steeds te zien. Het voert langs de noordrand van de klif. Het pad maakt vlak voor een prikkeldraad-afrastering ❺ een scherpe bocht naar links en klimt omhoog door heidelandschap naar een volgend rood draaihek ❻.

Sla hier rechtsaf en daal af naar een volgend hek, dat in de afrastering boven de verwaarloosde boerderij East Denwick zichtbaar is. Sla hier linksaf een breder pad in en beklim de heuvel. Waar het pad sterk overwoekerd is, moet u links heuvelafwaarts lopen naar een rood hek ❼.

Volg het smalle graspad door het hek en tussen het prikkeldraad door, maak een scherpe bocht naar rechts en keer terug naar de parkeerplaats.

Houd uw ogen open voor grote jagers (Stercorarius skua); er nestelen 2000 paren op Orkney, een kwart de Britse populatie

ETEN EN DRINKEN

U kunt in Deerness nergens eten of drinken en zult dus zelf proviand moeten meenemen. De dichtstbijzijnde pub, de Quoyburray (coördinaten HY 508055), is het hele jaar geopend, maar u kunt er 's winters alleen lunchen op zaterdag en zondag. U kunt het beste reserveren, tel. 01856 861431.

18 WANDELING 235

LANGEAFSTANDSPADEN

Schotland bezit vier officiële nationale wandelpaden, die Long Distance Routes worden genoemd: de West Highland Way, de Great Glen Way, de Speyside Way en de Southern Upland Way. Als u een van deze routes in zijn geheel wilt afleggen, moet u zorgen dat u goed voorbereid en zeer fit bent, maar u kunt zich ook tot een deel van de route beperken. Er zijn nog allerlei andere mogelijkheden voor langere wandelingen, al dan niet met wegwijzers aangegeven. De toeristenbureaus kunnen hierover meer informatie verstrekken. Ook een deel van het Europese voetpadennetwerk, de E2, loopt door Zuid-Schotland.

WEST HIGHLAND WAY

Van Milngavie naar Fort William

Afstand: 153 km

Tijdsduur: Reken op 7–10 dagen

www.westhighlandway.com

Dit is Schotlands oudste en populairste langeafstandspad. Het voert langs enkele van de mooiste landschappen van de westelijke Highlands, waaronder Loch Lomond en Rannoch Moor. Vooral de laatste delen van deze meestal van zuid naar noord gelopen route zijn zwaar. De pad begint in Milngavie, aan de noordrand van Glasgow, en maakt gebruik van historische routes, zoals oude veedrijverswegen, militaire wegen die door generaal Wade zijn aangelegd om het land na Culloden te temmen, oude postkoetsroutes en verlaten spoorlijnen. Het einddoel is Fort William.

CAPE WRATH TRAIL

Van Banavie naar Cape Wrath

Afstand: 325 km

Tijdsduur: Reken op ongeveer 18 dagen

www.wildcountry.uk.com

Deze moeilijke tocht, een populaire verlenging van de West Highland Way, voert naar ruige gebieden in het noordwesten.

GREAT GLEN WAY

Van Fort William naar Inverness

Afstand: 117 km

Tijdsduur: Reken op 4–6 dagen

www.greatglenway.com

Deze indrukwekkende route voert langs Schotlands enorme natuurlijke breuklijn, de Great Glen. Het is een relatief gemakkelijke wandeling over laaggelegen bospaden en het jaagpad dat langs het Caledonian Canal loopt. De tocht begint bij het oude fort in Fort William, voert langs Neptune's Staircase, Fort Augustus en Urquhart Castle, en eindigt bij Inverness Castle. Er is een fietsroute die een vergelijkbare route volgt.

SPEYSIDE WAY

Van Buckie naar Aviemore

Afstand: 135 km

Tijdsduur: Reken op 5–7 dagen

www.speysideway.org

Het laatste deel van dit pad werd pas in 2000 uitgestippeld en voltooide de route die van de Moray-kust zuidwaarts langs de rivier de Spey naar de rand van de Cairngorms voert. De route begint bij de haven van Buckpool, slingert zich langs Craigellachie Forest, Cromdale, Grantown-on-Spey en Boat of Garten en eindigt bij het politiebureau in Aviemore. Extra wandelingen bieden uitstapjes naar Dufftown en Tomintoul.

FIFE COASTAL PATH

Van North Queensferry naar Crail

Afstand: 72 km

Tijdsduur Reken op 4–5 dagen

www.fifecoastalpath.com

Gemakkelijke wandeling langs de fraaie kust, met extra tochten naar St. Andrews en verder.

ROB ROY WAY

Van Drymen naar Pitlochry

Afstand: 127 of 148 km

Tijdsduur: Reken op 6–8 dagen

www.robroyway.com

Een fraaie route door het hart van Schotland in het voetspoor

Op de West Highland Way

van Rob Roy MacGregor (1671–1743). De langere route voert naar Glen Almond.

SOUTHERN UPLAND WAY

Van Portpatrick naar Cockburnspath

Afstand: 341 km

Tijdsduur: Reken op 10–20 dagen

www.dumgal.gov.uk/southernupland way; www.sirwalterscottway.fsnet.co.uk

Groot-Brittanniës eerste officiële voetpad van kust tot kust voert langs de glooiende heuvels en landbouwgebieden van Zuid-Schotland. Hoogtepunten zijn de industriële geschiedenis in Wanlockhead, het oude landhuis Traquair, en Melrose. Het 148 km lange stuk van Moffat naar Cockburnspath overlapt de Sir Walter Scott Way, die langs plaatsen voert die met Scott verband houden.

ST. CUTHBERT'S WALK

Van Melrose naar Lindisfarne

Afstand: 100 km

Tijdsduur: Reken op 7 dagen

www.st-cuthberts-way.co.uk

Volg het bewegwijzerde pad van de 7e-eeuwse monnik St.-Cuthbert via Jedburgh naar zijn begraafplaats op Lindisfarne (Holy Island), Northumberland.

PILGRIMS WAY

Van Glenluce Abbey naar Isle of Whithorn

Afstand: 40 km

Tijdsduur: Reken op 2–3 dagen

Een bewegwijzerde middeleeuwse pelgrimsroute door Zuidwest-Schotland.

JOHN BUCHAN WAY

Van Peebles naar Broughton

Afstand: 21 km

Tijdsduur: Reken op 1–2 dagen

www.scot-borders.co.uk

Een tocht door de Borders met als onderwerp John Buchan (1875–1940) en uitbreidingsplannen naar Biggar en verder.

WANDEL-/AUTOROUTES

Dit hoofdstuk biedt algemene informatie over restaurants en hotels in Schotland, gevolgd door een lijst met aanbevolen adressen per regio. Op blz. 244 vindt u uitleg over de gekozen methode.

Eten en Slapen

UIT ETEN IN SCHOTLAND

De eigen plaats die Schotland binnen het Verenigd Koninkrijk inneemt vindt zijn weerklank in de Schotse keuken. Naarmate het publiek kritischer werd en chef-koks zich duidelijker profileerden, kwamen in het land culinaire trends, tradities en onderstromen tot ontwikkeling die sterk leunen op plaatselijke ingrediënten van het seizoen.

Het Verenigd Koninkrijk is dankzij het koloniale verleden een culinaire smeltkroes geworden. De curry is het alternatieve nationale gerecht van Schotland. De Thaise keuken, de Chinees – onverminderd populair –, de veelheid aan andere etnische restaurants in de steden: voor de culinaire avonturier is het moeilijk kiezen.

Elke wat welvarender plaats heeft wel een café in continentale stijl, waar vers bereide etenswaren, drank en koffie verkrijgbaar zijn. Op het platteland zult u eerder in een pub of hotel eten. De meeste gewone pubs serveren nu ook maaltijden. Een nieuwe trend zijn de zogenoemde *gastro pubs*, speciaal voor gasten die lekker eten net zo belangrijk vinden als een goede pint bier.

Alle ontwikkelingen ten spijt verschilt de kwaliteit van het gebodene nog steeds. Regelmatig voldoet een restaurant niet aan de verwachtingen die de kaart schept. Als u op onze lijst met aanbevolen eetgelegenheden afgaat voorkomt u teleurstellingen en zult u ontdekken dat u ook in afgelegen plaatsen als Ullapool, Skye en Harris uitstekend kunt tafelen. En verder zijn de tearooms bij veel toeristische attracties een handige uitkomst.

WAT EET U IN SCHOTLAND?

In de Schotse keuken zijn de historische banden van het land met Frankrijk zichtbaar in namen als *Tartan Purry* (tarte en purée) en *sooty bannock* (sauté bannock). Traditionele gerechten als *Cullen skink* of *haggis with tatties and neeps* zijn op veel plaatsen verkrijgbaar. Daarnaast laten veel moderne chef-koks zich weer inspireren door de klassieke Franse keuken en door de specerijen van Zuidoost-Azië. De 'moderne Schotse keuken' is een combinatie van al deze invloeden.

Verse ingrediënten van uitstekende kwaliteit vormen de basis van de keuken. De kustwateren leveren volop vis, schaal- en schelpdieren, zoals haring, heilbot, kabeljauw, kreeft, mosselen,

jakobsschelpen, krab en enorme langoustines. Dat levert traktaties op als oesters uit Loch Fyne en *Arbroath smokies*: op eikensnippers warmgerookte schelvis met een subtiele rooksmaak en zacht vlees. De Schotten blinken uit in het roken van vis. Specialiteiten als *Finnan haddock* (gezouten en gerookte schelvis) en *kipper* (gerookte haring) worden bij het ontbijt geserveerd.

De Schotse zalm is beroemd, maar er is een verschil tussen wilde en gekweekte zalm. De zalmkwekerij kreeg een slechte naam omdat de vissen in te volle kooien werden gehouden en met kleurstof werden bijgekleurd; bovendien werden er chemicaliën en andere vervuilers gebruikt. Hoewel veel zalmkwekers hun zaken inmiddels op orde hebben gebracht, wordt wilde zalm toch hoger aangeslagen. Ook forel, zowel wilde als gekweekte, is populair.

Typisch Schots wild zijn korhoen en hert. Het Aberdeen Angus-rund wordt in heel Groot-Brittannië gewaardeerd; ook lam is overal verkrijgbaar.

Haver wordt al eeuwenlang verbouwd in Schotland; het gewas gedijt in het koele, vochtige klimaat. Het wordt verwerkt in gerechten als havermoutpap, havermoutkoekjes en *haggis*.

'Behaaglijk' is een woord dat bij veel Schots eten past. Een uitgebreid ontbijt of een elegante *high tea* laat op de middag of vroeg in de avond gaat vaak vergezeld van een heerlijke selectie cake, koekjes en *scones*. Die laatste eet u met honing uit de streek of de beroemde Dundeemarmalade. Mocht dat meer lekkere trek opwekken, dan bent u in Schotland op de juiste plek: 's zomers kunt u uw hart ophalen aan zacht fruit uit het Schotse Laagland en het hele jaar door zijn overal knapperige toffees, boterige mintsnoepjes en pastelkleurige zuurstokken te koop.

De kaasmakerij, een andere Schotse traditie, werd na de oorlog door een handjevol enthousiastelingen nieuw leven ingeblazen. Probeer de

Arbroath smokies: kleine, warmgerookte schelvis, met een subtielere smaak dan kippers (zie verderop)

Atholl brose: een drankje van havermout en water, met whisky en honing

bannock: zie *oatcake* en *Selkirk bannock* (beide verderop)

black bun: een lekkernij voor bij de thee van gedroogde vruchten en specerijen in korstdeeg, in plakken gesneden

black pudding: bloedworst van varkensbloed, niervet en havermout

butterscotch: harde, goudkleurige zoetigheid van suiker, water en boter

clapshot: gekookte rapen en aardappels (*neeps and tatties*), gepureerd met wat boter en melk, vaak als bijgerecht bij *haggis*

clootie dumpling: een zoete pudding met specerijen, van oudsher gestoomd in een doek (*cloot*): een nieuwjaarsgerecht

cock-a-leekie soup: soep van kippenbouillon met prei en andere groenten

cranachan: dessert van frambozen, room en geroosterde havermout

crowdie: een lichte, zachte jonge kaas

Cullen skink: romige vissoep op basis van *Finnan haddie*, ofwel gerookte schelvis

drop scone: zie *Scotch pancake*, verderop

Dundee cake: een rijkgevulde vruchtencake, met amandelen in de bovenkant gedrukt

Forfar bridie: vleespasteitje met rundvlees, uien en aardappels

Edinburgh rock: kruimelige, pastelkleurige zuurstokken in allerlei smaken, zoals vanille, gember en citroen

haggis: het nationale gerecht van Schotland, een soort reuzenworst van gemalen schapenlever, -long en -hart, vermengd met havermout, uien en specerijen gekookt in de maag van het schaap

hot toddy: een verwarmend drankje van kokend water, een beetje suiker en whisky, op smaak gebracht met citroen, nootmuskaat en kaneel

kedgeree: gerecht van rijst met *Finnan haddie* (gerookte schelvis), hardgekookte eieren en uien, mild gekruid met kerrie

kipper: gerookte en dan gedroogde haring

neeps and tatties: zie *clapshot*, verderop

oatcake: een dun, kruimelig, iets hartig koekje van havermout

partan bree: krabsoep (*partan* betekent 'krab', *bree* is Schots voor *broth*, 'soep')

porridge: warme, machtige ontbijtpap van havermout(vlokken) met melk en suiker of zout

potato scone: warm, hartig pannenkoekje van gekookte aardappels en bloem

reestit mutton: gezouten schapenvlees, in Shetland gebruikt als de basis van soep en stoofpotten

Scotch broth: stevige soep met lamsvlees, parelgort en wintergroenten

Scotch egg: hardgekookt ei in een jasje van varkensgehakt en broodkruim, gefrituurd; populair koud picknickhapje

Scotch pancake: dik pannenkoekje, warm of koud gegeten met boter en stroop of jam

Scotch pie: vleespasteitje (traditioneel met schapenvlees) van korstdeeg, warm of koud opgediend

Selkirk bannock: rond haverbrood met sultanarozijnen

shortbread: dikke, goudbruine, langwerpige koekjes met een stevige structuur, gemaakt van boter, suiker en bloem

tablet: harde fudge (een soort caramel)

Een doedelzakspeler zet de presentatie van de haggis luister bij

Crowdie, een jonge kaas uit de Highlands, waarschijnlijk van Pictische of vikingoorsprong, en Caboc, een zachte, boterige kaas met een korstje van geroosterde havermout. Andere klassiekers zijn de scherpe, romige Dunsyre Blue en Lanark Blue, een blauwe schapenkaas.

DE INTERNATIONALE KEUKEN

Recent onderzoek naar de smaak van het Britse publiek heeft uitgewezen dat de Britse keuken nog steeds wordt gewaardeerd, maar dat meer etnische gerechten inmiddels zeker zo populair zijn. In de meeste grotere plaatsen is wel een

Indiaas of Chinees (afhaal)restaurant gevestigd. Nieuwere internationale trends zijn de Marokkaanse, de Turkse en vooral de Thaise keuken. In grote steden kunt u ook terecht in Indonesische, Caribische, Vietnamese, Hongaarse, Russische, Mongoolse en Mexicaanse restaurants. Moderne Indiase restaurants bieden traditionele Indiase gerechten, een fusie van de Indiase en Europese keukens en de nieuwste kooktrends uit Bombay.

De Italiaan is nog steeds populair, zowel de echte restaurants als de pizzaketens. Begin 20e eeuw emigreerden veel Italianen naar Schotland. Italiaanse ijsmakers zijn uitgegroeid tot plaatselijke helden: zie bijvoorbeeld Nardini's in Irvine. En zoekt u een lekkere kop koffie, dan bent u in

hotelrestaurants van gevarieerde kwaliteit. Sommige hotels die eer stellen in hun keuken noemen zichzelf *restaurants with rooms* om aan te geven dat de nadruk ligt op het uitstekende eten.

De pubs waar u kunt eten zijn typisch Brits, met kale muren van natuursteen, een open haard en lage balkenplafonds, kenmerken die gretig worden gekopieerd in de nieuwe pubs van brouwerijketens. Kinderen zijn tegenwoordig bijna overal welkom. Veel pubs zijn de hele dag open, maar eten kunt u er alleen tussen twaalf en twee en tussen zes en negen.

Op de pubkaart stonden altijd al 'bar snacks': lichte, goedkope gerechten als sandwiches, *toasties* (tosties), gevulde gepofte aardappels en

cafés, restaurants en koffiebars waar Italianen de scepter zwaaien doorgaans op de goede plaats.

VEGETARISCH ETEN

Vegetarische natuurvoedingsrestaurants zult u niet veel vinden: veel gewone restaurants zijn al op de vraag ingesprongen door vleesvrije opties te bieden. De keuze kan beperkt zijn, dus informeer van tevoren naar de mogelijkheden. Sommige restaurants hebben geen vegetarische gerechten op de kaart staan, maar willen met alle plezier iets bereiden als de klant erom vraagt. In buitenlandse restaurants, vooral Thaise, Vietnamese en Indiase, is de keus aan vleesvrije gerechten vaak ruim.

WAAR GAAT U UIT ETEN?

De opties om uit eten te gaan zijn net zo divers als de Britse cultuur. Voor iedere smaak en portemonnee is wel wat te vinden. Wat de meeste gelegenheden in elk geval gemeen hebben zijn de openingstijden – van twaalf tot twee en van zes tot negen – hoewel in grotere plaatsen meestal wel de hele dag iets te eten valt. Laat op de avond dineren is echter maar beperkt mogelijk.

Veel toprestaurants zijn verbonden aan hotels, vooral in de grootste steden. Daarbuiten zijn de

ploughman's lunch, een koude schotel met brood, vlees, kaas en salade. Daar zijn nu gerechten bijgekomen als curry, *steak and ale pie* (pasteitje van rundvlees met bier), *bangers and mash* (worstjes met puree) en *steak and chips* (steak met patat).

Met 'café' werden van oudsher de huiselijke gelegenheden in het centrum van kleinere plaatsjes en buurten bedoeld, waar thee en snacks (meestal uit de frituur) worden geserveerd. Tegenwoordig wordt het woord echter steeds vaker gebruikt voor op continentale leest geschoeide eet- en dranklokalen (wat vroeger een brasserie of bistro heette). U vindt ze in toenemende mate in steden als Glasgow, Perth en Inverness. Deze cafés overbruggen de kloof tussen pubs, restaurants en koffiebars.

De alomtegenwoordige tearoom is meestal vanaf halverwege de ochtend tot vier of vijf uur 's middags geopend. U kunt er terecht voor thee, zelfgebakken cake en taart en lichte maaltijden. Tearooms zijn te vinden in de grotere warenhuizen, in het centrum van kleinere plaatsjes, in tuincentra en bij veel toeristische attracties. De tearooms van de National Trust for Scotland staan bekend om hun lekkere verse gebak.

RESTAURANT- EN FASTFOODKETENS

Beefeater: Britse steakrestaurants
Burger King: hamburgerketen
Di Maggio's: keten van restaurants en tapasbars in Glasgow en omgeving
Deep Pan Pizza: pizza, pasta en salade
Domino's Pizza: afhaal- en bezorgpizza
Harry Ramsden's: Britse franchiseketen die gebakken vis met patat verkoopt
Howies: Schotse keten van voordelig geprijsde restaurants

KFC: afhaal met gefrituurde kip, vis en patat
McDonalds: alomtegenwoordige hamburgerketen
Pizza Express: keten van pizzarestaurants
Pizza Hut: pizzarestaurants met een groot aanbod
Subway: populaire Amerikaanse keten die belegde broodjes en sandwiches verkoopt
T.G.I. Friday's: keten van levendige restaurants in Amerikaanse stijl
Wimpy: Britse hamburgerketen, bestaat al sinds 1954

TIPS VOOR RESTAURANTS

● Bij sommige restaurants kunt u op rustige dagen gewoon binnenlopen, maar als u in een specifiek restaurant wilt dineren is het aan te raden om telefonisch of per e-mail te reserveren.

● Bij minder formele eetgelegenheden, met name pubs, wordt men vaak op volgorde van binnenkomst bediend.

● In sommige restaurants is roken uit den boze, maar veel eetgelegenheden hebben wel een rokersgedeelte. Soms zijn sigaretten wel toegestaan, maar pijpen en sigaren niet. Laat bij het reserveren weten of u een rokers- of niet-rokerstafel wilt hebben.

● Het komt vrij algemeen voor dat gasten na een paar uur plaats moeten maken voor de volgende zitting. Eindeloos natafelen is dan niet mogelijk.

● De keuken sluit vaak vroeg. Verwacht niet dat u om half elf 's avonds nog kunt binnenvallen voor een maaltijd, tenzij u daar van tevoren naar hebt geïnformeerd. De grootste uitzondering op deze regel vormen Thaise, Chinese en Indiase restaurants, waar u vaak nog om middernacht iets te eten kunt krijgen.

● In het verleden kleedden de Britten zich speciaal voor het diner. In chiquere restaurants werd streng aan correcte kleding gehecht, vooral voor de heren. Die etiquette is inmiddels versoepeld, maar toch kunt u in duurdere restaurants beter niet uw opwachting maken in spijkerbroek en T-shirt. Bij twijfel kunt u altijd even bellen.

● In de Schotse toprestaurants kunt u rekenen op een uitstekende bediening, in de lagere prijsklassen is dat niet altijd voorspelbaar. Als u tevreden bent, laat dan een fooi van 10–15 procent achter, dat is gebruikelijk.

● Als u met een creditcard betaalt, is het mogelijk dat het reçu dat u moet ondertekenen een vakje bevat waarin u de fooi kunt invullen. U kunt er gewoon een kruis in zetten als u liever een contante fooi achterlaat.

ALCOHOL

In vergelijking met andere Europese landen is de Schotse drankwet relatief streng, hoewel net weer iets anders dan in Engeland. Op maandag tot zaterdag mogen pubs alcohol schenken tussen 11 en 23 uur, op zondag tussen 12.30 en 14.30 en tussen 18.30 en 23 uur (voor de tussenliggende uren wordt vaak een extra vergunning

verstrekt). Voor late sluiting moet een aparte vergunning worden aangevraagd.

● Jongeren van 16 tot 18 mogen alleen alcohol drinken als ze die bij de maaltijd gebruiken.

● Een fles wijn kost in een restaurant doorgaans aanzienlijk meer dan in de winkel.

● In sommige restaurants zonder tapvergunning mag u wel uw eigen drank meenemen. In dat geval betaalt u vaak wat kurkengeld.

FASTFOOD

'Fastfood' betekent meestal afhaaleten; in veel gevallen zal een maaltijd niet meer dan £5 kosten. De Amerikaanse fastfoodketens zijn tot ver in het land doorgedrongen. In de grotere

plaatsen en steden zult u dan ook niet lang hoeven zoeken naar een hamburger of pizza, maar in echt afgelegen streken zijn fastfoodzaken niet lonend, gewoon omdat er door het jaar heen te weinig mensen wonen.

Naast de internationale ketens zijn er nog onafhankelijke zaken of streekgebonden ketens. Dat zijn bijvoorbeeld plaatselijke pizzabezorgers, *fish-and-chips*-zaken (die vaak ook pasteitjes, burgers en pizza's hebben) en allerlei multiculturele afhaalzaken. Soms staat er *haggis-and-chips* op het menu. De Schotten zijn ook de uitvinders van de beruchte gefrituurde Mars-reep. Op het platteland komt men ook wel mobiele fastfoodkramen tegen.

Wegrestaurants langs de snelwegen bieden alles van sandwiches en voorverpakte snacks tot eenvoudige maaltijden. De kwaliteit is wisselend, maar als u lang onderweg bent is een snack altijd een goed excuus voor een pauze. Langs de grote snelwegen (*motorways*) vindt u vestigingen van Little Chef, Granada en Welcome Break.

De restaurantinspecteurs van de AA, de Britse zusterclub van de ANWB, kennen jaarlijks rozetten toe aan restaurants, op een schaal van één tot vijf. Hieronder volgt een korte omschrijving van de kwaliteit die u kunt verwachten:

❀ Uitstekende plaatselijke restaurants die kundig en met zorg bereid eten serveren en kwalitatief goede ingrediënten gebruiken.

❀ ❀ De beste plaatselijke restaurants, die voortdurend de kwaliteit, consistentie en nauwkeurigheid van het gebodene verbeteren.

❀ ❀ ❀ Voortreffelijke restaurants die ook buiten hun regio erkenning afdwingen. De kookstijl wordt

geschraagd door de selectie en intelligente verwerking van uitstekende ingrediënten. De kooktijd, de kruiding en de beoordeling van smaakcombinaties zijn van een consistent hoge kwaliteit. Intelligente bediening en een goede wijnkaart.

❀ ❀ ❀ ❀ Behorend tot de beste Britse restaurants. Deze combineren ambitie en talent met een grote kooktechnische vaardigheid en een consistent hoge kwaliteit. De waardering

van culinaire tradities gaat hand in hand met de ambitie om zichzelf te verbeteren en culinaire horizonten te verkennen.

❀ ❀ ❀ ❀ ❀ Enkele van de beste restaurants van Groot-Brittannië, waar de koks zich kunnen meten met de beste ter wereld. Die koks, die allen een zeer persoonlijke benadering en uitzonderlijke kooktechnische vaardigheden hebben, stellen de norm waar andere restaurants naar streven.

WHISKY

Het landschap en de geschiedenis van Schotland zijn onlosmakelijk verbonden met whisky, de goudkleurige sterke drank die gestookt wordt uit gemout graan en gedronken wordt als single malt of blended whisky. (Amerikaanse whisky, of bourbon, wordt gemaakt van rogge of maïs, Ierse van gerst, tarwe, rogge en haver.)

De eerste vermelding over whiskystokerij stamt uit 1494. In dat jaar geeft de schatmeester van Jacobus IV toestemming 'aan broeder John Cor, op bevel van de koning, om aqua vitae, acht bollen malt te maken'. *Aqua vitae* ('levenswater') was de oorspronkelijke term voor sterke drank. Dit wordt in het Gaelic vertaald als *uisce beatha*, waar het woord 'whisky' weer vandaan komt.

Tegen de 16e eeuw was de whiskystokerij een wijdverbreide praktijk in Schotland; iedereen, van landeigenaars tot pachters, deed het. De belangrijkste ingrediënten waren volop voorhanden: gerst, dat gedijt in noordelijke klimaten, zuiver water en turf. Bovendien rustte er een hoge belasting op wijn van het Europese vasteland, waardoor whisky een goedkoop alternatief werd voor de gewone man.

De Slag van Culloden in 1745 bracht drastische veranderingen: de kleinschalige productie van Highland-whisky werd verboden. In 1774 werd de ban opgeheven, maar export van whisky buiten de Highlands was niet toegestaan. Hoewel de smokkelarij bloeide, was de whiskystokerij tot een huisindustrie gereduceerd toen in 1816 de laatste beperkingen voor de Highlands werden opgeheven.

In 1827 bracht de uitvinding van de continue stokerij een belangrijke ommekeer. In het Laagland was de grootschalige productie van whisky altijd voortgezet, hoewel deze whisky, gemaakt van tarwe, maïs of ongemoute gerst, lager werd ingeschat. De nieuwe techniek stelde de Laagland-distilleerderijen in staat betere grain whisky te produceren, en in grotere hoeveelheden. Toen deze werd gemengd met de smaakvolle malt whisky's uit de Highlands, was het resultaat een gemakkelijk drinkbare 'Scotch' (blended whisky) die zowel in Schotland als daarbuiten veel aftrek vond. De blenders die de voorhoede vormden van de nieuwe industrie zijn nog steeds bekend: William Teacher, Johnnie Walker, Arthur Bell.

In de loop van de 20e eeuw nam de populariteit van whisky af — whisky was uit de mode. In 1971 besloot William Grant & Sons echter haar single malt Glenfiddich op de markt te brengen. Dat was het begin van een hernieuwde interesse in de single malts die ruim een eeuw daarvoor naar de achtergrond waren gedrongen door de blends.

Tegenwoordig prefereren kenners de single malts. Geen twee soorten zijn hetzelfde: men zou kunnen zeggen dat in elke fles de essentie van de plaats van herkomst is geconcentreerd.

WAT ZIT ER IN EEN MALT WHISKY?

Om gerst te mouten wordt het geweekt tot het ontkiemt, waardoor zetmeel vrijkomt. Vervolgens wordt het verhit en gedroogd om het ontkiemingsproces te stoppen. Dat wordt van oudsher gedaan boven turfvuren; de rook geeft een karakteristieke geur aan de mout. Dan wordt heet water toegevoegd. De resulterende wort, waarin de suikers van de gerst zijn opgelost, wordt afgetapt, gekoeld en in fermentatietanks gepompt. Vervolgens wordt gist toegevoegd en kan de fermentatie beginnen.

Na ongeveer twee dagen wordt de massa in koperen ketels gedistilleerd. Het distillaat heeft

---

SCHOTSE COCKTAILS

Whisky Mac: één of twee delen blended whisky op één deel groene gemberwijn
Rusty Nail: één deel drambuie op één of twee delen blended whisky
Rob Roy: drie delen blended whisky op één deel zoete vermout en een scheutje angostura

Flying Scotsman: drie delen blended whisky op tweeënhalf deel Italiaanse vermout, één eetlepel angostura en één eetlepel suikerstroop
Robbie Burns: één deel blended whisky met martini en drie scheutjes benedictine

nog een laag alcoholgehalte. Na de tweede keer wordt de middenloop *(heart)* van het distillaat gescheiden van de voorloop *(heads*: de eerste alcohol die condenseert) en de naloop *(tails*: de zwaardere alcoholhoudende componenten). De middenloop wordt in een vat gemengd met water en moet dan minimaal drie jaar rijpen in eikenhouten vaten.

Elk aspect van de productie beïnvloedt de smaak van het eindproduct: de gebruikte hoeveelheid turf, de samenstelling van het water, de vorm van de ketel, de rijpingsperiode en de gebruikte vaten – vaak sherryvaten, die de whisky een eigen smaak en kleur geven.

De verschillende smaken van de single malts laten zich niet in regio's vangen. Hoewel men kan zeggen dat bijvoorbeeld de whisky's van de Western Isles doorgaans rokeriger zijn dan de licht-zoete malts van het Laagland, zijn er tal van uitzonderingen op de regel. Begin gewoon met de bekende merken en breidt uw zoektocht dan uit. U zult al snel merken dat alle leeftijden en distillaten hun eigen mystiek kennen.

REGIONALE VARIËTEITEN: LAAGLAND
Uit het Laagland, geassocieerd met grote distilleerderijen en blended whisky, komen ook gemakkelijke single malts met een lichte rooksmaak, zoals Auchentoshan, Springbank en Rosebank.

ISLAY
Volgens sommigen is dit de geboorteplaats van de Schotse whisky. De vele distilleerderijen leveren uitstekende, rokerige single malts als Ardbeg, Lagavulin en Laphroaig. De laatste heeft een zilte toets, net als Bruichladdich en Bunnahabhain.

SPEYSIDE
Veel grote namen: dit is de gouden driehoek van de malt whisky. De keuze is duizelingwekkend: Cragganmore, Knockando, Glenfiddich, Tamdhu, Glenfarclas en Macallan, om maar enkele te noemen. Deze whisky heeft de naam zacht en zoet te zijn, maar er zijn vele variaties.

HIGHLANDS
De Highland-whisky geniet nog steeds een grote reputatie. De single malts uit de zuidelijke Highlands en Perthshire, bijvoorbeeld Glengoyne, hebben een lichte honingkleur en ontberen de turfsmaak. Meer naar de oostkust toe is de whisky moutig, zoals Royal Lochnagar. De whisky uit Oban is doortrokken van de zeelucht van de westkust, terwijl de single malts uit de noordelijke Highlands zich kenmerken door een droge, fruitige zoetheid (Glenmorangie). Dichter naar de kust hebben de whisky's een zilte toets, zoals Pulteney en Clynelish.

WESTERN ISLES EN NORTHERN ISLES
Hoewel hier minder distilleerderijen zijn, hebt u nog steeds vijf goede redenen voor een pelgrimage. Een van de beste is Highland Park van Orkney, dat zijn rokerige, heideachtige toets dankt aan de lokale turf. Ook goed is de geurige, karaktervolle Talisker van Skye.

BLENDED WHISKY
De whisky die de wereld veroverde en nog steeds verantwoordelijk is voor de hoogste verkoopcijfers is blended whisky. Deze wordt vaak genegeerd door de whiskyfan, hoewel goed blenden een kunst op zich is die niet onderdoet voor het maken van een single malt. Een blender mengt grain whisky met verschillende single malts; populaire merken als Famous Grouse en Bell's gebruiken wel 20 tot 50 soorten. De kunst is om een constante smaak te creëren, hoewel de gebruikte malts van karakter kunnen veranderen of soms zelfs uit de productie worden genomen.

OVERNACHTEN IN SCHOTLAND

In Schotland hebt u een uitgebreide keuze aan accommodatie, van de weelderigste soort luxe in Gleneagles tot bescheidener pensions. In de grote steden en vakantieoorden zijn alle stijlen en prijscategorieën voorhanden, maar in afgelegener delen van het land is de keuze vaak beperkter en de accommodatie eenvoudiger.

De Automobile Association (AA), de Britse tegenhanger van de ANWB, is de toonaangevende organisatie voor het classificeren van Britse hotels en restaurants. De AA kent sterren (blz. 245) toe voor de voorzieningen die de geïnspecteerde hotels bieden. Voor pensions en bed-and-breakfasts geldt een vergelijkbaar systeem van diamantjes. AA-rozetten (blz. 241) geven een indicatie van de kwaliteit van het eten dat in restaurants en hotels wordt geserveerd. De selectie in deze gids is deels gebaseerd op de aanbevelingen van de AA.

RESERVEREN
Tijdig reserveren is altijd aan te raden, vooral voor het hoogseizoen in de zomer (juni–sept.) en het skiseizoen (dec.–feb.). Bedenk dat het ook druk kan zijn met nieuwjaar (Hogmanay), Pasen en officiële feestdagen (blz. 295).

Sommige hotels vragen een aanbetaling of een volledige vooruitbetaling, vooral voor één overnachting. Verder kunt u niet overal reserveren voor een bed-and-breakfast, één overnachting of een kort verblijf. Sommige hotels brengen halfpension (kamer, ontbijt en diner) in rekening, ook als u er niet eet, of bieden alleen volpension.

Als uw reservering eenmaal is bevestigd, moet u het hotel onmiddellijk op de hoogte stellen als u onverhoopt niet kan komen. Als uw kamer niet aan iemand anders kan worden verhuurd, mag

men u tweederde van het tarief in rekening brengen. In Schotland wordt de bevestiging van uw reservering, op papier of telefonisch, als een wettig contract beschouwd. Ziekte ontslaat u niet van uw contractuele verplichtingen. Zorg daarom dat u een annuleringsverzekering afsluit.

EIGEN BADKAMER
Bed-and-breakfasts bieden u de mogelijkheid om in andermans huis te verblijven, soms bijzondere, historische gebouwen. De badkamer ligt hier niet altijd naast uw eigen kamer; soms moet u hem zelfs delen met andere gasten. Als u een eigen douche of bad wilt, informeer dan als u reserveert.

BED-AND-BREAKFAST
Het B&B-tarief is meestal inclusief een uitgebreid ontbijt, dat in Schotland kan bestaan uit pap, gebakken eieren, gefrituurd brood, aardappel-*scones*, worstjes, bacon, champignons en tomaat. Lichtere alternatieven zijn vaak wel verkrijgbaar. Eventueel kunt u op aanvraag een avondmaaltijd krijgen. In Schotland wordt soms een *high tea* geserveerd in plaats van een diner. Deze bestaat dan uit een hartig gerecht, gevolgd door brood en boter, *scones* en gebak. De meeste herbergen en sommige pensions hebben een tapvergunning, de meeste bed-and-breakfasts niet.

BETALEN
De meeste hotels en restaurants accepteren de bekende creditcards, zoals Access, MasterCard, Visa, American Express en Diners Club. (Britse) pinpassen en betaalcheques worden vaak ook geaccepteerd, maar neem voor alle zekerheid ook contant geld mee.

Kleinere gelegenheden die accommodatie bieden, zoals bed-and-breakfasts, kunnen vaak geen creditcards accepteren. Informeer naar de wijze van betaling als u reserveert.

DE ADRESSEN
In de hiernavolgende adressenlijst zijn aanbevolen restaurants, pubs die goed eten bieden, hotels en bed-and-breakfasts opgenomen. De adressen zijn gerangschikt onder de naam van de dichtstbijzijnde grotere plaats, eerst adressen waar u kunt eten, dan adressen waar u kunt slapen. Ons commentaar concentreert zich op het eten óf de accommodatie.

JEUGDHERBERGEN

De Scottish Youth Hostel Association (SYHA) biedt zelfvoorzienende accommodatie in jeugdherberg-stijl op meer dan 60 locaties, van een eersteklas herenhuis in het centrum van Glasgow tot een traditionele pachtboerderij op het Isle of Harris. Jeugdherbergen zijn een betaalbare optie voor wandel- of fietsvakanties en hebben vaak ook gezinskamers. Sommige zijn het hele jaar door geopend. In de vakantie is reserveren noodzakelijk.
● SYHA, 7 Glebe Crescent, Stirling FK8 2JA, tel. 0870 155 3255; **www.**syha.org.uk

VAKANTIEWONINGEN

De belangrijkste adressenlijst voor vakantiewo-ningen is de jaarlijks bijgewerkte gids *Scotland: Where to Stay Self-Catering* van VisitScotland, ook beschikbaar op **www.**visitScotland.com

Verder zijn er allerlei particuliere organisaties die vakantiewoningen verhuren. Een daarvan is Country Cottages in Scotland, dat zowel luxere appartementen in kastelen als cottages op het platteland biedt.
● Country Cottages in Scotland, Stoney Bank, Earby, Barnoldswick BB94 0AA; tel. 08700 781100; **www.**countrycottagesinscotland.co.uk

De National Trust for Scotland heeft een klein aantal bijzondere vakantiewoningen in of bij haar historische bezittingen, van een afgelegen pachterswoning op Skye tot het exclusieve Eisenhower Apartment in Culzean Castle.
● Holidays Department, National Trust for Scotland, Wemyss House, 28 Charlotte Square, Edinburgh EH2 4ET, tel. 0131 243 9331

Forest Holidays, onderdeel van de Forestry Commission, biedt gezinsaccommodatie in blokhutten in de prachtige bossen van Strathyre (bij Callander) en Loch Awe.
● Forest Holidays, Forestry Commission, 231 Corstorphine Road, Edinburgh EH12 7AT, tel. 0131 314 6100; **www.**forestholidays.co.uk

KAMPEREN

Schotland telt meer dan 400 goedgekeurde kampeer- en caravanterreinen. Alle toeristen-bureaus hebben adressen van terreinen in hun regio. Ook de jaarlijks bijgewerkte gids van de AA, *Camping and Caravanning in Britain and Ireland*, is een goede informatiebron. Overigens mogen caravans doorgaans niet 's nachts in par-keerhavens of op andere parkeerterreinen staan.
● Camping and Caravanning Club, tel. 0247 669 4995; **www.**campingandcaravanningclub.co.uk
NB: houders van een Camping Card International (CCI: kampeercarnet) kunnen tegen ledentarief op de aangesloten terreinen terecht.

CLASSIFICATIE VAN HOTELS EN BED-AND-BREAKFASTS

Alle door de AA erkende hotels moeten voldoen aan hoge eisen op het gebied van hygiëne, reserveringen, een snelle en professionele service, assistentie met de bagage, het aannemen van boodschappen en een wekservice. Ze moeten een aparte ruimte hebben voor het ontbijt en eventueel diner en de mogelijkheid bieden om drankjes te bestellen. De inrichting, verwarming, verlichting en algemene staat van onderhoud moeten van goede kwaliteit zijn. Hier volgt een korte omschrijving van de eisen die aan de verschillende categorieën gesteld worden:

De AA top-200 van hotels

☆☆ Deze hotels, te herkennen aan de witte (of rode) ster, worden beschouwd als de beste van het land. Van grote luxehotels , landhuizen en herenhuizen tot restaurants met kamers en plattelandsherbergen.

★ Een relatief informele, maar competente bediening en voldoende faciliteiten, inclusief een tv in de lounge of op de kamer. De meeste kamers hebben een eigen bad of douche. Ten minste één aparte ruimte is gereserveerd voor het ontbijt en diner.

★★ Als boven, met bovendien professioneel management. Ten minste één restaurant of eetzaal voor ontbijt en diner en de mogelijkheid om tot 19 uur avondeten te bestellen.

★★★ Als boven, met bovendien een directe telefoonverbinding, tv met afstandsbediening, een eigen bad of douche en wc, een bar met een ruime keuze aan drankjes en de mogelijkheid om tot 20 uur avondeten te bestellen.

★★★★ Als boven, met boven-dien toiletartikelen van hoge kwaliteit en een eigen badkamer met bad, vaste douche en wc. Professioneel,

geüniformeerd, servicegericht perso-neel, een nachtportier en een goede keuken. Mooi ingerichte gemeen-schappelijke ruimten. De mogelijkheid om tot 21 uur avondeten te bestellen.

★★★★★ In deze categorie vallen luxehotels met allerlei extra faciliteiten en diensten, oplettend personeel, ruime kamers van top-klasse en een 24-uurs portiersdienst. Een bar met een grote keuze aan drankjes, waaronder cocktails. Het eten en de menukaart van het res-taurant dienen van hoge kwaliteit te zijn. De mogelijkheid om tot 22 uur avondeten te bestellen.

Alle bed-and-breakfasts in het Verenigd Koninkrijk worden beoordeeld op hun kwaliteit en ingedeeld in een categorie van één tot vijf diamantjes (♦), waarbij de nadruk ligt op gastvrijheid en kwaliteit en minder op de voorzieningen.
Alle diamantcategorieën moeten het volgende bieden: vakkundigheid bij het in- en uitchecken, comfortabele accommodatie met moderne standaardvoorzieningen, regelmatig schone lakens en handdoeken, te allen tijde koud en warm stromend water, kamers met voldoende kastruimte, goede verwarming en verlichting en een comfortabel zitje, en een uitgebreid Schots of continentaal ontbijt. Het bieden van een avondmaaltijd is optioneel.

◇◇◇◇◇ De allerbeste bed-and-breakfasts in de hoogste AA-categorieën (drie, vier of vijf diamantjes) zijn aangegeven met witte (of rode) diamantjes.

Bedrijfs- logo	Korte beschrijving	Telefoon- nummers en website
Best Western	De grootste hotelgroep van Groot-Brittannië heeft 30 hotels in onaf-hankelijk beheer in Schotland, in moderne en traditionele gebouwen, veelal met vrijetijdsvoorzieningen. Veel restaurants hebben een rozet.	08457 737373 www.bestwestern.co.uk
travel inn	Goede, moderne budgetaccommodatie. Naast elke Travel Inn ligt een gezinsrestaurant met tapvergunning, vaak een Beefeater, een Brewer's Fyre of een TGI Fridays.	0870 242 8000 www.travelinn.co.uk
Travelodge	Travelodge biedt goede, moderne budgetaccommodatie in het Verenigd Koninkrijk. Naast de meeste ligt een gezinsrestaurant, vaak een Little Chef, een Harry Ramsden's of een Burger King.	08700 850950 www.travelodge.co.uk
SCOTLAND'S HOTELS OF DISTINCTION	Scotland's Hotels of Distinction is een consortium van onafhankelijke hotels in het drie- en viersterrensegment.	01333 360888 www.hotels-of-distinction.com
THE CIRCLE Selected Individual Hotels GREAT BRITAIN	The Circle is een consortium van onafhankelijke twee- en driesterrenhotels, verspreid over Groot-Brittannië.	0845 3451965 www.circlehotels.co.uk
PREMIER LODGE THE BEST. REST ASSURED.	Premier Lodge biedt moderne accommodatie langs wegen in het Verenigd Koninkrijk. Naast elk hotel ligt een restaurant met tapvergunning, zoals Millers Kitchen, Outside Inn of Chef & Brewer.	08702 010203 www.premierlodge.co.uk
Express by Holiday Inn	Express by Holiday Inn biedt budgetaccommodatie van superieure kwaliteit inclusief gratis ontbijt in moderne hotels in het hele land.	0800 434040 www.chotelsgroup.com
MACDONALD HOTELS	Macdonald Hotels is een grote groep van overwegend viersterren-hotels, zowel traditioneel als modern, in heel het Verenigd Koninkrijk.	0870 400 9090 www.mcdonaldhotels.co.uk
THE INDEPENDENTS	The Independents is een consortium van onafhankelijke hotels in heel Groot-Brittannië, voornamelijk in het twee- en driesterrensegment.	0800 885544 www.theindependents.co.uk
Marriott HOTELS · RESORTS · SUITES	Marriott is een internationale keten met viersterrenhotels op eersteklas locaties. De veelal moderne hotels beschikken over vrijetijdsvoorzieningen; sommige zijn gespecialiseerd in golf.	0800 221 222 0800 699 996 www.marriott.com
Holiday Inn HOTELS · RESORTS	Holiday Inn is een bekende internationale keten met een gevarieerde keuze aan hotels, verspreid over het Verenigd Koninkrijk.	0800 405060 www.chotelsgroup.com
SLH SMALL LUXURY HOTELS OF THE WORLD	Small Luxury Hotels of the World is een internationaal consortium van overwegend particuliere hotels, vaak in de stijl van grotere buitens.	00800 525 48000 00 49 69 664 19601 www.slh.com
PARAMOUNT GROUP OF HOTELS	Paramount is een groep van overwegend viersterrenhotels, vele met vrijetijdsvoorzieningen.	0500 342543 www.paramount-hotels.co.uk
RELAIS & CHATEAUX. Relais Gourmands	Relais et Chateaux is een internationaal consortium van particuliere hotels op het platteland, voornamelijk in de stijl van grote buitens.	00 33 1 457 29650 www.relaischateaux.com
Malmaison HOTELS	Malmaison is een groeiende groep van driesterrenhotels van hoge kwaliteit in de centra van steden.	020 7479 9512 www.malmaison.com

ALLOWAY

⊖ ⓘ THE IVY HOUSE HOTEL
★★★ ❀ ❀
KA7 4NL
Tel. 01292 442336
www.theivyhouse.uk.com

Dit hotelletje, gelegen naast Burns' Cottage en met uitzicht op de Bellisle Golf Course, biedt vriendelijke, persoonlijke service. Het eten is er heerlijk en de kamers zijn comfortabel. De eigenaren streven naar een hoge mate van comfort en het hotel is dan ook tot in de puntjes verzorgd.

🛏 Tweepersoonskamer vanaf £110
ⓘ 5
🚗 Verlaat de M74 bij afslag 8 en volg gedurende 3 km de A71/A77 naar het zuiden. Volg dan de borden naar Burns National Heritage Park. Sla rechtsaf naar Doonholm Road en rijd door tot de T-splitsing. Voorbij Burns' Cottage rechtsaf, hotel na 300 m links

ARRAN, ISLE OF

ⓘ ⊖ AUCHRANNIE HOTEL
❀ ★★★
Brodick, KA27 8BZ
Tel. 01770 302234
www.auchrannie.co.uk
De menukaart van dit heerlijke, op een eiland gelegen resorthotel is niet uitgebreid, maar het eten wordt bereid met lokale ingrediënten van uitstekende kwaliteit. Bij het in de serre gevestigde Garden Restaurant genieten gasten van heerlijk konijn van het eiland, van verse langoustines in een sausje van boter en koriander of van in truffelconsommé gestoofd lam. De desserts zijn zeer geliefd en de wijnkaart is uitstekend.

🍴 D, 18.30–21.30 uur
🍷 D vanaf £52, wijn vanaf £13
🚭 In eetzaal niet roken
ⓘ 28 (vanaf £51)
🚗 Ga bij de veerbootterminal rechtsaf en volg de kustweg door Brodick. Neem na de golfclub de 2e weg links

ⓘ ⊖ KILMICHAEL COUNTRY HOUSE ❀❀☆☆
Glen Cloy KA27 8BY
Tel. 01770 302219
Dit mooie hotel ligt in een vredige vallei onder Goat Fell op het eiland Arran. Van de afgelegen locatie is in de keuken niets te merken: de chef-kok volgt de ontwikkelingen op culinair gebied op de voet en verwerkt de ingrediënten op ingenieuze wijze tot hedendaagse gerechten, zoals kastanjesoep met geroosterde knoflook, lamsvlees met rozemarijn en aalbessen met marmelade. Het menu verandert dagelijks. Geen kinderen onder 12 jaar.

🍴 Alleen D, 19–20.30 uur. Nov.–mrt. di. gesloten
🍷 D vanaf £70
🚭 In eetzaal niet roken
ⓘ 7 (vanaf £150)
🚗 Sla bij de veerbootterminal rechtsaf en rijd door Brodick. Sla bij de golfclub linksaf, rijd de kerk voorbij en ga de oprit op

AULDGIRTH

ⓘ AULDGIRTH INN
DG2 0XG
Tel. 01387 740250
Deze vijf eeuwen oude herberg aan de rivier de Nith was vroeger een pleisterplaats voor monniken en pelgrims die te voet door Schotland trokken. Later kwam Robert Burns er vaak en is het gebouw enige tijd als smidse in gebruik geweest. Op het dak prijkt een ongewoon grote schoorsteen met een kruis erop. Op het menu staan medaillons van varkensvlees, in bier gesmoord rundvlees, gestoofd parelhoen en stukjes lamsvlees uit Dumfriesshire. Kinderen welkom.

🍴 Dag. 11–24 uur. Barmaaltijd: dag. 12–22 uur. Restaurant: dag. 12–22 uur
🍷 L vanaf £10, D vanaf £13,50, Wijn £8,95
🚗 13 km ten noordoosten van Dumfries aan de A76 naar Kilmarnock

AYR

ⓘ ⊖ FAIRFIELD HOUSE HOTEL ❀❀★★★★
12 Fairfield Road KA7 2AR
Tel. 01292 267461

Dit Victoriaanse landhuis werd vroeger bewoond door een welgestelde theehandelaar uit Glasgow. Nu is het een gezellig hotel waar u heerlijk kunt tafelen in het stijlvolle restaurant Fleur de Lys. De ambitieuze koks bereiden bijzondere gerechten: het piepkuiken wordt gesmoord in madeira en geserveerd met basilicumravioli en de heilbot wordt opgediend met een puree van bonen van de vanilleplant, kreeft à la nage en zalmtartaar.

🍴 Alleen D, 19–21 uur
🍷 D vanaf £50, wijn vanaf £12,95
🚭 In eetzaal niet roken
ⓘ 44 (vanaf £105)
🚗 Van de A77 naar Ayr South. Volg de borden naar het centrum, sla linksaf naar Miller Road. Bij verkeerslichten linksaf, dan rechtsaf naar Fairfield Road

BALLANTRAE

⊖ GLENAPP CASTLE
☆☆☆ ❀ ❀
KA26 0NZ
Tel. 01465 831212
www.glenappcastle.com
Dit prachtige kasteel, dat een zes jaar durende restauratie achter de rug heeft, wordt omringd door een goed onderhouden tuin met uitzicht op Ailsa Craig en Arran. De vaste prijs die gasten betalen, is voor

ETEN EN SLAPEN

SYMBOLEN
★ Faciliteiten in hotels
◆ Faciliteiten in bed-and-breakfasts
❀ De kwaliteit van restaurants
🛏 De opgegeven prijzen zijn voor twee personen en dienen als richtlijn. Prijzen en menukaarten zijn altijd aan veranderingen onderhevig

◎COSSES COUNTRY HOUSE
◇◇◇◇◇
Cosses KA26 0LR
Tel. 01465 831363
www.cossescountryhouse.com

Dit landhuis wordt omringd door een 5 ha grote tuin. Alle kamers, waarvan twee met eigen zitkamer, bevinden zich op de begane grond. Voordat de gasten aan tafel gaan, gebruiken ze met de gastheer en -vrouw een drankje in de zitkamer. De bekroonde maaltijden, geserveerd aan een stijlvol gedekte gemeenschappelijke tafel, worden bereid met lokale ingrediënten (sommige uit eigen tuin) en behelzen onder meer Schotse kaas en heerlijke wijn. Huisgemaakte joghurt, jam en brood bij het ontbijt. Tafeltennistafel en spelletjeskamer aanwezig. Geen kinderen onder 6 jaar. Korting voor kinderen onder 15 jaar.

🛏 Tweepersoonskamer vanaf £76
🛏 3
🕐 Gesloten nov.–feb.
🚗 Ten zuiden van Ballantrae aan de A77, volg bij het caravan-bord de weg landinwaarts. Hotel na 3 km rechts

een vijfgangenmenu inclusief wijn, maar ook voor de thee, aperitiefjes en likeuren. De kamers zijn ingericht met antieke meubels en er zijn ook enkele suites. Het personeel is gastvrij en attent. Kinderen tot 15 jaar krijgen korting.

🛏 Tweepersoonskamer vanaf £315
🛏 17 (alle niet-roken)
🕐 Gesloten nov.–mrt.
🚗 1,5 km vanaf de A77, ten zuiden van Ballantrae

BALLOCH

❶◎CAMERON HOUSE HOTEL ✹✹✹✹✹★★★★★
Loch Lomond G83 8QZ
Tel. 013897 55565

Het restaurant, op een prachtige locatie aan de oever van Loch Lomond, heeft de beste ingrediënten voor het oprapen, van schelpdieren van de westkust tot wild uit de directe omgeving. Gasten in de Georgian eetzaal hebben de keuze uit twee menu's: een dagelijks 'marktmenu' of een verrassingsmenu (zes gangen, gekozen van de kaart). U krijgt bijvoorbeeld als voorgerecht zeevruchten-wortelspaghetti

met gember en citroenbotersaus, gevolgd door kipfilet met tijm en madeirajus, en als dessert gestoomde citroencake met verse citroenkwark en zwartekersencompote, of een klassieker als tarte tatin van peren met ijs.

🕐 Alleen D 19–21.30 uur. Ma gesl.
🍴 D vanaf £99, wijn vanaf £17,50
🚭 In eetzaal niet roken
🛏 96 (vanaf £150)
🚗 M8/A82 naar Dumbarton; neem de weg naar Luss, borden naar hotel op 1,5 km voorbij Balloch aan rechterkant

BANKNOCK

❶GLENSKIRLIE HOUSE RESTAURANT ✹
Kilsyth Road FK4 1UF
Tel. 01324 840201

Hier kunt u genieten van subtiele Edwardiaanse elegantie in combinatie met moderne, vernieuwende Schotse gerechten. Het klassieke restaurant met een weelderig interieur en gesteven tafellinnen vormt een passende omgeving voor gerechten als biologische kipfilet met gesmoorde witlof en kruidenglacering, zalm op Zweedse wijze met boterovergoten pasta, of hertenzadel met jeneverbessen en port, vergezeld van lever-bacontaart en truffelroom.

🕐 12–14, 18–21.30 uur. Gesloten D ma., 26–27 dec., 1–3 jan.
🍴 L vanaf £31,50, D vanaf £60, wijn vanaf £13,95
🚭 Sigaren of pijp niet toegestaan
🚗 Neem van Glasgow de A80 richting Stirling, bij afslag 4 de A803 (borden Kilsyth/Bonnybridge) en ga bij de T-kruising rechts. Het hotel ligt 1,5 km verder rechts

BIGGAR

❶◎SHIELDHILL CASTLE ✹✹✹★★★
Shieldhill Road, Quothquan ML12 6NA
Tel. 018992 20035

Geniet van de zeer geslaagde kookkunst van dit traditionele, populaire restaurant in een

versterkt herenhuis. De eiken lambrisering, een enorme open haard, de ronde tafels en comfortabele stoelen zorgen voor een perfecte sfeer. De klassieke gerechten met hun rijke smakenpalet worden efficiënt opgediend door het goedgemutste personeel — ook een pluspunt. Het voorgerecht van jakobsschelp- en tijgergarnaaltortellini met een langoustinebisque is hemels, of probeer eens de gebraden

patrijs op een bedje van rode-uienmarmelade met dauphinoise-aardappelen en tijmjus.
🕐 12–13.45, 19–20.45 uur
🍴 L vanaf £25, D vanaf £80, wijn vanaf £15
🚭 In eetzaal niet roken
🛏 16 (vanaf £40)
🚗 Neem vanaf Biggar de B7016 naar Carnwath. Sla na 4 km linksaf naar Shieldhill Road. Het kasteel ligt 1,5 km verder rechts

CASTLE DOUGLAS

❶PLUMED HORSE RESTAURANT ✹✹
Main Street, Crossmichael DG7 3AU
Tel. 01556 670333

Dit restaurant in een dorpje vlak bij Castle Douglas heeft maar zes tafeltjes. De prijzen zijn aan de hoge kant, maar daarvoor bereidt men dan ook gerechten waar de gasten geen genoeg van lijken te krijgen. Als voorgerecht kunt u bijvoorbeeld tian van gemarineerde zalm, zure room, twee soorten kaviaar en dille-olie nemen. De vleesgerechten, zoals kipworst met verse kruiden en varkenslende, zijn ook heel geslaagd. Vegetarisch menu verkrijgbaar.

🕐 12.30–13, 19–21 uur. Gesloten L za., D zo.-ma., 25–26 dec., 2 weken jan., 2 weken sept.
🍴 L vanaf £32, D vanaf £50, wijn vanaf £16
🚭 In eetzaal niet roken
🚗 5,5 km ten noordwesten van Castle Douglas via de A713

⊖ CRAIGADAM ◇◇◇◇◇

Craigadam DG7 3HU
Tel. 01556 650233
www.craigadam.com

Dit pension op een boerderij biedt een stijlvol verblijf in een ontspannen kader. De grote kamers — veelal rond de binnenplaats gelegen —zijn allemaal anders ingericht en heel comfortabel. Gemeenschappelijke ruimten als een salon en een gelambriseerde eetzaal met een schitterende tafel voor 15 personen. Op het eigen terrein kunt u vissen en jagen. Korting voor kinderen onder 12 jaar.

🛏 Tweepersoonskamer vanaf £70
🛌 8 (8 niet-roken)
🕐 Gesloten Kerstmis en Nieuwjaar
🚗 Verlaat Castle Douglas aan de oostkant over A75 richting Crocketford. In Crocketford links afslaan naar A712 en 3 km doorrijden. Op een heuvel

CLYDEBANK

🕕 ⊖ BEARDMORE HOTEL
❀ ❀ ★★★★

Beardmore Street G81 4SA
Tel. 0141 951 6000

Dit vrij nieuwe hotel op de oevers van de Clyde bij Erskine Bridge is gevuld met hedendaagse kunst. In het Citrus Restaurant krijgt de combinatie van moeders kookkunst en de klassieke Franse keuken een interessante draai, met goede resultaten. U kunt kiezen uit verleidelijke gerechten als tuinerwtensoep met knapperige wontons, gebakken foie gras met madeira en pistachebrûlée met citroenkoekjes. Lunchen kan alleen in de bar.

🕐 Restaurant 19–21.45 uur; gesloten zo. Bar 10–22 uur
🍷 L vanaf £16, D vanaf £45, wijn vanaf £13,50
🚭 In eetzaal niet roken
🛌 168 (vanaf £80)
🚗 M8 afslag 19, volg de borden Clydeside Expressway naar Glasgow Road, dan Dumbarton Road (A814) en borden naar Clydebank Business Park. Het hotel ligt links, in het HCI International Medical Centre

CRAILING

⊖ CRAILING OLD SCHOOL B&B ◇◇◇◇

TD8 6TL
Tel. 01835 850382
www.crailingoldschool.co.uk

Dit laat-19e-eeuwse gebouw was tot halverwege de jaren tachtig een dorpsschool.

De open salon/eetzaal kijkt uit op de tuin en is de ideale locatie voor de heerlijke maaltijden (voor het diner moet u reserveren). De ruime loft bevat drie verschillend ingerichte kamers en het huis in de tuin wordt als vakantiehuis verhuurd en is ook geschikt voor gasten met een handicap. Geen kinderen onder 6 jaar.

🛏 Tweepersoonskamer vanaf £46
🛌 4 (4 niet-roken)
🚭 Niet roken
🕐 Gesloten 24–27 dec. en 2 weken feb. en nov.
🚗 Vlak bij de A698 van Jedburgh naar Kelso, via de B6400, borden naar Nisbet, Harestanes Visitor Centre

DALRY

🕕 BRAIDWOODS ❀ ❀

Drumastle Mill Cottage KA24 4LN
Tel. 01294 833544

Keith Braidwoods ongepolijste restaurant, dat is ondergebracht in enkele 200 jaar oude molenaarshuisjes, heeft met recht een trouwe klantenkring opgebouwd. Onder het geroezemoes van de gasten levert hij eenvoudige, uitgebalanceerde gerechten af zonder franje en onnodige garnering. Op de dinerkaart staan met de hand opgedoken jakobsschelpen met komkommerspaghetti en tomatenvierge en gebakken westkusttarbot in een Arbroath-stoofschotel — een hoogtepunt, gevolgd door de tussengang van rucolaparmezaantaart. Rond uw diner af met geglaceerde Agen-pruimenparfait, armagnac en gekarameliseerde sinaasappelsaus. Geen kinderen onder 12 jaar.

🕐 12–13.45, 19–21 uur. Gesloten ma., L di., D zo., 1e 3 weken jan., 2 weken sept.
🍷 L vanaf £32, D vanaf £64, wijn vanaf £14,95
🚭 Niet roken
🚗 1,5 km van Dalry aan Saltcoats Rd

DALRYMPLE

🕕 ⊖ THE KIRKTON INN ◆◆◆

1 Main Street KA6 6DF
Tel. 01292 560241

Deze pub ligt vlak bij de oevers van de Doon, waar het wemelt van de zalm, en is een goede uitvalsbasis voor het Burns Centre and Cottage of het strand van Ayr. De plaats wordt naar verluidt bezocht door de geest van een huisbaas die er zo aan gehecht was dat hij niet meer weg wilde. Er zijn bieren als Belhaven Best en Belhaven St. Andrews, en op het menu staan onder andere gebraden runderlende met *Yorkshire pudding*, *steak pie*, varkensvlees met ananas en Maliburoomsaus, kreeft thermidor, kabeljauw in beslag en fazant.

🕐 Dag. 11–24 uur. Pubmaaltijden: dag. 11–21 uur. Restaurant: dag. 11–21 uur
🍷 L vanaf £12, D vanaf £24, wijn vanaf £9,75
🛌 11 (vanaf £80)
🚗 Tussen A77 en A713, 8 km van Ayr

DIRLETON

🕕 ⊖ THE OPEN ARMS HOTEL
❀ ❀ ❀ ★★★

EH39 5EG
Tel. 01620 850241

De Library-eetzaal biedt de selectie van een kok die bedreven is in het bereiden van klassiekers, maar niet bang is om daar een moderne draai aan te geven. Een overvloed aan lokale producten, zoals Aberdeen Angus-rundvlees, dat wordt gevuld met parfait en geserveerd met havermoutoesterzwammen op Orkney Hramsa-puree. Of borst van tamme eend, gebakken op citroengras en geserveerd met couscous, peperkorrels en zwartekersencoulis.

🕐 12–14.30, 19–21 uur. Gesloten L ma.–za.
🍷 L vanaf £23, D vanaf £59, wijn vanaf £12,95
🚭 In eetzaal niet roken
🛌 10 (vanaf £30)
🚗 A1 (zuiden), dan de A198 naar North Berwick, volg borden naar Dirleton, 3 km in westelijke richting. Neem van Edinburgh de A6137 en de A198

EAST CALDER

⊖ ASHCROFT FARMHOUSE
◆◆◆◆◆

EH53 0ET
Tel. 01506 881810
www.ashcroftfarmhouse.com

Met hun 36 jaar aan ervaring weten Derek en Elizabeth Scott

hoe ze hun gasten een aangenaam verblijf moeten bezorgen. Het moderne huis, dat is omgeven door mooie landschapstuinen, heeft aantrekkelijke kamers op de begane grond. In de salon vindt u een videotheek. Het ontbijt, met onder andere zelfgemaakte worst, wordt geserveerd aan aparte tafeltjes. Geen kinderen onder 5 jaar. Korting voor kinderen onder 12 jaar.

🛏 Tweepersoonskamer vanaf £45
🚪 6 (6 niet-roken) 🚭 Niet roken
🚗 Aan de B7015, vlak bij de A71, 800 m ten oosten van East Calder bij Almondell Country Park

EAST LINTON

🕚 THE DROVERS INN

5 Bridge Street EH40 3AG
Tel. 01620 860298

Vroeger was dit een halteplaats voor herders die hun vee naar de markt dreven, en het café, met balkenplafonds en lambrisering, heeft nog veel ouderwetse charme. Boven is het chiquer, met fraaie kleuren en antiek. Op het menu staan Highland-*haggis* met pepersaus, schenkel van Border-lam met groenten en jonge kabeljauw in een krokant jasje op basilicum-mosterdpuree. Neem een van de dagspecialiteiten of de immer populaire, dampende honing-gembertaart, op houtskool gegrilde steak of de geitenkaaspasteitjes met geroosterde pruimtomaten.

🕐 Ma.–wo. 11.30–23, do.–za. 11.30–1 uur, zo. 12.30–24 uur. Gesloten 25 dec., 1 jan. Pubmaaltijden: L dag. 11.30– 14, D zo.–vr. 18–21.30 uur. Restaurant: dag. 11.30–14, 18–21.30 uur
🍴 L vanaf £12, D vanaf £40, wijn vanaf £10,95
🚗 Bij de A1, 8 km voorbij Haddington, weg onder spoorbrug volgen, dan links

🛏 KIPPIELAW FARMHOUSE ◆◆◆◆◆

EH41 4PY
Tel. 01620 860368
www.kippielawfarmhouse.co.uk

Kippielaw ligt hoog maar beschut te midden van nette tuinen met uitzicht op het Tyne-dal. Mooie kamers in cottage-stijl, in de salon brandt de open haard. Er worden heerlijke maaltijden geserveerd. Geen kinderen onder 13 jaar.

🍴 Tweepersoonskamer vanaf £28
🚪 2 (2 niet-roken)
🚭 Niet roken

🚗 Verlaat de A1 bij East Linton, volg het Traprain-bord ruim 1 km en neem dan de landweg rechts na de boerderij. De B&B ligt 800 m verder links

ESKDALEMUIR

🕚 🛏 HART MANOR ❄ ◆◆◆◆◆

DG13 0QQ
Tel. 01387 373217

Het geheim van dit charmante, kleine hotel is de robuuste boerenkost die gloeiend heet wordt opgediend van het Agafornuis. Bij elke gang, vermeld op een schoolbord, hebt u keus uit drie gerechten, zoals vers gebakken brood, champignonsoep met een wolkje room, ham-kiptaart met groenten en *bread and butter pudding* − alles in stevige porties. Geen kinderen onder 10 jaar.

🕐 Alleen D, 18.30–20.15 uur (reserveren). Gesloten met Kerstmis
🍴 D vanaf £54, wijn vanaf £12
🚪 7 (vanaf £77)
🚭 Niet roken
🚗 Volg vanaf M74 J17 de borden naar Eskdalemuir (22,5 km). Door centrum van Eskdalemuir, Hart Manor ligt 1,5 km verder aan weg naar Langholm, links

ETTRICK

🕚 TUSHIELAW INN

TD7 5HT
Tel. 01750 62205

Deze 18e-eeuwse halteplaats voor veedrijvers ligt aan de oevers van Ettrick Water in de Border-heuvels. Gasten mogen op forel vissen in Clearburn Loch en u kunt een vergunning krijgen om op zalm te vissen. De herberg is in trek bij wandelaars en fietsers vanwege het uitnodigende haardvuur en de stevige maaltijden, onder andere *steak and stout pie*, gefrituurde schelvis, Aberdeen Angus-steaks, gegrilde lamskoteletjes en uiteraard de plaatselijk gevangen forel.

🕐 Dag. 12–14.30, 18.30–23 (zo. 19–23 uur). Pubmaaltijden: 12–14.15, 19–22 uur. Gesloten 1 jan.
🍴 L vanaf £10, D vanaf £36, wijn vanaf £8,50
🚗 Bij de kruising van de B709 en de B711, ten westen van Hawick

GATEHOUSE OF FLEET

🕚 🛏 CALLY PALACE HOTEL ❄ ★★★★

DG7 2DL
Tel. 01557 814341

Er zijn maar weinig hotels die zich een paleis kunnen noe-

men, maar dit 17e-eeuwse gebouw te midden van bossen en parkachtige landerijen voldoet aan de criteria. De kok, die kookt voor verschillende smaken, houdt mooi evenwicht tussen eenvoudige, traditionele gerechten en een avontuurlijke, moderne keuken. Gebakken Gressinghameend, op de plaat gebakken varkensfilet en gestoomde zalmfilet zijn typische hoofdgerechten. Neem toe de heerlijk decadente chocolade-sinaasappeltaart, als die er is.

🕐 12–13, 18.45–20.45 uur. Gesloten 3 jan.–begin feb.
🍴 L vanaf £14,50, D vanaf £52
🚭 In eetzaal niet roken
🚪 55 (vanaf £85)
🚗 Volg vanaf de A74 (M) de A75, in Gatehouse de B727. Het hotel ligt links

GRANGEMOUTH

🕚 🛏 THE GRANGE MANOR ❄ ❄ ★★★

Glensburgh Road, Glensburgh FK3 8XJ
Tel. 01324 474836

Deze imposante, stijlvolle overnachtingsgelegenheid heeft net dat beetje extra van een familiehotel. Restaurant Le Chardon oogt fraai en ruim. Als voorgerecht kunt u een van de interessante combinaties nemen: huisgerookte haring met groenten op zuur en Bloody Mary-saus, terrine van hert, konijn en duif met lychees, of gepocheerde peer met stilton en walnoot in kersensoep. Om een idee te geven van de hoofdgerechten noemen we de runderfilet, kalfsvlees dat langzaam is gegaard in een rijke tomatenkruidensaus, gegrilde zeeduivelfilet en in kruiden gemarineerde lamslende.

🕐 12–14, 19–21.30 uur. Gesloten L za., D zo., 26 dec., 1–2 jan.
🍴 L vanaf £25,50, D vanaf £44, wijn vanaf £13,25
🚭 Pijp niet toegestaan
🚪 36 (vanaf £105)
🚗 M9 (oostelijke richting) afslag 6, 200 m verder rechts, M9 (westelijke richting) afslag 5, dan 3 km over A905

GULLANE

🕚 THE GOLF INN

Main Street EH31 2AB
Tel. 01620 843259

In de omgeving van deze herberg liggen 12 golfbanen, waaronder de Muirfield Golf Course, die in 2002 het British Open Championship organiseerde. Golf is ook het thema in de pub, met een grote verzameling trofeeën. Vis neemt een belangrijke plaats in: *moules marinière*, gravadlax, viskoekjes en gegrilde zeeduivelstaarten met confit van uien en knoflook. Ook een indrukwekkende selectie single maltwhisky's.

🕐 Dag. 11–23 uur. Pubmaaltijden: dag. 12–14, restaurant: dag. 12–14, 18–21 uur
🍴 L vanaf £10, D vanaf £40, wijn vanaf £11,50

☺GREYWALLS ☆☆☆❀❀
Muirfield EH31 2EG
Tel. 01620 842144
www.greywalls.co.uk

Greywalls, een voornaam Edwardiaans landhuis dat werd ontworpen door Edwin Lutyens, biedt uitzicht op de Muirfield Golf Course. De gemeenschappelijke ruimten kijken uit op fraaie tuinen, in het restaurant kunt u genieten van een goede keuken, en er zijn tennisbanen. De kamers, die variëren van intieme eenpersoonskamers tot ruime suites, zijn veelal ingericht in een bijpassende stijl en kijken uit op de golfbaan. De accommodatie in het poorthuis is ideaal voor (golf)gezelschappen.
🛏 Tweepersoonskamer vanaf £205
🚪23
🕐 Gesloten nov.–mrt.
🚗 Aan de A198, het hotel staat aangegeven vanaf de oostrand van het dorp

INNERLEITHEN
🍴☺TRAQUAIR ARMS HOTEL ♦♦♦
Traquair Road EH44 6PD
Tel. 01896 830229
Deze traditionele stenen herberg ligt in een landelijk decor bij de rivier de Tweed. Er is authentieke ale te krijg, Traquair van het nabijgelegen Traquair House, en het eten is echt Schots, zoals *finnan*, zalm met gember en koriander en run-

derfilet Traquair. U kunt ook een omelet, salade of gebakken aardappels bestellen.
🕐 Dag. 11–24 uur. Pubmaaltijden: dag. 12–21 uur. Restaurant: dag. 12–21 uur. Gesloten 25 dec., 1 jan.
🍴 L vanaf £18, D vanaf £22, wijn vanaf £9,50
🚭 In restaurant niet roken
🚪15 (vanaf £29)
🚗 10 km ten oosten van Peebles aan A72. Pub 90 m van kruising met B709

ISLE OF WHITHORN
🍴THE STEAM PACKET INN
Harbour Row DG8 8LL
Tel. 01988 500334
De bar van deze 18e-eeuwse pub kijkt spectaculair uit op de haven en het eetgedeelte in de serre is al even aantrekkelijk. De vis kan zo van de boot verwerkt worden, en dat doet de kok dan ook regelmatig, tot eenvoudige gerechten voor de lunch en een gevarieerde keus voor het diner. Als hoofdgerecht kunt u tongschar of tong verwachten, maar ook gebraden fazant. De voornaamste bieren zijn Theakston XB, Caledonian Deuchars IPA en Black Sheep Best.
🕐 Dag., 's zomers 11–23 uur, 's winters 11–15, 18–23 uur. Gesloten 25 dec. Pubmaaltijden: 12–14, 18.30–21 uur. Restaurant: 12–14, 18.30–21 uur
🍴 L vanaf £10, D vanaf £30, wijn vanaf £10,50
🚭 In eetzaal niet roken
🚗 Vanuit Newton Stewart de A714 en de A746 naar Whithorn, dan de B7004 naar Isle of Whithorn

JEDBURGH
☺THE SPINNEY ♦♦♦♦♦
Langlee TD8 6PB
Tel. 01835 863525
www.thespinney-jedburgh.co.uk
Van deze twee cottages in de uitlopers van de Cheviots is een aantrekkelijk modern onderkomen gemaakt, dat is omgeven door landschapstuinen. De kamers zijn licht en vrolijk. Het ontbijt wordt geserveerd aan tafeltjes in de eetzaal en voor de gasten is er een uitnodigende zitkamer. Op het terrein worden ook vakantiehuisjes verhuurd.
🛏 Tweepersoonskamer vanaf £46
🚪3 (3 niet-roken)
🚭 Niet roken
🕐 Gesloten dec.–feb.
🚗 3 km ten zuiden van Jedburgh aan de A68

☺JEDFOREST HOTEL
★★★ ❀❀
Camptown TD8 6PJ
Tel. 01835 840222
www.jedforesthotel.freeserve.co.uk

Een tocht door de centrale Borders zou niet compleet zijn zonder een nachtje in dit *country house*-hotel op 14 ha bossen en weiden. Het hele gebouw ziet eruit om door een ringetje te halen en heeft onder andere een mooie eetzaal, een lichte, gerieflijke brasserie en een rustgevende salon met een houtvuur. De kamers, met name de grote, bieden een indrukwekkende aanblik. De bediening is attent en op het terrein kunnen de gasten vissen. Korting voor kinderen onder 13 jaar.
🛏 Tweepersoonskamer vanaf £95
🚪12 (12 niet-roken)
🚗 5 km ten zuiden van Jedburgh, vlak bij de A68

JOHNSTONE
☺NETHER JOHNSTONE HOUSE ♦♦♦♦♦
Vlak bij Barochan Road, PA5 8YP
Tel. 01505 322210
www.netherjohnstone.co.uk

Dit pension met zijn mooie, volgroeide tuin ligt vlak bij het centrum van Glasgow, de luchthaven en de belangrijkste snelwegen. De kamers zijn goed toegerust en voorzien van vele extra's.

U kunt gebruikmaken van een rustige salon. Het ontbijt bestaat voor een groot deel uit lokale producten. Geen kinderen onder 12 jaar.

🛏 Tweepersoonskamer vanaf £60
🛌 6 (6 niet-roken)
🚭 Niet roken
🚍 M8 en dan de A737 (Irvine). Neem na Glasgow Airport de afslag Johnstone. Sla vanaf de A737 linksaf naar Johnstone en meteen rechtsaf de eigen weg in

KELSO

🍴🛏 THE ROXBURGHE HOTEL & GOLF COURSE ★★★ ❀ ❀

Heiton TD5 8JZ
Tel. 01573 450331
www.roxburghe.net

Op 202 ha bos en parkachtige landerijen staat het indrukwekkende Jacobean huis van de graaf van Roxburghe. Het biedt sportieve activiteiten als jagen, vissen, tennis en golf. Sommige kamers hebben een echte open haard. De salons vormen het perfecte decor voor de overvloedige theemaaltijden, en in het restaurant worden heerlijke gerechten geserveerd. Korting voor kinderen onder 12 jaar.

🛏 Tweepersoonskamer vanaf £125
🛌 22 (6 niet-roken)
🚍 5 km ten zuiden van Kelso bij de A698

KILWINNING

🛏 MONTGREENAN MANSION HOUSE ★★★

Montgreenan Estate KA13 7QZ
Tel. 01294 557733
www.montgreenanhotel.com

Dit rustgevende herenhuis staat op 19 ha parkachtige landerijen en bossen. De gemeenschappelijke ruimten hebben nog hun oorspronkelijke plafonds en marmeren schouwen – er zijn een zitkamer, een bibliotheek, een bar in herenclubstijl en een restaurant. De kamers variëren in grootte. Gasten kunnen tennissen en quadbiken. Korting voor kinderen onder 12 jaar.

🛏 Tweepersoonskamer vanaf £120
🛌 21
🚍 6,5 km ten noorden v. Irvine, A736

KIRKBEAN

🛏🍴 CAVENS ★★ ❀

DG2 8AA
Tel. 01387 880234
www.cavens.com

In dit landhuis uit 1752 met 2,5 ha parkachtige landerijen hebben vele notabelen gewoond. Op het terrein kunt u jagen, vissen en paardrijden. Voor het vaste dinermenu worden heerlijke lokale producten gebruikt.

🛏 Tweepersoonskamer vanaf £105
🛌 8 (8 niet-roken)
🚍 Aangegeven vanaf A710 in Kirkbean

KIRKCUDBRIGHT

🍴🛏 SELKIRK ARMS HOTEL ❀ ❀ ❀ ★★★

Old High Street DG6 4JG
Tel. 01557 330402

Midden in een romantisch landschap staat dit comfortabele hotel-restaurant met een vernieuwende Britse keuken vol creatieve smaakcombinaties. Begin met garnalencreamcheesetaartjes met perensalade en pepersaus, gevolgd door hertenzadel op een bedje van groenteconfit. Streekgerechten als zeevruchten staan ook regelmatig op het menu en er is een goede selectie wijnen en bieren.

🕐 L 12–14 uur, D 19–21.30 uur
🍷 L vanaf £44, D vanaf £50, wijn vanaf £8,50
🚭 In eetzaal niet roken
🛌 16 (vanaf £95)
🚍 8 km ten zuiden van kruising A75 met A711

LANGBANK

🍴🛏 GLEDDOCH HOUSE ❀ ❀ ★★★★

PA14 6YE
Tel. 01475 540711

Dit majestueuze huis kijkt uit op de rivier de Clyde en heeft een restaurant in een passende stijl. De menukaart is natuurlijk op een klassieke leest geschoeid: begin uw diner bijvoorbeeld met in de pan gebakken rodemulfilets en zeebaars met jonge spinazie, pruimtomaten, parmezaanse kaas en een tomaten-basilicumvinaigrette. Vervolg met een lendenstuk van Ranoch Moor-hert met Puy-linzen, aardappelkroketjes, gerookte bacon en tijm-portjus. En wat dacht u van gebakken banaan met abrikozenglazuur en vanille-ijs om het af te ronden?

🕐 12.30–14, 19–22 uur
🍷 L vanaf £24, D vanaf £70, wijn vanaf £12,50
🛌 79 (vanaf £150)
🚍 Neem vanuit Glasgow de M8 (Greenock), dan de B789, afslag Houston/Langbank. Volg de borden naar het hotel

LINLITHGOW

🍴 CHAMPANY INN ❀ ❀

EH49 7LU
Tel. 01506 834532

Deze herberg heeft een unieke reputatie opgebouwd als rundvleesinstituut. De wijnkaart put uit een 25.000 flessen tellende kelder en biedt dan ook een fantastische keus, maar de Champany Inn is vooral populair vanwege het vlees van Aberdeen Angus-koeien. *Pope's eye, porterhouse*, châteaubriand en ribeye – alle sappige steaks worden gesneden door de slager van het huis. Het voorgerecht – warme gerookte zalm met hollandaisesaus – smaakt ook hemels. Op het menu staan verder kip, eend en kreeft. Geen kinderen onder 8 jaar.

🕐 12.30–14, 19–22 uur. Gesloten zo., L za., 25–26 dec.
🍷 L vanaf £16,75, D vanaf £80, wijn vanaf £15
🚍 3 km ten noordoosten van Linlithgow bij kruising A904 met A803

🍴 LIVINGSTON'S RESTAURANT ❀ ❀

52 High Street EH49 7AE
Tel. 01506 846565

Dit intieme restaurant ligt aan het eind van een overwelfd laantje, even weg van de bruisende hoofdstraat. De ruwe stenen muren, overblijfselen van het oorspronkelijke cottage, zorgen tezamen met kaarslicht voor een warme sfeer. Een typisch hoofdgerecht is Highland-hert met bramenhoningsaus of dichtgeschroeide tonijnmoot met tomatenolijventapenade. De desserts zijn allemaal even lekker. Geen kinderen onder 8 jaar.

🕐 12–14, 18–21 uur. Gesloten zo.–ma., 1 week juni, 1 week okt., 2 weken jan.
🍷 L vanaf £27, D vanaf £65, wijn vanaf £12,50
🚭 Niet roken
🚍 Tegenover het postkantoor

LOCHWINNOCH

BIJZONDER
⊖EAST LOCHHEAD
◇◇◇◇◇
Largs Road PA12 4DX
Tel. 01505 842610
www.eastlochhead.co.uk
In deze meer dan 100 jaar
oude boerderij heerst een
ontspannen landhuissfeer en
hebt u een magnifiek uitzicht
op Barr Loch. De kamers zijn
stijlvol en uitmuntend toegerust en in de eetzaal/salon
worden goede, degelijke
maaltijden geserveerd.
Er worden ook vijf kleine
appartementen verhuurd, in
een van de oude schuren.
Korting voor kinderen onder
12 jaar.
🛏 Tweepersoonskamer vanaf £80
🛈 3 (3 niet-roken)
🚭 Niet roken
🚗 Volg vanuit Glasgow de M8 en
neem de afslag 28a naar de A737
Irvine. Bij de Roadhead-rotonde
slaat u rechtsaf naar de A760. Het
pension ligt ruim 3 km verder aan
de linkerkant

LOCKERBIE
⊖THE DRYFESDALE
★★★ ❀ ❀
Dryfebridge DG11 2SF
Tel. 01576 202427
www.dryfesdalehotel.co.uk

Dit hotel ligt gunstig ten
opzichte van de M74, maar is
er discreet van afgeschermd.
Het heeft een renovatie ondergaan. Er zijn mogelijkheden
voor kleiduivenschieten en
vissen op het eigen terrein.
De kamers, sommige met toegang tot een binnenplaatsje,
variëren in grootte. Het diner
van lokale producten kunt u
gebruiken in een restaurant
met uitzicht op een tuin.
Hartelijk onthaal door het
jonge personeel. Korting voor
kinderen onder 12 jaar.
🛏 Tweepersoonskamer vanaf £95

🛈 16 (4 niet-roken)
🚗 Neem op de M74 afslag 17 (Locker-
bie North), op de 1e rotonde de 3e
afslag en op de 2e rotonde de 1e.
Het hotel ligt 180 m verder links

MAYBOLE
⊖LADYBURN ☆☆❀
KA19 7SG
Tel. 01655 740585
www.ladyburn.co.uk

Ladyburn is het stijlvolle
optrekje van de familie
Hepburn. Het ligt in een weids
landschap en is omringd door
fraaie tuinen. De klassiek ingerichte kamers, waarvan twee
met hemelbedden, bieden
veel comfort en worden aangevuld door een bibliotheek
en een salon. Het vaste dinermenu (drie gangen), dat van
tevoren met u wordt bespro-
ken, wordt geserveerd bij
kaarslicht. Opvallend zijn de
oprechte gastvrijheid en zorg-
zaamheid. Geen kinderen
onder 16 jaar.
🛏 Tweepersoonskamer vanaf £90
🛈 8 (8 niet-roken)
🚗 Sla van de A77 af naar de B7023, sla
in Crosshill rechtsaf bij het oorlogsmonument en volg de B741 (aangegeven als
Kilkerran). Het hotel ligt 5 km verder

MELROSE
🍴⊖BURT'S ❀❀★★★
Market Square, TD6 9PL
Tel. 01896 822285
Dit familiehotel biedt
ouderwetse gastvrijheid in een
uitnodigende omgeving. De
goed gesorteerde bar met zijn
open haard is geliefd voor een
informele lunch of diner. Het
stijlvolle restaurant geniet
plaatselijk een goede bekendheid. De smaak van de Borders
kunt u uitproberen met een
voorgerecht als parfait van
Border-wild. Hoofdgerechten
variëren van heilbot, fazant en
kip tot lamskoteletjes of een
vegetarische schotel. Met de
Selkirk Bannock Pudding en
kruidkoekijs bent u weer terug

op Border-territorium. Geen
kinderen onder 10 jaar.
🕐 12–14, 19–21 uur. Gesloten 26 dec.
🍴 L vanaf £45,50, D vanaf £60, wijn
vanaf £12,25
🚭 In eetzaal niet roken
🛈 20 (vanaf £96)

⊖FAUHOPE HOUSE ◆◆◆◆◆
Gattonside TD6 9LU
Tel. 01896 823184
Er is weinig aan te merken
op het verblijf in Fauhope, dat
hoog op een heuvel aan de
rand van het dorp ligt. Sheila
en Ian Robson bieden gastvrijheid op niveau, heerlijk
ontbijt en de kans om eens
rond te kijken in een echt
landhuis. De gemeenschap-
pelijke ruimten zijn verfraaid
met bloemstukken en de
kamers vormen een oase van
luxe en zijn allemaal anders
ingericht. Er is een tennisbaan
en er zijn rijstallen.
🛏 Tweepersoonskamer vanaf £50
🛈 3 (3 niet-roken)
🚭 Niet roken
🚗 Sla van de A68 rechtsaf naar de
B6360 richting Gattonside. Sla bij het
'30 mph'-bord rechtsaf en dan nog
eens. Volg de oprijlaan naar Fauhope

MOFFAT
⊖MOFFAT HOUSE ❀★★★
High Street DG10 9HL
Tel. 01683 220039
www.moffathouse.co.uk
Dit hotel midden in een pitto-

BIJZONDER
⊖🍴WELL VIEW ☆❀❀
Ballplay Road DG10 9JU
Tel. 01683 220184
www.wellview.co.uk
Well View ligt aan een stille
weg op loopafstand van het
centrum van Moffat en heeft
nog veel oorspronkelijke
Victoriaanse elementen.
De verschillend ingerichte
kamers zijn gerieflijk en
doordacht toegerust. Een van
de hoogtepunten van het verblijf in dit kleine familiehotel
is het diner; het specialitei-
tenmenu – zes gangen –
belicht mooie ingrediënten
die zoveel mogelijk uit de
streek komen. Korting voor
kinderen onder 11 jaar.
🛏 Tweepersoonskamer vanaf £78
🛈 6 (6 niet-roken)
🕐 Gesloten 2 weken feb. en
2 weken okt.
🚗 A708 vanuit Moffat, passeer het
brandweergebouw en neem 1e links

resk plaatsje heeft goede klandizie van zowel Schotten als bezoekers. In de ruime barlounge kunt u terecht voor lunch en diner; het restaurant biedt een stijlvoller decor. De kamers zijn over het algemeen ruim en rustig. Korting voor kinderen onder 12 jaar.

🛏 Tweepersoonskamer vanaf £94
🛏 20 (7 niet-roken)
🚗 M74 afslag 15, Beattock, volg de A701 over een afstand van 1,5 km. Het hotel ligt aan het eind van High Street

NEWTON STEWART

❶ ⊙ CREEBRIDGE HOUSE
❀ ★ ★ ★
DG8 6NP
Tel. 01671 402121

Dit *country house*-hotel was oorspronkelijk het jachtverblijf van de graaf van Galloway, maar tegenwoordig hoeft u hier niet meer te jagen voor het avondeten. U kunt gewoon plaatsnemen in het Garden Restaurant en kiezen uit een dagelijks wisselend viergangenmenu met moderne Schotse gerechten. Er zijn zowel ongewone combinaties (parelhoen met een timbaaltje van amandel-citroenbulgur) als traditionelere gerechten (lamsvlees in een mosterd-korianderkorst, geserveerd met rodewijnsaus en havermoutkroketjes).

🕐 12–14, 18–21 uur
🍽 L vanaf £22, D vanaf £50, wijn vanaf £12,90
🚭 In eetzaal niet roken
🛏 19 (vanaf £90)
🚗 Bij de A75, bij het Newton Stewartbord 1,2 km doorrijden tot hotelbord

⊙ ❶ KIRROUGHTREE HOUSE
☆☆☆ ❀ ❀
Minnigaff DG8 6AN
Tel. 01671 402141
www.kirroughtreehouse.co.uk

Dit 17e-eeuwse herenhuis ligt vredig in een 3 ha grote landschapstuin, naast Galloway Forest Park. Met faciliteiten om te tennissen en een pitch-and-putt-baan van 9 holes. De fraaie zitkamers zijn ingericht met comfortabele sofa's en een mengeling van antiek en stijlmeubelen. De ruime kamers zijn toegerust met attente extra's. Het diner wordt door het attente personeel geserveerd in een van de stijlvolle eetzalen. Geen kinderen onder 10 jaar. Korting voor kinderen onder 15 jaar.

🛏 Tweepersoonskamer vanaf £136
🛏 17
🕐 Gesloten 4 jan.–13 feb.
🚗 A75, volg de A712 richting New Galloway. De toegang tot het hotel ligt ruim 250 m verder links

PEEBLES

⊙ ❶ CRINGLETIE HOUSE
★ ★ ★ ❀
EH45 8PL
Tel. 01721 730233
www.cringletie.com

Dit indrukwekkende herenhuis heeft een magnifieke ommuurde tuin die een groot deel van de producten voor de keuken levert. Gemeenschappelijke ruimten als een cocktaillounge, met een aangrenzende serre, en een restaurant op de eerste verdieping met een fraai beschilderd plafond. De kamers zijn allemaal anders ingericht en een aantal is zeer ruim. Vissen en tennissen op het eigen terrein.

🛏 Tweepersoonskamer vanaf £115
🛏 14 (14 niet-roken)
🚗 3 km naar het noorden via A703

PORTPATRICK

❶ ⊙ FERNHILL ❀ ★ ★ ★
Heugh Road DG9 8TD
Tel. 01776 810220

Zowel de serre als de aangrenzende eetzaal biedt een prachtig uitzicht op de Ierse Zee. Er is een vast vijfgangenmenu, maar wie dat te veel vindt kan de gerechten ook apart bestellen. De Franse uiensoep is intens van smaak, de lamslende heerlijk. Voor een eerlijk dessert neemt u citroentaart met frambozencoulis.

🕐 12–14, 18.30–21 uur
🍽 L vanaf £25, D vanaf £42, wijn vanaf £9,75
🚭 In restaurant niet roken
🛏 23 (vanaf £100)
🚗 Neem van Stranraer de A77 naar Portpatrick. 90 m voorbij het bord naar Portpatrick Village slaat u voor het oorlogsmonument rechtsaf. Het hotel ligt in de 1e straat links

ST. BOSWELLS

⊙ ❶ DRYBURGH ABBEY
★ ★ ★ ❀
TD6 0RQ
Tel. 01835 822261
www.dryburgh.co.uk

Een imposant zandstenen herenhuis op een aantrekkelijke locatie naast een rivier en een abdijruïne. Vissen op het eigen terrein is mogelijk. Met uitnodigende gemeenschappe-

lijke ruimten als een aantal salons en een stijlvolle eetzaal met uitzicht op de rivier. Verschillende soorten accommodatie, zoals suites en ruime kamers. Korting voor kinderen onder 16 jaar.

🛏 Tweepersoonskamer vanaf £144
🛏 38
🚗
🚗 Vanaf de A68 bij St. Boswells neemt u de B6404 door het dorp. Rijd 3 km verder en sla linksaf naar de B6356 richting Scott's View. Doorkruis het dorp Clintmains, het hotel ligt 3 km verder

SWINTON

❶ WHEATSHEAF RESTAURANT ❀ ❀
Main Street TD11 3JJ
Tel. 01890 860257

Een echte dorpsherberg met uitzicht op de groene brink. Het eten is er beter dan gemiddeld en wordt geserveerd in twee ruimten: de oorspronkelijke eetzaal en een licht, met grenen ingericht vertrek. De service is ontspannen, maar efficiënt. Het lunchmenu, dat dagelijks wisselt, biedt veel keus en waar voor uw geld, en het dinermenu is al even aantrekkelijk. Zo kunt u bijvoorbeeld borst van houtduif op een medaillon van Schotse runderfilet en *black pudding* in madeirasaus bestellen, of zalmfilet met saus van rivierkreeft, tomaat en koriander.

🕐 12–14, 18–21 uur. Gesloten ma. (behalve voor gasten), D zo.
🍽 L vanaf £30, D vanaf £40, wijn vanaf £11,95
🚗 Aan de A6112, halverwege tussen Duns en Coldstream

TIBBIE SHIELS INN

❶ TIBBIE SHIELS INN ◆◆◆
St. Mary's Loch TD7 5LH
Tel. 0175042231

Deze herberg op de landtong tussen St. Mary's Loch en Loch of the Lowes is genoemd naar de dame die in 1826 de opening verrichtte. De sfeer in de ruimten met hun lage plafonds vol wandelaars en sportvissers — gasten vissen gratis — is niet veel veranderd. De voornaamste bieren zijn Broughton Greenmantle Ale en Belhaven 80/-. De menukaart richt zich naar het seizoen, met wild en verse vis, maar biedt ook exotische gerechten, zoals cashewnotenbrood met een tomaten-kruidensalade.

ⓐ Ma.–za. 11–23, zo. 12.30–23 uur.
Pubmaaltijden: dag. 12.30–20 uur.
Restaurant: dag. 12.30–8.30 uur
ⓦ L vanaf £8, D vanaf £19, wijn vanaf
£6,50
ⓘ 5 (vanaf £52)
ⓡ Neem vanuit Moffat de A708. De
herberg ligt 22,5 km verder rechts

TROON

ⓗHIGHGROVE HOUSE
★★★❋❋
Old Loans Road KA10 7HL
Tel. 01292 312511
www.costley-hotels.co.uk
Dit is een stijlvol hotel met
prachtig uitzicht over de Firth
of Clyde en een vriendelijk,
efficiënt team dat klaarstaat
voor de gasten. Het aantrekkelijke restaurant biedt het
ideale kader voor de mooi
gepresenteerde, moderne

ⓗⓦLOCHGREEN HOUSE
☆☆☆❋❋
Monktonhill Road, Southwood
KA10 7EN
Tel. 01292 313343
www.lochgreenhouse.co.uk
Dit indrukwekkende *country
house*-hotel biedt ruime
kamers en een rustige om-
geving met 53 ha perfect
onderhouden landerijen (tennisbaan). Er zijn verschillende
salons met een open haard
en de brasseriekaart biedt
interessante mogelijkheden
voor een lichte lunch. De
belangrijkste eetgelegenheid
is echter het restaurant, waar
tot genoegen van de gasten
kwaliteitsproducten met zorg
worden bereid tot een heerlijk maal.

ⓦ Tweepersoonskamer vanaf £130
ⓘ 40
ⓡ Volg vanaf de A77 de borden naar
Prestwick Airport en neem 800 m
voor het vliegveld de B749 richting
Troon. Het hotel ligt 1,5 km verder
links

gerechten. Eigenlijk is reserveren noodzakelijk als u zich wilt
verzekeren van een plaats in
het restaurant of de bar.
ⓦ Tweepersoonskamer vanaf £95
ⓘ 9

TURNBERRY

ⓗ ⓗMALIN COURT
❋❋★★★
KA26 9PB
Tel. 01655 331457
Dit lichte, moderne restaurant
ligt aan een populaire golfbaan
en biedt uitzicht van de monding van de Clyde tot aan het
eiland Arran. Lunch betekent
meestal goed eten zonder lif-
lafjes – zelfgemaakte hamburgers of lamslever met uienjus
en puree – maar 's avonds zijn
de gerechten spectaculairder,
en kunt u bijvoorbeeld gebakken heilbot in een kruiden-
korst met geroosterde selderij
en mosterdsaus of runderfilet
vergezeld van kruidenpuree en
truffeljus bestellen. De bediening is vriendelijk en attent.

ⓐ 12.30–14, 19–21 uur
ⓦ L vanaf £16, D vanaf £24, wijn
vanaf £9,95
ⓢ In eetzaal niet roken
ⓘ 18 (vanaf £104)
ⓡ Aan de A719, 1,5 km van de A77,
aan de noordkant van het dorp

ⓗ ⓗTHE WESTIN
TURNBERRY RESORT
★★★★★❋
KA26 9LT
Tel. 01655 331000
www.turnberry.co.uk
Dit wereldberoemde hotel
biedt schitterende uitzichten
over Arran, Ailsa Craig en de
Mull of Kintyre. Tot de faciliteiten behoren een magnifieke
golfbaan voor wedstrijden,
de Colin Montgomerie Golf
Academy, een luxueus gezond-
heidscentrum en een hele rits
sportieve en buitenactiviteiten.
In het hoofdgebouw vindt u
stijlvolle kamers en suites. De
lodges, een soort vakantie-

huizen, bieden ruime, goed
toegeruste accommodatie voor
groepen en gezelschappen.
In het stijlvolle hoofdrestaurant
kunt u dineren, maar er is ook
een brasserie, Mediterranean
Terrace, en een informelere
eetgelegenheid, Clubhouse.
Korting voor kinderen onder
15 jaar.
ⓦ Tweepersoonskamer vanaf £149
ⓘ 221 (28 niet-roken)
❋ ⓦ
ⓡ Neem vanuit Glasgow de A77/M77
in zuidelijke richting. Volg voorbij
Kirkoswald de borden met A719
Turnberry Village, het hotel ligt 500 m
verder aan de rechterkant

TWEEDSMUIR

ⓗTHE CROOK INN
ML12 6QN
Tel. 01899 880272
In deze herberg, die in 1604
zijn eerste vergunning kreeg,
kwam de dichter Robert Burns
vaak. De oude herberg heeft
al heel wat meegemaakt:
vetes, veediefstal, ontvoe-
ringen en zelfs Jack the
Giant Killer. Het ongewone
art-deco-interieur uit de jaren
dertig vormt een heerlijk decor
voor traditionele gerechten
als *shepherds pie*, *haggis*,
Arbroath-schelvisfilet en
gebakken sirloinsteak.
Spoel dit maal weg met
een biertje als Broughton
Greenmantle.
ⓐ Dag. 9–24 uur. Gesloten 25 dec.
Pubmaaltijden: dag. 12–14.30,
17.30–20.30 uur. Restaurant: dag.
19–21 uur
ⓦ L vanaf £13, D vanaf £31, wijn
vanaf £9,95
ⓢ In restaurant niet roken

❶ ATRIUM ✿✿

10 Cambridge Street EH1 2ED
Tel. 0131 228 8882

Midden in de theaterwijk blijft dit drukke eethuis mensen trekken. Het is niet moeilijk te zien waarom. Wittebonensoep met eendenconfit of een warme salade van kippenlevers en foie gras met notenolie zijn enkele van de voorgerechten; gebraden kip met bieslookpuree en geroosterde wortelen is een typisch stevig hoofdgerecht. Desserts als chocolade-sinaasappeltaart met crème fraîche bekronen het geheel.

🕐 12–14, 18–22 uur. Gesloten zo., L za., behalve aug.; 25–26 dec.
🍴 L vanaf £27, D vanaf £50
🚗 Ga van Princes Street Lothian Road in, dan de 2e links en de 1e rechts, naast het Traverse Theatre

---

BIJZONDER

❶ BELUGA BAR & CANTEEN RESTAURANT ✿

30a Chambers Street EH1 1HU
Tel. 0131 624 4545

Een etentje bij Beluga is niet zomaar iets. Donkere muren geven het restaurant de sfeer van een nachtclub. Door glas-in-loodramen valt gekleurd licht op de houten vloer en langs de trap van de kelderbar naar het restaurant boven stroomt een waterval. Het eten is net zo modern als de inrichting. In de keuken ligt de nadruk op Aziatische en Pacifische schotels, zoals gegrilde John Dory met daikon, mizuna en gemberolie of lamsnoisette met aubergine-tian.

🕐 12–14.30, 17.30–22.30 uur
🍴 L vanaf £20, D vanaf £40, wijn vanaf £11,95
🚭 Niet roken vóór 22 uur

---

❶🍴 BALMORAL HOTEL, NUMBER ONE ✿✿
★★★★★

1 Princes Street EH2 2EQ
Tel. 0131 557 6727

De torens van Balmoral aan het oosteinde van Princes Street zijn een bekend symbool van Edinburgh. Het moderne restaurant Number One biedt simpele schotels die zijn samengesteld uit lokale ingrediënten van de hoogste kwaliteit. U kunt à la carte eten of een steeds veranderend menu kiezen — vlees of vis (gesmoorde ossenstaart, wilde eend, biologische zalm) met een overzichtelijke lijst bijgerechten, zoals gesauteerde spinazie of kool in roomsaus. Neem als dessert warme soufflé van banaan en chocoladesnippers, of pruimenparfait met karamel-whisky-saus.

🕐 12–14, 19–22 uur. Gesloten L za., zo., 1–7 jan.
🍴 L vanaf £29, D vanaf £82
🚭 Sigaren of pijp niet toegestaan
ℹ️ 188 (vanaf £225)
🚗 Aan het oosteinde van Princes Street, bij Waverley Station

---

❶ BENNETS BAR

8 Leven Street EH3 9LG
Tel. 0131 229 5143

In deze pub met glas-in-loodramen, handbeschilderde tegels en traditionele inrichting met koper en hout komen veel acteurs van het nabijgelegen Kings Theatre. Bennets is in 1839 opgericht, schenkt meer dan 100 malt whisky's, heeft een goed onderhouden kelder en serveert eerlijke maaltijden voor een redelijke prijs. Hier eet u gebraden kip, pie, gepaneerde schelvisfilet, macaroni met kaas, salades en hamburgers. Na 20 uur geen kinderen onder 18 jaar.

🕐 Ma.–za. 11–0.30, zo. 12.30–23.30 uur. Pubmaaltijden: ma.–za. 12–14, 17–20.30 uur
🍴 L vanaf £10, wijn vanaf £9,90

---

❶ BLUE BAR CAFÉ ✿

Cambridge Street EH1 2ED
Tel. 0131 2211222

Deze moderne brasserie biedt een ijzersterk menu dat zowel flexibel, hoogstaand als fantasierijk is. Kies voor de lunch een rivierkreeftsandwich of een kom witte-bonen- en chorizosoep. Een steviger maal kan bestaan uit carpaccio van rundvlees met Parmezaanse

---

kaas, gevolgd door maïskip met geurige preirisotto en bacondressing. Besluit met een van de fraaie desserts, zoals chocoladetaart met gekarameliseerde sinaasappelen.

🕐 12–15, 18–23 uur. Gesloten zo., 25–26 dec.
🍴 L vanaf £40, D vanaf £50, wijn vanaf £13,75
🚗 Rijd van Princes Street Lothian Road in, dan de 2e links, de 1e rechts, boven het Traverse Theatre

---

❶ THE BOW BAR

80 The West Bow EH1 2HH
Tel. 0131 226 7667

Midden in de oude stad weerspiegelt de Bow Bar de geschiedenis en de tradities van de streek. De tafels komen uit afgedankte treinwagons en de uitgebreide selectie whisky's ligt op een schraag uit een oude kerk. Hier worden 140 malts getapt en acht verschillende ales met antiek materiaal uitgeschonken. Alleen hapjes en geen gokmachines of muziek die een goed gesprek kunnen storen.

🕐 Ma.–za. 12–23.30, zo. 12.30–23 uur. Gesloten: 25–26 dec., 1–2 jan. Pubmaaltijden: 12–14 uur
🍴 L vanaf £2,80, wijn vanaf £2,60

---

❶ THE BRIDGE INN

27 Baird Road, Ratho EH28 8RA
Tel. 0131 333 1320

De Bridge Inn uit ca. 1750, in het hart van het Canal Centre, is befaamd om zijn vloot restaurantboten en rondvaartsloepen. Versbereide lokale ingrediënten zijn het kenmerk van de herberg, die al meer dan 30 jaar is gespecialiseerd in het beste Schotse vlees. Hier serveert men lamsschenkel uit Lothian, wilde-eendenborst, Thaise groene curry en zalmen aspergepie. Van de bieren noemen we Bellhaven 80/-.

🕐 Ma.–vr. 12–23, za. 11–24, zo. 12.30–23 uur. Gesloten 26 dec., 1–2 jan. Pubmaaltijden: dag. 12–21 uur. Restaurant: dag. 12–14, 18.30–21 uur
🍴 L vanaf £8, D vanaf £50, wijn vanaf £12,50
🚗 Volg van de afslag Newbridge B7030 de borden naar Ratho

---

❶ LE CAFÉ ST. HONORÉ ✿

34 NW Thistle Street Lane EH2 1EA
Tel. 0131 226 2211

Intiem, ontspannen dineren in een authentieke bistro in echt Franse stijl, weggestopt in een rustig achterafstraatje in het stadscentrum. Veel goede Schotse producten, met de nadruk op vis, in verleidelijke combinaties als warme salade van jakobsschelpen, zeeduivel, chorizo en cashewnoten, naast Franse klassiekers als boeuf bourguignon met puree. Op de wijnkaart staan wijnen uit de hele wereld.

🕐 12–14.15, 17.30–22 uur. Gesloten zo. (behalve Festival), 24–26 dec., 3 dagen na Nieuwjaar, bank holidays ma.

🍴 L vanaf £30, D vanaf £56, wijn vanaf £9,50

① DORIC TAVERN
15–16 Market Street EH1 1DE
Tel. 0131 225 1084

Dit is een drukke bistro en pub vlak bij het kasteel, waar veel schrijvers, kunstenaars en journalisten komen. Hij stamt uit 1710 en ontwikkelde zich gaandeweg tot een gezellig eethuis met een vrolijke pub in de kelder. Tot de klassiekers en vernieuwende moderne schotels behoren wild, steaks en pasta's en pie van zoete aardappelen, met traditionele snacks als worstjes en puree, hamburgers en bruschetta.

🕐 12–1 uur. Gesloten 25–26 dec., 1 jan. Pubmaaltijden: dag. 12–16, 17–23.30 uur. Restaurant: dag. 12–23 uur.

🍴 L vanaf £7, D vanaf £42, wijn vanaf £11,50

① DUCK'S AT LE MARCHÉ NOIR ❀
2–4 Eyre Place EH3 5EP
Tel. 0131 558 1608

Gevestigd restaurant met een aangename keuken in een ontspannen omgeving. Wildworstjes op een puree van blauwe kaas kunnen worden geserveerd met heerlijke zoete uien en een rodewijnsaus, gerookte schelviskoekjes met een rodepepersaus en aangemaakte raketsla. Witte chocolademousse en frambozentaart of koffiericotta en pijnboompittencrêpes staan op de dessertkaart.

🕐 12–14.30, 19–22 uur. Gesloten L za., ma.

🍴 L vanaf £28, D vanaf £40, wijn vanaf £10

🚩 Volg de Mound over Princes Street, George Street, Queen Street naar het benedeneind van Dundas Street

① LA GARRIGUE ❀❀
31 Jeffrey Street EH1 1DH
Tel. 0131 557 3032

La Garrigue is genoemd naar een streek in de Languedoc en is zo'n authentiek toonbeeld van het voedsel uit die regio dat het u vergeven is als u zich in Frankrijk waant. Chef-kok Jean Michel Gauffre combineert stevige Gallische gerechten met een presentatie die verfijnd is, maar nooit overdreven. Hoofdgerechten als konijnenbout met jeneverbessen en met tijm op smaak gebrachte vulling, confit van eend met aubergines of de befaamde cassoulet. Zowel de wijnen als de kazen worden persoonlijk uit de streek gehaald. De inrichting is geheel in stijl: koele blauwe muren en houten meubels zorgen voor een mediterrane sfeer.

🕐 12–14.30, 18–22.30. Gesloten zo.-ma., 25–26 dec., 1–10 jan.

🍴 L vanaf £26, D vanaf £32

🚩 Halverwege de Royal Mile in de richting van Holyrood Palace, ga bij de stoplichten linksaf Jeffrey Street in

---

BIJZONDER
① HALDANES ❀❀
39A Albany Street EH1 3QY
Tel. 0131 556 8407

De verfijnde Schotse landhuiskeuken komt nergens beter tot zijn recht dan hier, in deze kelder met verschillende onderling verbonden eetzalen, Schotse ruiten en uitzicht op een kleine binnenplaats. Schotse gerechten staan op de voorgrond in de vorm van Noordse kamschelpen van de westkust, Highland-wild en Schots rundvlees. Een voorgerecht kan bestaan uit een geglazuurd taartje van Shetlandkrab en op eikenhout gerookte zalm, een hoofdgerecht uit perfect bereide lamsrug. Bij de koffie worden zelfgemaakte truffels en romige fudge geserveerd.

🕐 18–21 uur. L alleen op afspraak

🍴 D vanaf £57, wijn vanaf £14

🚫 Niet roken

① IGGS ❀❀
15 Jeffrey Street EH1 1DR
Tel. 0131 557 8184

Een gezellig restaurant in het hart van de oude stad, met een spectaculair uitzicht op Calton Hill. Het eten is mediterraan/Spaans; de tapasbar ernaast hoort erbij. Goed, stevig brood wordt met olijfolie op tafel gezet en de beste Schotse producten vindt u terug in voorgerechten als oesters uit Loch Fyne met wittewijnsabayon, of een hoofdgerecht van gepocheerde kreeft op een bedje van prei met kreeftkaviaarsaus. De sublieme maïskip wordt opgediend met salsa van pequillopepers en voor vegetariërs is er Spaanse zigeunergroentestoofpot.

🕐 12–14.30, 18–22.30 uur. Zo. gesloten

🍴 L vanaf £27, D vanaf £46,50

🚩 Vlak achter de Royal Mile

① ⊖ MALMAISON HOTEL & BRASSERIE ❀★★★
One Tower Place, Leith EH6 7DB
Tel. 0131 468 5001

Dit chique hotel is trots op zijn simpele brasseriegerechten en uitstekende wijnkaart. Kabeljauwbrandade met paprika-aïoli en komkommersalsa, en gesmoord parelhoen met savooiekool en girolles smaken goed en broccoli met hollandaise past daar goed bij. Het donkere hout en de bistroachtige snuisterijen geven het

---

SYMBOLEN
★ Faciliteiten in hotels
◆ Faciliteiten in bed-and-breakfasts
❀ De kwaliteit van restaurants
🍴 De opgegeven prijzen zijn voor twee personen en dienen als richtlijn. Prijzen en menukaarten zijn altijd aan veranderingen onderhevig

geheel een Franse sfeer. Tijdens de lunch en het diner is het hier altijd bijzonder druk.

🕐 12–14.30, 18–22.30 uur. Gesloten 25 dec. ('s avonds)

🍴 L vanaf £22, D vanaf £28, wijn vanaf £12,95

🚭 Geen sigaren

🅿 50

🚇 Volg van het stadscentrum de borden naar Leith Docklands; ga na het 3e stoplicht links Tower Street in

🎑 MARTINS RESTAURANT ❀❀

70 Rose Street, North Lane EH2 3DX
Tel. 0131 225 3106

Martins is een centraal gelegen rustpunt, weggestopt in een stil zijstraatje, ver van de drukte van de stad. Het moderne Europese menu is soms wat gewaagd, maar over het algemeen indrukwekkend. Combinaties zijn weloverwogen en secuur bereid: zeebrasem komt met zongedroogde-tomatencouscous, venkel en walnotenpulp; lam wordt gevuld met spinazie en truffelmousse en vergezeld van een timbaal van aubergine en ratatouille. Vriendelijke en attente bediening door de eigenaar en zijn staf. Geen kinderen onder 8 jaar.

🕐 12–13.45, 19–21.30 uur. Gesloten zo., ma., l za., 4 weken na 24 dec., 1 week mei–juni, 1 week okt.

🍴 L vanaf £27, D vanaf £50

🚭 In eetzaal niet roken

🚇 North Lane ligt achter Rose Street, tussen Frederick Street en Castle Street

🎑 OFF THE WALL RESTAURANT ❀❀

105 High Street, Royal Mile EH1 1SG
Tel. 0131 558 1497

In dit restaurant aan de Royal Mile doet men niet onnodig moeilijk, maar serveert men simpelweg perfect bereid voedsel dat voor zichzelf spreekt. De inrichting is al net zo eenvoudig. Helderwitte tafelkleden liggen op goed geplaatste tafels en de vrolijke gele muren maken de eetzaal overdag licht en geven hem 's avonds warmte. De keuken is modern: runderhaas, misschien met rode kool, portsaus en truffelpuree, of wild met een saus van knolselderij en chocolade. Off the Wall biedt ook enkele onverwachte combinaties, zoals duif met bloedworst en sinaasappelsaus.

🕐 12–14, 18–22 uur. Gesloten zo., 25–26 dec., 1–2 jan.

🍴 L vanaf £30, D vanaf £68, wijn vanaf £13,95

🅿 10

🚇 Aan Royal Mile bij John Knox House. Ingang via trap naast Baillie Fyfes Close

🎑 OLOROSO ❀

33 Castle Street EH2 3DN
Tel. 0131 226 7614

Dit restaurant is een architectonisch hoogstandje met glazen wanden van vloer tot plafond en een prachtig uitzicht op de Forth en het kasteel. Hier vindt u een eclectische keuze aan schotels met een Aziatische invloed, zoals gegrilde zeebaars met walnotenpuree en een saus van lof en witte bonen. Laat tijd over voor een drankje op het terras.

🕐 12–14.30, 19–22.30 uur

🍴 L vanaf £30, D vanaf £60, wijn vanaf £14

🚇 Tweede straat aan het westeinde van Princes Street

🎑 ⊖ THE RESTAURANT AT THE BONHAM ❀❀☆☆☆☆

35 Drumsheugh Gardens EH3 7RN
Tel. 0131 623 9319

Hoge ramen, houten vloeren en een bruine/roomwitte stoffering zorgen voor een stijlvol geheel in de eetzaal van dit moderne boetiekhotel. De hoofdgerechten zijn simpel en modern en goed uitgebalanceerd (Schots rundvlees met gegrilde foie gras en porcinisaus, of gegrilde polentacake met een curry van paddestoelen en tomaten). Desserts als oranjebloesempanacotta met lavendel zijn (bijna) te mooi om op te eten. (Voor informatie over het hotel, zie blz. 260.)

🕐 12–14.30, 18.30–22 uur. Gesloten 3–7 jan.

🍴 L vanaf £25, D vanaf £56, wijn vanaf £14,50

🚇 Westeinde van Princes Street

🎑 RESTAURANT MARTIN WISHART ❀❀❀

54 The Shore, Leith EH6 6RA
Tel. 0131 553 3557

Een klein, minimalistisch restaurant in de modieuze wijk aan de kade van Leith. Effen witte muren en stenen vloeren contrasteren met grote, felgekleurde moderne schilderijen en elegant servies. Het menu verandert dagelijks. De lunch is eenvoudiger dan het diner. Het avondmaal kan beginnen met een eendenconsommé of ravioli van kreeft, gevolgd door gesmoorde runderschenkel met puree van knolselderij en geglaceerde groenten, of sappige gebraden duif. In het seizoen is de warme abrikozentaart met crème anglaise nauwelijks te overtreffen — niet te droog en met een goede amandelsmaak. De uitgebalanceerde wijnkaart bevat een uitstekende selectie wijnen per glas.

🕐 12–14, 19–22 uur. Gesloten zo., ma., L za., 25 dec., bank holidays

🍴 L vanaf £36, D vanaf £42

🚭 Sigaren of pijp niet toegestaan

🎑 ROGUE ❀

67 Morrison Street EH3 8BU
Tel. 0131 228 2700

Een uitzonderlijk stijlvolle toevoeging aan de restaurants van de hoofdstad. Via een discrete ingang komt u in een koel en modern interieur waar strak ogende obers efficiënte service bieden. De modieuze keuken tekent voor schotels als stokvis met wortelen, sperziebonen, nieuwe aardappelen en aïoli, parelhoenborst met pilaf van rode camarguerijst en salsa verde en appelpistachio en pruimentaart met groene appelsorbet.

🕐 12–15, 18–23 uur. Zo. gesloten

🍴 L vanaf £27, D vanaf £27, wijn vanaf £14

🎑 ⊖ ROXBURGHE HOTEL ❀★★★★

38 Charlotte Square EH2 4HQ
Tel. 0131 240 5500

Een elegante Victoriaanse eetzaal met een vriendelijke bediening. Op het menu staan traditionele Schotse schotels, maar ook gewaagde en succesvolle creaties, zoals jakobsschelpen met bloedworst of lamslende met puree van knoflook en olijfolie, met honing geglaceerde groenten en zoetzure jus.

🕐 12–14.30, 18.30–21.30 uur. Gesloten L za., L zo.

🍴 L vanaf £24, D vanaf £44, wijn vanaf £14,95

🚭 In eetzaal niet roken

🛏 198 (vanaf £120)

🍴 SANTINI ❀❀
8 Conference Square EH3 8AN
Tel. 0131 221 7788

Santini's eerste restaurant in Groot-Brittannië buiten Londen bevindt zich in het kuurcentrum van Edinburgh. Het is een elegante locatie achter het Sheraton Hotel. In het bijbehorende ontspannen Santini Bis zijn de hele dag pizza, pasta en lichte schotels te krijgen. De twee restaurants delen een ruime ingang met een grote bar. Het grote restaurant is lang en smal met veel glas, chroom en neutrale kleuren. De gerechten zijn echt Italiaans – romige porcini-risotto die precies stevig genoeg is en perfect bereide lamsribstuk met veel smaak.

🕐 12–14.30, 18.30–22.30 uur. Gesloten zo., L za., Kerstmis, Nieuwjaar, bank hols

🍴 L vanaf £42, D vanaf £70, wijn vanaf £16

🍴🚭 THE SHERATON GRAND HOTEL ❀❀❀ ★★★★★
1 Festival Square EH3 9SR
Tel. 0131 221 6422

In de Grill Room, een chic restaurant in een opvallend, modern gebouw, ligt de nadruk duidelijk op de traditionele Franse keuken, met enkele Schotse accenten. Er komt een mengeling van zakenlieden en andere gasten. Kies uit een uitgebreid menu waarop klassieke schotels staan die op bekwame, maar pretentieloze manier zijn bereid. Voorgerechten zijn onder andere gebakken ja-

kobsschelpen met preifondue, aardappelparmentière en beurre blanc met kaviaar, hoofdgerechten lichtgerookte hertenlende met andijvie-tian, gepofte kastanjes en rode-wijnsaus. Op de wat beperkte wijnkaart staan goede wijnen die per glas worden verkocht.

🕐 12.30–14, 19–22.30 uur. Gesloten zo., L za.

🍴 L vanaf £55, D vanaf £50, wijn vanaf £16

🚭 Restaurant niet-roken

🛏 260 (vanaf £105)

🏠 Achter Lothian Road. Ingang van hotel achter Standard Life-gebouw

🍴 STAC POLLY ❀
8–10 Grindlay Street EH3 9AS
Tel. 0131 229 5405

Twee zalen met laag plafond geven dit aardige restaurant met roomwitte muren, rode tapijten en met warme Schotse ruiten beklede stoelen een intieme sfeer. De moderne Schotse keu-

BIJZONDER
🍴 THE SHIP ON THE SHORE
24–26 The Shore, Leith EH6 6QN
Tel. 0131 555 0409

De Ship, een knusse, bistro-achtige bar vol nautische parafernalia, ligt in een gedeelte van Leith dat in de afgelopen jaren enorm is opgeknapt en is de aangewezen plek voor een romantisch dinertje. Visgerechten als zalm met citroen, gehakte ui en kappertjes, gegrilde zeebrasem, zalm in filodeeg en paupiette van tong en garnalen op een bedje van gesmoorde prei.

🕐 Dag. 12–1 uur. Gesloten 25–26 dec., 1–2 jan. Pubmaaltijden: L dag. 12–14.30 uur; D ma.–do. 18–21.30 uur. Restaurant: L dag. 12–14.30 uur; D ma.–za. 18–21.30 uur.

🍴 L vanaf £12, D vanaf £50, wijn vanaf £9,95. Geen Diners- of American Express-cards

ken bepaalt het menu, met gebakken zalm in roomsaus met gesmoorde prei, spekknoedels en een citroen-botersaus, of plakken Schots lamskroon met Parmaham, tomatenfarci en saus van balsamico en rode wijn. Heerlijke desserts en een interessante wijnkaart.

🕐 12–14, 18–23 uur. Gesloten L za. en zo.

🍴 L vanaf £26, D vanaf £40, wijn vanaf £12,95

🚭 Sigaren of pijp niet toegestaan

🏠 Onder het kasteel, bij het Lyceum Theatre

🍴 THE STARBANK INN
64 Laverockbank Road EH5 3BZ
Tel. 0131 552 4141

Deze pub aan de kade ligt ten noorden van Edinburgh en heeft een fraai uitzicht over de Firth of Forth op de Fife-kust. Het barmenu biedt lamsbraad met muntsaus, gepocheerde zalm, een vegetarische dagschotel en kip met dragonsaus. Onder de bieren vindt u Bellhaven 80/- en Timothy Taylor Landlord.

🕐 Ma.–wo. 11–23, do.–za. 11–24, zo. 12.30–23 (keuken open in het weekeinde 12–21.30 uur). Pubmaaltijden: dag. 12–14.30, 18–21.30 uur. Restaurant: dag. 12–14.30, 18–21.30 uur

🍴 L vanaf £12, D vanaf £17, wijn vanaf £6

🚭 Restaurant niet-roken

🍴🚭 THE WITCHERY BY THE CASTLE ❀
Castlehill, Royal Mile EH1 2NF
Tel. 0131 225 5613

Dit restaurant is zowel bij Schotten als bij toeristen populair en staat bol van theatrale, gotische charme. De naam herinnert aan de mensen die in de 16e en 17e eeuw op Castlehill op de brandstapel zijn gekomen. Het restaurant wordt met kaarsen verlicht, zowel bij lunch als diner. Het menu is een moderne mix van hedendaagse klassiekers: wild, vis en schaaldieren spelen de

🏛 TOWER RESTAURANT & TERRACE ❀

Museum of Scotland, Chambers Street EH1 1JF
Tel. 0131 225 3003

Dit chique, elegante restaurant op de 5e verdieping van het Museum of Scotland biedt een klassieke en moderne kijk op Schotse ingrediënten. Het menu is een interessante mengeling: van oesters tot garnalencocktail en sushi, en van gegrilde tonijn tot *fish and chips*. Aanbevolen wordt het Angusrundvlees dat perfect is bereid. Het uitzicht op het kasteel is ook heel mooi.

🕐 12–16.30, 17–23 uur. Gesloten 25–26 dec.
🍴 L vanaf £32, D vanaf £44
🚭 In eetzaal niet roken
📍 Museum of Scotland, op de hoek van de George IV Bridge en Chambers Street

hoofdrol, en de uitgebreide wijnkaart is zeer gedetailleerd. Zeker een bezoek waard.

🕐 12–16, 17.30–23.30 uur. Gesloten 25–26 dec.
🍴 L vanaf £20, D vanaf £60, wijn vanaf £13,75
🛏 7 (vanaf £250)
📍 Bij de hekken van Edinburgh Castle boven aan de Royal Mile

SYMBOLEN

★ Faciliteiten in hotels
◆ Faciliteiten in bed-and-breakfasts
❀ De kwaliteit van restaurants
🍴 De opgegeven prijzen zijn voor twee personen en dienen als richtlijn. Prijzen en menukaarten zijn altijd aan veranderingen onderhevig

ETEN EN SLAPEN

🛏 ABBOTSFORD GUEST HOUSE ◇◇◇

36 Pilrig Street EH6 5AL
Tel. 0131 554 2706
www.abbotsfordguesthouse.co.uk

Vlak achter Leith Walk en op loopafstand van het stadscentrum biedt dit pension individueel ingerichte, plezierige kamers die van alle gemakken zijn voorzien. Ontbijt in de fraaie eetzaal op de begane grond. Korting voor kinderen onder 12 jaar.

🛏 Tweepersoonskamer vanaf £50
🛏 8 (8 niet-roken)
🚭 Niet roken

🛏 BONNINGTON GUEST HOUSE ◆◆◆◆◆

202 Ferry Road EH6 4NW
Tel. 0131 554 7610

Dit schitterende Georgian gebouw biedt individueel ingerichte kamers waarin nog veel originele details zijn bewaard gebleven. De comfortabele lounge, met vleugel voor muziekliefhebbers, ligt naast een aantrekkelijke eetzaal waar de in kilt gehulde eigenaar een heerlijk Schots ontbijt serveert. Hier valt vooral op de gastvrije sfeer op. Korting voor kinderen onder 11 jaar.

🛏 Tweepersoonkamer vanaf £50
🛏 6
🅿 9
🚗 Aan A902

🛏 🍴 BRUNTSFIELD HOTEL ★★★ ❀

69–74 Bruntsfield Place EH10 4HH
Tel. 0131 229 1393
www.thebruntsfield.co.uk

Dit mooie hotel, dat uitziet over Bruntsfield Links, bezit stijlvolle gemeenschappelijke ruimten, waaronder een lounge en een gezellige pub. Het diner en een stevig Schots ontbijt worden geserveerd in het restaurant in

de kas, de Potting Shed. Kamers in veel verschillende grootten. Korting voor kinderen onder 16 jaar.

🛏 Tweepersoonskamer vanaf £160
🛏 73 (49 niet-roken)
🅿 25
🚗 Rijd vanuit het zuiden Edinburgh binnen via de A702. Het hotel staat 1,5 km ten zuiden van het westeinde van Princes Street

🛏 🍴 CHANNINGS ★★★★ ❀ ❀

South Learmonth Gardens EH4 1EZ
Tel. 0131 332 3232
www.channings.co.uk

Klassieke elegantie en moderne stijl naast elkaar gelegen dit hotel dat in vijf naast elkaar gelegen Edwardian huizen is gevestigd. De publieke ruimten doen denken aan een club en Channings Restaurant biedt met flair en kennis toebereide gerechten. De kamers zijn ver-

🛏 THE BONHAM ☆☆☆☆ ❀ ❀

35 Drumsheugh Gardens EH3 7RN
Tel. 0131 226 6060
www.thebonham.com

Dit bekroonde hotel heeft de lat hoog gelegd wat betreft stijl en luxe. Comfortabele ruimten en kamers waarin Victoriaanse architectuur wordt gecombineerd met 21e-eeuwse technologie. Overal hangt een verfrissende moderne sfeer. Fantasierijke diners illustreren de inzet van de chef-kok, die gebruikmaakt van verse lokale producten (zie blz. 258). Het vriendelijke personeel toont initiatief en de gasten worden echt verwend. Korting voor kinderen onder 14 jaar.

🛏 Tweepersoonskamer vanaf £124
🛏 48 (48 niet-roken)
🚗 Vlak bij West End en Princes Street

schillend van grootte, maar allemaal comfortabel en stijlvol. Korting voor kinderen onder 14 jaar.

🛏 Tweepersoonskamer vanaf £116
🚪 46 (30 niet-roken)
🕐 Gesloten 23–27 dec.
🚗 Rijd de stad binnen via A90 vanaf de Forth Road Bridge, volg de borden naar het centrum

🏛🛈 DALHOUSIE CASTLE & SPA ★★★ ❀❀

Bonnyrigg EH19 3JB
Tel. 01875 820153
www.dalhousiecastle.co.uk

Dit te midden van keurige gazons in een park gelegen kasteel stamt uit de 13e eeuw. De kamers zijn rijk ingericht en de suites zijn genoemd naar historische figuren (Edward I verbleef hier voor zijn nederlaag bij Bannockburn). Het Dungeon-restaurant is indrukwekkend; de minder formele Orangery is de hele dag open. Sauna en kuurbad; op afspraak kan met de valk worden gejaagd of gevist. Korting voor kinderen onder 12 jaar.

🛏 Tweepersoonskamer vanaf £155
🚪 35 (35 niet-roken)
🅿 110
🚗 Neem de A7 zuidwaarts door Lasswade en Newton Grange. Ga bij het Shell-station rechtsaf de B704 op, het hotel staat 800 m van de kruising

```
BIJZONDER
```
🏛 DUNSTANE HOUSE ◇◇◇◇◇

4 West Coates, Haymarket EH12 5JQ
Tel. 0131 337 6169
www.dunstanehousehotel.co.uk

Een schitterende Victoriaanse villa die de architectonische schoonheid (trapgevels, boogvensters en fraaie schoorstenen) combineert met een intieme, landelijke sfeer. Het hotel is centraal gelegen. In restaurant Skerries komt vis op tafel van de Orkneys, waar de eigenaar vandaan komt, maar u kunt ook lichte maaltijden en een ruime keuze aan malt whisky's krijgen in de Stane bar. Korting voor kinderen onder 12 jaar.

🛏 Tweepersoonskamer vanaf £78
🚪 16 (16 niet-roken)
🅿 12
🚗 Aan de A8 tussen Murrayfield Stadium en station Haymarket

🏛 THE EGLINTON ◆◆◆◆

29 Eglinton Crescent EH12 5DB
Tel. 0131 337 2641
www.eglinton-hotel.co.uk

In een magnifiek Georgian gebouw in het West End van de stad biedt hotel Eglinton stijlvolle en aantrekkelijke accommodatie. De mooie kamers zijn wisselend van grootte; de grootste zijn zeer elegant en comfortabel. In de ontbijtzaal zijn nog veel details uit de bouwtijd. Er is een kleine bar voor gasten. Korting voor kinderen onder 12 jaar.

🛏 Tweepersoonskamer vanaf £60
🚪 12
🕐 Kerstmis gesloten
🚗 Ga van de A720 (ringweg) rechtsaf op de Glasgow-rotonde de A8 op. Ga na 5 km linksaf na het Donaldson College, en neem dan de 1e rechts. Het hotel ligt na 50 m aan uw linkerhand

🏛 ELMVIEW ◇◇◇◇◇

15 Glengyle Terrace EH3 9LN
Tel. 0131 228 1973
www.elmview.co.uk

Op de begane grond van een mooi Victoriaans *terrace*-huis biedt het Elmview stijlvol onderdak. De smaakvol ingerichte kamers en mooie badkamers zijn comfortabel en voorzien van attente extra's, zoals een koelkast, gevuld met verse melk en water. Het uitstekende ontbijt wordt aan één grote, elegant gedekte tafel gezamenlijk gegeten. Geen kinderen onder 15 jaar.

🛏 Tweepersoonskamers vanaf £75
🚪 3
🚭 Niet roken
🅿 2
🚗 Neem de A702 zuidwaarts Lothian Road in, ga de 1e links en voorbij Kings Theatre de Valley Field Street in naar Glengyle Terrace

🏛🛈 HOLYROOD HOTEL ☆☆☆☆❀

Holyrood Road EH8 6AE
Tel. 0131 550 4500
www.macdonaldhotels.co.uk

Op een klein stukje lopen van Holyrood Palace staat dit indrukwekkende hotel naast het nieuwe Schotse parlementsgebouw. De kamers zijn comfortabel ingericht en de Club-verdieping biedt ook volledige butlerservice en een privé-lounge. De vergaderzalen zijn van alle gemakken voorzien en u kunt zich ontspan-

nen in de *spa*. Korting voor kinderen onder 12 jaar.

🛏 Tweepersoonskamer vanaf £115
🚪 156 (140 niet-roken)
🔳 🔳
🅿 80
🚗 Parallel aan de Royal Mile, bij Dynamic Earth

🏛 THE HOWARD ☆☆☆☆

34 Great King Street EH3 6QH
Tel. 0131 315 2220
www.thehoward.com

Het rustig elegante Howard bestaat uit drie aaneengesloten Georgian huizen op korte afstand van Princes Street. Er zijn enkele schitterende suites en mooie grote kamers met indrukwekkende badkamers met badkuipen met leeuwenpoten en massagedouches. Fraaie kroonluchters en overdadige gordijnen sieren de zitkamer en in de Atholl Dining Room ziet u unieke 19e-eeuwse wandschilderingen. Korting voor kinderen onder 6 jaar.

🛏 Tweepersoonskamer vanaf £131
🚪 18 (18 niet-roken)
🕐 Gesloten 23–28 dec., 3–7 jan.
🅿 10
🚗 Neem als u oostwaarts over Queen Street rijdt de 2e links, Dundas Street. Ga bij de 3e stoplichten rechtsaf. Het hotel staat aan uw linkerhand

🏛 IVY HOUSE ◆◆◆◆

7 Mayfield Gardens EH9 2AX
Tel. 0131 667 3411
www.ivyguesthouse.com

Dit centraal gelegen, vriendelijke pension zit in een Victoriaans gebouw. De kamers zijn verschillend van grootte. Een stevig ontbijt wordt aan aparte tafels in de eetzaal geserveerd. Korting voor kinderen onder 12 jaar.

🛏 Tweepersoonskamer vanaf £36
🚪 8 (8 niet-roken)
🅿 7
🚗 Aan A701, 2,5 km ten zuiden van Princes Street

NEWINGTON COTTAGE
◊◊◊◊◊

15 Blacket Place EH9 1RJ
Tel. 0131 668 1935
www.newcot.demon.co.uk
Newington Cottage, in een rustige woonwijk, is naar klassiek Italiaans voorbeeld gebouwd en ruimer dan men zou denken. Het combineert elegantie met een vriendelijke sfeer en heeft prachtige algemene ruimten vol bloemen en planten. De kamers zijn mooi ingericht, compleet met koelkast, cd-speler, vers fruit en een karaf sherry. Geen kinderen onder 13 jaar.

Tweepersoonskamer vanaf £80
3 (3 niet-roken)
Niet roken
Verlaat de ringweg bij afslag Straiton. Volg de borden naar het centrum, voorbij Minto Hotel, en rijd de volgende straat rechts in

KEW HOUSE ◊◊◊◊

1 Kew Terrace, Murrayfield EH12 5JE
Tel. 0131 313 0700
www.kewhouse.com
Kew House is onderdeel van een beschermd Victoriaans stadshuis ten westen van het centrum, niet ver van het Murrayfield Stadium. Het is zorgvuldig onderhouden en biedt aantrekkelijke kamers voor zowel zakenlieden als toeristen. Er is een comfortabele lounge waar maaltijden en hapjes worden geserveerd. Korting voor kinderen onder 12 jaar.

Tweepersoonskamer vanaf £75
6 (6 niet-roken)
Niet roken
6
Aan A8 naar Glasgow, 1,5 km ten westen van het stadscentrum

KILDONAN LODGE
◊◊◊◊◊

27 Craigmillar Park EH16 5PE
Tel. 0131 667 2793
www.kildonanlodgehotel.co.uk
Een zorgvuldig gerestaureerd Victoriaans gebouw biedt nu topaccommodatie. De kamers zijn mooi ingericht en goed geoutilleerd; in sommige staan hemelbedden. De gastvrijheid is groot en niets is hier te veel moeite. In Potters Fine Dining Restaurant wordt het diner geserveerd en een drankje vooraf kunt u in de bar in de lounge bestellen. Korting voor kinderen onder 12 jaar.

Tweepersoonskamer vanaf £78
12
Kerstmis gesloten
16
Verlaat de ringweg (A720) via afslag A701 richting centrum. Rijd 4,5 km verder tot een grote rotonde en ga hier rechtdoor. Het hotel is het zevende gebouw aan uw rechterhand

THE LODGE ◊◊◊◊◊

6 Hampton Terrace, West Coates EH12 5JD
Tel. 0131 337 3682
www.thelodgehotel.co.uk
Dit charmante Georgian huis staat in het West End van Edinburgh, op loopafstand van het centrum en aan de belangrijkste busroute. De kamers zijn prachtig ingericht en van alle gemakken voorzien. Er zijn een comfortabele lounge en een bar; de heerlijke diners moet u vooraf bestellen; het ontbijt is stevig. Korting voor kinderen onder 14 jaar.

Tweepersoonskamer vanaf £60
10 (10 niet-roken)
Niet roken
10

THE SCOTSMAN
☆☆☆☆☆ ❀❀

20 North Bridge EH1 1YT
Tel. 0131 556 5565
www.thescotsmanhotel.co.uk
Dit icoon van Victoriaanse architectuur was vroeger het hoofdkantoor van de krant *The Scotsman*. Het gebouw is omgetoverd tot een ultramodern boetiekhotel, waar traditionele elegantie samengaat met de allernieuwste technologie en een vriendelijke, attente service. De kamers zijn verschillend van grootte en stijl. In de Brasserie kunt u informeel dineren. De schaars verlichte ondergrondse ontspanningsclub Escape bezit een uniek roestvrijstalen zwembad. Dit hotel is in 2003 door de AA uitgeroepen tot Hotel of the Year van Schotland.

Tweepersoonskamer vanaf £180
68

A8 naar stadscentrum, linksaf Charlotte Street in. Rechtsaf Queen Street in, rechts bij de rotonde Leith Street in. Rijd rechtdoor en ga dan linksaf North Bridge op, het hotel staat aan uw rechterhand

Aan de A8, 1,2 km ten westen van Princes Street

MARRIOTT DALMAHOY HOTEL & COUNTRY CLUB
★★★★ ❀❀

Kirknewton EH27 8EB
Tel. 0131 333 1845
www.marriott.com

De glooiende Pentland Hills en het goed onderhouden park vormen een prachtig decor voor dit imposante Georgian landhuis. Er zijn twee kampioenschapsgolfbanen, een fitnessclub en een schoonheidssalon, dus de gasten hoeven zich niet te vervelen. De kamers zijn ruim en de meeste hebben een fraai uitzicht; de gemeenschappelijke ruimten bieden de keus tussen formeel en informeel borrelen en dineren. Korting voor kinderen onder 16 jaar.

Tweepersoonskamer vanaf £110
215 (133 niet-roken)

350
11 km ten westen van Edinburgh aan de A71

THE STUARTS ◊◊◊◊◊

17 Glengyle Terrace EH3 9LN
Tel. 0131 229 9559
www.the-stuarts.com
Dit centraal gelegen pension, dat uitkijkt op een park met mooie bomen, biedt ruime, onberispelijk onderhouden kamers met luxe badkamers. De kamers zijn bijzonder goed voorzien, met vele attente extra's, zoals hi-fi, videospeler en een koelkast met wijn. De eetzaal kijkt uit op een fraaie binnenplaats.

Tweepersoonskamer vanaf £75
3 (3 niet-roken)
Niet roken
Kerstmis gesloten
Ten oosten van de A702, tussen Kings Theatre en Bruntsfield Links

ANSTRUTHER

⊜ BEAUMONT LODGE
◆◆◆◆◆

43 Pittenweem Road KY10 3DT
Tel. 01333 310315
www.beaumontlodge.co.uk

Julia Anderson biedt een warm welkom in haar comfortabele vrijstaande woning, ideaal gelegen voor de vele golfbanen in de omgeving. Het pension is onberispelijk onderhouden en sommige van de ruime kamers kijken uit op zee. Het zelfbereide eten (ook zelfgebakken brood) wordt in een mooie eetzaal opgediend. Geen kinderen onder 14 jaar.

ⓘ CELLAR RESTAURANT
❀❀❀

24 East Green KY10 3AA
Tel. 01333 310378

Dit befaamde visrestaurant, vlak bij de haven en in een schilderachtig vissersdorp, betreedt u via een binnenplaats met kinderhoofdjes. Er is een gezellige lounge voor een drankje vooraf en de sfeer in de eetzaal wordt bepaald door het balkenplafond, de stemmige verlichting en de klassieke muziek. Het à la carte-menu biedt een goede keuze, maar het aantrekkelijk geprijsde lunchmenu maakt het restaurant toegankelijker. De nadruk ligt op vis uit de streek, simpel bereid en zo vers als maar kan, waaronder rivierkreeft bisque gratin en kabeljauwfilet met pestokorst, pijnboompitten en bacon. Geen kinderen onder 8 jaar.

🕐 12.30-13.30, 19-21.30 uur. Gesloten 's winters zo.–ma., L ma., di., Kerstmis
🍴 L vanaf £32, D vanaf £65, wijn vanaf £13,50
🚭 In eetzaal niet roken

🛏 Tweepersoonskamer vanaf £50
ⓘ 4 (4 niet-roken)
🚭 Niet roken
🚗 Neem de B9131 van St. Andrews naar Anstruther, ga bij de kruising rechts, de lodge is links na het hotel

⊜ THE GRANGE ◆◆◆◆◆

45 Pittenweem Road KY10 3DT
Tel. 01333 310842
www.thegrangeanstruther.fsnet.co.uk

Vanuit dit Victoriaanse huis vlak bij het dorpscentrum zijn de vele golfbanen in de omgeving goed bereikbaar. De kamers zijn voorzien van vele attente extra's. Er is een ruime, comfortabele lounge, een zonnelounge met uitzicht op zee en een mooie eetzaal waar het ontbijt aan een grote gemeenschappelijke tafel wordt opgediend. Geen kinderen onder 10 jaar.

🛏 Tweepersoonskamer vanaf £54
ⓘ 4
🚭 Niet roken
🚗 Rijd in Anstruther door Shore Street en dan door Rodger Street tot de minirotonde. Ga linksaf de A917 op, voorbij Craws Nest Hotel aan de linkerkant, en u vindt The Grange iets verderop

⊜ THE SPINDRIFT ◇◇◇◇

Pittenweem Road KY10 3DT
Tel. 01333 310573
www.thespindrift.co.uk

Deze Victoriaanse villa staat aan de westrand van het dorp. De kamers zijn vrolijk ingericht en bieden veel extra's. De Captain's Room, een replica van een scheepshut, is iets bijzonders. De lounge, met zelfbedieningsbar, noodt uit tot ontspanning en de zelfbereide maaltijden worden in de eetzaal geserveerd. Geen kinderen onder 10 jaar.

🛏 Tweepersoonskamer vanaf £53
ⓘ 8 (8 niet-roken)
🚭 Niet roken
🚗 Vanuit het westen gezien is het hotel het 1e gebouw links als u de plaats binnenrijdt

AUCHTERARDER

ⓘ ANDREW FAIRLIE AT GLENEAGLES ❀❀❀

PH3 1NF
Tel. 01764 694267

Andrew Fairlie (bekend om wat hij in Glasgow met de One Devonshire Gardens heeft bereikt) heeft zijn talenten losgelaten op het eerbiedwaardige instituut Gleneagles (zie blz. 264), waar hij een geheel nieuw restaurant heeft gescha-

---

pen. Er komt iets van theater bij kijken als de deksel van de schotel geroerbakte langoustines, schaaldierencappuccino en gesmoorde jonge sla wordt gelicht en een heerlijke geur vrijkomt. Het personeel is jong, kundig en enthousiast over de eigen kookkunst die geraffineerd en pretentieloos is. Romige kalfszwezerik gaat vergezeld van mooi roze plakken nier en aardappelen *a fondant* die elkaar perfect aanvullen, en de *assiette* van appels (*millefeuille, charlotte* en *parfait*) is indrukwekkend door zijn smaak, balans en vakmanschap. De wijnkaart biedt een mooie selectie en ook veel mogelijkheden per glas.

🕐 Alleen diner, 18.30–22 uur. Gesloten zo., 3 weken in jan.
🍴 L vanaf £74, D vanaf £150
🚭 In eetzaal niet roken
🚗 Achter de A9, goed aangegeven

ⓘ STRATHEARN AT GLENEAGLES ❀❀

PH3 1NF
Tel. 01764 694267

Dineren speelt een grote rol in dit legendarische hotel (zie blz. 264). Het Strathearn is een traditioneel restaurant met een grote, hoge eetzaal met meer dan 200 plaatsen, waar het uitgebreide menu vooral klassieke gerechten bevat. Een nog uitgebreidere wijnkaart pronkt met wijnen van £2000 voor wie de loterij heeft gewonnen. Simpele, klassieke schotels van goede ingrediënten: een terrine van Sauternesganzenlever of gesmoorde ossenstaart met sauce bourguignon.

🕐 12.30–14, 19–22 uur. Gesloten L ma.–za.
🍴 L vanaf £60, D vanaf £90
🚭 Pijp niet toegestaan
🚗 Achter de A9, goed aangegeven

⊜ⓘ CAIRN LODGE ★★
❀❀

Orchil Road PH3 1LX
Tel. 01764 662634
www.cairnlodge.co.uk

Dit charmante hotel staat op een bebost terrein aan de rand van de stad. Het vriendelijke personeel biedt een zeer goede service. Er zijn verschillende lounges, één met een bistromenu, en het Capercaillie Restaurant. Onder de kamers bevinden zich vier luxe exemplaren met extra kwaliteit en

BIJZONDER

●❶ THE GLENEAGLES HOTEL ☆☆☆☆☆❀❀❀

PH3 1NF
Tel. 01764 662231
www.gleneagles.com

Dit grandhotel is internationaal befaamd om zijn hoge niveau. Gleneagles staat garant voor een rustig, vredig verblijf, maar biedt ook veel sportfaciliteiten, waaronder kampioenschapsgolfbanen, eigen visgronden, rijstallen, schietbanen en mountainbikeroutes. De *afternoon tea* is een traktatie en de cocktails worden met veel zwier aan de bar bereid. U vindt hier in twee restaurants geïnspireerde koks (zie blz. 263). De bediening is altijd professioneel en het personeel is vriendelijk. Korting voor kinderen onder 15 jaar.

🛏 Tweepersoonskamer vanaf £320
🛏 275 (160 niet-roken)
🏊 🍸
🚗 Achter de A9, goed aangegeven

comfort. Korting voor kinderen onder 14 jaar.

🛏 Tweepersoonskamer vanaf £90
🛏 11 (4 niet-roken)
🚗 Neem vanaf de A9 de A824 naar Auchterarder, dan de A823 naar Crieff en Gleneagles. Hotel na 200 m aan de Y-kruising

BALQUHIDDER

❶ ● MONACHYLE MHOR ❀❀★★

FK19 8PQ
Tel. 01877 384622
U kunt verzekerd zijn van een echt warm welkom en heerlijk eten in dit vriendelijke, landelijke hotel. De resultaten van de eerlijke kookkunst van Tom Lewis worden geserveerd in het onverwacht chique restaurant in de serre. Het diner kent drie of vier keuzen per gang. De keu-

ken is modern Schots met een Franse invloed en wat Aziatische accenten. Begin met crostini van polenta met kappertjes en rode biet, een curry van eieren en peterselie, en ga verder met jakobsschelpen van de westkust met gerookte schelvis en kedgeree van wilde rijst. Geen kinderen onder 12 jaar.

🕐 12–13.45, 19–20.45 uur. Gesloten jan.–14 feb.
🛏 L vanaf £40, D vanaf £90, wijn vanaf £18,50
🚭 In eetzaal niet roken
🛏 10 (vanaf £95)
🚗 Aan A84, ga 18 km ten noorden van Callander rechtsaf bij Kingshouse Hotel. Rijd nog 10 km door

CALLANDER

● ARDEN HOUSE ◊◊◊◊

Bracklinn Road FK17 8EQ
Tel. 01877 330235
www.ardenhouse.org.uk
Deze enorme Victoriaanse villa staat in een grote tuin in een rustig deel van de stad. In de jaren zestig van de 20e eeuw werd de tv-serie *Dr. Finlay's Casebook* er opgenomen. De kamers zijn goed ingericht en voorzien van kleine extra's. Naast de ontbijtzaal ligt een stijlvolle lounge. Geen kinderen onder 14 jaar.

🛏 Tweepersoonskamer vanaf £55
🛏 6 (6 niet-roken)
🚭 Niet roken
🕐 Gesloten nov.–mrt.
🚗 Rijd vanuit Stirling via de A84 naar Callander, ga rechtsaf Bracklinn Road in richting golfbaan en Bracklinn Falls. Arden House staat na 200 m links

● LENY HOUSE ◊◊◊◊◊

Leny Estate FK17 8HA
Tel 01877 331078
www.lenyestate.com
Dit schitterende gebouw met zijn imposante ingangstoren stamt gedeeltelijk uit 1513 en biedt kwaliteit en comfort. De tapijten, Victoriaanse prenten en adellijke omgeving dragen bij aan de sfeer. De kamers zijn in de Victoriaanse vleugel te vinden; sommige hebben een originele open haard die in de winter wordt gebruikt, en ze zijn allemaal voorzien van een luxe badkamer. Ontbijt wordt gezamenlijk gegeten. Geen kinderen onder 12 jaar.

🛏 Tweepersoonskamer vanaf £100.
Geen American Express-cards
🛏 4 (4 niet-roken)
🚭 Niet roken
🕐 Gesloten okt.–Pasen

🚗 Verlaat Callander in noordelijke richting via de A84; kijk net buiten de stad uit naar een bord met Leny Estate

● ❶ ROMAN CAMP COUNTRY HOUSE
☆☆☆❀❀❀

FK17 8BG
Tel. 01877 330003
www.roman-camp-hotel.co.uk

Op een terrein van 8 ha aan de rivier de Teith (privé-visgronden aanwezig) staat op loopafstand van de stad dit aardige landhuis. De kamers zijn verschillend van grootte en inrichting en worden aangevuld door enkele lounges, waaronder een bibliotheek met kaarslicht en een prettige zitkamer. De keuken is fantastisch en maakt gebruik van de beste Schotse producten. Het restaurant is licht en luchtig. Korting voor kinderen onder 14 jaar.

🛏 Tweepersoonskamer vanaf £125
🛏 14
🚗 Ga aan het oosteinde van Callander High Street linksaf en rijd een 275 m lange oprit op naar het hotel ❀

❶ 11 PARK AVENUE ❀

11 Park Avenue DD7 7JA
Tel. 01241 853336

De juiste plaats om u te ontspannen na een lange dag op de golfbaan. U vindt hier veel gelijkgestemden, want de zaken gaan goed in dit moderne restaurant nu in de stad weer een Open Golf Championship is gehouden. Plaatselijke ingrediënten (vooral vis) kenmerken het menu en er zijn veel succesvolle combinaties, van een warme salade van Skye-schelpen met pancetta en oesterzwammen tot Gressinghameend met een saus van crème de cassis en rode wijn.

🕐 12–13.45, 19–22 uur. Gesloten zo., ma., L di.–do. en za., 1e week van jan.

🍴 L vanaf £26, D vanaf £44, wijn vanaf £13,95

🚭 Niet roken

🚗 Neem van Dundee de A92 naar het noorden. Ga na 16 km rechtsaf naar Carnoustie; sla het kruispunt linksaf en dan rechtsaf op de rotonde. Het restaurant staat aan uw linkerhand

CRAIL

🏠 SELCRAIG HOUSE
◇◇◇

47 Nethergate KY10 3TX
Tel. 01333 450697
www.selcraighouse.co.uk

Dit leuke 18e-eeuwse halfvrijstaande stenen huis is fraai gerestaureerd door de gastvrije eigenaar Margaret Carstairs. De mooie kamers zijn steeds anders van stijl; twee op de bovenste verdieping hebben een eigen zitruimte. Het ontbijt wordt geserveerd in de eetzaal in Edwardian stijl die over een mooie serre beschikt. Korting voor kinderen onder 10 jaar.

🛏 Tweepersoonskamer vanaf £40
🚪 6 (6 niet-roken)
🚭 Niet roken
🚗 Tegenover het Marine Hotel

CRIEFF

🏠 THE BANK RESTAURANT
❀

32 High Street PH7 3BS
Tel. 01764 656575

Een voormalige bank aan High Street in deze populaire toeristenstad heeft veel originele details behouden. Het is een imposant gebouw met zware houten deuren en een groot raam over de gehele voorzijde van het restaurant. Het voedsel is simpel en vers en geeft blijk van veel vakmanschap — gegrilde courgette, knoflook en sjalottenrisotto; noisette van lam met aardappels dauphinoise en gesmoorde rode kool, en een goede crème brûlée.

🕐 12–13.30, 19–21.30 uur. Gesloten ma., D zo., 24–26 dec., 2 weken half jan.

🍴 L vanaf £23, D vanaf £43, wijn vanaf £12,50

CUPAR

🏠 OSTLERS CLOSE RESTAURANT ❀ ❀

Bonnygate KY15 4BU
Tel. 01334 655574

Dit achter de hoofdstraat, aan een smal laantje gelegen landelijke restaurant is één en al karaktervolle charme. Kleine kamers met lage balkenplafonds staan garant voor een intiem diner. Het moderne Schotse menu verandert vrijwel dagelijks en weerspiegelt een klassieke achtergrond met mediterrane invloeden. Kies bijvoorbeeld een voorgerecht van gegrilde duivenborst met een cassoulet van haricot verts en pancetta, of een voorgerecht van een selectie van plaatselijke vis op een bedje van gestoomde zeekool met een langoustine-botersaus.
's Avonds geen kinderen onder 6 jaar.

🕐 12.15–13.30, 19–21.30 uur. Gesloten zo., ma., L di.–vr., 25–26 dec., 1–2 jan., 2 weken in juli, 2 weken in okt.

🍴 L vanaf £24, D vanaf £58, wijn vanaf £14

🚭 Sigaren of pijp niet toegestaan

🚗 Aan smal pad achter hoofdstraat A91

🏠 TODHALL HOUSE
◇◇◇◇◇

Dairsie KY15 4RQ
Tel. 01334 656344
www.todhallhouse.com

Het landhuis van John en Gill Donald staat in een mooi park hoog boven het dal van de Eden. Het is elegant ingericht en er hangt een ontspannen, gastvrije sfeer. De kamers zijn uitnodigend en voorzien van veel attente extra's. Het gedenkwaardige ontbijt en de vooraf te reserveren avondmaaltijd worden geserveerd aan een grote tafel. Geen kinderen onder 11 jaar. Korting voor kinderen onder 15 jaar.

🛏 Tweepersoonskamer vanaf £58
🚪 3 (3 niet-roken)
🚭 Niet roken
🕐 Gesloten nov.–half mrt.

🚗 3 km ten oosten van Cupar, 800 m voor het dorp Dairsie

🏠 WESTFIELD MANSION HOUSE ◇◇◇◇◇

Westfield Road KY15 5AR
Tel. 01334 655699
www.standrews4.freeserve.co.uk

Op een goed onderhouden terrein staat dit uit 1748 stam-

mende prachtige huis in een rustige woonwijk op loopafstand van het stadscentrum. Gastvrijheid komt hier op de eerste plaats en niets is te veel moeite. De kamers zijn ruim en goed geoutilleerd. Er is een lichte, luchtige lounge en het stevige ontbijt wordt aan een grote tafel geserveerd. Geen kinderen onder 12 jaar.

🛏 Tweepersoonskamer vanaf £60. Geen creditcards
🚪 2 (2 niet-roken)
🚭 Niet roken
🚗 Verlaat de A91 tegenover politiebureau Cupar en rijdt Westpark Road in, ga linksaf boven aan Westfield Road. Het huis staat na 200 m links

DUNBLANE

🏠 CROMLIX HOUSE
☆☆☆❀❀

near Kinbuck FK15 9JT
Tel. 01786 822125
www.cromlixhouse.com

In een ruime tuin en omringd door een landgoed van 810 ha staat Cromlix House, een indrukwekkend Victoriaans herenhuis met sierlijke, gastvrije gemeenschappelijke ruimten. Twee eetzalen vormen het decor voor de creatieve gerechten die uit de keuken komen. De kamers zijn klassiek en vele hebben een eigen zitruimte. Tennisbaan, visgronden en boogschieten. Korting voor kinderen onder 12 jaar.

🛏 Tweepersoonskamer vanaf £225
🚪 14
🕐 Gesloten 2–29 jan.
🚗 Achter de A9 ten noorden van Dunblane. Verlaat de B8033 richting

Kinbuck, ga voorbij het dorp een smalle brug over, rijd nog 200 m door naar links

DUNKELD

🏨 🍴 KINNAIRD
☆☆☆ ❀ ❀ ❀
Kinnaird Estate PH8 0LB
Tel. 01796 482440
www.kinnairdestate.com
Een Edwardian herenhuis op een schitterend landgoed. De algemene ruimten zijn met zeldzaam antiek en schilderijen ingericht. De zitkamers zijn voorzien van banken met zachte kussens en open haarden. De kamers zijn gestoffeerd met rijke stoffen, de badkamers zijn van marmer. De keuken is creatief en fantasierijk, of het nu om een ontbijt met lokale ingrediënten gaat, of een lunch en diner met producten van verder weg. Er zijn privé-vis- en jachtgronden. Geen kinderen onder 12 jaar.
🛏 Tweepersoonskamer vanaf £275
🛈 9
🚗 Neem uit Perth de A9 naar het noorden. Rijd voorbij Dunkeld en daarna nog 3 km, ga dan links de B898 op

ELIE

BIJZONDER

🍴 THE SHIP INN
The Toft KY9 1DT
Tel. 01333 330246
Deze drukbezochte kroeg aan de kade in Elie Bay is al meer dan 20 jaar eigendom van de familie Philip. Verse vis speelt de hoofdrol op de specialiteitenkaart naast het aanbod van belegde broodjes (gerookte zalm, garnalen en roomkaas, bijvoorbeeld), worstjes en puree in een jus van 80/- bier of Schotse biefstuk, geserveerd met een saus van *haggis* en whisky. U kunt 's zomers ook kiezen voor een Ship Inn-zeevruchtensalade, gemaakt van dagverse ingrediënten. Er is ook veel keuze voor kinderen en in de zomer worden in de tuin barbecues gehouden.
🕐 Ma.–za. 11–23, zo. 12.30–23 uur. Gesloten 25 dec. Pubmaaltijden: dag. 12–14, 18–21 uur. Restaurant: dag. 12–14, 18–21 uur
🍽 L vanaf £14,50, D vanaf £36,50, wijn vanaf £11,80
🚗 Volg de A915 en de A917 naar Elie. Volg de borden vanaf High Street naar Watersport Centre tot The Toft

GLAMIS

🏨 🍴 CASTLETON HOUSE
★★★ ❀ ❀
Castleton of Eassie DD8 1SJ
Tel. 01307 840340
www.castletonglamis.co.uk
U kunt erop rekenen dat u verwend wordt door de enthousiaste eigenaars en het jonge personeel in dit Victoriaanse huis. De kamers zijn befaamd om hun comfortabele bedden. Tot de algemene ruimten behoren een fraaie lounge, een bar en een eetzaal in de serre. Ook de lunch wordt hier geserveerd, maar vooral het diner is memorabel. Korting voor kinderen onder 14 jaar.

🛏 Tweepersoonskamer vanaf £120
🛈 6
🚗 Aan de A94, halverwege tussen Forfar en Cupar Angus, 5 km ten westen van Glamis

GLENDEVON

🍴 TORMAUKIN HOTEL
FK14 7JY
Tel. 01259 781252
De lunches en diners die in de lounge en aan de bars van deze 18e-eeuwse herberg worden geserveerd, omvatten een reeks snacks, kindermenu's en dagspecialiteiten. Dat kan lendebiefstuk met gesauteerde paddestoelen en uien zijn of worstjes van varkensvlees en appel met lamslende. Op het grote menu staan schotels als gegrilde Schotse zalmfilet op puree met lenteuitjes. Besluit

SYMBOLEN

★ Faciliteiten in hotels
♦ Faciliteiten in bed-and-breakfasts
❀ De kwaliteit van restaurants
🛏 De opgegeven prijzen zijn voor twee personen en dienen als richtlijn. Prijzen en menukaarten zijn altijd aan veranderingen onderhevig

met een dessert als een geglaceerde Drambuie-soufflé met marmeladesaus. Op de bierkaart staan bieren als Harviestoun Brooker's Bitter & Twisted.
🕐 Ma.–za. 11–23, zo. 12–23 uur. Gesloten 25 dec. Pubmaaltijden: dag. 12–14.15, 17.30–21.30 uur. Restaurant: alleen D, dag. 18.30–21.30 uur
🍽 L vanaf £15,50, D vanaf £46, wijn vanaf £10,95
🚗 Aan de A823 tussen M90 en A9

INVERKEILOR

🍴 GORDON'S RESTAURANT
❀ ❀
Main Street DD11 5RN
Tel. 01241 830364
Weggestopt in een vissersdorp aan de oostkust verrast dit intieme restaurantje de plaatselijke inwoners al jaren met hoogstaande kookkunst. Het menu is traditioneel, maar met veel fantasierijke toevoegingen: een cappuccino van gerookte tomaat en soep van gegrilde rode pepers wordt opgediend met ijs van Parmezaanse kaas, en Angusvlees wordt vergezeld van paddestoelen en ravioli met gerookt spek en de intrigerende 'kiln dried cherry polenta'. Vooral de fantastische desserts oogsten veel bewondering. Geen kinderen beneden de 12 jaar.
🕐 12–13.45, 19–21 uur. Gesloten ma., L za. en di., D zo., laatste 2 weken jan.
🍽 L vanaf £33, D vanaf £67, wijn vanaf £10,95
🚭 In eetzaal niet roken
🚗 Vlak achter de A92, volg de borden naar Inverkeilor

KILLIECRANKIE

🏨 🍴 KILLIECRANKIE HOUSE
★★ ❀ ❀
PH16 5LG
Tel. 01796 473220
www.killiecrankiehotel.co.uk
Een allang bestaand hotel in een mooie tuin, vlak bij de his-

torische Pass of Killiecrankie. De eigenaren Tim en Maillie Waters en hun personeel bieden vriendelijke, attente service. Het restaurant ziet uit op de tuin. De bar en zonnelounge zijn druk, maar u kunt zich ook terugtrekken in de rustige lounge vol boeken en bordspellen. Korting voor kinderen onder 15 jaar.

🛏 Tweepersoonskamer vanaf £160
🔢 10
🚫 Gesloten 3 jan.–14 feb.
🚗 Bij Killiecrankie de A9 af, dan 5 km over de B8079. Het hotel staat rechts

KINCLAVEN

○🍴 BALLATHIE HOUSE
☆☆☆❀❀
PH1 4QN
Tel. 01250 883268
www.ballathiehousehotel.com

Dit op een uitgestrekt terrein gelegen prachtige Schotse herenhuis combineert klassieke grandeur met modern comfort. De kamers lopen uiteen van ruime suites tot moderne standaardkamers; vele zijn ingericht met antiek en hebben ouderwetse badkamers. Wilt u het beste van het beste, vraag dan naar een van de Riverside Rooms. Het elegante restaurant kijkt uit over de rivier de Tay. Vissen is mogelijk. Korting voor kinderen onder 11 jaar.

🛏 Tweepersoonskamer vanaf £160
🔢 42
🚗 Neem van de A9 3,2 km ten noor-

den van Perth de B9099 door Stanley, het hotel is aangegeven; of verlaat de A93 bij Beech Hedge en volg 4 km lang de borden naar Ballathie

KINNESSWOOD

🍴○ LOMOND COUNTRY INN
❀★★
Main Street KY13 9HN
Tel. 01592 840253

Gasten in dit plezierige eethuis langs de weg kunnen genieten van een fabelachtig uitzicht op Loch Leven. Hier komen moderne Schotse schotels op tafel, waaronder terrine van verse en gerookte zalm op

seizoenssalade met dilledressing, in bierbeslag gebakken Pittenweem-schelvis met citroen en peterseliemayonaise en wildcasserole met jeneverbessen en kastanjes. Er is ook een grillmenu. Geen kinderen onder 12 jaar.

🕐 12.30–14, 18.30–21 uur

🍴 L vanaf £15, D vanaf £27,50, wijn vanaf £10
🚫 In eetzaal niet roken
🔢 12 (vanaf £68)
🚗 Aan de A911, 10 minuten van de M90, afrit 5 (Glenrothes) of afrit 7 (Milnathort)

KIRKCALDY

🍴 THE OLD RECTORY INN
West Quality Street, Dysart KY1 2TE
Tel. 01592 651211

Een oude herberg met een schitterende ommuurde tuin, aan de haven. In de bar en in het restaurant is de keuze haast oneindig. Op de kaart staan voorgerechten als *Manhattan clam chowder*, gegrilde, gebakken of geflambeerde steaks, oosterse heilbot en gegrilde eend met drie fruitsoorten. De chef-kok zal de curry van Madraseieren aanraden of de gamba's au Pernod, en van het lunchmenu kunt u de haggis Drambuie, de wildcasserole met paddestoelen of de *bread and butter pudding* proberen. Het barmenu biedt 's avonds een uitgebalanceerde selectie met vis, pasta en vegetarische schotels.

🕐 12–14, 19–24 uur. Gesloten zo. en ma., 1 week in jan., 2 weken in half okt., 1 week begin juli. Pubmaaltijden: di.–zo. 12–14, di.–za. 19–21.30 uur. Restaurant: di.–zo. 12–15, di.–za. 19–24 uur
🍴 L vanaf £12, D vanaf £44, wijn vanaf £11,55
🚗 Neem vanuit Edinburgh de A92 naar Kirkcaldy, dan de A907/A955 naar Dysart. Ga rechtsaf bij het bord van de National Trust

PEAT INN

🍴○ THE PEAT INN
❀❀❀☆☆
KY15 5LH
Tel. 01334 840206

Op het menu van deze her-

berg staat in elk seizoen het beste wat Schotland voortbrengt. Het restaurant, een stijlvolle mix van landelijk en modern, zou niet misstaan in een Frans dorp, en de francofiele eigenaars hebben het Gallische thema doorgevoerd tot in het robuuste menu. Kies van het proefmenu, het vaste menu of de korte *carte* gerechten als gebakken wildlever met niertjes, gepocheerde kwarteleieren in bittere sinaasappelsaus of een traditionele cassoulet, gevuld met eend, varkensvlees, worst en bonen, of misschien heilbotfilet met garnalenrisotto en gele-paprikasaus. De wijnkaart is iets bijzonders en het vriendelijke personeel maakt het helemaal af.

🕐 12.30–13, 19–21.30 uur. Gesloten zo.–ma., 25 dec., 1 jan.
🍴 L vanaf £39, D vanaf £68, wijn vanaf £16
🚫 In eetzaal niet roken
🔢 8 (vanaf £155)
🚗 Bij de kruising B940/B941, 10 km ten zuidwesten van St. Andrews

LOGIE

🍴○ CRAIGSANQUHAR HOUSE HOTEL ❀❀
★★★
KY15 4PZ
Tel. 01334 653426

De resultaten uit de keuken van dit indrukwekkende hotelrestaurant beloven veel voor de toekomst. Twee eetzalen met een rijke inrichting, zware stoffen en gewreven houten tafels kijken uit over de omringende velden. Licht gekruide schelvis- en saffraansoep met koriander en een gepocheerd kwartelei verwijzen naar de traditionele Cullen Skink, en de sappige lamslende in een bouillon van niertjes en gerst is weer heel modern.

🕐 Alleen D, 19–21 uur

💰 D vanaf £46,50, wijn vanaf £17,95

🛏 13 (vanaf £85)

MARKINCH

🍴🛏 BALBIRNIE HOUSE
☆☆☆☆ 🌸🌸
Balbirnie Park KY7 6NE
Tel. 01592 610066
www.balbirnie.co.uk

Dit hotel is gevestigd in een beschermd Georgian landhuis, het middelpunt van een landgoed van 168 ha, een vredig decor in een gebied met adembenemend landschapsschoon. Er zijn drie luxeuze lounges, waarvan één met een bar, en een restaurant in een serre. De kamers zijn ruim en voorzien van prachtige meubels. Het uitzicht uit het huis omvat de schilderachtige oevers en de golfbaan van Balbirnie Park. Korting voor kinderen onder 12 jaar.

💰 Tweepersoonskamer vanaf £190

🛏 30

🚗 Achter de A92, via de B9130, ingang na 800 m links

PERTH

🍴 LET'S EAT 🌸🌸
77–79 Kinnoull Street PH1 5EZ
Tel. 01738 643377

Vlak bij de rivier de Tay in het stadscentrum heeft dit restaurant een goede reputatie opgebouwd met zijn lichte, moderne bistromaaltijden. Een team van competente personeelsleden biedt een beleefde, onopvallende service. U eet hier schotels als heilbot met Skye-langoustines, Glamiszeekool, asperges en garnalen-

essence en een goddelijk dessert als Valrhona-chocoladetaart met een sorbet van witte chocolade. Op de wijnkaart staan wijnen uit de nieuwe en de oude wereld, maar ook goede huiswijnen.

🕐 12–14, 18.30–21.45 uur. Gesloten zo., ma., 2 weken in jan., 2 weken in juli

💰 L vanaf £21, D vanaf £37,50

🚭 In eetzaal niet roken

🚗 Op de hoek van Kinnoull Street en Atholl Street, vlak bij North Inch

🍴 63 TAY STREET 🌸
63 Tay Street PH2 8NN
Tel. 01738 441451

De nieuwkomer in Perth maakt echt indruk. Goed eten van de beste ingrediënten en uitstekend bereid; vooral het simpele lunchmenu is fantasierijk en betaalbaar. Het driegangenmenu met voor elke gang een vaste prijs bevat gerechten als de sterk aanbevolen kruidenrisotto met rucola en bieslookolie, of gebakken heilbotfilet met geroerbakte groenten en rösti. De wijnkaart is goed doordacht.

🕐 12–14, 18.30–21 uur. Gesloten zo., ma., 1 dec., 1e 2 weken van jan., laatste week van juni, 1e week van juli

💰 D vanaf £34, wijn vanaf £13,50

🚭 In eetzaal niet roken

🚗 Aan de rivier de Tay in het centrum van Perth

🍴 KINFAUNS CASTLE
☆☆☆ 🌸🌸
Kinfauns PH2 7JZ
Tel 01738 620777
www.kinfaunscastle.co.uk

Een indrukwekkend, oud gebouw met veel bouwkundige details, zoals sierplafonds en marmeren schouwen, gecombineerd met voorwerpen uit het Verre Oosten. Klassieke schotels worden opgediend in het gelambriseerde restaurant. De kamers lopen uiteen van eersteklas suites tot standaardkamers en zijn allemaal voorzien van de beste meubels en luxe badkamers. Kleiduiven-

🍴 OVER KINFAUNS
◆◆◆◆◆
Kinfauns PH2 7LD
Tel. 01738 860538
www.overkinfauns.co.uk

Dit heerlijke gebouw met uitzicht over de rivier de Tay tot aan de Ochil Hills is een ideale uitvalsbasis om Midden-Schotland te verkennen. De ruime, comfortabele kamers zijn ingericht met antiek. Een gastvrije lounge met diepe fauteuils ligt naast de zonnige, luchtige serre. Heerlijke diners en een goed ontbijt worden opgediend aan een grote tafel in de elegante eetzaal. Winnaar van de Guest Accommodation of the Year Award 2003–2004 voor Schotland van de AA. Geen kinderen onder 10 jaar.

💰 Tweepersoonskamer vanaf £70

🛏 3 (3 niet-roken)

🚭 Niet roken

🕐 Gesloten 24–26 dec.

🚗 Neem op de A90 van Perth naar Dundee de afrit Kinfauns (niet Kinfauns Castle). Rijd 400 m heuvelopwaarts, ga linksaf en rijd recht omhoog naar het hek

schieten en vissen. Geen kinderen onder 8 jaar.

💰 Tweepersoonskamer vanaf £200

🛏 16

🕐 Gesloten 4–24 jan.

🚗 3 km voorbij Perth aan de A90 van Perth naar Dundee

🍴🛏 MURRAYSHALL COUNTRY HOUSE HOTEL & GOLF COURSE ★★★ 🌸🌸
Scone PH2 7PH
Tel. 01738 551171
www.murrayshall.co.uk

Dit indrukwekkende landhuis staat op een terrein dat twee golfbanen telt, waarvan er een van kampioenschapsniveau is. Er zijn twee soorten kamers: de moderne suites in de dependance contrasteren met de meer traditionele kamers in het

ETEN EN SLAPEN

hoofdgebouw. In de Clubhouse bar worden de hele dag maaltijden geserveerd en in het Old Masters Restaurant kan uitgebreider worden gegeten. Andere faciliteiten zijn een sauna en een kuurbad. Korting voor kinderen onder 12 jaar.

🛏 Tweepersoonskamer vanaf £130
🛏 41 (1 niet-roken)
🚭
🚗 Neem uit Perth de A94 naar Coupar Angus. Ga na 1,5 km rechtsaf naar Murrayshall, vlak voor New Scone

PITLOCHRY
☺DUNFALLANDY HOUSE
◆◆◆◆◆
Logierait Road, Dunfallandy PH16 5NA
Tel. 01796 472648
www.dunfallandy-house.com
Dunfallandy, dat rond 1800 voor het hoofd van de Clan McFergus van Atholl is gebouwd, is een afgelegen Georgian herenhuis met veel originele details. De kamers zijn allemaal verschillend en hebben een fantastisch uitzicht. Er is een elegante zitkamer en het heerlijke diner en ontbijt worden in de ruime eetzaal geserveerd. Geen kinderen onder 12 jaar.

🛏 Tweepersoonskamer vanaf £50
🛏 8 (8 niet-roken)
🚭 Niet roken

☺⑪KNOCKENDARROCH HOUSE ★★🌸🌸
Higher Oakfield PH16 5HT
Tel. 01796 473473
www.knockendarroch.co.uk
Dit onberispelijke Victoriaanse herenhuis ziet uit over de stad en het dal van de Tummel. Er is geen bar, maar de gasten kunnen iets drinken in de lounge als ze het dagmenu inspecteren. De kamers zijn smaakvol ingericht en comfortabel. Die op de bovenverdieping zijn kleiner, maar hebben wel sfeer. Geen kinderen onder 10 jaar.

🛏 Tweepersoonskamer vanaf £132
🛏 12 (12 niet-roken)
🚭 Niet roken
🕐 Gesloten 2e week van nov. tot 1e week van mrt.
🚗 Ga op de A9 na het bord Pitlochry noordwaarts. Neem na de spoorbrug de 1e rechts en de 2e links

PORT OF MENTEITH
⑪☺LAKE OF MENTEITH HOTEL 🌸🌸★★
FK8 3RA
Tel. 01877 385258

Ontspan u in deze vredige oase van rust, met onbelemmerd uitzicht over het meer vanuit het zonnige serrerestaurant. In deze rustige, formele omgeving kunt u genieten van het moderne Europese menu vol smakelijke gerechten. Jakobsschelpen met een lichte velouté van bloemkool, opgediend op een bedje van spinazie, zijn hier een goed voorbeeld van; ze zijn zoet, stevig en sappig. Geen kinderen onder 8 jaar.

🕐 12–14, 19–20.30 uur. Gesloten ma.–di. (nov.–mrt.), ook 3 dagen na Kerstmis, 3 weken in jan.
🍴 L vanaf £29, D vanaf £70, wijn vanaf £12,50
🚭 In eetzaal niet roken
🛏 16 (vanaf £80)
🚗 Volg na Stirling de A84 richting Callander/The Trossachs. Neem na 8 km de A873 naar Aberfoyle/Port of Menteith. Neem de B8034, hotel rechts

ST. ANDREWS
⑪☺THE INN AT LATHONES 🌸🌸★★
Largoward KY9 1JE
Tel. 01334 840494

Een herberg vol sfeer en individualiteit, met een vrolijk, intiem restaurant als trekpleister. Kies uit een van de drie menu's — waaronder een met zeven verrukkelijke gangen — die alle bestaan uit Schotse en Europese gerechten. Eersteklas ingrediënten bepalen de kwaliteit van de zalmtartaar en de rib-eye van Glenfarg Angus-rund met een saus van Lagavulin, gerookte bacon en wilde paddestoelen. De dikke patatten, bereid in het vleesnat, zijn ook het vermelden waard. Breng uw cholesterol weer op peil met een simpele rode-bessensoep tot besluit.

🕐 12–14.30, 18–21.30 uur. Gesloten Kerstmis, 2 weken in jan.
🍴 L vanaf £21, D vanaf £50, wijn vanaf £12
🚭 In eetzaal niet roken

🛏 14 (vanaf £120)
🚗 8 km ten zuiden van St. Andrews aan de A915, 800 m voor Largoward aan de linkerkant, vlak na een 'hidden dip' in de weg

⑪☺RUSACKS 🌸🌸★★★★
Pilmour Links KY16 9JQ
Tel. 08704 008128
Een restaurant in de stijl van Charles Rennie Macintosh met fantastisch uitzicht op de 18e green en de 1e tee van de Old Course en West Sands beach. Het menu verandert dagelijks en biedt een mengeling van traditioneel Brits, Frans, mediterraan en een vleugje Thais. Allerlei grilgerechten en hoofdgerechten als varkenshaas met gesmoorde kool, cocotte-aardappelen en dragon en Puy-linzensaus.

🕐 18–21 uur. L alleen op afspraak
🍴 D vanaf £50, wijn vanaf £12,95
🚭 In eetzaal niet roken
🛏 68 (vanaf £210)
🚗 Neem uit de M90 afrit 8 en volg de A91 naar St. Andrews. Het restaurant staat links als u de plaats binnenrijdt

☺EDENSIDE HOUSE ◇◇◇
Edenside KY16 9SQ
Tel. 01334 838108
Dit gemoderniseerde 18e-eeuwse hotel wordt door een familie gedreven en biedt huiselijk onderdak met uitzicht op de monding van de Eden en een natuurreservaat. De kamers zijn licht en vrolijk en grotendeels van buiten toegankelijk. Er is een gezellige lounge en het ontbijt is stevig.

🛏 Tweepersoonskamer vanaf £44
🛏 8 (8 niet-roken)
🚭 Niet roken
🚗 Duidelijk zichtbaar van de A91, 3 km ten westen van St. Andrews, op de oever van de riviermonding

☺FOSSIL HOUSE ◆◆◆◆◆
12–14 Main Street, Strathkinness KY16 9RU
Tel. 01334 850639
www.fossil-guest-house.co.uk
Echte gastvrijheid gecombineerd met een gedenkwaardig ontbijt zijn de kenmerken van een bezoek aan dit charmante hotel. Kornelia's verrukkelijke ontbijt blijft veel lof oogsten — ze won een Golden Spurtle-prijs voor pap. Twee kamers zijn in het huis zelf gevestigd en twee in het huisje ernaast, dat zijn eigen lounge en serre bezit. De familiekamer heeft een uitgebouwde serre

met allerlei attente extra's voor de kinderen.

🛏 Tweepersoonskamer vanaf £44
🕐 4 (4 niet-roken)
🚭 Niet roken
🚗 Volg de A91 naar St. Andrews; Strathkinness is aangegeven. Fossil House staat in het dorp, bij de pub

🍴🛏 RUFFLETS COUNTRY HOUSE ☆☆☆❀❀
Strathkinness Low Road KY16 9TX
Tel. 01334 472594
www.rufflets.co.uk

Dit imposante landhuis, al meer dan 50 jaar eigendom van dezelfde familie, staat in een uitgestrekte tuin. Het toegewijde, vriendelijke personeel verzekert u van een gedenkwaardig verblijf. De verschillend ingerichte kamers zijn licht en luchtig en vele hebben een indrukwekkende badkamer. De Garden Room biedt een fraaie omgeving om van de maaltijd te genieten, waarin producten uit de tuin worden verwerkt. Korting voor kinderen onder 10 jaar.

🛏 Tweepersoonskamer vanaf £190
🕐 24 (13 niet-roken)
🚗 2 km westwaarts aan de B939

🍴🛏 ST. ANDREWS GOLF ☆☆☆❀❀
40 The Scores KY16 9AS
Tel 01334 472611
www.standrews-golf.co.uk

Vriendelijke, attente service is een speciaal kenmerk van dit hotel, dat uitziet over de baai en op de kustlijn. De kamers zijn een voorbeeld van helder, eigentijds ontwerp. De gemeenschappelijke ruimten zijn nog traditioneel, met een comfortabele lounge en een met hout betimmerd restaurant. Korting voor kinderen onder 12 jaar.

🛏 Tweepersoonskamer vanaf £80
🕐 21
🚗 Volg de borden naar de Golf Course tot Golf Place en ga na 200 m rechtsaf The Scores op

ST. MONANS

🍴 THE SEAFOOD RESTAURANT
16 West End KY10 2BX
Tel. 01333 730327

Dit kleine visrestaurant ligt vlak aan de waterkant en biedt van het terras aan de haven een adembenemend uitzicht over St. Monans Harbour, het Isle of May, Bass Rock en de Firth of Forth. De bar is gevestigd in een 400 jaar oud vissershuis (bieren als Bellhaven Best) en in het aanpalende Conservatory-restaurant bevindt zich een zoetwaterbron. Visspecialiteiten zijn gegrilde jakobsschelpen met mango en zoete chilisalsa, gegrilde tarbot met rode-uienmarmelade en mosterdsaus, en carpaccio van witte tonijn met hoi-sin-dressing. In het restaurant geen kinderen onder 14 jaar.

🕐 12–14.30, 18–21.30 uur. Gesloten ma., D zo., 25–26 dec., 1–2 jan.
🍽 L vanaf £32, D vanaf £60
🚭 Restaurant niet-roken
🚗 Neem de A595 van St. Andrews naar Anstruther, ga dan westwaarts op de A917 door Pittenweem. Ga vervolgens bij St. Monans Harbour rechtsaf

ST. FILLANS
🍴🛏 THE FOUR SEASONS ❀❀❀★★★
Loch Earn PH6 2NF
Tel. 017646 85333

Vroeger was dit gebouw de woning van de baas van de kalkovens en later van de schoolmeester. Tegenwoordig kunnen de hotel- en restaurantgasten genieten van het prachtige uitzicht over Loch Earn. Het menu staat bol van de Schotse ingrediënten en veel schotels zijn opwindend modern. Voorbeelden zijn een trio van lamskoteletjes met roze-grapefruitsalsa en muntsabayon, of gebakken parelhoen met een heel bijzondere saus van mango en koriander.

🕐 12–14.30, 18–21.30 uur. Gesloten jan.–feb.
🍽 L vanaf £30, D vanaf £40, wijn vanaf £12,95
🚭 In eetzaal niet-roken
🕐 12 (vanaf £82)

🚗 Neem van Perth de A85 westwaarts door Crieff en Comrie. Het hotel ligt aan de westrand van het dorp

STIRLING
🍴🛏 STIRLING HIGHLAND ❀★★★★
Spittal Street FK8 1DU
Tel. 01786 272727

Hoog boven de stad is dit hotel ondergebracht in wat ooit een middelbareschoolgebouw was. Het Scholars Restaurant en de ernaast gelegen Headmaster's Study Bar bezetten vroegere klaslokalen en overal wordt u aan de oude school herinnerd. Beelden van schoolmaaltijden vervliegen echter snel als u het per seizoen wisselende menu bekijkt. Daar vindt u gerechten op als gegrilde kip supreme met baby-paksoi in een zoetzure saus en wild op kaasgnocchi, met zwartepeperglazuur en rode-uienmarmelade.

🕐 12.30–14.30, 19–21.30 uur. Gesloten L za.
🍽 L vanaf £22, D vanaf £50, wijn vanaf £15
🚭 In eetzaal niet roken
🕐 96 (vanaf £118)
🚗 Aan de weg naar Stirling Castle, volg de borden naar het kasteel

🍴 XI VICTORIA SQUARE ◇◇◇◇
Kingspark FK8 2RA
Tel. 01786 475545
www.xivictoriasquare.com

Een ruim en comfortabel Victoriaans gezinshuis, op korte loopafstand van het stadscentrum en de golfbaan, gebouwd op land dat ooit deel uitmaakte van een 15e-eeuws koninklijk jachtdomein. Het huis biedt een fraai zicht op enkele historische hoogtepunten van Stirling. De kamers zijn ruim bemeten en tot de gemeenschappelijke ruimten behoort ook de oosterse eetzaal, waar een magnifiek ontbijt wordt opgediend waarin de beste lokale producten en seizoensfruit zijn verwerkt.

🛏 Tweepersoonskamer vanaf £80
🕐 3 (3 niet-roken)
🚭 Niet roken
🚗 Ga bij Smith Gallery op Victoria Place de A911 op in zuidelijke richting. Neem de 2e links naar de zuidzijde van het Victoria Square, XI is het 1e gebouw rechts

BIJZONDER

AMARYLLIS ❀❀❀ ★★★★

One Devonshire Gardens Hotel,
1 Devonshire Gardens G12 0UX
Tel. 0141 337 3434

Het eerste Schotse avontuur van Gordon Ramsay brengt Londense kookkunst naar Glasgow voor een fractie van de prijs. Geniet tijdens een ontspannen lunch van lamsschouderconfit, een waar meesterwerk, simpel van stijl, waarin een hoog niveau van vakmanschap wordt gedemonstreerd, met een velouté van bloemkool in een aparte sauskom, geserveerd met een torentje van ceps en gekarameliseerde bloemetjes. U kunt à la carte eten of kiezen voor een van de twee vaste menu's. De bediening is prettig langzaam. U moet de dag van tevoren uw afspraak bevestigen. (Voor hotelfaciliteiten zie blz. 274.)
🕐 12–14, 18.45–21.30 uur. Gesloten ma.-di., L za., 1–2 jan.
🍴 L vanaf £24, D vanaf £32, wijn vanaf £17
🚌 Aan de Great Western Road

GAMBA ❀❀

225a West George Street G2 2ND
Tel. 0141 572 0899

In dit paradijs voor liefhebbers van vis en zeebanket komt alles op tafel, van zalm tot red snapper. Net als het trendy decor ademt het menu een mediterrane sfeer, afgewisseld door wat fusion hier en daar: knapperig gebakken biologische zalm met een zoete Thaise saus, garnalen en zwarte bonen of zeebaars-teryaki met wasabi en ingelegde gember. Er zijn ook inspirerende alternatieven, zoals zoete aardappel en kekererwtencurry met linzen en kleefrijst. Uitgebreide wijnkaart.

Geen kinderen onder 14 jaar.
🕐 12–14.30, 17–22.30 uur. Gesloten zo., 25–26 dec., 1–2 jan., bank holidays
🍴 L vanaf £28, D vanaf £56, wijn vanaf £14,95. Geen Diners-cards.
🚭 Sigaren of pijp niet toegestaan
🚇 Bij Blythswood Square

KILLERMONT POLO CLUB ❀

2022 Maryhill Road, Maryhill Park G20 0AB
Tel. 0141 946 5412

Traditionele Noord-Indiase gerechten in de onwaarschijnlijke omgeving van een voormalige pastorie, een paar autominuten ten noorden van het stadscentrum. De club wil zowel het voedsel als de polomode uit de jaren twintig en dertig in ere herstellen, uit de tijd van de Raj, toen de maharadja van Jaipur en zijn team het spel internationaal beheersten. Goede kwaliteit, vooral tijdens lunchtijd. De service is opgewekt en ontspannen.
🕐 12–15.30, 17–22.30 uur. Gesloten Nieuwjaar
🍴 L vanaf £14, D vanaf £50, wijn vanaf £10,95

LANGS ❀❀★★★★

2 Port Dundas Place G2 3LD
Tel. 0141 333 1500

Dit hotel-restaurant op de tussenverdieping, met zicht op de drukke bar beneden, mengt de mediterrane en de Franse keuken en slaagt er toch nog in pretentieloos te blijven. Viskoekjes van gemengde zeevruchten met zelfgemaakte pesto kunt u laten volgen door kippenborst gevuld met bloedworst, opgediend met een portsaus en een lenteuitjes-aardappelpuree.
🕐 12.30–14.30, 17.30–22 uur
🍴 L vanaf £16, D vanaf £30, wijn vanaf £11,95
🚭 In eetzaal niet roken
🍷 100 (vanaf £80)

LUX & STAZIONE ❀

1051 Great Western Road G12 0XP
Tel. 0141 576 7576

In 1896 ontwierp J.J. Burnet het Kelvinside-treinstation in Glasgows West End. Hier is nu Lux gevestigd, dat Schotse producten serveert, fantasierijk en stijlvol bereid door de gepassioneerde en avontuurlijke chef-kok/eigenaar Stephen Johnson. Bestel hier bijvoorbeeld de befaamde gebakken

lende van Schots rundvlees, en verbaas u erover hoe hij met rode Thaise puree is ingesmeerd en geserveerd is op jonge boontjes met zure room met koriander. Geen kinderen onder 12 jaar.
🕐 D alleen vanaf 17.30 uur. Gesloten zo., 25–26 dec., 1–2 jan.
🍴 D vanaf £57, wijn vanaf £14,50
🚭 Sigaren of pijp niet toegestaan
🚇 Volg bij de stoplichten het bord naar Gartnavel Hospital

MALMAISON ❀❀★★★

278 West George Street G2 4LL
Tel. 0141 572 1001

In dit restaurant in de crypte van een voormalige kerk, met extreem gedempt licht, is dineren een feest. U krijgt hier goed bereide Europese brasseriegerechten. De geitenkaas en selderijsoufflé zijn licht en smakelijk, en het wild met jeneverbessen en Puy-linzen is met grote zorg klaargemaakt. De chocoladetaart is onovertroffen. De wijn wordt in twee

BIJZONDER

THE BUTTERY ❀❀

652 Argyle Street, G3 8UF
Tel. 0141 221 8188

Uitverkozen tot AA's Restaurant of the Year for Scotland 2004, maar oorspronkelijk een wijnkelder en pub – hier wordt al sinds 1854 gegeten en gedronken. Nu roepen de met eikenhout betimmerde muren, het hoge sierplafond, de marmeren toog en de glas-in-loodramen een historische, maar toch eigentijdse sfeer op. De culinaire vaardigheid van chef-kok Willie Dean openbaart zich in het moderne Schotse eten waarin smaak en de invloed van de seizoenen een belangrijke rol spelen. Gerechten als gegrilde kwartel, confit van Perthshire-lamsschenkel en een fantastische warme chocoladetaart met zure room en gesuikerd kumquat-ijs.
🕐 12–14, 19–22 uur. Gesloten L za., zo., ma., 25–26 dec., 1–2 jan.
🍴 L vanaf £30, D vanaf £72
🚭 In eetzaal niet roken
🚇 Neem in St. Vincent Street in het stadscentrum de 1e links, Elderslie Street, en sla bij de rotonde linksaf Argyle Street in; het restaurant staat na 600 m links

⑪ ROCOCO ❀❀

202 West George Street G2 2NR
Tel. 0141 221 5004

In dit chique restaurant, een van de beste van Glasgow, ziet u overal kunstwerken van plaatselijke kunstenaars. De keuken is modern Schots met wat Franse accenten en een vleugje landelijk Italiaanse invloed, maar de nadruk ligt op natuurlijke smaken. Hier eet u gerechten als in honing gebakken wilde eend met bloemkoolroom, salardaise-aardappelen, geglaceerde sjalotten en sherryjuslie, gepresenteerd met een niet aflatende aandacht voor detail en een onopvallende dienstbaarheid. De uitgebreide, eclectische wijnkaart maakt het plaatje compleet.

🕑 12–14.30, 17–21.30 uur. Gesloten zo., 1 jan.
🍴 L vanaf £40, D vanaf £73, wijn vanaf £17,95
🚭 Geen pijp voor 22 uur
🚇 Stadscentrum

maten glazen en per fles verkocht. (Hotelinformatie hiernaast).

🕑 12–14.30, 17.30–22.30 uur
🍴 L vanaf £22, D vanaf £40, wijn vanaf £14,95
🚇 Ga van George Square Vincent Street in naar Pitt Street. Het hotel staat op de hoek met West George Street

⑪ OPUS ❀❀

150 St. Vincent Street G2 5NE
Tel. 0141 204 1150

Dit gelikte stadsrestaurant trekt een beschaafd publiek. Er komen bijzondere ideeën naar voren in gerechten als het trio van oosterse hors d'oeuvres — niets anders dan hapjes in bamboe mandjes — gevolgd door andere aantrekkelijke combinaties als tongtempura met gamba's en zalm, of gegrilde eendenborst met zoete-aardappelkorma en uienbhaji, op smaak gebracht met citroen.

🕑 12–14.30, 17.30–22.30 uur. Gesloten zo., L za., bank holidays
🍴 L vanaf £25, D vanaf £60, wijn vanaf £14,95

⑪ PAPINGO RESTAURANT ❀❀

104 Bath Street G2 2EN
Tel. 0141 332 6678

Modern restaurant in het stadscentrum met blankhouten vloeren en magnolia muren, behangen met moderne kunst. De tafels zijn gedekt met mooi, wit linnen en fraaie glazen die passen bij uw keus van de gevarieerde wijnkaart. Goed gekleed jong personeel zorgt voor een beleefde, attente bediening. Een redelijk geprijsd menu van moderne Europese gerechten met een tikje fusion biedt verfrissende variaties op bekende thema's als gebakken wilde eendenborst met abrikozen, bacon en portsaus.

🕑 12–14.30, 17–22.30 uur. Gesloten L zo., 25–26 dec., 1–2 jan., bank hols ma.
🍴 L vanaf £16, D vanaf £28
🚭 Pijp roken niet toegestaan
🚇 Stadscentrum, bij de kruising van Bath Street en Hope Street

⑪ QUIGLEY'S ❀

158 Bath Street G2 4TB
Tel. 0141 331 4060

De sfeervolle verlichting verzacht het minimalistische decor van dit flitsende eethuis

in het stadscentrum. De gasten zitten in rijen aan tafels langs de muren en proeven de schotels van plaatselijke chef-kok John Quigley, een mengsel van oost, west, Middellandse Zee en traditie, zoals kipconfit en hamterrine, gegrilde zeeduivel met saffraanmosselen en Armagnactaart met mascarpone. In de weekeinden live jazz.

🕑 12–14.45, 17–23 (zo. 12–21) uur. Gesloten 25 dec., 1 jan.
🍴 L vanaf £22, D vanaf £43, wijn vanaf £16,95
🚇 8 km van de M8, afrit Charing Cross, in zuidelijke richting

⑪ SHISH MAHAL ❀

60–68 Park Road G4 9JF
Tel. 0141 339 8256

Een snel en vriendelijk restaurant waar maaltijden worden bereid in klassieke Pakistaanse traditie. In het zwart geklede obers serveren een selectie lamsgerechten als Kashmiri,

⑪ STRAVAIGIN ❀❀

30 Gibson Street G12 8NX
Tel. 0141 334 2665

Dit is misschien wel het opwindendste restaurant van Glasgow. Het team werkt keihard in het piepkleine keukentje en tovert versgebakken brood op tafel met pittige salsa en een exotisch menu van de bar boven en het restaurant in de kelder. Een half kopje kruidige consommé is een heerlijk voorgerecht en in achiote gemarineerde Gressingham-eendenborst met sinaasappel, koriander en polenta, bonen en Poncho Caballero-jus is een krachtig hoofdgerecht. De toetjes zijn al net zo heftig: een pure Belgische bonbon in een knapperig polentataartje met gekarameliseerde banaan of witte en pure chocolade-marquise in een suikerspin, afgemaakt met toffee-rumsaus en een vleugje munt.

🕑 12–14.30, 17–23 uur. Gesloten ma., L di.–do., 25 dec., 1 jan.
🍴 L vanaf £39, D vanaf £58, wijn vanaf £13,25
🚭 Niet roken voor 22 uur
🚇 Naast Glasgow University, 200 m van metrostation Kelvinbridge

Rogan Josh en Bhoona, maar ook baltis in gietijzeren schalen, een heerlijk Pakora-mengsel van vis, kip en groenten, een lekkere Tarka Daal en versgebakken naan-brood. De porties zijn soms groot, net als de wachtrij. Reserveren.

🕐 12–14, 17–23 uur. Gesloten L zo.
🍽 L vanaf £10,50, D vanaf £31, wijn vanaf £8,90
🚗 Afrit 8 op knooppunt Charing Cross; rijd dan verder over Woodland Drive

🍴 UBIQUITOUS CHIP ❀❀

12 Ashton Lane G12 8SJ
Tel. 0141 334 5007

Een Glasgows instituut dat een modern laagje aanbrengt op de originele, traditionele Schotse keuken. Het betreden van de lommerrijke binnenplaats met glazen dak is alleen al een bijzondere ervaring na de drukte van Glasgow.
Maak uw keuze uit de verschillende menu-opties, waarop zaken staan als vegetarische haggis met *neeps and tatties,* en Perthshire scharrelvarken, 36 uur lang gesmoord in truffelolie en opgediend met prei en basilicumaardappelpuree.

🕐 12–14.30, 17.30–23 uur. Gesloten 25 dec., 1 jan.
🍽 L vanaf £23, D vanaf £75, wijn vanaf £14,95
🚗 In het West End van Glasgow achter Byres Road. Bij metrostation Hillhead

🏨 BEARDMORE ★★★★
❀❀

Beardmore Street, Clydebank G81 4SA
Tel. 0141 951 6000
www.beardmore-hotel.co.uk

Dit moderne hotel op een terrein aan de rivier de Clyde trekt voornamelijk zakenlieden. Tot de faciliteiten behoren een sauna en een *spa.* Het stijlvolle restaurant met een klein eigentijds menu is een van de imposante algemene ruimten. De cafébar biedt een uitgebreidere keuze van net zo verleidelijke schotels. Korting voor kinderen onder 14 jaar.

🛏 Tweepersoonskamer vanaf £80
🛌 168 (112 niet-roken)
📺 🍴
🅿 147
🚗 M8, afrit19, dan A814 richting Dumbarton, volg daarna de toeristenborden. Ga linksaf Beardmore Street in en volg de borden

🏨🍴 HOLIDAY INN
★★★❀

161 West Nile Street G1 2RL
Tel. 0870 742 8767
www.higlasgow.com

Op een hoek, vlak bij de Theatre Royal Concert Hall en de belangrijkste winkelstraten, vindt u dit moderne hotel, inclusief het populaire Franse restaurant Bonne Auberge, een bar en een serre. De kamers zijn goed geoutilleerd en er zijn enkele suites beschikbaar. Het personeel is vriendelijk en attent. Korting voor kinderen onder 19 jaar.

🛏 Tweepersoonskamer vanaf £105
🛌 113 (78 niet-roken)
💪 Mini-fitnessruimte
🚗 M8, afrit 16, richting Royal Concert Hall, het hotel is ertegenover

🏨 KELVINGROVE HOTEL
◇◇◇

944 Sauchiehall Street G3 7TH
Tel. 0141 339 5011
www.kelvingrove-hotel.co.uk

🏨 MALMAISON ★★★❀

278 West George Street G2 4LL
Tel. 0141 572 1000
www.malmaison.com

Het Malmaison is rond een voormalige kerk gebouwd in de historische Charing Crosswijk. De kamers zijn ruim, met faciliteiten als cd-speler en minibar. Er zijn ook enkele split-levelsuites. Dineren is een feest met de Europese brasseriegerechten die in de originele crypte worden geserveerd (zie blz. 271). Er is een kleine fitnessruimte, waar u de extra calorieën kunt kwijtraken.

🛏 Tweepersoonskamer vanaf £120
🛌 72 (20 niet-roken)
🚗 Uit het zuiden en oosten: M8 afrit 18, Charing Cross; uit het westen en noorden: M8, City Centre Glasgow

Dit particuliere, goed onderhouden en vriendelijke hotel staat in een rijtje even ten westen van het stadscentrum. De kamers, waaronder enkele die geschikt zijn voor gezinnen, zijn bijzonder goed ingericht en bieden een mooie, volledig betegelde badkamer. De ontbijtzaal is licht en de receptie wordt dag en nacht bemand.

🛏 Tweepersoonskamer vanaf £58
🛌 23 (23 niet-roken)
🚭 Niet roken
🚗 400 m ten westen van Charing Cross. Volg van de M8, afrit 18, de borden naar Kelvingrove

🏨 MILLENNIUM HOTEL GLASGOW ★★★★

George Square G2 1DS
Tel. 0141 332 6711
www.millennium-hotels.com

In het hart van de stad heeft het Millennium een ereplaats op George Square. Het gehele hotel ademt een moderne sfeer en de gemeenschappelijke ruimten omvatten een glazen balkon dat op het plein uitkijkt. Korting voor kinderen onder 15 jaar

🛏 Tweepersoonskamer vanaf £100
🛌 117 (54 niet-roken)
🚗 Afrit 15 van de M8, passeer 4 verkeerslichten en ga bij het 5e linksaf Hanover Street in. George Square ligt recht voor u, het hotel staat op de rechterhoek

ETEN EN SLAPEN

⊖⑪ONE DEVONSHIRE GARDENS ★★★★

1 Devonshire Gardens G12 0UX
Tel. 0141 339 2001
www.onedevonshiregardens.com

Drie aaneengesloten stads-huizen vormen samen dit mooie, elegante hotel in het hart van het West End van Glasgow. One Devonshire Gardens ligt op tien minuten lopen van het stadscentrum. De kamers zijn allemaal ver-schillend en van alle gemak-ken voorzien. Er zijn ook ruime suites beschikbaar, sommige met hemelbedden en twee beschikken over een eigen patio. U vindt hier een stijlvolle zitkamer en een uit-gebreid room service-menu. Fantasierijke, goed bereide gerechten worden in restau-rant Amaryllis geserveerd (zie blz. 271).

🛏 Tweepersoonskamer vanaf £125
ⓘ 38
🚗 Volg van de M8, afrit 17, de bor-den naar de A82. Ga na 2,5 km linksaf Hyndland Road in, neem dan de 1e rechts bij de de mini-rotonde aan het einde van de weg en rijd door tot het eind

⊖NOVOTEL GLASGOW CENTRE ★★★

181 Pitt Street G2 4DT
Tel. 0141 222 2775
www.accorhotels.com

Vriendelijk personeel, betaal-bare tarieven en de mogelijk-heid gratis te parkeren zorgen dat de gasten hier terugkomen. De kamers zijn licht en functio-neel, met goede werkplekken. Er is een aantal grote gezinska-mers. De Brasserie (hele dag geopend) en de barmenu's bie-den waar voor hun geld. Het is mogelijk de schotels naar uw kamer te laten brengen. Er is een sauna. Korting voor kinde-ren onder 16 jaar.

🛏 Tweepersoonskamer vanaf £99
ⓘ 139 (90 niet-roken)
🍽
Ⓟ 19
🚗 Naast het hoofdbureau van politie van Strathclyde Police. Vlak bij het Scottish Conference and Exhibition Centre achter Sauchiehall Street

⊖RADISSON SAS GLASGOW ★★★★

301 Argyle Street GR8DL
Tel. 0141 204 333

Dit grote hotel in het stadscen-trum biedt eigentijds design, maar ook comfort en stijl. Het enorme in hout en glas uitge-voerde atrium vormt het hart van het hotel en geeft toegang tot de lobby, twee restaurants, het ontspanningscentrum (met sauna, solarium, fitnessruimte en jacuzzi) en bars. De kamers zijn voorbeelden van het beste op het gebied van design en comfort — weerspiegeld in de stoffen, de meubels en de afwerking.

🛏 Tweepersoonskamer vanaf £90
ⓘ 247 (200 niet-roken)
🍽 🍷
🚗 Neem van de M8, afrit 19, de 1e rechts, rijd door naar Argyle Street, dan de 1e links. Het hotel staat links tegen-over het Centraal Station

⊖SWALLOW ★★★

517 Paisley Road West G51 1RW
Tel. 0141 427 3146

www.swallowhotels.com

Dit hotel staat op een handige locatie voor het stadscentrum, het vliegveld en het Ibrox-voet-balstadion. Het biedt comforta-bele en goed toegeruste kamers. Tot de algemene ruim-ten behoren een loungebar, een restaurant en recreatiefaci-liteiten als een sauna, solarium en stoombad. Korting voor kin-deren onder 13 jaar.

🛏 Tweepersoonskamer vanaf £115
ⓘ 117 (63 niet-roken)
🍽 🍷
Ⓟ 150
🚗 Aan de M77, afrit 1

⊖UPLAWMOOR HOTEL ★★❀

Neilston Road Uplawmoor G78 4AF
Tel. 01505 850565
www.uplawmoor.co.uk

Dit aantrekkelijke en vriende-lijke hotel staat in een dorp aan de weg van Glasgow naar Irvine. In het chique restaurant, met cocktailbar, worden cre-atieve schotels geserveerd en de aparte loungebar is popu-

lair om zijn versbereide maal-tijden. De moderne kamers zijn comfortabel en van alle gemakken voorzien. Korting voor kinderen onder 10 jaar.

🛏 Tweepersoonskamer vanaf £79
ⓘ 14 (5 niet-roken)
Ⓟ 40
🚗 Neem van de M77, afrit 2, de A736 richting Barrhead en Irvine. Het hotel vindt u 6,5 km voorbij Barrhead

⊖VICTORIAN HOUSE ◆◆◆

212 Renfrew Street G3 6TX
Tel. 0141 332 0129
www.thevictorian.co.uk

Vlak bij de Art School en Sauchiehall Street staat een vriendelijk *terrace*-huis dat mooi is uitgebreid en nu een reeks goed geoutilleerde kamers aanbiedt. Sommige zijn voorzien van een gewre-ven vloer en een lichte moderne inrichting, andere zijn wat traditioneler. Via een comfortabele lounge bereikt u de ontbijtzaal waar een ont-bijtbuffet wordt geserveerd.

🛏 Tweepersoonskamer vanaf £44
ⓘ 58
🚗 Ga bij de 1e stoplichten in Sauchiehall Street, ten oosten van Charing Cross, Garnet Street in. Sla dan rechtsaf Renfrew Street in, het hotel staat na 90 m links

---

SYMBOLEN

★ Faciliteiten in hotels
◆ Faciliteiten in bed-and-breakfasts
❀ De kwaliteit van restaurants
🛏 De opgegeven prijzen zijn voor twee personen en dienen als richtlijn. Prijzen en menukaarten zijn altijd aan verande-ringen onderhevig

ABERDEEN

ⓘ ⊖ARDOE HOUSE
❀❀❀★★★★

Blairs, South Deeside Road AB12 5YP
Tel. 01224 867355

Oliemagnaten en topmanagers uit Aberdeen sluiten machtige deals in de passende ambiance van dit landhuis in *baronial* stijl. Het stijlvolle restaurant, dat drie klassiek ingerichte ruimten omvat, weerspiegelt die typisch Schotse architectuur. Er zijn geen vaste menu's, alles is à la carte. De toon wordt gezet met een terrine van honing-kwartel en maïskip met malt whisky-abrikozenchutney, gevolgd door bijvoorbeeld kort geschroeide heilbotfilet met geroosterde venkel, kerstomaatjes en een jus van balsamico. Verder is het hier genieten van de desserts, zoals koude passievruchten-soufflé met een krokant schuimlaagje, geserveerd met pistache-ijs.

🕐 12–14, 18.30–21.45 uur. Gesloten L za.
🍴 L vanaf £13, D vanaf £59, wijn vanaf £15,50
🚭 In eetzaal niet roken
🛏 112 (vanaf £120)
🚗 5 km van Aberdeen aan de B9077, aan de linkerkant

ⓘ ⊖MARYCULTER HOUSE
❀★★★

South Deeside Road, AB12 5GB
Tel. 01224 732124

Gastvrijheid is een sterk punt van dit hotel. De historie van het gebouw komt naar voren in het originele metselwerk en de open haarden — een aansprekende setting voor een diner bij kaarslicht in het Priory Restaurant. Schotse streek-producten worden met trots gepresenteerd. Op de kaart staan bijvoorbeeld haas van het Aberdeen Angus-rund met een puree van aardappelen en knolselderij, lamszadel op gebakken aardappelen met een ragout van wilde padde-stoelen, en hert met *pommes dauphinoise*, rode kool en maderasaus. Geen kinderen onder 4 jaar.

🕐 Alleen D, 19–21.15 uur. Gesloten zo.
🍴 D vanaf £42, wijn vanaf £15,95
🚭 In eetzaal niet roken
🛏 23 (vanaf £90)
🚗 Vanuit Aberdeen de B9077 (South Deeside Road) 13 km volgen

ⓘ ⊖NORWOOD HALL
❀★★★

Garthdee Road, Cults AB15 9FX
Tel. 01224 868951

Dit laat-Victoriaanse landhuis met zijn eiken trappenhuis, wandtapijten en glas-in-loodramen is doordrenkt van grandeur en noodt dan ook tot dineren in stijl. De gerechten zijn klassiek, met een eigenzinnige Schotse toets. Zo wordt de fazantfilet gevuld met *haggis* en gaat de kip uit de Grampians vergezeld van een mousse van bloedworst en whiskysaus.

🕐 12–14, 18.30–21.30 uur
🍴 L vanaf £30, D vanaf £52, wijn vanaf £14,50
🚭 In eetzaal niet roken
🛏 37 (vanaf £85)
🚗 Vanuit het zuiden de A90 verlaten bij de eerste rotonde. Brug over, bij rotonde linksaf naar Garthdee Road; dan nog 2,5 km

⊖THE MARCLIFFE AT PITFODELS ★★★★

North Deeside Road AB15 9YA
Tel. 01224 861000
www.marcliffe.com

Dit hotel ligt in een mooi land-schapspark ten westen van de stad. Het biedt een mengeling van stijlen in combinatie met een attente, weldoordachte service. Het split-levelrestaurant in de serre, terrassen en binnenplaatsen verlenen het geheel een mediterrane sfeer. De stijlvolle cocktaillounge heeft een daarentegen een klassieke aankleding gekregen. De kamers zijn ruim en met zorg ingericht. Korting voor kinderen tot 12 jaar.

🍴 Tweepersoonskamer vanaf £175
🛏 40 (12 niet-roken)
🚗 De A90 verlaten bij de A93, volg borden naar Braemar. Hotel na 1,5 km aan rechterkant, na afslag bij stoplichten

ACHILTIBUIE

ⓘTHE SUMMER ISLES HOTEL ❀❀

via Ullapool IV26 2YG
Tel. 01854 622282
www.summerisleshotel.com

Er heerst een lichte, hartelijke sfeer in dit hotel. Omdat het hier pas laat donker wordt, kunt u tot laat in de avond genieten van het schitterende uitzicht op de eilanden. De stijl is Europees. Het dagelijks wisselende vijfgangenmenu kan bijvoorbeeld bestaan uit een gebakken geitenkaasje op een tapenade van zwarte olijven, gevolgd door langous-tines van de Summer Isles en hele langoest met hollandaise-saus. Daarna gebraden ribstuk van het Aberdeen Angus-rund met paddestoelen, rode uien en een rodewijnsaus, waarna het geheel wordt afgerond met een enthousiaste aanval op de trolley met zoete desserts en kaas. Geen kinderen jonger dan 6 jaar.

🕐 12.30–14, D om 20 uur. Gesloten half okt. tot Pasen
🍴 D vanaf £45
🚭 In eetzaal niet roken
🚗 16 km ten noorden van Ullapool. De A835 verlaten bij het landweggetje links naar Achiltibuie (24 km). Hotel 90 m na het postkantoor aan de linkerkant

APPLECROSS

ⓘAPPLECROSS INN

Shore Street IV54 8LR
Tel. 01520 744262

Traditionele, witgeschilderde herberg aan de oever van Applecross Bay, met een biertuin die afloopt naar een baaitje met een zandstrand. Het keukenpersoneel kan beschikken over een keur aan streekproducten, waaronder vis en schaal- en schelp-dieren, Aberdeen Angus-rund en wild van landgoederen uit de buurt. Favoriet zijn de jakobsschelpen in knoflook-boter met gebakken spek op een bedje van rijst, gefrituurde oesters in een jasje van tempuradeeg met een zoete chilisaus, en verse zeeduivel en oprolkreeftjes in garnalensaus op een bedje van verse tagliatelle. Vlees-eters kunnen hun hart opha-len met de stoofschotel van hert met gesmoorde rode kool op een puree van appel en grove mosterd. Als dessert zijn de frambozen-*cranachan* en de kardemom-*pannacotta* aanraders.

🕐 Ma.–za. 11–23, zo. 12.30–23 uur (dec.–jan. zo. 12.30–19 uur). Pubmaaltijden: dag. 12–21 uur. Restaurant: alleen D, dag. 18–21 uur.
🍴 L vanaf £8, D vanaf £50, wijn vanaf £7,90
🚭 In eetzaal niet roken
🚗 Van Lochcarron naar Kishorn, dan linksaf over ongenummerde weg naar Applecross

ETEN EN SLAPEN

ARDFERN

🍴THE GALLEY OF LORNE INN
PA31 8QN
Tel. 01852 500284

Op een paar minuten lopen van de jachthaven vindt u de Galley of Lorne aan de oever van Loch Craignish, met een prachtig uitzicht over de kust richting Jura. De 18e-eeuwse herberg richtte zich van oorsprong op veedrijvers; in de moderne uitbouw zitten nu een hotel en restaurant. De gerechten op het schoolbord, in het pubgedeelte en het restaurant bieden een ruime keus, zoals zeebaars, jakobsschelpen uit Islay, hertenworstjes en lamszadel.

🕐 Apr.–sept. 12–24, okt.–mrt. 12–15 en 17–24 uur. Gesloten 25 dec. Pubmaaltijden: dag. 12–14 en 18.30–20.30 uur. Restaurant: alleen D, dag. 18.45–21.15 uur
🍴 L vanaf £5, D vanaf £33, wijn vanaf £9,95
🚗 40 km ten zuiden van Oban. Neem de A816, dan de B8002

ARDUAINE

🏨🍴LOCH MELFORT
★★★❀❀
via Oban, PA34 4XG
Tel. 01852 200233
www.lochmelfort.co.uk

Dit populaire hotel, een familiebedrijfje, ligt op een van de mooiste plekjes aan de westkust. Het uitzicht over de Asknish Bay naar de eilanden Jura, Scarba en Shuna is er fantastisch. Het personeel is vriendelijk en werkt hier vaak al jaren, de uitstekende keuken spitst zich toe op vis en zeevruchten – verser kan niet. In de bistro worden lichtere maaltijden in *afternoon tea* geserveerd. Korting voor kinderen tot 14 jaar.

🛏 Tweepersoonskamer vanaf £78
🛏 27
🚗 Aan de A816, halverwege Oban en Lochgilphead

ETEN EN SLAPEN

AVIEMORE

🏨THE OLD MINISTER'S HOUSE ◇◇◇◇◇
Rothiemurchus PH22 1QH
Tel. 01479 812181
www.theoldministershouse.co.uk

De Old Minister's House is een fraai gemeubileerde, voorbeeldig onderhouden pastorie uit 1906. De kamers zijn ruim en smaakvol ingericht, de voorzieningen met zorg gekozen. Verder is de zitkamer aantrekkelijk en krijgt u hier een stevig ontbijt voorgezet. Geen kinderen jonger dan 4 jaar.

🛏 Tweepersoonskamer vanaf £56
🛏 4 (4 niet-roken)
🚭 Niet roken
🚗 Vanuit Aviemore de B970 nemen richting Glenmore en Coylumbridge. B&B ligt 1 km van Aviemore in Inverdruie

BALLACHULISH

🏨BALLACHULISH HOUSE ◇◇◇◇◇❀❀
Ballachulish House PH49 4JX
Tel. 01855 811266
www.ballachulishhouse.com

Dit historische *laird's house* uit de 17e eeuw ligt op een 0,8 ha groot, mooi onderhouden terrein in een fabelachtige omgeving. Het is met zorg gerestaureerd en biedt echt iets bijzonders. De kamers zijn smaakvol en met aandacht ingericht, de sfeer is vriendelijk en gastvrij. In de zitkamer wacht u een open haard. In de chique eetzaal worden bekroonde gerechten geserveerd. Geen kinderen jonger dan 10 jaar.

🛏 Tweepersoonskamer vanaf £80
🛏 8 (8 niet-roken)
🚭 Niet roken
🚗 Verlaat de A82 voor de A825 naar Oban. U vindt het pension 400 m na het Ballachulish Hotel aan de linkerkant

BALLATER

🏨🍴BALGONIE COUNTRY HOUSE ☆☆❀❀
Braemar Place AB35 5NQ
Tel. 01339 755482
www.royaldeesidehotels.com

Helemaal aan het eind van het dorp staat een Edwardian huis met keurig onderhouden tuin en uitzicht op Glen Muick. Het heeft een gezellige bar en lounge; in de eetzaal zijn uitstekende gerechten te krijgen. De kamers en gastenruimten zijn brandschoon en comfortabel. De eigenaars zorgen ervoor dat u zich hier welkom voelt. Korting voor kinderen tot 14 jaar.

🛏 Tweepersoonskamer vanaf £95
🛏 9
🕐 Gesloten 6 jan.–feb.
🚗 Achter de A93, aan de westrand van Ballater. Hotel aangegeven op borden

🏨🍴DARROCH LEARG ☆☆❀❀❀
Braemar Road AB35 5UX
Tel. 01339 755443

Dit heerlijke hotel ligt tussen de bomen op een terrein van 1,6 ha. De stijlvolle dagruimten, waaronder een zitkamer en een aparte rooksalon, zijn uiterst comfortabel. Het brandpunt van het hotel is het uitstekende restaurant in de serre, waar de moderne Schotse keuken wordt geserveerd. Alle kamers zijn comfortabel en in een eigen stijl ingericht; in enkele staat een hemelbed. Korting voor kinderen tot 12 jaar.

🛏 Tweepersoonskamer vanaf £126
🛏 17 (17 niet-roken)
🕐 Gesloten Kerstmis en jan. (m.u.v. de jaarwisseling)
🚗 Hotel aan de A93, aan de westrand van Ballater

🏨GLEN LUI HOTEL ◇◇◇◇
Invercauld Road AB35 5PP
Tel. 01339 755402
www.glen-lui-hotel.co.uk

Dit vriendelijke hotel ligt heel rustig in een landschapstuin met uitzicht over de golfcourse naar de bergen. De gastenruimten omvatten een gezellige bar, een restaurant en verschillende smaakvol ingerichte lounges. De kamers ogen luxueus en bieden goede voorzieningen. De accommodatie in de huisjes is geliefd bij buitensporters en gasten met honden. Korting voor kinderen tot 14 jaar.

Tweepersoonskamer vanaf £80

19 (19 niet-roken)

Invercauld Road is een zijweg van de A93 in Ballater. Afslaan bij de Auld Kirk, doorrijden tot het eind van de weg

BANCHORY

BANCHORY LODGE
✿★★★

AB31 5HS
Tel. 01330 822625

Dit mooie, rustige hotel, een uitspanning uit de 16e eeuw, heeft als pluspunt dat de Dee, een echte zalmrivier, over het terrein stroomt. De keuken is traditioneel en degelijk en berust op kwaliteitsproducten als vlees van het Aberdeen Angus-rund, gecompleteerd met sauzen en garnituur. De Victoriaanse inrichting accentueert het gevoel van comfort.

12–14, 18–21 uur

L vanaf £6, D vanaf £49, wijn vanaf £12,50

RAEMOIR HOUSE
★★★✿✿

Raemoir AB31 4ED
Tel. 01330 824884
www.raemoir.com

Fraai landhuis in een groot park op het platteland. Voor de gasten zijn er verschillende zitkamers, een cocktailbar en een Georgian eetzaal. De wandtapijten, open haarden en het mooie antiek in deze ruimten weerspiegelen de gratie van vervlogen tijden. De kamers, van verschillend formaat, zijn elk weer anders ingericht. Op het terrein kunt u tennissen, jagen en herten besluipen. Korting voor kinderen tot 16 jaar.

Tweepersoonskamer vanaf £90

20

A93 naar Banchory, rechts afslaan voor de A980 naar Torphins. De oprijlaan begint 3 km verderop bij de T-splitsing

In eetzaal niet roken

22 (vanaf £130)

Zijweg van de A93 29 km ten westen van Aberdeen

TOR-NA-COILLE
★★★✿

AB31 4AB
Tel. 01330 822242
www.tornacoille.com

Dit granieten huis ligt tussen de bomen aan de westkant van Banchory. Gastenruimten als de zitkamer en het restaurant zijn stijlvol en uitnodigend. Kamers zijn er in verschillende afmetingen en stijlen; vaak weerspiegelen ze de stijl van het huis zelf. Korting voor kinderen tot 12 jaar.

Tweepersoonskamer vanaf £110

22 (17 niet-roken)

Gesloten 24–28 dec.

Aan hoofdweg (A93) van Aberdeen naar Braemar, tegenover golfcourse

BOAT OF GARTEN

BOAT ✿✿★★★

Deshar Road PH24 3BH
Tel. 01479 831258

Dit hotel-restaurant, een geslaagde mix van klassiek en modern, is het oude stationshotel uit 1865 van de gerestaureerde Strathspey Steam Railway. Sterke, donkere kleuren en opvallende hedendaagse kunst zorgen voor een stijlvol geheel. Op de kaart staan medaillons van heilbot, plakken kalfsvlees, gebraden gans en op houtskool gegrilde lamskoteletten en desserts als warme sinaasappel-caramelpudding op een sabayon van abrikozenbrandewijn, vergezeld van vanille-ijs. Geen kinderen jonger dan 12 jaar.

Alleen D, 19–21 uur. Gesloten laatste 3 weken van jan.

D vanaf £58, wijn vanaf £12,50

In eetzaal niet roken

32 (vanaf £90)

A9 ten noorden van Aviemore verlaten voor de A95 en borden volgen naar Boat of Garten

BRORA

GLENAVERON ◆◆◆◆◆

Golf Road KW9 6QS
Tel. 01408 621601
www.glenaveron.co.uk

Glenaveron ligt in een fraai aangelegde tuin dicht bij het strand en de golfcourse. Het is een plezierig gebouw waar de huiselijke, ontspannen sfeer een blijvende indruk achterlaat. Twee van de kamers hebben een grenen interieur, de derde is ingericht met mooie stijlmeubelen. Er is een lounge. Het uitstekende ontbijtbuffet wordt opgediend in een elegante eetkamer. Korting voor kinderen tot 16 jaar.

Tweepersoonskamer vanaf £56

3 (3 niet-roken)

Niet roken

Vanuit het zuiden de brug in het centrum van Brora over, rechtsaf de A9 verlaten voor Golf Road en dan 2e straat links, 2e huis aan de rechterkant

CARDROSS

KIRKTON HOUSE ◆◆◆◆◆

Darleith Road G82 5EZ
Tel. 01389 841951
www.kirktonhouse.co.uk

Deze 18e-eeuwse boerderij kijkt prachtig uit over de Clyde. De gastenruimten zijn prettig traditioneel, met een open haard in de lounge. De kamers zijn verschillend ingericht, met veel extra voorzieningen. Maaltijden worden geserveerd in een rustieke eetzaal. In de buurt van het pension is een manege te vinden. Korting voor kinderen tot 12 jaar.

Tweepersoonskamer vanaf £62

6

Gesloten dec.–jan.

A814 in noordelijke richting verlaten voor Darleith Road aan de westkant van het dorp. Kirkton House ligt na 800 m aan de rechterkant

CAWDOR

CAWDOR TAVERN

The Lane IV12 5XP
Tel. 01667 404777

Deze pub naast Cawdor Castle trekt kritische eters uit de wijde omtrek. De haarden brengen warmte in de lange winteravonden, 's zomers komt de patio in de tuin tot zijn recht. Lunch met een mousse van Arbroath-*smokie* (gerookte schelvis) en citrusvruchten, gevolgd door *haggis, neeps and tatties* (rapen en aardappelen). Verder dagspecialiteiten als *confit* van fazantenbout op *clapshot* (aardappel-raap-puree), schnitzel van Schots rundvlees en warme crêpe met banaan en rum-butterscotch-room. Topbieren als Tennents 80/- en Black Isle's Redkite.

ⓒ Mei–okt. dag. 11–23, nov.–apr. 11–15, 17–23 uur. Gesloten 25 dec., 1 jan. Pubmaaltijden: dag. 12–14, 17.30–21 uur. Restaurant: alleen D, 18.30–21 uur

🛏 L vanaf £14, D vanaf £36,50, wijn vanaf £12,95

🚭 In restaurant niet roken

🚗 Op A96 (Inverness–Aberdeen) de B9006 nemen; borden volgen naar Cawdor Castle. Pub in centrum van dorp

CLACHAN-SEIL

🍴 TIGH AN TRUISH INN
Oban PA34 4QZ
Tel. 01852 300242
De Tigh an Truish, pleister-plaats van wandelaars en zeezeilers, biedt smakelijke maaltijden op basis van de beste lokale ingrediënten. Bij de visgerechten zijn dat onder meer zeevruchtenpastei, *moules marinière*, zalmsteak en garnalen van plaatselijke vangst. Andere opties zijn vlees- of vegetarische lasagna, *steak and ale pie* en kipcurry. Rond uw maaltijd af met appelcrumble of *chocolate puddle pudding*.

ⓒ Mei–sept. hele dag, okt.–apr. 11–15, 17–23 uur. Gesloten 25 dec., 1 jan. Pubmaaltijden en restaurant: dag. 12–14, 18–20.30 uur. 's Winters gesloten voor D

🛏 L vanaf £5, D vanaf £19, wijn vanaf £9,75. Geen creditcards

🚭 In restaurant niet roken

🚗 Neem 22 km ten zuiden van Oban de A816. Na 19 km afslaan voor de B844 naar Atlantic Bridge

🍴 WILLOWBURN ★★❀❀
PA34 4TJ
Tel. 01852 300276
www.willowburn.co.uk
Dit gastvrije hotel in een cottage op het platteland 19 km ten zuiden van Oban kijkt uit over de Clachan Sound. Hartelijke, attente bediening en lekker eten zijn de sleutels tot het succes van het hotel. U vindt er een gezellige bar met een veranda, een formele eetzaal en een uitnodigende lounge. De meeste kamers zijn mooi ingericht met grenen meubels.

🛏 Tweepersoonskamer vanaf £140

🛌 7 (7 niet-roken)

🚭 Niet roken

ⓒ Gesloten dec.–feb.

🚗 800 m van de Atlantic Bridge, links

CRAIGELLACHIE

BIJZONDER

🍴 Ⓒ CRAIGELLACHIE HOTEL ❀❀★★★
AB38 9SR
Tel. 01340 881204
Aangezien het in de omgeving wemelt van de distilleerderijen mag het de gast niet bevreemden dat in de bar de flessen whisky (300) hoog opgetast liggen. Speyside is vermaard om zijn streekproducten, van Aberdeen Angus-rundvlees en lamsvlees uit Cabrach tot vis uit de Moray Firth en rivierzalm. Uw maaltijd zou kunnen bestaan uit gerookt, in whisky gemarineerd rundvlees, gevolgd door zeebaarsfilet uit de oven op een salsa van zoete paprika en saffraan, overgoten met een warme citroendressing.

ⓒ 12–14, 18–21.30 uur

🛏 L vanaf £16, D vanaf £60, wijn vanaf £14,50

🚭 In eetzaal niet roken

🛌 25 (vanaf £130)

🚗 In het centrum van het dorp

CRINAN

🍴 CRINAN HOTEL
PA31 8SR
Tel. 01546 830261
Dit witgeschilderde hotel in Schotse *baronial* stijl ligt aan het noordeinde van het Crinan Canal, de waterweg tussen Loch Fyne en de Atlantische Oceaan. Het is de perfecte plek voor een lichte lunch: naast je de haven, aan de overkant van Loch Fyne bergen. Topbieren als Bellhaven en Interbrew Worthington Bitter.

ⓒ Dag. 11–24 uur. Pubmaaltijden: 12.30–14.30, 18.30–20.30 uur. Restaurant: alleen D, 19–21 uur

🛏 L vanaf £15, D vanaf £75

🚭 In eetzaal niet roken

DORNOCH

🍴 2 QUAIL RESTAURANT ❀❀
Inistore House, Castle Street
IV25 3SN
Tel. 01862 811811
Een uiterst huiselijke gelegenheid, die de argeloze bezoeker gezien de grote hoeveelheid boeken gemakkelijk voor een bibliotheek zou kunnen aanzien. Maar het is een restaurant, en nog goed ook. Een kaart zonder opsmuk met een beperkt aantal gerechten, alle

behorend tot een driegangenmaaltijd tegen een vaste prijs. De kaas-bieslooksoufflé is fantastisch en wordt bijvoorbeeld gevolgd door gepocheerde heilbot in roomsaus met oesterravioli en een vermoutsaus. De bediening is vriendelijk en charmant.

ⓒ Alleen D, 19.30–21 uur. Gesloten zo. en ma,. 1 week rond Kerstmis, 2 weken in feb.–mrt.

🛏 D vanaf £64, wijn vanaf £13,95

🚭 Niet roken

🚗 180 m na het oorlogsmonument, aan de linkerkant van de hoofdstraat

DUNDONNELL

🍴 DUNDONNELL ★★★❀
Little Loch Broom IV23 2QR
Tel. 01854 633204
www.dundonnellhotel.com
Op de prachtige maar afgelegen kop van Little Loch Broom zou men niet snel zo'n chic hotel met zulke uitgebreide voorzieningen verwachten. Dundonnell is een oase van rust met goed eten, aantrekkelijke, comfortabele gastenruimten en een ruime keuze aan eetmogelijkheden en bars. Veel kamers hebben een mooi uitzicht. Korting voor kinderen tot 14 jaar.

🛏 Tweepersoonskamer vanaf £120

🛌 28 (28 niet-roken)

ⓒ Gesloten 22 nov.–feb. (behalve Kerstmis/jaarwisseling)

🚗 Op de A835 bij de afrit Braemore afslaan naar de A832

DUNOON

🍴 ENMORE ★★❀
Marine Parade, Kirn PA23 8HH
Tel. 01369 702230
www.enmorehotel.co.uk
Vanuit dit hotel aan het water ontvouwt zich het panorama van de Firth of Clyde. De stijlvolle dagruimten zijn verfraaid met verse boeketten en omvatten onder meer een comfortabele lounge en elegante eetzaal. Hier worden met vaardige hand bereide en met zorg samengestelde gerechten geserveerd. In enkele van de kamers staat een hemelbed. Korting voor kinderen tot 14 jaar.

🛏 Tweepersoonskamer vanaf £90

🛌 9

ⓒ Gesloten 12 dec.–12 feb.

🚗 Aan de kustweg, tussen twee veerhavens, 1,5 km ten noorden van Dunoon

BIJZONDER

🍴🏨 ISLE OF ERISKA

☆☆☆☆ ❀❀❀

Ledaig PA37 1SD

Tel. 01631 720371

www.eriska-hotel.co.uk

Dit hotel staat op een privé-eiland met stranden en wandelpaden – een rustige, besloten setting voor volledige ontspanning. Er is volop ruimte; soms ziet u de andere gasten pas tijdens de maaltijd. De ruime kamers zijn comfortabel en met antieke stukken ingericht. Op de kaart van het restaurant is een prominente plaats ingeruimd voor plaatselijke vis en zeevruchten, vlees en wild, maar ook voor groenten en kruiden uit de eigen moestuin. Hotelgasten kunnen gebruikmaken van een binnenzwembad, kuurruimten en particuliere visstekken en natuurpaden.

🍴 Tweepersoonskamer vanaf £240

🛏 17

🅖 Gesloten jan.

🚗 🚭

🚗 De A85 bij Connel verlaten voor de A828. Deze weg 6,5 km volgen, door Benderloch heen, dan borden volgen

ELGIN

🏨 THE CROFT ◆◆◆◆◆

10 Institution Road IV30 1QX

Tel. 01343 546004

Dit voorname Victoriaanse herenhuis uit 1848 ligt op korte afstand van het centrum van Elgin. De aantrekkelijke kamers zijn ruim, comfortabel en goed uitgerust. De lounge kijkt uit op de mooie achtertuin. Aan de goed voorziene gemeenschappelijke eettafel wordt een stevig ontbijt opgediend. Korting voor kinderen tot 14 jaar.

🍴 Tweepersoonskamer vanaf £52. Geen creditcards

🛏 3 (3 niet-roken)

🚭 Niet roken

🚗 A96 bij de Safeway verlaten. Queen Street volgen, aan het eind rechtsaf

🏨🍴 MANSION HOUSE

★★★ ❀

The Haugh IV30 1AW

Tel. 01343 548811

www.mansionhousehotel.co.uk

Dit landhuis in Schotse *baronial* stijl staat op een rustig plekje aan de oever van de Lossie, maar toch dicht bij het centrum van Elgin. Het biedt voorzieningen als een lounge, een bar, een ontspanningscentrum met kuurbaden en een bistro, het informele alternatief voor het stijlvolle restaurant. De meeste kamers zijn ruim, met een hemelbad. Korting voor kinderen tot 12 jaar.

🍴 Tweepersoonskamer vanaf £135

🛏 23 (5 niet-roken)

🚗 🚭

🚗 Verlaat de A96 in Elgin bij Haugh Road. Het hotel ligt aan het eind van de weg aan de rivier

FORT WILLIAM

🏨 ASHBURN HOUSE

◇◇◇◇◇

8 Achintore Road PH33 6RQ

Tel. 01397 706000

www.highland5star.co.uk

Deze elegante Victoriaanse villa, die uitkijkt over Loch Linnhe en de Ardgour Hills, ligt slechts 5 minuten van het centrum vandaan. Het huis is liefdevol gerestaureerd, de kamers zijn ruim. U vindt hier een zonnige lounge in de serre en een aantrekkelijke eetzaal, die een passende setting vormt voor het ontbijt, dat op een oud Aga-fornuis wordt bereid. Korting voor kinderen tot 14 jaar.

🍴 Tweepersoonskamer vanaf £60

🛏 7 (7 niet-roken)

🚭 Niet roken

🅖 Gesloten dec.–jan.

🚗 Op de kruising van de A82 en Ashburn Lane, 450 m na de grote rotonde aan het zuideinde van High Street; of na 350 m aan de rechterkant van de straat als u de bebouwde kom uit het zuiden nadert

🏨 THE GRANGE ◇◇◇◇◇

Grange Road PH33 6JF

Tel. 01397 705516

www.thegrange-scotland.co.uk

Deze mooie Victoriaanse villa staat in een onberispelijk onderhouden tuin op een hoogte, die een prachtig uitzicht biedt over Loch Linnhe. Mooie stoffen bepalen het beeld van de kamers; twee kamers kijken uit over het loch. De lounge is rijkelijk voorzien van boeken en verse bloemen, de eetzaal is een fraaie ambiance voor het uitgebreide ontbijt. Geen kinderen jonger dan 13 jaar.

🍴 Tweepersoonskamer vanaf £80

🛏 4 (4 niet-roken)

🚭 Niet roken

🅖 Gesloten nov.–mrt.

🚗 Fort William verlaten op de A82 naar het zuiden. 300 m voor de rotonde linksaf slaan naar Ashburn Lane. The Grange ligt aan het eind links

🏨🍴 INVERLOCHY CASTLE

☆☆☆☆ ❀❀❀

Torlundy PH33 6SN

Tel. 01397 702177

Dit Victoriaanse kasteel ligt op een heuvel die uitziet over Fort William, met Ben Nevis op de achtergrond. Naast het fantastische landschap valt er ook nog een 200 ha grote tuin te bewonderen. De kamers zijn ruim en luxueus ingericht. Gasten hebben de beschikking over de grote zaal en verschillende lounges. Verder zijn er besloten eetkamers, een snookerruimte, een videobibliotheek en tennisbanen en kan men hier vissen.

🍴 Tweepersoonskamer vanaf £290

🛏 17 (17 niet-roken)

🅖 Gesloten 5 jan.–12 feb.

🚗 Het hotel ligt 5 km ten noorden van Fort William aan de A82 in Torlundy

🏨🍴 MOORINGS ★★★ ❀

Banavie PH33 7LY

Tel. 01397 772797

www.moorings-fortwilliam.co.uk

U vindt dit moderne hotel naast Neptune's Staircase, een serie sluizen in het Caledonian Canal, met uitzicht op Ben Nevis. In de eetzaal in Jacobean stijl worden interessante gerechten geserveerd. Pubmaaltijden zijn verkrijgbaar in de Upper Deck lounge bar en de populaire Mariners Bar. De kamers ogen fris, met goede faciliteiten. Die in de nieuwe vleugel hebben een fantastisch uitzicht. Korting voor kinderen tot 14 jaar.

🍴 Tweepersoonskamer vanaf £100

🛏 28 (10 niet-roken)

🚗 5 km naar het noorden na afslag A830. Volg de A830 1,5 km, steek het Caledonian Canal over, dan 1e rechts

ETEN EN SLAPEN

GAIRLOCH

🏨 THE OLD INN

IV21 2BD
Tel. 01445 712006

Het oudste hotel van Gairloch, uit ca. 1792, kijkt uit over de haven, waar kreeft, krab, langoustines, mosselen, rog en zalm aan wal worden gebracht. Een deel daarvan belandt in de mediterrane *bouillabaisse* of de zelfgemaakte ravioli. Jakobsschelpen uit Gairloch worden geserveerd met knoflook-gemberboter en saffraan-risotto. Ook wild uit de Highlands staat op het menu, en desserts als sinaasappel-banaanpudding en abrikoos-perzikcrumble. Het hotel biedt een uitstekende keus aan *real ales* en voldoende accommodatie. AA Pub van het Jaar 2003 in Schotland.

🕐 Dag. 11–24 uur. Restaurant: dag. 12–14.30, 18–21 uur
🍴 L vanaf £22, D vanaf £37, wijn vanaf £9,95
🚭 In eetzaal niet roken
🚗 Net van de A832 af, bij de haven aan de zuidkant van het dorp

GLENELG

🏨 GLENELG INN

IV40 8JR
Tel. 01599 522273

Deze karakteristieke dorpsherberg kan bogen op een schitterend uitzicht over de baai. De keuken steunt op lokale producten, met specialiteiten als in de pan gebakken verse jakobsschelpen met biologische knoflookboter en geroosterde citroen, gevolgd door verse zeeduivel, garnalen en gerookte schelvis in een krokante pastei met witte wijn, geroosterde broccoli en dillesaus. Voor vleeseters is er bijvoorbeeld gebraden kip met limoen, knoflook en pepers op pittige linzen met citrussaus. Ook de lijst met vegetarische gerechten is indrukwekkend.

🕐 12–14.30, 17–23 uur (bar 's winters voor L gesloten). Pubmaaltijden: L dag. 12.30–14, D ma.–za 18–21 uur. Restaurant: dag. 12.30–14, 19.30–21 uur
🍴 L vanaf £14, D vanaf £58, wijn vanaf £12
🚭 In eetzaal niet roken
🚗 Vanaf Shiel Bridge (A87) binnenweg naar Glenelg nemen

GRANTOWN-ON-SPEY

🏨 CULDEARN HOUSE
★★❀

Woodlands Terrace PH26 3JU
Tel. 01479 872106
www.culdearn.com

Dit onberispelijke, kleine hotel ligt in een grote tuin aan de rand van Grantown. De opgewekte eigenaars en hun personeel zijn uiterst gastvrij en zorgen ervoor dat iedereen tevreden is. Het hotel ademt de ontspannen sfeer van een huisje op het platteland. Geen kinderen jonger dan 10 jaar.

🍴 Tweepersoonskamer vanaf £170
🛏 7 (7 niet-roken)
🕐 Gesloten 1 dec.–1 feb.
🚗 Grantown via de A95 vanuit het zuidwesten binnenrijden, linksaf slaan bij bord bebouwde kom

🏨 THE PINES ◇◇◇◇◇

Woodside Avenue PH26 3JR
Tel. 01479 872092
www.thepinesgrantown.co.uk

Dit grote Victoriaanse huis is met gevoel gerestaureerd; de kamers zijn zeer comfortabel. Een van de lounges is een bibliotheekje vol boeken en folders over de streek. In het hele huis vindt u fraaie stijlmeubels, kunstvoorwerpen en schilderijen. Ontbijt en diner zijn uitgebreid en bereid met de beste producten die de streek te bieden heeft. Geen kinderen jonger dan 12 jaar.

🍴 Tweepersoonskamer vanaf £98
🛏 8 (8 niet-roken)
🚭 Niet roken
🕐 Gesloten nov.–feb.
🚗 Bij stoplicht borden naar Elgin volgen, dan 1e rechts

HARRIS, ISLE OF

🏨 SCARISTA HOUSE

Scarista HS3 3HX
Tel. 01859 550238

Het eten in dit fantastisch relaxte hotel op het platteland is memorabel. Een schitterend panorama van zee- en berggezichten maakt het wachten tot de eetzaal opengaat meer dan draaglijk. Kwaliteitsproducten en een gepassioneerde, vaardige kookstijl gaan hier op indrukwekkende wijze hand in hand. Zo wordt een rijke, intens smaakvolle *bisque* van oprolkreeftjes met een tikje room gevolgd door lokale biefstuk van de haas, *gratin dauphinoise* en bearnaisesaus. Geen kinderen jonger dan 7 jaar.

🕐 Alleen D, di.–zo. Gesloten 25 dec.
🍴 D vanaf £32,50
🛏 5 (vanaf £130)
🚗 A859 25 km ten zuiden van Tarbert

INVERARAY

🏨 THE ARGYLL ❀ ★★★

Front Street PA32 8XB
Tel. 01499 302466

Hier dineert u in een stijlvolle ambiance met uitzicht op Loch Fyne. Het vijfgangenmenu tegen een vaste prijs wisselt per seizoen en steunt op ingrediënten van hoge kwaliteit uit de streek. Gerechten als raapcitroensoep of lamslende met rozemarijnsaus zijn typerend voor de sobere stijl van de keuken. Samen met de plezierig rustige bediening zorgt dit voor een aangename ervaring.

🕐 12–14.15, 18.30–21 uur. Gesloten 25–26 dec., 29 dec.–1 jan.
🍴 L vanaf £8, D vanaf £50, wijn vanaf £14
🛏 36 (4 niet-roken)
🚭 In eetzaal niet roken
🚗 De A82 van Glasgow naar Tarbet nemen, daarna de A83 naar Inveraray

INVERNESS

🏨 BUNCHREW HOUSE
❀❀ ★★★

Bunchrew IV3 8TA
Tel. 01463 234917

Neem uw camera mee als u hier 's zomers gaat dineren, want de zonsondergang schijnt tot de mooiste ter wereld te behoren. Uw diner speelt zich af in een klassiek ingerichte eetzaal met uitzicht op Beauly

SYMBOLEN

★ Faciliteiten in hotels
♦ Faciliteiten in bed-and-breakfasts
❀ De kwaliteit van restaurants
🍴 De opgegeven prijzen zijn voor twee personen en dienen als richtlijn. Prijzen en menukaarten zijn altijd aan veranderingen onderhevig.

ETEN EN SLAPEN

Forth. Het eten wordt bij kaarslicht opgediend, met op de achtergrond het geluid van de golfslag. De romantische ambiance ten spijt is het eten hier een serieuze aangelegenheid. U kunt gerechten verwachten als krabkoekjes van de westkust met gesmoorde jakobsschelpen, geroosterde lende van lam uit de westelijke Highlands en een gekarameliseerd citroentaartje met armagnacsaus.

🕐 12.30–13.45, 19–20.45 uur. Gesloten 24–26 dec.

🍴 L vanaf £50, D vanaf £67, wijn vanaf £14

🚭 In eetzaal niet roken

🛏 14 (vanaf £87,50)

🚗 4,5 km van Inverness aan de A862 richting Beauly

🏨THE RIVERHOUSE ✿
1 Greig Street IV3 5PT
Tel. 01463 222033

Klassiek maar relaxed restaurant aan de Ness, met de moderne Britse keuken. Begin met verse oesters met een dressing van citroen, rode wijn en sjalotten, of erwtensoep met geroosterde kabeljauw in een sesamdressing. Hoofdgerechten variëren van tong en kort geschroeide jakobsschelpen tot hert, eend en haasbiefstuk van het Aberdeen Angus-rund. Geen kinderen jonger dan 8 jaar.

🕐 12–17, 19–21.45 uur. Gesloten ma., jan.

🍴 L vanaf £14, D vanaf £56

🚭 In eetzaal niet roken

🚗 Hoek Huntly Street en Greig Street

🏨BALLIFEARY HOUSE HOTEL ◆◆◆◆◆
10 Ballifeary Road IV3 5PJ
Tel. 01463 235572
www.ballifearyhousehotel.co.uk

Dit losstaande huis ligt in een rustige woonwijk, dicht bij het Eden Court Theatre en op loopafstand van het centrum. De kamers zijn fraai en comfortabel. Het hotel heeft een elegante lounge en een aantrekkelijke eetzaal, waar men een heerlijk ontbijt serveert, bereid van de beste lokale producten. Geen kinderen jonger dan 15 jaar.

🛏 Tweepersoonskamer vanaf £70

🛏 5 (5 niet-roken)

🚭 Niet roken

🕐 Gesloten 21 dec.–15 jan.

🚗 Van de A82 af, 800 m van het centrum, linksaf naar Bishops Road en scherp naar rechts naar Ballifeary Road

🏨🍴GLENMORISTON TOWN HOUSE ★★★ ✿✿
20 Ness Bank IV2 4SF
Tel. 01463 223777
www.glenmoriston.com

Gedurfd eigentijds design gaat moeiteloos samen met de klassieke architectuur van dit stijlvolle hotel aan de oever van de Ness. Voor de gasten zijn er onder meer een gezellige cocktailbar en een chic restaurant dat een ruime keuze aan mediterraan getinte gerechten biedt. De fraaie, moderne kamers zijn van alle gemakken voorzien, inclusief een cd-speler. De bediening is zeer vriendelijk en attent. Korting voor kinderen tot 14 jaar.

🛏 Tweepersoonskamer vanaf £120

🛏 30

🚗 Aan de oever van de rivier tegenover het theater, 5 minuten van het centrum

🏨CRAIGSIDE LODGE ◆◆◆
4 Gordon Terrace IV2 3HD
Tel. 01463 231576
www.guesthouseinverness.co.uk

Dit Georgian huis op loopafstand van het centrum biedt een schitterend uitzicht op Inverness Castle en Ben Wyvis. De kamers zijn licht, comfortabel en ruim. De lounge is voorzien van een ruime keus aan boeken en er is een lichte, ruime serre. Aan de tafeltjes kan een stevig Schots ontbijt worden genuttigd. Korting voor kinderen tot 11 jaar.

🛏 Tweepersoonskamer vanaf £44

🛏 5 (5 niet-roken)

🚗 Vanuit het centrum Castle Street volgen, dan 1e links naar Old Edinburgh Road, dan 3 maal links

🏨MOYNESS HOUSE ◆◆◆◆◆
6 Bruce Gardens IV3 5EN
Tel. 01463 233836
www.moyness.co.uk

Deze stijlvolle villa uit 1880 staat in een rustige woonwijk, slechts enkele minuten van het centrum vandaan. U vindt er mooi ingerichte kamers en goed uitgeruste badkamers. Er is een aantrekkelijke zitkamer. In de uitnodigende eetzaal wordt u een traditioneel Schots ontbijt voorgezet. Gasten mogen gebruikmaken van de beschutte achtertuin.

🛏 Tweepersoonskamer vanaf £70

🛏 7 (7 niet-roken)

🚭 Niet roken

🚗 Van de A82 naar Fort William af, vrijwel tegenover het hoofdkwartier van de Highland Regional Council

🏨TRAFFORD BANK ◆◆◆◆◆
96 Fairfield Road IV3 5LL
Tel. 01463 241414

Deze imposante Victoriaanse villa ligt in een mooi onderhouden tuin in een rustige woonwijk dicht bij het kanaal. De kamers zijn ingericht met gerestaureerde traditionele meubels en bieden veel extra's. Het diner, op aanvraag, wordt gekookt door eigenaar Peter McKenzie en opgediend aan de gemeenschappelijke tafel in de eetzaal, waar u ook van een uitstekend ontbijt kunt genieten. Korting voor kinderen tot 14 jaar.

🛏 Tweepersoonskamer vanaf £60

🛏 5 (5 niet-roken)

🚭 Niet roken

🚗 A82 verlaten, 2e links, Fairfield Road, Trafford Bank na 550 m links

INVERURIE

🍴🏨THAINSTONE HOUSE ✿★★★★
AB51 5NT
Tel. 01467 621643

De oprijlaan naar Thainstone House wordt geflankeerd door beuken en platanen. Het door de jacobieten in brand gestoken huis is in de 19e eeuw in Palladiaanse stijl herbouwd. Gasten beschikken over comfortabele lounges en bars en

ETEN EN SLAPEN

een restaurant in Georgian stijl, dat naar de klassieke Franse keuken neigt, met een enkele moderne of internationale toets: op eiken gerookte zalm of een rustieke wildterrine, gevolgd door varkenshaas met geglaceerde aardappelen en calvados-jus, of gegrilde griet.

🕐 12–14.30, 19–21.30 uur
🍴 L vanaf £33, D vanaf £59, wijn vanaf £15,45
🚭 In eetzaal niet roken
🛏 48 (vanaf £95)
🚗 3 km van Inverurie, van de A96 (Aberdeen naar Inverness) af

ISLAY

① THE HARBOUR INN ❀❀
The Square, Bowmore PA43 7JR
Tel. 01496 810330

Dit oude, witgekalkte hotel ziet uit over Loch Indall. Het stijlvolle restaurant is gespecialiseerd in de 'smaken van Islay'. Dat zijn bijvoorbeeld fazant, patrijs en houtsnip in verschillende bereidingen en de mooiste lokaal gevangen vis en zeevruchten: oesters uit Loch Gruinart, of een speciale vischowder. Veel gerechten gaan vergezeld van whisky uit de distilleerderijen op het eiland.

🕐 12–14.30, 18–21 uur. Gesloten L zo., 25 dec., 1 jan.
🍴 L vanaf £20, D vanaf £50, wijn vanaf £10,50
🚭 In eetzaal niet roken
🚗 13 km van de havenplaatsen Port Ellen en Port Askaig

KILCHRENAN

① 🍴 THE ARDANAISEIG ❀❀★★★
PA35 1HE
Tel. 01866 833333

Dit rustige hotel is gevestigd in een oud landhuis op een adembenemend mooie locatie aan de oever van Loch Awe. Het is in alle opzichten groots, met zeer ruime kamers en open haarden. Het hotel kweekt zijn eigen kruiden voor de voornamelijk op Schotse ingrediënten en smaken gebaseerde keuken; de nadruk ligt op vis. Een speciaal menu kan bijvoorbeeld bestaan uit gerookte forel uit Inverawe met aardappelsalade, forelkuit en kruidenolie, gevolgd door lamszadel met een kruidenkorstje en Provençaalse groenten. Op de indrukwekkende wijnkaart staan kwaliteitswijnen uit de hele wereld. Geen kinderen jonger dan 7 jaar.

🕐 12–14, 19–20.30 uur. Gesloten 2 jan.–10 feb.
🍴 L vanaf £10, D vanaf £79, wijn vanaf £18
🚭 In eetzaal niet roken
🛏 16 (vanaf £82)
🚗 A85 naar Oban. Bij Taynuilt linksaf voor de B845 naar Kilchrenan. In Kilchrenan linksaf bij pub. Hotel na 5 km

① 🍴 TAYCHREGGAN ❀❀★★★
PA35 1HQ
Tel. 01866 833211

Dit oude, van natuursteen gebouwde huis aan de oever van Loch Awe is gerestaureerd tot een comfortabel plattelandshotel. Ga wat drinken in de welvoorziene bar en begeef u dan naar de eetzaal met zijn fantastische uitzicht. Het beknopte vijfgangenmenu leunt op traditionele recepten en verse ingrediënten uit de streek: regenboogforel uit Loch Awe geserveerd met een boeket van aspergepunten, of blini's met *haggis* en eekhoorntjesbrood. Daarna een hoofdgerecht: tournedos van Highland-rund met in de pan gebakken ganzenlever, of zeeduivel met gerookte schelvis *dauphinois* en een zwarte bloemkoolfricassee.

🕐 Alleen D, 19.30–20.45 uur
🍴 D vanaf £75, wijn vanaf £14,95
🚭 In eetzaal niet roken
🛏 20 (vanaf £127)
🚗 Ten westen van Glasgow aan de A82 naar Crainlarich. A85 in westelijke richting naar Taynuilt volgen, dan B845 naar Kilchrenan en Taychreggan

KILMARTIN

① CAIRN RESTAURANT ❀
Lochgilphead PA31 8RQ
Tel. 01546 510254

Moderne trends worden hier genegeerd, maar de eerlijke keuken die steunt op streekproducten is zonder meer het proberen waard. Jakobsschelpen in witte wijn, steaks in romige sauzen en met drank overgoten desserts als chocolade-Drambuiemousse blijven populair. De stijl is relaxed. Gasten kunnen kiezen uit de kaart of de dagspecialiteiten op het schoolbord. Geen kinderen jonger dan 10 jaar.

🕐 Alleen D, 18.30–22 uur. Gesloten di., nov.–mrt. ma.–wo., 25 dec., 1 jan.
🍴 D vanaf £30, wijn vanaf £9,95
🚭 Niet roken in restaurant
🚗 Aan de A816 van Lochgilphead naar Oban, 13 km van Lochgilphead

BIJZONDER
① KILBERRY INN
PA29 6YD
Tel. 01880 770223

Neem vooral de moeite om deze bijzondere pub te bezoeken, ook al moet u er een omweg voor maken. Hij ligt aan een schilderachtig landweggetje met een adembenemend uitzicht over Loch Coalisport naar Gigha en de Paps of Jura. In de eetzaal hangt een warme sfeer, kinderen zijn welkom. Alles, inclusief brood, cake, jam en chutney, is zelfgemaakt. Favoriete gerechten zijn pastei van Kilberry-worstjes, spinazie-ricottapasta, hertenpastei en in de pan gebakken zalmfilet met limoen-peterseliebter. Verder een ruime keus aan Schotse bieren en meer dan 30 soorten single malt whisky.

🕐 11–16, 18.30–23 uur. Gesloten ma., D zo., nov.–mrt. Pubmaaltijden en restaurant: di.–za. 12.30–14, 18.30–20.30, zo. 12.30–15 uur
🍴 L vanaf £20, D vanaf £40, wijn vanaf £11,75
🚗 Vanuit Lochgilphead de A83 naar het zuiden nemen, dan de B8024 richting Kilberry

KINGUSSIE

🍴 ① THE CROSS ❀❀
Tweed Mill Brae, Ardbroilach Road
PH21 1LB
Tel. 01540 661166
www.thecross.co.uk

Deze oude tweedweverij op de lommerrijke rivieroever biedt haar gasten een gedenkwaardig verblijf. Het natuursteen en de witgeverfde muren en balkenplafonds van het hotel contrasteren met de hedendaagse inrichting. De kamers hebben grenen en traditionele meubels, met een individuele toets. Tony Hadley is een

ETEN EN SLAPEN

enthousiaste gastheer met gevoel voor humor en een passie voor wijn. Het heerlijke eten is een stimulans om terug te keren.

🛏 Tweepersoonskamer vanaf £60
🚭 8 (8 niet-roken)
🅖 Gesloten Kerstmis, jan.
🚗 Bij stoplichten in het centrum Ard-broilach Road 350 m heuvelopwaarts volgen, dan linksaf naar Tweed Mill Brae

🛏 OSPREY HOTEL
◆◆◆◆◆
Ruthven Road PH21 1EN
Tel. 01540 661510
www.ospreyhotel.co.uk

Dit door een familie beheerde hotel ligt dicht bij het centrum van het dorp in het dal van de Spey; op de achtergrond doemen de toppen van de Grampians en de Monadhliaths op. Het hotel geniet een terechte reputatie voor lekker eten en gastvrijheid. Het diner is een uitgebreide aangelegenheid met lokale producten, bij het ontbijt worden u zelfgebakken brood en jam uit eigen keuken voorgezet. De kamers variëren in afmetingen en stijl. In de lounge kunnen de gasten kiezen uit 20 soorten single malt whisky. Korting voor kinderen tot 16 jaar.

🛏 Tweepersoonskamer vanaf £84
🚭 8 (8 niet-roken)
🚗 De A9 verlaten bij Kingussie. Hotel aan het zuideinde van de hoofdstraat

LEWIS, ISLE OF

🛏 MILL ROAD BED & BREAKFAST ◇◇◇
3 Mill Road, Stornoway HS1 2TZ
Tel. 01851 704956

Dit moderne huis staat in een rustige woonwijk dicht bij het centrum en de haven. De kamers zijn met zorg ingericht. Het ontbijt wordt opgediend in een gezellige eetzaal en omvat streekspecialiteiten zoals de befaamde Stornoway *black pudding* (bloedworst).

🛏 Tweepersoonskamer vanaf £36
🚭 3 (3 niet-roken)
🚭 Niet roken
🚗 1 km van de veerboot, volg de A857, 1e straat links na de rotonde bij de speelgoedwinkel, verder naar Stewart Drive. Laatste zijstraat rechts in, 2e huis aan de rechterkant

LOCHGILPHEAD

🍴🛏 CAIRNBAAN HOTEL & RESTAURANT ★★★❀
Cairnbaan PA31 8SJ
Tel. 01546 603668

Deze eind 18e-eeuwse uitspanning bediende vissers en beurtschippers op het Crinan Canal. Nu kunt u er in het restaurant genieten van specialiteiten op basis van verse streekproducten, zoals jakobsschelpen, langoustines en wild. Op de kaart staan bijna altijd wel mosselen uit Loch Etive en paté van gerookte zalm en gerookte forel, of hoofdgerechten als fazantfilet met *haggis en croûte*, kreeft thermidor, koude kreeft met mayonaise, en heilbotfilet. In de lounge bar en de serre worden lichtere, bistroachtige maaltijden geserveerd.

🅖 11–23 uur. Pubmaaltijden: dag. 12–14.30, 18–21.30 uur. Restaurant: alleen D, dag. 18–21.30 uur
🍽 L vanaf £26, D vanaf £48, wijn vanaf £11,50
🚭 In eetzaal niet roken
🛏 12 (vanaf £115)
🚗 3 km naar het noorden, volg de A816 vanuit Lochgilphead, het hotel ligt van de B841 af

LOCHINVER

🍴 THE ALBANNACH ❀❀
Baddidarroch IV27 4LP
Tel. 01571 844407

Dit restaurant, gevestigd in een karakteristiek 19e-eeuws huis in een ommuurde tuin, biedt een spectaculair uitzicht op het loch en de bergen. 's Avonds vertoont de eigenaar zich in Highland-kostuum. Ook het vaste vijfgangenmenu is onmiskenbaar Schots. Lokaal gevangen vis en schaal- en schelpdieren zijn prominent aanwezig, evenals wild van het seizoen en scharrellams- en rundvlees. U eet bijvoorbeeld carpaccio van Highland-rund met rucola-pijnboompittensalade en tapenade, gevolgd door uit Lochinver aangevoerde tarbot. Vervolgens kaas en misschien vanille-parfait met rabarber-sauternescompote, sinaasappel-gembersaus en een mandje van bessen. Geen kinderen jonger dan 12 jaar.

🅖 Alleen D, om 20 uur. Gesloten ma., dec.–half mrt.
🍽 D vanaf £80, wijn vanaf £12
🚭 In eetzaal niet roken
🚗 In Lochinver borden naar Baddidarroch volgen. Na 800 m linksaf na Highland Stoneware (na het wildrooster)

🛏🍴 INVER LODGE ☆☆☆❀
IV27 4LU
Tel. 01571 844496
www.inverlodge.com

De Lodge, een comfortabel, modern hotel, ligt op een heuvel buiten het dorp tegen de achtergrond van ongerepte bergen. Voor u ontvouwt zich het panorama van de haven en de baai. In het restaurant worden lokale ingrediënten met veel inventiviteit bereid. Alle kamers bieden uitzicht op de oceaan. Korting voor kinderen tot 16 jaar.

🛏 Tweepersoonskamer vanaf £140
🛏 20
🅖 Gesloten nov.–Pasen
🚗 A835 naar Lochinver volgen, verder door het dorp, linksaf na het gemeentehuis. Privé-weg nog 800 m volgen

MELVICH

🛏 THE SHEILING GUEST HOUSE ◆◆◆◆◆
Thurso KW14 7YJ
Tel. 01641 531256

Sheiling ligt op een hoogte ten oosten van het dorp en biedt vandaar een onbelemmerd uitzicht op zee. De aantrekkelijke kamers zijn voorzien van allerlei extra's. In de twee lounges vindt u volop zaken om uw vrije tijd mee door te brengen. Het uitgebreide ontbijt wordt opgediend aan een gemeenschappelijke tafel. Geen kinderen jonger dan 12 jaar.

🛏 Tweepersoonskamer vanaf £60
🚭 3 (3 niet-roken)
🚭 Niet roken
🅖 Gesloten nov.–mrt.
🚗 27 km ten westen van Thurso aan de kustweg (A836)

THE DOWER HOUSE
☆ ❀ ❀ ❀

Highfield IV6 7XN
Tel. 01463 870090
www.thedowerhouse.co.uk

The Dower House, even ten noorden van het dorp, is een heerlijk pension waar gasten zich op hun gemak zullen voelen. De eigenaars zijn discreet en gastvrij. De zitkamer staat vol boeken, de eetkamer is stijlvol ingericht met antiek meubilair. De kamers zijn van verschillend formaat; één heeft een eigen zitkamer. Korting voor kinderen tot 12 jaar.

🛏 Tweepersoonskamer vanaf £110
🚪 5 (5 niet-roken)
🚭 Gesloten 25 dec., 2 weken in nov.
🚗 Aan de A862 naar Dingwall, 1,5 km van het dorp aan de linkerkant

MULL, ISLE OF

DRUIMARD COUNTRY HOUSE ★ ★ ❀ ❀

Dervaig, PA75 6QW
Tel. 01688 400345
www.druimard.co.uk

Charmant Victoriaans buitenhuis aan de rand van het dorp, naast het Mull Little Theatre. Aantrekkelijke kleuren zetten de toon in de kamers, die comfortabel gemeubileerd zijn, met goede voorzieningen. U kunt zich ontspannen aan de bar in de lounge met serre, maar centraal in dit hotel staat toch de eetzaal, waar de aanlokkelijke vijfgangersdiners veel lof verdienen. Korting voor kinderen tot 14 jaar.

🛏 Tweepersoonskamer vanaf £135
🚪 7
🚭 Gesloten nov.–mrt.
🚗 Bij de veerterminal in Craignure rechtsaf richting Tobermory. 2,5 km na het dorp Salen linksaf naar Dervaig, hotel aan rechterkant, nog voor het dorp

GRULINE HOME FARM
◇◇◇◇◇ ❀

Gruline, Salen PA71 6HR
Tel. 01680 300581
www.gruline.com

De eigenaars van deze voormalige boerderij onthalen hun gasten op een warm welkom. Het huis, dat uitzicht biedt op de omringende heuvels, is liefdevol gerestaureerd. De twee kamers zijn smaakvol

ingericht met stijlmeubels. De opvallend mooie badkamers bieden allerlei extra's. Aan de gemeenschappelijke eettafel wordt een smakelijk diner opgediend; het ontbijt is een hoogtepunt. Geen kinderen jonger dan 16 jaar.

🛏 Tweepersoonskamer vanaf £80
🚪 2 (2 niet-roken)
🚭 Niet roken
🚗 Bij de veerhaven in Craignure rechtsaf gaan richting Salen (16 km). In het dorp linksaf voor de B8035, weg 3 km volgen, links aanhouden bij de splitsing na de kerk. Boerderij ligt aan de linkerkant

HIGHLAND COTTAGE
☆ ☆ ❀ ❀

Breadalbane Street, Tobermory PA75 6PD
Tel. 01688 302030
www.highlandcottage.co.uk

Gasten zijn verzekerd van een hartelijk welkom in dit charmante hotel in cottage-stijl. De kamers, met antieke bedden en allerlei extra's, volgen een eilandthema, de voorzieningen zijn van hoog niveau. Gasten kunnen beschikken over een lounge op de eerste verdieping, een zelfbedieningsbar, een serre en een rustieke eetzaal met een grote eiken open haard.

🛏 Tweepersoonskamer vanaf £110
🚪 6 (6 niet-roken)
🚭 Gesloten 4 weken half okt.–half nov.
🚗 A848 Craignure/Fishnish-veerterminal, borden naar Tobermory passeren, rechtdoor bij de minirotonde, over een smalle brug, dan rechtsaf. Hotel ligt aan de rechterkant tegenover de brandweerkazerne

NAIRN

GOLF VIEW HOTEL
❀ ★ ★ ★ ★

Seabank Road IV12 4HD
Tel. 01667 452301

Klassiek restaurant in een hotel op een terrein dat naar het strand afloopt. Het driegangenmenu tegen een vaste

prijs wordt bereid uit mooie Schotse ingrediënten, met een mediterrane toets. Probeer de zeeduivel van Skye, licht gegrild met knoflook en rozemarijn en geserveerd met Provençaalse groenten en room.

🍴 Serre: dag. 12–21 uur. Restaurant: alleen D, dag. 19–21 uur
🚭 D vanaf £52, wijn vanaf £13
🚭 In eetzaal niet roken
🚪 42 (vanaf £136)
🚗 24 km ten zuidoosten van Inverness, 11 km van vliegveld aan de A96. In Nairn linksaf bij de kerk, doorrijden tot het eind van Seabank Road

NEWTON HOTEL
❀ ★ ★ ★ ★

Inverness Road IV12 4RX
Tel. 01667 453144

De moderne kaart biedt de mogelijkheid om van verse Schotse producten te genieten in een *baronial* decor, bijvoor-

BOATH HOUSE ☆ ☆ ❀

Auldearn IV12 5TE
Tel. 01667 454896
www.boath-house.com

Dit magnifieke Georgian herenhuis is liefdevol gerestaureerd. De eigenaars en het personeel van Boath House zijn uiterst gastvrij. Het vijfgangendiner is een culinair avontuur, dat zijn gelijke slechts vindt in het uitstekende ontbijt. Het huis zelf is fantastisch, met uitnodigende lounges en een eetzaal met uitzicht op een loch vol forel. In de kamers staat veel antiek. Korting voor kinderen tot 10 jaar.

🛏 Tweepersoonskamer vanaf £150
🚪 6 (6 niet-roken)
🚭 Gesloten Kerstmis
🥡
🚗 3 km na Nairn aan de A96 richting Forres (naar het oosten), aangegeven op de hoofdweg

ETEN EN SLAPEN

beeld romige risotto van wilde paddestoelen, lokaal gerookte zalm, lam van de barbecue en in de pan geschroeide eendenborst met een saus van geroosterde pruimen, gevolgd door een frambozen-Drambuie-*flan*.

🕐 12–14, 19–21 uur
🍴 L vanaf £21, D vanaf £52, wijn vanaf £12,95
🚭 In eetzaal niet roken
🛏 56 (vanaf £111)
🗺 Ten westen van het centrum

NETHY BRIDGE

🅗🅔THE MOUNTVIEW HOTEL ❁★★
Grantown Road PH25 3EB
Tel. 01479 821248

Dit hotel op een hoogte aan de rand van het dorp doet zijn naam eer aan: het uitzicht op de Cairngorms is adembenemend. De fantasievolle gerechten worden opgediend in de eetzaal in de lichte, moderne uitbouw. Begin met een flensjestaartje met wilde paddestoelen en hazelnootroom, dan zeeduivel uit de oven met gestoofde limabonen en vanille, gevolgd door warme pecannotentaart met gembersaus.

🕐 Alleen D, 18–21 uur. Gesloten ma.–di., Kerstmis
🍴 D vanaf £40, wijn vanaf £9,95
🚭 In eetzaal niet roken
🛏 12 (van £70)
🗺 Vanuit Aviemore borden naar Nethy Bridge volgen via Boat of Garten. In Nethy Bridge hoge brug over en borden naar hotel volgen

OBAN

🅗WATERFRONT RESTAURANT ❁
Railway Pier PA34 4LW
Tel. 01631 563110

Visrestaurant op de 1e verdieping, met een fraai uitzicht op de Sound of Mull. Rondneuzen in de keuken mag, wat gezellig gebabbel tussen klanten en koks oplevert. Het motto hier is: *From the pier to the pan as fast as we can* (Van de pier in

de pan zo snel als maar kan). Krab uit de oven, zeevruchten-*chowder*, jakobsschelpen, oesters, mosselen – dat zijn pas enkele voorgerechten. Hoofdgerechten variëren van schelvis met patat tot tongfilet met nieuwe aardappels, prei en citroen-chardonnay-boter.

🕐 12–14.15, 17.30–21.30 uur. Gesloten Nieuwjaar, jan.
🍴 L vanaf £18, D vanaf £29
🚭 Geen pijp, geen sigaren
🗺 Bij de trein- en veerbootterminal

🅗🅗MANOR HOUSE ★★❁
Gallanach Road PA34 4LS
Tel. 01631 562087
www.manorhouseoban.com

Dit hotel biedt een gastvrije sfeer en attent personeel. Het dagelijks wisselende vijfgangendiner, dat draait om verse vis, wordt geserveerd in een stijlvolle eetzaal. De meeste kamers hebben een mooi uitzicht over de baai. Geen kinderen jonger dan 12 jaar.

🛏 Tweepersoonskamer vanaf £144
🛏 11 (11 niet-roken)
🕐 Gesloten 25–26 dec.
🗺 Borden naar MacBrayne Ferries volgen, voorbij de toegang, hotel rechts

🅖GLENBURNIE HOUSE ◇◇◇◇
The Esplanade PA34 5AQ
Tel. 01631 562089
www.glenburnie.co.uk

Dit Victoriaanse huis ligt aan de kade. Verschillende kamers, waaronder één met een hemelbed, en een kleine suite. Gasten kunnen terecht in een knusse lounge en een stijlvolle eetzaal, waar een uitgebreid ontbijt wordt opgediend. Geen kinderen jonger dan 12 jaar.

🛏 Tweepersoonskamer vanaf £62
🛏 14 (14 niet-roken)
🚭 Niet roken
🕐 Gesloten dec.–mrt.
🗺 Aan de kade in Oban, borden naar Ganavan volgen

ONICH

🅗🅐ALLT-NAN-ROS HOTEL ❁❁★★★
PH33 6RY
Tel. 01855 821210

Allt-nan-Ros, Gaelic voor 'het stroompje van de rozen', is in de Victoriaanse tijd als buitenhuis gebouwd. Geniet in het vriendelijke, stijlvolle rstaurant van het adembenemende uitzicht over de bergen en Loch Linnheon en van de altijd goede moderne Schotse keu-

ken met Europese invloeden. U begint bijvoorbeeld met kort geschroeide jakobsschelpen op een kruidenrisotto. Na de soep volgt dan geroosterde konijnenrug met mediterrane groenten en pesto-polenta, en tot besluit in rode wijn gestoofde peertjes met een appelsorbet.

🕐 12–13.30, 19–20.30 uur. Gesloten 5 jan.–10 feb.
🍴 L vanaf £33, D vanaf £60, wijn vanaf £12,95
🚭 In eetzaal niet roken
🛏 20 (vanaf £90)
🗺 16 km ten zuiden van Fort William aan de A82

🅗🅒ONICH ❁★★★
PH33 6RY
Tel. 01855 821214

Een idyllisch toevluchtsoord op een magnifieke locatie bij Loch Linnhe. Verschillende bars en een aantrekkelijk restaurant vormen de opmaat tot een menu dat laveert tussen traditionele en hedendaags getinte Schotse specialiteiten. Zeker de pubmaaltijden bieden veel waar voor uw geld.

🕐 Alleen D, 19–21 uur
🍴 D vanaf £52, wijn vanaf £11,75
🚭 In eetzaal niet roken
🛏 27 (vanaf £122)
🗺 Naast de A82 3 km ten noorden van Ballachulish Bridge

PLOCKTON

🅗PLOCKTON INN & SEAFOOD RESTAURANT
Innes Street IV52 8TW
Tel. 01599 544222

Deze ruwstenen herberg ligt in het hart van een schilderachtig vissersdorpje, dat het decor vormde van een Britse tv-serie. Lokaal aangevoerde vis en zeevruchten worden door de familie zelf gerookt. Op de lunchkaart staan versgemaakte sandwiches, zelfgemaakte soep en warme snacks, maar ook gerechten om van te watertanden, zoals een schotel van vis- en zeevruchten uit de rokerij, *haggis* met *clapshot* of *moules marinère*. Het uitgebreidere diner biedt bijvoorbeeld kabeljauwfilet met tomaten, olijven en peterselie of hertenlapjes met een bramen-portsaus.

🕐 Dag. 11–1 uur. Pubmaaltijden en restaurant: dag. 12–14.30, 17.30–21.30 uur
🍴 L vanaf £12,50, D vanaf £21, wijn vanaf £9,50
🚭 In eetzaal niet roken

🍴 HAVEN ★★ ✿

Innes Street IV52 8TW
Tel. 01599 544334
www.havenhotelplockton.co.uk

Dit heerlijke hotel in het schilderachtige West-Highland-dorpje Plockton doet zijn naam eer aan. Comfortabele gastenruimten, waaronder verschillende lounges, een knusse bar (alleen voor hotelgasten en eters) en een restaurant met een fantasie-volle kaart. Chique, moderne kamers en twee zeer ruime suites. Geen kinderen jonger dan 7 jaar.

🛏 Tweepersoonskamer vanaf £86. Geen American Express
🛏 15
🕐 Gesloten 20 dec.–1 feb.
📍 Het hotel ligt aan de hoofdstraat, net voor het loch

POOLEWE

BIJZONDER

🍴 POOL HOUSE HOTEL
☆☆☆✿✿

IV22 2LD
Tel. 01445 781272
www.poolhousehotel.com

Pool House kijkt over Loch Ewe uit naar de Inverewe Gardens. De bediening is er vriendelijk en attent. De kamers zijn verbouwd tot ruime, comfortabele suites. Eén daarvan heeft de *Titanic* als thema en bevat originele voorwerpen uit het schip. Streekproducten hebben een prominente plaats gekregen op de interessante kaart. Geen kinderen jonger dan 8 jaar.

🛏 Tweepersoonskamer vanaf £240.
🛏 5 (5 niet-roken)
🕐 Gesloten jan.–feb.
📍 10 km ten noorden van Gairloch aan de A832. In het centrum van het dorpje Poolewe, naast de brug aan de rand van het water

PORT APPIN

🍴 AIRDS ☆☆☆✿✿✿

Appin PA38 4DF
Tel. 01631 730236
www.airds-hotel.com

Airds is een klein hotel in een dorpje dat uitziet over Lismore Island en Loch Linnhe – een vrediger locatie is niet denkbaar. De kamers aan de voorkant delen dat uitzicht, evenals de comfortabele lounges en het restaurant. Er is een beschut zonneterras. De uitstekende, lichte maaltijden worden be-reid van de beste ingrediënten. Veel voorzieningen, waaronder eigen visstekken. Korting voor kinderen tot 14 jaar.

🛏 Tweepersoonskamer vanaf £140. Geen American Express
🛏 12 (12 niet-roken)
🕐 Gesloten 23–27 dec. en 4–26 jan.
📍 Vanuit Ballachulish Bridge de A828 naar het zuiden volgen, na 26 km rechtsaf, deze weg nog 3 km volgen

SHIELDAIG

🍴 SHIELDAIG BAR ✿

IV54 8XN
Tel. 01520 755251

Deze bar aan het water in een leuk vissersplaatsje biedt zijn gasten een hartelijk onthaal en een fraai uitzicht op Loch Torridon. De bar is overdag een populaire ontmoetingsplaats. Daarom kunt u er niet alleen terecht voor drank, maar ook voor espresso, koffie, thee en zelfgebakken taart; kranten en tijdschriften liggen klaar. Op de kaart staan traditionele pub-gerechten (rib-eye steak, *steak and Guinness pie*, omelet met gerookte schelvis) en dag-specialiteiten zoals *bisque* van krab uit Shieldaig met zelf-gebakken brood of verse langoustines uit Loch Torridon met knoflookmayonaise.

🕐 Ma.–za. 11–23, zo. 12.30–22 uur. Gesloten 's winters ma.–vr. 14.30–17 uur; 25 dec., 1 jan. Pubmaaltijden: dag. 12–14.30, 18–20.30 uur. Restaurant: dag. 19–20.30 uur
🛏 L vanaf £12, D vanaf £64, wijn vanaf £6
🚭 Niet roken in restaurant

🍴 TIGH AN EILEAN ★★

IV54 8XN
Tel. 01520 755251

Dit idyllisch gelegen hotel kijkt uit over de baai. Het wordt omringd door traditionele witgekalkte *crofts* en cottages. Er zijn drie comfortabele

lounges en een zelfbedienings-bar. Voor het diner staan vis en zeevruchten en streekproduc-ten van hoge kwaliteit op de kaart; rond lunchtijd worden in de bar lichtere maaltijden geserveerd. Korting voor kin-deren tot 13 jaar.

🛏 Tweepersoonskamer vanaf £115
🛏 11(5 niet-roken)
🕐 Gesloten eind okt.–eind mrt.
📍 Vanaf de A896 de weg naar Shiel-daig nemen. Hotel ligt in het centrum aan het loch, net voorbij kleine steiger

SKYE, ISLE OF

🍴 DUISDALE COUNTRY HOUSE ✿✿★★★

Isle Ornsay IV43 8QW
Tel. 01471 833202

Marie Campbell presenteert mooie gerechten in haar vijf-gangendiners, waar subtiel toegepaste specerijen een exotische dimensie verlenen aan de superbe Higland-ingre-diënten. Gasten worden ont-haald op zelfgebakken brood, smakelijke canapés en een discrete bediening. Probeer de zalmkoekjes en gegrilde zee-baars, of salade van geconfijte eendenborst en geroosterde lamslende. Desserts kunnen machtig zijn: chocoladetaart met chocoladecake-pistache-ijs. De korte maar goede wijn-kaart sluit mooi aan op de gerechten. Geen kinderen jonger dan 4 jaar.

🕐 Alleen D, om 19.30 uur. Gesloten nov.–mrt.
🛏 D vanaf £68, wijn vanaf £12
🚭 In eetzaal niet roken
🛏 19 (vanaf £110)
📍 11 km ten noorden van de veer-boot in Armadale en 19 km ten zuiden van de Skye Bridge aan de A851

🍴 ROSEDALE ✿✿★★

Beaumont Crescent, Portree
IV51 9DB
Tel. 01478 613131

Maar weinig restaurants kunnen hun gasten onthalen op het tafereel van vissers die hun vangst in het licht van de ondergaande zon aan wal brengen, maar dit is er één van. De informele eetzaal vormt het decor waartegen zich het fantasievolle menu tegen een vaste prijs ontvouwt. De nadruk in dit restaurant aan het water ligt op verse, biolo-gische streekproducten. En daar krijgt u dan nog gratis tips voor het verkennen van de omgeving bij.

ETEN EN SLAPEN

❶ ⊖ THREE CHIMNEYS RESTAURANT AND HOUSE OVER-BY ❀❀❀

Colbost IV55 8ZT
Tel. 01470 511258

Romantisch restaurant in een woest gebied dat uitkijkt over Loch Dunvegan. Vanzelfsprekend nemen vis en zeevruchten een prominente plaats in op de kaart. Begin bijvoorbeeld met langoustines uit het loch met een groene salade van sla en kruiden uit Glendale of pangebraden duivenborst op een risotto van parelgort. De kreeft-*bisque*, rijk aan aroma's, kan niet beter, met heerlijk grote brokken kreeft en verse langoustines. De helderwitte heilbot van de westkust, die vergezeld wordt door kreeft-ravioli en basilicum-botersaus, is eveneens uitstekend. Probeer als dessert een broodpuddinkje van *brioche* met sinaasappel-*crème anglaise*.

◷ 12.30–14, 18.30–21.30. Gesloten L zo., 3 weken in jan.
🍴 L vanaf £35, D vanaf £84, wijn vanaf £16
🚭 In eetzaal niet roken
🛏 6 (vanaf £215)
🚗 Vanuit Dunvegan de B884 naar Glendale nemen

◷ Alleen D, 19–20.30 uur. Gesloten nov.–1 apr.
🍴 D vanaf £42, wijn vanaf £13
🚭 In eetzaal niet roken
🛏 21 (vanaf £100)
🚗 Aan de haven

⊖ HOTEL EILEAN IARMAIN ★★❀❀

Isle Ornsay IV43 8QR
Tel. 01471 833332
www.eileaniarmain.co.uk

Deze karakteristieke oude herberg uit de 19e eeuw ligt aan de pier en biedt uitzicht op de zee-lochs. De verschillend ingerichte kamers ademen een traditionele sfeer (niet overal staat een tv); een stallenblok is tot vier suites verbouwd. De gastenruimten zijn gezellig, de eetzaal heeft een aantrekkelijke uitbouw. Tot de faciliteiten behoren eigen vissstekken en een whiskyproeverij. Korting voor kinderen tot 16 jaar.

🛏 Tweepersoonskamer vanaf £120
🛏 16 (10 niet-roken)
🚗 A851, A852 naar de haven van Isle Ornsay

STRACHUR

❶ ⊖ CREGGANS INN ❀★★★

PA27 8BX
Tel. 01369 860279

Reserveer een tafel bij het raam, zodat u kunt genieten van deze schitterende plek aan Loch Fyne, met uitzicht op de bergen van Kintyre. Het diner tegen een vaste prijs biedt drie of vier gerechten per gang: lamszadel met bacon, paddestoelen en savooiekool, heilbot uit de oven met een spinazie en saffraanaardappelen of gebraden runderhaas met *tian* (soort ovenschotel) van bloedworst.

◷ Pubmaaltijden: 12–15, 18–21 uur. Restaurant: alleen D, 19–21 uur
🍴 L vanaf £12, D vanaf £53, wijn vanaf £11
🚭 In eetzaal niet roken
🛏 14 (vanaf £105)
🚗 Vanuit Glasgow de A82 langs Loch Lomond nemen, dan naar het westen via de A83 en vervolgens de A815 naar Strachur. Of per veerboot van Gourock naar Dunoon en verder over de A815

STRONTIAN

⊖ ❶ KILCAMB LODGE ☆☆❀❀

PH36 4HY
Tel. 01967 402257
www.kilcamblodge.co.uk

Dit voormalige jachthuis is op sympathieke wijze gemoderniseerd. Naast uitzicht op het loch biedt het gastenruimten met open haarden, zachte banken, boeken en tijdschriften. De kamers zijn aantrekkelijk ingericht. Een korte kaart met kundig bereide gerechten wordt gecompleteerd door zorgvuldig gekozen wijnen. Korting voor kinderen tot 12 jaar.

🛏 Tweepersoonskamer vanaf £95
🛏 11 (11 niet-roken)
🚗 Van de A861 af, 200 m na de brug in het dorp, aan de linkerkant

TAIN

⊖ ❶ GLENMORANGIE HIGHLAND HOME AT CADBOLL ☆☆❀❀

Cadboll, Fearn IV20 1XP
Tel. 01862 871671
www.glenmorangie.com

Dit eigenzinnige hotel, eigendom van de beroemde whiskydistilleerderij, biedt het beste op het gebied van Highlandse gastvrijheid. Het ligt op een rustig, mooi terrein; de kamers bevinden zich zowel in het hoofdgebouw als in verbouwde boerderijtjes. De prijs is inclusief *afternoon tea*, een viergangendiner en wijn naar keuze bij de gerechten. Korting voor kinderen tot 16 jaar.

🛏 Tweepersoonskamer vanaf £150
🛏 9 (9 niet-roken)
🚗 Vanaf de A9 de B9175 naar Nigg nemen en borden volgen

TAYVALLICH

❶ TAYVALLICH INN

PA31 8PL
Tel. 01546 870282

Deze herberg aan een natuurlijke haven op de kop van Loch Sween biedt een weids uitzicht over de ankerplaatsen. Men schenkt er bieren als Calders 70/- en 80/-. U kunt hier goede visgerechten verwachten, zoals in de pan gebakken jakobsschelpen uit de Sound of Jura, cajun-zalm met zwarte boter of een warme salade van gerookte schelvis met garnalen. Verder bijvoorbeeld gegrild Schots lendestuk, kipcurry en lamszadel met een krokant honing-mosterdkorstje.

◷ 11–14.30 uur ('s zomers 11–24, vr.–za. 11–1 uur), 18–23 uur (vr., za. 17–1, zo. 17–24 uur). Gesloten ma., nov.–mrt., 25–26 dec., 1–2 jan. Pubmaaltijden: dag. 12–14, 18–20 uur
🍴 L vanaf £24, D vanaf £24, wijn vanaf £18
🚗 Vanuit Lochgilphead de A816 nemen, daarna de B841/B8025

TORRIDON

⊖ ❶ LOCH TORRIDON COUNTRY HOUSE HOTEL ☆☆❀❀

IV22 2EY
Tel. 01445 791242
www.lochtorridonhotel.com

Dit Victoriaanse jachthuis ligt in een prachtig gebied met lochs en bergen. Het is kundig gerestaureerd, met aandacht voor de oorspronkelijke details. De meeste kamers bieden uitzicht op de Highlands. In de comfortabele, gelambriseerde gastenruimten brandt in de koudere maanden een vuur. De bar biedt 300 single malt whisky's en uitgebreide informatie voor wie ze wil proeven. Buiten kunt u jagen, fietsen, paardrijden en wandelen. Korting voor kinderen tot 12 jaar.

🛏 Tweepersoonskamer vanaf £194
🛏 19 (19 niet-roken)
◷ Gesloten 2–31 jan.
🚗 Vanaf de A832 bij Kinlochewe de A896 naar Torridon nemen; niet afslaan het dorp in, maar 1,5 km doorrijden. Hotel ligt aan de rechterkant

ULLAPOOL

BIJZONDER

ⓘ THE CEILIDH PLACE
14 West Argyle Street IV26 2TY
Tel. 01854 612103

The Ceilidh Place, al ruim
30 jaar een begrip in Ullapool,
ligt achter de haven. Het is een
unieke gelegenheid met een
bar die de hele dag open is en
een ruime keus aan *real ale*
en malt whisky biedt, een informele eetzaal, een boekwinkel en kunst aan de muren.
Lokaal aangevoerde vis is
verkrijgbaar in gerechten als
kabeljauwfilet op aardappel-
knoflookpuree en gepureerde
rucola, of in bacon gewikkelde
zeeduivel met zuurkool en
chorizo. Populair zijn ook
lamscasserole met Heather
Ale en vegetarische pastei.
🕐 Ma.–za. 11–23, zo. 12.30–23 uur.
Gesloten 2e en 3e week jan. Pubmaaltijden: dag. 12–18, 18.30–21.30 uur.
Restaurant: alleen D, dag. 19–21.30 uur
🍽 L vanaf £29, D vanaf £40, wijn
vanaf £11
🚭 In restaurant niet roken
🚗 Shore Street volgen tot voorbij de
aanlegsteiger, dan 1e rechts. Hotel
rechtdoor boven op de heuvel

ⓘ DROMNAN ◇◇◇◇
Garve Road IV26 2SX
Tel. 01854 612333
www.dromnan.co.uk

Dit vriendelijke, moderne huis
aan de rand van Ullapool komt
in alle opzichten verzorgd over.
De kamers zijn aantrekkelijk,
met fraaie eigen voorzieningen. De split-level lounge/
ontbijtruimte kijkt uit op de
tuin en Loch Broom. Korting
voor kinderen tot 12 jaar.
🍽 Tweepersoonskamer vanaf £48
ⓘ 7 (7 niet-roken)
🚭 Niet roken
🚗 Vanaf de A835 zuidwaarts bij het
binnenrijden van de stad, dan linksaf bij
het 30 mpu-bord (bebouwde kom)

SYMBOLEN

★ Faciliteiten in hotels
◆ Faciliteiten in bed-and-
   breakfasts
❀ De kwaliteit van
   restaurants
🍽 De opgegeven prijzen
   zijn voor twee personen
   en dienen als richtlijn.
   Prijzen en menukaarten
   zijn altijd aan veranderingen onderhevig

ORKNEY EN SHETLAND

ST. MARGARET'S HOPE

ⓘ CREEL RESTAURANT ❀❀
Front Road, Orkney KW17 2SL
Tel. 01856 831311

De Craigies zijn enthousiaste
eigenaars, die hun gasten
vriendelijk onthalen in hun
restaurant aan het water. Verse
lokale producten, met name
vis en zeevruchten, worden
verwerkt tot eerlijke, smaakvolle gerechten. Begin met
een fluwelige krab-*bisque* of
misschien gestoomde tong-
schar. Als hoofdgerecht jakobsschelpen en geroosterde
zeeduivel met prei, verse
gember en bonen, of gegrilde
kipfilet met een marmalade
van geroosterde rode paprika.
Na de aardbeien-*shortcake*,
pannacotta of chocolade-
mascarponetaart hebt u misschien nog net ruimte voor
koffie met zelfgemaakte
chocolaatjes en fudge.
🕐 Alleen D, 18.45–21 uur. Gesloten
jan.–mrt., nov.
🍽 D vanaf £62, wijn vanaf £13,50
🚭 In eetzaal niet roken
ⓘ 3 (vanaf £80)
🚗 21 km ten zuiden van Kirkwall, aan
de A961 aan het water in het dorp

LERWICK

ⓘ GLEN ORCHY HOUSE
◆◆◆◆
20 Knab Road, Shetland ZE1 0AX
Tel. 01595 692031
www.guesthouselerwick.com

Dit uitnodigende, goed verzorgde hotel ligt in een hoger
deel van Lerwick, op loopafstand van het centrum. Het
biedt uitzicht op de Knab. Het
hotel heeft moderne kamers
en verschillende lounges met
boeken en bordspelen; in één
staat een zelfbedieningsbar.
Het ontbijt, al net zo omvang-
rijk als het diner, wordt
gekozen van een dagelijks
wisselende kaart. Korting voor
kinderen tot 12 jaar.

🍽 Tweepersoonskamer vanaf £69
ⓘ 22
🚗 Naast het kustwachtstation

ⓘ LERWICK ★★★
15 South Road, Shetland ZE1 0RB
Tel. 01595 692166

Dit populaire hotel biedt een
mooi uitzicht over Breiwick
Bay naar de eilanden Bressay
en Breiwick. Hotel Lerwick
heeft een verzorgde uitstraling
en omvat een aantrekkelijke
brasserie en een formeler
restaurant, beide met uitzicht
op zee. De fraai ingerichte
kamers variëren in grootte.
🍽 Tweepersoonskamer vanaf £90
ⓘ 35
🚗 Bij het centrum, aan de hoofdweg
naar het zuiden naar/van het vliegveld

ⓘ SHETLAND ★★★
Holmsgarth Road, Shetland ZE1 0PW
Tel. 01595 695515
www.shetlandhotels.com

Dit moderne hotel tegenover
de belangrijkste veerterminal
biedt ruime, comfortabele
kamers op drie verdiepingen.
Voor het diner kunt u kiezen
uit de informele Oasis Bistro
en het Ninians Restaurant.
Vlotte, welwillende bediening.
Korting voor kinderen tot
12 jaar.
🍽 Tweepersoonskamer vanaf £89,90
ⓘ 64 (14 niet-roken)
🚗 Tegenover de P&O-veerterminal,
aan de hoofdweg naar het noorden
vanuit het centrum

UNST

ⓘ THE BALTASOUND ★★
Shetland ZE2 9DS
Tel. 01957 711334
www.baltasound-hotel.shetland.co.uk

Dit gastvrije hotel wordt omringd door de zee-lochs van
het noordelijkste bewoonde
eiland van de Britse Eilanden.
Het biedt verschillende
soorten accommodatie. De
meeste kamers bevinden zich
in blokhutten op het terrein.
De comfortabele lounge voert
naar een gecombineerde bar-
eetzaal, het ontbijt wordt opgediend in een afzonderlijke,
lichte ruimte. Tot de voorzieningen behoort ook een
biljart. Korting voor kinderen
tot 12 jaar.
🍽 Tweepersoonskamer vanaf £68
ⓘ 25 (17 niet-roken)
🚗 Vanaf de veerboot uit Lerwick de
hoofdweg naar het noorden volgen.
Het hotel ligt in Baltasound dicht bij
de aanlegsteiger

ETEN EN SLAPEN

Praktisch

VOORBEREIDING

KLIMAAT EN REISPERIODE

De Schotten zelf zeggen dat Schotland geen klimaat heeft: het heeft alleen maar weer. Dit is verreweg het meest bergachtige deel van Groot-Brittannië, dus de weersomstandigheden kunnen extreem zijn. Door zijn ligging op de rand van de continentale landmassa van Europa en doordat Schotland aan drie kanten wordt omgeven door zee verandert het weer vaak.

● Het oosten van Schotland is vaak koel en droog, het westen is milder en natter. Het weer kan een klein stukje verderop al totaal anders zijn. Af en toe komt er langs de kust *haar* (zeemist) voor, wat vaak een teken is dat het een stukje landinwaarts zonnig is.

AANTAL UREN DAGLICHT	
Januari	7 uur 45 minuten
Februari	9 uur 31 minuten
Maart	11 uur 51 minuten
April	14 uur 12 minuten
Mei	16 uur 15 minuten
Juni	17 uur 24 minuten
Juli	16 uur 52 minuten
Augustus	14 uur 53 minuten
September	12 uur 43 minuten
Oktober	10 uur 26 minuten
November	8 uur 20 minuten
December	7 uur 11 minuten

● Het hele jaar door is er een flinke kans op regen, maar dankzij het snel veranderende weer in Schotland duurt de regen meestal niet zo lang. Weerfronten komen uit het westen over de Atlantische Oceaan.

Lagedrukgebieden zorgen voor wind, regen en veranderlijk weer, hogedrukgebieden zorgen voor stabieler weer.

● De meeste kans op zon hebt u in het voorjaar en het begin van de zomer (april–juni). Juli en augustus zijn wispelturiger — het kan warm en zonnig zijn, maar ook bewolkt en nat. Aan het eind van de zomer en begin van de herfst (september en oktober) is het weer meestal weer stabieler en vaak aangenaam, al zijn er nooit garanties en kan er in de glens soms dagen achtereen mist hangen. Aan het eind van de herfst en in de winter, van november tot en met maart kan het koud, donker en nat zijn, maar doen zich ook stralend heldere en zonnige

EDINBURGH

GLASGOW

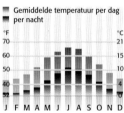

LERWICK

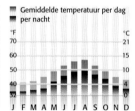

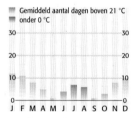

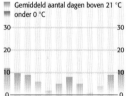

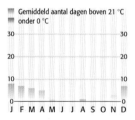

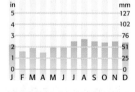

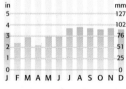

WEBSITES OVER HET WEER		
ORGANISATIE	**INFORMATIE**	**WEBSITE**
BBC	Weerberichten en -voorspellingen plus allerlei verwante onderwerpen. Ook satellietbeelden	www.bbc.co.uk/weather/
The Met Office	Duidelijke, professionele site met goede, specialistische links	www.metoffice.com

PRAKTISCH

TIJDZONES

In de winter geldt in Schotland GMT (Greenwich Mean Time). Eind maart gaat de klok een uur vooruit naar British Summer Time (BST), die tot eind oktober geldt. De tabel hieronder toont de verschillen met GMT.

STAD	TIJDS-VERSCHIL	TIJD OM 12 UUR GMT
Amsterdam	+1	13 uur
Auckland	+10	22 uur
Berlijn	+1	13 uur
Brussel	+1	13 uur
Chicago	-6	6 uur
Djakarta	+7	19 uur
Dublin	0	12 uur
Johannesburg	+2	14 uur
Madrid	+1	13 uur
Montreal	-6	6 uur
New York	-5	7 uur
Parijs	+1	13 uur
Rome	+1	13 uur
San Francisco	-8	4 uur
Sydney	+10	22 uur
Tokio	+9	21 uur

dagen met vorst voor. In de winter kunnen de Highlands en hogergelegen gebieden blootstaan aan extreme weersomstandigheden met veel wind en sneeuw die men niet moet onderschatten.

● Veel toeristische bezienswaardigheden, met name gebouwen van de National Trust for Scotland zijn, van oktober tot Pasen gesloten, maar de grote musea in de steden zijn het hele jaar door geopend.

● Muggen zijn actief van mei tot half september, vooral aan de westkust en op de eilanden. Als de overal verkrijgbare muggenwerende middelen niet helpen, kunt u in een zwerfsportwinkel muskietengaas kopen.

WEERBERICHTEN

Weerberichten worden dagelijks gegeven aan het eind van de nieuwsuitzendingen op radio en televisie. Ze zijn ook op te vragen per telefoon, fax of sms en te bekijken op internet.

● Bel 09003 444900 voor regionale weerberichten of fax naar 09060 100400 voor een lijst met regio's waarvoor een weerbericht kan worden gefaxt.

● Weerberichten per sms: type wthr4 en de plaatsnaam. Zend dit bericht naar 8638 (Vodafone) of 2638 (O2).

DOUANE

Goederen die u in de EU hebt gekocht

Als u grote hoeveelheden alcohol of tabak meeneemt, loopt u kans dat de douanebeambte informeert naar de reden waarom u deze goederen bij u hebt. Dit geldt vooral als u meer meeneemt dan de volgende hoeveelheden:

● 3200 sigaretten
● 400 cigarillo's
● 200 sigaren
● 3 kg shag

● 110 liter bier
● 10 liter sterkedrank
● 90 liter wijn (waarvan maar 60 liter mousserende wijn mag zijn)
● 20 liter versterkte wijn (zoals port of sherry)

De EU-landen zijn: België, Denemarken, Duitsland, Finland, Frankrijk, Griekenland, Ierse Republiek, Italië, Luxemburg, Nederland, Oostenrijk, Portugal, Spanje (maar niet de Canarische Eilanden), het Verenigd Koninkrijk (maar niet de Kanaaleilanden) en Zweden.

Naar het Verenigd Koninkrijk reizen van buiten de EU

Reizigers van buiten de EU mogen onderstaande hoeveelheden meenemen voor eigen gebruik. Zie voor meer informatie de website van HM Customs and Excise: www.hmce.gov.uk.

● 200 sigaretten of
● 100 cigarillo's of
● 50 sigaren of
● 250 g tabak

● 60 cc/ml parfum
● 250 cc/ml eau de toilet

● 2 liter niet-mousserende wijn
● 1 liter sterkedrank (met meer dan 22 procent alcohol) of
● 2 liter versterkte wijn, mousserende wijn of andere alcoholische drank

● andere artikelen, waaronder souvenirs, ter waarde

WAT NEEMT U MEE

De meeste mensen in Schotland dragen vrijetijdskleding, tenzij het om een formele aangelegenheid gaat, dan gaat het soms zeer chic toe. Gebruik onderstaand lijstje als basis. Als u iets vergeet en moet vervangen, zult u in de winkels in Schotland alles vinden wat u nodig hebt.

● Als u in de zomer gaat, zijn lichtgewichtkleding en sandalen prima voor overdag, maar neem sokken, een lange broek, een lichtgewichttrui en een regenjack mee voor koelere avonden of voor als het waait.

● Op heldere dagen kan het licht verblindend zijn, dus neem een zonnebril en zonneklep mee.

● Een paraplu is in elk jaargetijde handig en kunt u voor weinig geld ter plaatse kopen als u er niet mee wilt reizen.

● Zorg dat u in de winter, wanneer de wind ijzig kan zijn, buiten warme kleren in lagen kunt dragen.

● Als u van plan bent serieus te gaan wandelen, zijn stevige wandelschoenen en regenkleding een vereiste.

Vergeet ook niet mee te nemen:
● Rijbewijs (een Nederlands of Begisch rijbewijs is goed), kentekenbewijs en – voor een auto ouder dan 3 jaar – een APK-keuringsbewijs.
● Fotokopieën van paspoort en reisverzekeringspolis.
● Creditcard of pinpas en een klein bedrag in ponden.
● Nummer van creditcards, registratienummers van mobiele telefoon, camera en andere dure apparatuur (voor als er iets gestolen wordt).

PASPOORT

● Bezoekers moeten in bezit zijn van een paspoort dat vanaf het moment van aankomst nog minstens zes maanden geldig is.
● Het Verenigd Koninkrijk (Engeland, Wales, Schotland en Noord-Ierland), de Kanaaleilanden, het eiland Man en de Republiek Ierland vormen samen een zogenaamde 'common travel area'. Zodra u in een van deze gebieden de douane bent gepasseerd, kunt u ongehinderd overal rondreizen zonder te maken te krijgen met grenscontroles.

PRAKTISCH

VOORBEREIDING 291

● Als u een binnenlandse vlucht gaat maken, moet u een legitimatiebewijs met daarop een foto, zoals een paspoort, kunnen laten zien.

VISUM
Zie voor algemene informatie over visa **www.ukvisas.gov.uk**

● Bezoekers uit de EU-landen en uit Zwitserland, Noorwegen, Finland en IJsland kunnen onbeperkte tijd in het Verenigd Koninkrijk verblijven zonder dat ze een visum hoeven aan te vragen.
● Overige bezoekers hebben in het algemeen geen visum nodig als ze van plan zijn minder dan zes maanden in het Verenigd Koninkrijk te blijven. Ze dienen wel voldoende geld bij zich te hebben om zichzelf te kunnen onderhouden.
● Degenen die langer willen blijven en inwoners uit bepaalde landen hebben wel een visum nodig.
● Met geldige papieren mag u het land zo vaak binnenkomen en verlaten als u wilt.

REISVERZEKERING
Het is raadzaam om een goede reisverzekering af te sluiten, waarmee u gedekt bent voor verlies of diefstal van geld en bagage, en eventueel een rechtsbijstandsverzekering. Bezoekers uit EU-lidstaten hebben recht op gratis medische zorg die onder de National Health Service valt (zie blz. 296)

OVERIGE DOCUMENTEN
● E111-formulier, zie blz. 296.

PRAKTISCHE INFORMATIE

ELEKTRICITEIT
● De netspanning in het Verenigd Koninkrijk is 240 volt. In Nederland en België is de netspanning iets lager (230 volt), maar meegebrachte apparaten kunt u zonder probleem gebruiken. Wel zijn Britse stekkers voorzien van drie pinnen, dus u moet voor elektrische apparaten die u van thuis meeneemt een universele stekker gebruiken.
● Telefoonstekkers zijn in het Verenigd Koninkrijk ook anders. U hebt een adapter nodig.

WAS
● Als u accommodatie boekt, kunt u vragen of u er kleding kunt laten wassen.
● Wasserettes en stomerijen staan in het telefoonboek. Bij sommige wasserettes kunt u de was achterlaten en hetzij dezelfde dag, hetzij na 1 of 2 dagen gewassen en gedroogd weer ophalen. De kosten bedragen £5 à £6 voor een tas wasgoed.
● Stomerijen zij er in overvloed. Een colbert of jurk kunt u laten stomen voor ongeveer £4. Bij sommige stomerijen kunt u ook kleine reparaties laten uitvoeren.

MATEN
Het Verenigd Koninkrijk hanteert officieel het metrieke stelsel. Benzine wordt per liter verkocht en voedsel per (kilo)gram. In het dagelijks leven worden de

KLEDINGMATEN		
Verenigd Koninkrijk		Nederland

In de onderstaande tabel ziet u links de Britse en rechts de vergelijkbare Nederlandse maat

Verenigd Koninkrijk		Nederland	
36	=	46	**PAKKEN**
38	=	48	
40	=	50	
42	=	52	
44	=	54	
46	=	56	
48	=	58	
7	=	41	**SCHOENEN**
7,5	=	42	
8,5	=	43	
9,5	=	44	
10,5	=	45	
11	=	46	
14,5	=	37	**OVERHEMDEN**
15	=	38	
15,5	=	39/40	
16	=	41	
16,5	=	42	
17	=	43	
8	=	36	**JURKEN**
10	=	38	
12	=	40	
14	=	42	
16	=	44	
18	=	46	
20	=	48	
4,5	=	37,5	**SCHOENEN**
5	=	38	
5,5	=	38,5	
6	=	39	
6,5	=	40	
7	=	41	

OMREKENTABEL		
VAN	**NAAR**	**MAAL**
Inches	Centimeter	2,54
Centimeter	Inches	0,3937
Feet	Meter	0,3048
Meter	Feet	3,2810
Yards	Meter	0,9144
Meter	Yards	1,0940
Miles	Kilometer	1,6090
Kilometer	Miles	0,6214
Acres	Hectare	0,4047
Hectare	Acres	2,4710
Gallons	Liter	4,5460
Liter	Gallons	0,2200
Ounces	Gram	28,35
Gram	Ounces	0,0353
Pounds	Gram	453,6
Gram	Pounds	0,0022
Pounds	Kilogram	0,4536
Kilogram	Pounds	2,205
Ton (Engels)	Ton (metriek)	1,0160
Ton (metriek)	Ton (Engels)	0,9842

Engelse maten echter nog volop gebruikt en afstanden en snelheidslimieten worden nog uitgedrukt in respectievelijk mijlen en mijlen per uur.
● Bier wordt in de pub per pint verkocht (een pint is iets minder dan 0,5 liter).
● De Britse gallon (4,5460 liter) is groter dan de Amerikaanse gallon (3,7854 liter).

TOILETTEN
Openbare toiletten zijn gratis en binnen de bebouwde kom volop aanwezig. Op sommige grote spoorwegstations moet u voor

PRAKTISCH

het toilet een kleinigheid betalen. Afgezien van enkele oude faciliteiten zijn de meeste toiletten modern en goed onderhouden.

● Alle benzinestations hebben gratis openbare toiletten. In landelijke gebieden zijn er soms toiletten bij parkeerterreinen langs de weg.

● Het is onaanvaardbaar om als niet-klant het toilet te gebruiken in pubs en restaurants.

ROKEN

● De meeste restaurants hebben een rookvrij gedeelte en in steeds meer restaurants is roken helemaal verboden.

● In pubs mag doorgaans worden gerookt, maar soms zijn er gedeelten gereserveerd voor niet-rokers.

● Op de meeste lokale treinen en bussen is roken verboden, maar langeafstandstreinen hebben vaak coupés voor rokers.

● Een opsomming van rookvrije pubs, restaurants en hotels vindt u op **www.ash.org.uk**

REIZEN MET KINDEREN

In sommige hotels, restaurants en pubs worden geen kinderen toegelaten, of alleen kinderen boven een bepaalde leeftijd. Andere bieden juist uitstekende faciliteiten voor kinderen, zoals hotels die hun gasten oppasservice en babyfoons aanbieden.

● Veel attracties geven korting of zijn gratis voor kinderen en sommige verkopen gezinskaarten.

● In pubs moeten kinderen (als ze er al mogen komen) in gezelschap zijn van een volwassene. Kinderen onder de 14 mogen niet in het bargedeelte komen, jongeren onder de 18 mogen geen alcohol kopen. Sommige restaurants en pubs hebben kinderstoelen.

● In grote warenhuizen en winkelcentra en sommige openbare gebouwen, zoals theaters, is er gelegenheid om baby's te verschonen, meestal in de buurt van de damestoiletten. Ook de meeste vliegtuigen bieden die mogelijkheid.

GEHANDICAPTE REIZIGERS

De meeste toeristische attracties en openbare gebouwen hebben faciliteiten voor gehandicapte bezoekers, maar informeer er voor de zekerheid naar. Zie ook de informatie voor gehandicapte reizigers op blz. 53–54.

● Niet alle hotels en pensions zijn geschikt voor rolstoelgebruikers of bezoekers met een visuele handicap. De Holiday Care Service (tel. 08451 249971) geeft informatie over accommodatie die geschikt is voor gehandicapte bezoekers.

● Het Royal National Institute for the Blind (tel. 020 7388 1266) geeft een hotelgids voor blinden uit.

AUTOVERHUUR

Als u voor u op reis gaat een huurauto regelt via uw reisbureau, bent u goedkoper uit en kunt u zich ruim van tevoren laten informeren over borg, toeslagen, annuleringskosten en verzekeringen. De grote autoverhuurbedrijven hebben vetigingen in alle grote steden en op de luchthavens. In kleinere plaatsen en op de eilanden zijn lokale bedrijfjes actief. In onderstaand kader worden enkele autoverhuurbedrijven genoemd. Informatie over autoverhuur is verkrijgbaar bij de toeristenbureaus (zie blz. 301).

● De meeste huurauto's zijn auto's met versnellingen, geen automaten.

● U moet in het bezit zijn van een rijbewijs. Een internationaal rijbewijs is niet nodig.

● De meeste verhuurbedrijven stellen als eis dat de bestuurder minimaal 23 jaar is en 12 maanden rijervaring heeft. Bestuurders onder de 25 jaar betalen soms een toeslag.

● De tarieven gelden meestal voor een onbeperkt aantal kilometers. Het kan goedkoper zijn om een maximum aantal kilometers af te spreken en voor extra gereden kilometers extra te betalen.

● Zorg dat u een all-riskverzekering inclusief WA-dekking hebt. De meeste verhuurders bieden ook afkoop eigen risico en een ongevallen-inzittendenverzekering aan. U betaalt meer als er meer bestuurders zijn.

● Informeer wat er standaard in de auto aanwezig is (airconditioning hoort daar bijvoorbeeld niet bij) en kijk of de opgegeven prijs inclusief BTW (VAT) is.

● Informeer voor u de auto ophaalt naar eventuele extra voorzieningen, zoals een imperial of kinderzitjes.

● Reken voor een auto in de goedkoopste klasse (zoals een Ford Fiesta) op ongeveer £40 per dag, voor een middenklasseauto (zoals een Rover) op ongeveer £50 per dag en voor luxere auto's op £60 of meer per dag.

● De meeste auto's rijden op loodvrije benzine. Zorg dat u weet welke brandstof u moet hebben (loodvrij of diesel) voordat u gaat tanken.

● Wanneer u de auto terugbrengt moet er evenveel benzine in de tank zitten als toen u hem ophaalde. Meestal kan men het aftanken ook overlaten aan de verhuurder.

NAAM	LOCATIES	CONTACT
Alamo	Aberdeen, Dundee, Edinburgh, Glasgow, Prestwick, Hamilton, Inverness, Stirling	Tel 0870 400 4562 **www.alamo.co.uk**
Avis	Aberdeen, Edinburgh, Glasgow, Inverness, Oban, Prestwick, Stirling	Tel 0870 6060 100 **www.avis.co.uk**
Budget	Aberdeen, Edinburgh, Glasgow, Inverness	Tel 01656 655655 **www.budget.co.uk**
Europcar BCR	Aberdeen, Edinburgh, Glasgow, Prestwick, Inverness, Orkney, Shetland	Tel 0845 722 2525 **www.europcar.co.uk**
Hertz	Aberdeen, Dundee, Edinburgh, Fraserburgh, Glasgow, Inverness, Perth, Prestwick, Stranraer	Tel 08708 448844 **www.hertz.co.uk**
Autohire	Isle of Lewis	Tel 01851 706939

AUTOVERHUURBEDRIJVEN

GELD

UITGAVEN

Ga ervan uit dat u minstens £40 per dag kwijt bent als u op eigen gelegenheid reist. Het is niet moeilijk om meer dan £100 per dag uit te geven.

U kunt uw geld het best in verschillende vormen bij u dragen — contant, creditcard, bankpas en travellercheques.

CONTANT GELD

De Britse munteenheid is het pond sterling (zie kader).

● Schotse banken brengen hun eigen bankbiljetten uit. Voorbeelden hiervan zijn hieronder links te zien. Deze bankbiljetten zijn in het hele Verenigd Koninkrijk geldig, maar buiten Schotland, waar ze minder bekend zijn, wordt soms getwijfeld aan de echtheid ervan. Ze kunnen bij elke bank en elk postkantoor worden omgewisseld in Bank of England-biljetten.

VERLIES OF DIEFSTAL VAN CREDITCARDS

American Express
01273 696933
Diners Club
01252 513500/0800 460800
MasterCard/Eurocard
0800 964767
Switch
0113 277 8899
Visa/Connect
0800 895082

● Bankbiljetten van de Bank of England (hieronder rechts) worden in Schotland overal geaccepteerd.
● Contant geld mag onbeperkt worden in- en uitgevoerd.
● Het is handig om altijd wat munten van 10p, 20p, 50p en £1 op zak te hebben, onder andere voor parkeerautomaten en parkeermeters.

GELDAUTOMATEN

Geldautomaten (in het Engels *ATMs* of *cashpoints*) zijn overal in het land te vinden. U kunt bij uw bank informeren of u voor het gebruik van geldautomaten van andere banken moet betalen.

● De meeste geldautomaten in het Verenigd Koninkrijk zijn van het merk LINK. Het gebruik van LINK-automaten is gratis, behalve voor creditcards.
● U betaalt ook voor het gebruik van geldautomaten die op bepaalde particuliere locaties (zoals in garages) zijn geïnstalleerd. Het tarief staat duidelijk aangegeven en komt meestal neer op ongeveer £1,25–£1,50.

CREDITCARDS

Creditcards worden algemeen geaccepteerd. Visa en Master-Card zijn het populairst, gevolgd

---

BANKBILJETTEN EN MUNTEN

Een pond (£) komt overeen met 100 pence (p). Er zijn munten ter waarde van **1p, 2p, 5p, 10p, 20p, 50p, £1** en **£2** en bankbiljetten van **£1 (alleen Schots), £5, £10, £20** en **£50.**

NATIONALE FEESTDAGEN

Banken en kantoren zijn gesloten op de hieronder genoemde officiële feestdagen, maar grote toeristische attracties en sommige winkels blijven open, behalve op 25 en 26 december en 1 en 2 januari, wanneer bijna alles dicht is. Als een van deze dagen op een zaterdag of zondag valt, is de volgende werkdag een vrije dag.

Nieuwjaar (1 januari)
New Year's Bank Holiday (2 januari)
Goede Vrijdag
Tweede paasdag
Eerste maandag in mei
Laatste maandag in mei
Eerste maandag in augustus
Laatste maandag in augustus
Eerste kerstdag (25 december)
Tweede kerstdag (26 december)

BELANGRIJKE BANKEN

NAAM	ADRES HOOFDKANTOOR	TELEFOON
Barclays	54 Lombard Street, Londen EC3 3AA	020 7699 5000
HSBC	8 Canada Square, Londen E14 5HQ	020 7991 8888
Lloyds/TSB	25 Gresham Street, Londen EC2V 7HN	020 7626 1500
National Westminster	135 Bishopsgate, Londen EC2M 3UR	0870 240 1155
Royal Bank of Scotland	36 St. Andrew Square, Edinburgh EH2 2YB	0131 556 8555

door American Express, Diners Club en JCB.
● Creditcards kunnen ook worden gebruikt om geld op te nemen bij geldautomaten die het juiste logo voeren, om geld te wisselen en om traveller-cheques te verzilveren. Als uw creditcard of travellercheques worden gestolen, bel dan onmiddellijk de betreffende maatschappij en doe vervolgens aangifte bij de politie.

TRAVELLERCHEQUES
De veiligste manier om geld bij u te hebben is in de vorm van travcellercheques, die in geval van diefstal of verlies altijd worden vergoed (bewaar de nummers apart van de cheques), meestal binnen 24 uur.

BANKEN
De meeste banken zijn ma.–vr. 9.30–16.30 uur geopend. Sommige kantoren zijn ook op zaterdagochtend open.
● De commissie die u betaalt als u geld wisselt, varieert per bank. U betaalt geen commissie als u travellercheques in ponden verzilvert bij een filiaal van de bank die ze heeft uitgegeven.
● U moet zich legitimeren als u travellercheques verzilvert.

POSTKANTOREN
De meeste postkantoren zijn ma.–vr. 9–17.30 uur geopend, plus enkele uren op zaterdag.
● Afgezien van de grote postkantoren in de steden, die alle postdiensten verlenen, zijn er door het hele land ook tal van kleinere postagentschappen,

vaak in kiosken of andere winkels.
● Bij sommige postkantoren kan geld worden gewisseld zonder commissie (tel. 08458 500900), ook via internet op www.postoffice.co.uk. Uitbetaling gaat contant of via Visa, MasterCard, Switch, Delta, Solo of Electron.

WISSELKANTOREN
De meeste wisselkantoren zijn dagelijks geopend van 8 tot 22 uur. Ze zijn te vinden op grote spoorwegstations en luchthavens en aan drukke straten in de grotere steden. De commissie varieert; het kan de moeite waard zijn om een paar adressen te vergelijken. Commissietarieven moeten duidelijk zijn aangegeven.

KORTINGEN
● Kinderen onder de 16 krijgen korting als ze met de bus, metro of trein reizen.
● Een Senior Citizens' Railcard voor 60-plussers kost £20 en geeft recht op een korting van eenderde van de prijs op treinreizen buiten de spitsuren. Zie ook blz. 48–50.

DE EURO
In de grotere steden is het soms mogelijk om met euro's te betalen.
● Veel grote winkelketens, zoals de Body Shop, Clarks, Deben-hams, Habitat, HMV, Marks & Spencer, Miss Selfridge, Topshop, Virgin en Waterstones, accep-

teren euro's in sommige of alle filialen.
● Sommige pubs, met name als ze eigendom zijn van J D Wetherspoon, Scottish & Newcastle of Shepherd Neame, accepteren euro's, evenals bepaalde benzinestations (van BP en sommige andere maatschappijen).
● Treinkaartjes voor Virgin-treinen kunnen ook met euro's worden betaald.

GELD STUREN
Mocht u onverhoopt in geldnood raken, dan kunt u een familielid of kennis vanuit eigen land geld naar u laten overmaken. Geld kan van de ene bank naar de andere worden overgemaakt, wat twee dagen kan duren, of naar een kantoor van Travelex (tel. 01733 318922, www.travelex.co.uk) of Western Union (tel. 0800 833833, www.westernunion.com).

TERUGGAVE BTW
Zie bladzijde 151.

FOOIEN

Restaurants (waar de bediening niet bij de prijs is inbegrepen)	10%
Rondleidingen	£1–£2
Kappers	10%
Taxi's	10%
Kamermeisjes	50p–£1 per dag
Kruiers	50p–£1 per koffer

TIEN DAGELIJKSE BENODIGDHEDEN EN HOEVEEL ZE KOSTEN

Sandwich	£2,50
Fles water	£1
Kop thee of koffie	90p–£1,75
Glas bier (pint)	£2,20
Glas huiswijn	£2,50
Brits landelijk dagblad	40p–£1,30p
Fotorolletje	£5
20 sigaretten	£4,80
IJsje	£1
Liter benzine	79p

GEZONDHEID

De Britse National Health Service (NHS) is in 1948 opgezet om de inwoners van het land zorg te bieden op basis van behoefte, niet op basis van draagkracht. De NHS wordt betaald door de belastingbetaler en beheerd door het ministerie van Volksgezondheid.

● De gezondheidszorg van de National Health Service is gratis voor Britse staatsburgers, maar er wordt ook zorg tegen betaling geleverd door particuliere organisaties als BUPA.

● Bezoekers uit lidstaten van de Europese Unie hebben recht op gratis medische zorg van de NHS (zie hieronder).

VOOR U VERTREKT

● Raadpleeg uw arts ten minste zes tot acht weken voor u vertrekt.

● Bezoekers uit EU-landen hebben recht op gratis medische zorg via de NHS, maar dienen dan een gestempeld en ondertekend E111-formulier bij zich te hebben (informeer bij uw zorgverzekeraar). Hetzelfde E111-formulier kan vaker worden gebruikt, tenzij er iets in uw persoonlijke gegevens is veranderd.

● Verscheidene andere landen hebben wederzijdse afspraken met het Verenigd Koninkrijk op het gebied van gezondheidszorg (zie hierna)). In de meeste gevallen volstaat legitimatie door middel van een paspoort om voor behandeling in een ziekenhuis in aanmerking te komen.

● Voor uw bezoek aan het Verenigd Koninkrijk zijn geen inentingen vereist. Het kan echter geen kwaad om een tetanusprik te halen voor u op reis gaat en bij uw huisarts te informeren of u baat hebt bij inentingen tegen ziekten als meningitis, hepatitis B, difterie en mazelen, de bof en rodehond.

LANDEN DIE MET HET VERENIGD KONINKRIJK AFSPRAKEN HEBBEN OVER GEZONDHEIDSZORG

Anguilla, Australië, Barbados, Britse Maagdeneilanden, Bulgarije, Kanaaleilanden, Tsjechië, Falklandeilanden, Hongarije, Joegoslavië (oftwel Servië en Montenegro) en de nieuwe Balkanstaten Kroatië, Bosnië, Slovenië en Macedonië, Malta, Montserrat, Nieuw-Zeeland, Polen, Roemenië, Rusland, Sint-Helena, Slowakije, de republieken van de voormalige Sovjetunie (behalve Letland, Litouwen en Estland) en de Turks- en Caicoseilanden.

WAT NEEMT U MEE?

● Bezoekers uit de EU doen er goed aan een gestempeld E111-formulier mee te nemen en een kopie ervan op een veilige plaats te bewaren.

● Bezoekers van buiten de EU moeten de polis van hun reisverzekering en een extra kopie meenemen.

● Bezoekers met een bepaalde aandoening of allergie, bijvoorbeeld tegen sommige medicijnen, zouden een codicil bij zich moeten hebben.

EEN DOKTER WAARSCHUWEN

● Ga in geval van een ongeluk naar de eerstehulpafdeling van een ziekenhuis.

● Als u in een hotel of bed-and-breakfast verblijft, dan kan men u hier dikwijls snel aan een dokter helpen. Vaak staan

telefoonnummers van hulpdiensten duidelijk vermeld op uw kamer.

● Als u op uzelf aangewezen bent, bel dan NHS Direct (tel. 0845 4647) voor gratis medisch advies van een gekwalificeerde verpleegkundige. U kunt ook via internet advies vragen op www.nhsdirect. nhs.uk. U hoeft geen persoonlijke gegevens te vermelden.

● Voor niet-spoedeisende hulp kunt u een afspraak maken met een arts uit de Gouden Gids (Yellow Pages). Bezoekers die niet in aanmerking komen voor gratis zorg (zie eerder op deze bladzijde) moeten betalen voor een consult (£25 voor een verpleegkundige, £55 voor een arts).

● Om de dichtstbijzijnde arts te vinden, kunt u een apotheek of de receptie van uw hotel raadplegen, of op www.nhs.uk/localnhsservices kijken.

● Op het raam of de deur van apotheken staat aangegeven welke apotheek op dat moment buiten winkeltijden geopend is.

● Bel 999 voor een ambulance.

WATER

Water uit de kraan kunt u zonder risico drinken als het afkomstig is uit het waterleidingnet. Drink geen water dat uit een tank komt, bijvoorbeeld in een treintoilet.

TANDHEELKUNDIGE HULP

Voor tandheelkundige hulp moet altijd worden betaald, of men nu particulier patiënt of NHS patiënt (iets goedkoper) is. Het is verstandig om vóór uw vertrek voor controle naar uw eigen tandarts te gaan.

● In Groot-Brittannië staan tandartsen vermeld in de Gouden Gids (Yellow Pages). U kunt ook de website van de British Dental Association raadplegen: www.bda-findadentist.org.uk.

OPTICIENS		
NAAM	**TELEFOON**	**WEBSITE**
Boots Opticians	0845 070 8090	www.wellbeing.com/bootsopticians
Dollond & Aitchison	0121 706 6133	www.danda.co.uk
Specsavers	01481 236000	www.specsavers.co.uk
Vision Express	0115986 5225	www.visionexpress.com

BELANGRIJKE APOTHEKEN		
NAAM	**TELEFOON**	**WEBSITE**
Boots the Chemist	0115 950 6111	www.wellbeing.com
Co-op Pharmacy	0161 834 1212	www.co-oppharmacy.co.uk
Lloyds Pharmacy	024 7643 2400	www.lloydspharmacy.com
Superdrug	020 8684 7000	www.superdrug.com
Sainsbury Pharmacy	020 7695 6000	www.sainsbury.com
Tesco Pharmacy	01992 632222	www.tesco.com

PRAKTISCH

NOODGEVALLEN

VEILIGHEID

De misdaadcijfers in Groot-Brittannië zijn betrekkelijk laag, maar er zijn in elke stad buurten die u beter kunt mijden. In toeristische gebieden is diefstal het grootste gevaar.

● Wees vooral op uw hoede voor zakkenrollers in de trein, in drukke openbare gelegenheden en bij evenementen.

● Vermijd 's avonds onverlichte buurten en houd uw tas tegen u aan. Als iemand uw tas probeert af te pakken, verzet u dan niet.

● Als u tot laat uitgaat, neem dan een taxi naar huis; maak alleen gebruik van officiële taxi's.

● Als u alleen met de auto onderweg bent, zorg dan dat u een mobiele telefoon bij u hebt. Houd er wel rekening mee dat in afgelegen gebieden de verbinding slecht kan zijn.

● Doe uw deuren op slot als u met de auto in het verkeer vast komt te staan, vooral 's avonds. Sluit uw auto altijd af als deze geparkeerd staat en laat er geen waardevolle spullen in achter.

● Neem geen lifters mee.

● Ga in de bus vlak bij de bestuurder of conducteur zitten en vermijd lege treincoupés.

VERLOREN VOORWERPEN

Als u iets bent kwijtgeraakt, ga dan naar het dichtstbijzijnde politiebureau om een verloren-voorwerpenformulier in te vullen. Geef zoveel mogelijk details, zoals bijvoorbeeld een registratie-nummer of creditcardnummer.

● www.lostandfound.co.uk en www.virtualbumblebee.co.uk zijn sites waarop u gratis een verloren voorwerp kunt melden en kunt zoeken naar verloren en gevonden voorwerpen in het hele land.

● Bij de afdeling gevonden voorwerpen op luchthavens komen

ALARMNUMMERS

Politie, ambulance, brandweer, kustwacht en reddingsbrigade in bergstreken

999 of 112

alleen zaken terecht die in de luchthavengebouwen zijn gevonden. Neem contact op met de luchtvaartmaatschappij als u spullen in het vliegtuig bent kwijtgeraakt (zie blz. 38).

PASPOORT KWIJT

Als u uw paspoort bent kwijtgeraakt, neem dan contact op met uw ambassade in het Verenigd Koninkrijk (zie kader). Het is handig om het nummer van uw paspoort te weten; maak een kopie van de relevante pagina's van uw paspoort of scan ze en stuur ze naar een *web based* e-mailadres.

IN GEVAL VAN NOOD

Bel in geval van nood 999 of 112. De telefonist(e) zal vragen wat voor hulp u nodig hebt. Vertel waar u bent, wat het

nummer is van de telefoon die u gebruikt, wat het probleem is en waar dit zich heeft voorgedaan.

● Voor minder urgente gevallen kunt u contact opnemen met het dichtstbijzijnde politiebureau (zie blz. 298 voor telefonische inlichtingen).

● Bel voor niet-spoedeisende medische hulp NHS Direct (National Health Service, tel. 0845 4647), waar goed opgeleid personeel u verder helpt. Deze dienst is voor iedereen gratis.

● Bij politiemensen op straat kunt u altijd terecht voor informatie.

● Afgezien van noodgevallen kan criminaliteit die zich in de trein voordoet worden gemeld bij de British Transport Police, tel. 0800 405040.

● Als u slachtoffer bent van een misdrijf, kunt u hulp en juridisch advies krijgen bij Victim Support, tel. 0845 303 0900.

ARRESTATIE EN BOETES

U kunt niet worden gearresteerd voor een klein vergrijp zoals te hard rijden, tenzij u de zaak verergert door u bijvoorbeeld agressief te gedragen of door te weigeren u te legitimeren.

● Als u betrokken bent bij een auto-ongeluk, bent u verplicht uw naam en adres op te geven.

● De politie is bevoegd om boetes uit te schrijven voor asociaal gedrag of het verdoen van de tijd van de politie.

● U kunt ook een boete krijgen als u buitensporig dronken gedrag vertoont of anderszins de openbare orde verstoort.

● Er worden ter plaatse boetes uitgeschreven voor te hard rijden, het rijden op een busbaan, door rood licht rijden en andere verkeersovertredingen (deze boetes beginnen bij ongeveer £40).

AMBASSADES EN CONSULATEN

LAND	ADRES	TELEFOON
Nederlandse ambassade	38 Hyde Park Gate, Londen SW7 5DP	020 7590 3200
Belgische ambassade	03-105 Eaton Square, Londen SW1W 9AB	020 7470 3700
Nederlandse consulaten	1/2 Thistle Street, Edinburgh EH2 1DD	0131 220 3226
	3 Annandal Terrace, Dalnottar Avenue, Old Kilpatrick, Glasgow G60 5DJ	023 8987 5744
	18 Carden Place, Aberdeen AB10 1UQ	0122 456 1616

COMMUNICATIE

De manier waarop we communiceren verandert snel door de technologische ontwikkelingen, maar de oude vertrouwde ansichtkaart is nog lang niet verdwenen. Daarnaast zijn er tal van andere – snelle en betrouwbare – manieren om contact te onderhouden met uw vrienden en familie.

TELEFOONS
De belangrijkste telefoonmaatschappij, British Telecom (BT), beheert duizenden openbare telefoons in heel Schotland.

Netnummers, landnummers en telefoonboeken
● De meeste netnummers bestaan uit vier of vijf cijfers en beginnen met 01.
● Het netnummer van Edinburgh is 0131. In het telefoonboek en de Gouden Gids (*Yellow Pages*) staat het netnummer tussen haakjes voor elk telefoonnummer.
● In elk telefoonboek staat een volledige lijst met netnummers en landnummers.
● Als u lokaal belt, kunt u het netnummer weglaten.
● Als u naar het buitenland belt, kies dan het internationale toegangsnummer gevolgd door het telefoonnummer zonder de eerste 0 van het netnummer.

Openbare telefoons
Telefooncellen zijn meestal zilverkleurig of rood en staan bij alle grotere bus- en spoorwegstations, op straat in stadscentra, in tal van dorpen en op meer landelijke locaties.
● Veel BT-telefoons werken op creditcards (minimumtarief 50p;

20p per minuut voor alle binnenlandse gesprekken).
● Munttelefoons werken op munten van 10p, 20p, 50p en £1, sommige ook op munten van £2. Ongebruikte munten krijgt u terug, maar geen wisselgeld.
● Hotels en pubs bepalen zelf het tarief van hun openbare telefoon. Dit kan exorbitant hoog zijn. Bellen vanaf de hotelkamer is ook vaak erg duur.

MOBIEL BELLEN
Groot-Brittannië heeft zich met hart en ziel overgegeven aan de mobiele telefonie, maar in sommige pubs en andere gelegenheden (treinen hebben soms 'stille' gedeelten) wordt het gebruik van mobieltjes ontmoedigd. In bijna iedere winkelstraat zijn mobiele-telefoonwinkels te vinden.
● Bellen met uw eigen mobiele telefoon kan in het buitenland duur uitpakken, want vaak betaalt u ook voor de inkomende gesprekken
● U kunt er eventueel voor kiezen om een Britse simkaart

INTERNATIONALE TOEGANGSNUMMERS	
België	00 32
Duitsland	00 49
Frankrijk	00 33
Ierland	00 353
Italië	00 39
Luxemburg	00 352
Nederland	00 31
Portugal	00 351
Spanje	00 34
Zweden	00 46
Verenigde Staten	00 1
Verenigd Koninkrijk	00 44

HANDIGE TELEFOONNUMMERS

Inlichtingen binnenland:
Elke telefoonmaatschappij heeft zijn eigen nummer; bel **118500** (BT) of **118111** (One.Tel)

Inlichtingen buitenland:
Elke telefoonmaatschappij heeft zijn eigen nummer; bel **118505** (BT) of **118211** (One.Tel)

Internationale telefonist(e):
155

Telefonist(e): **100**

Tijdmelding: **123**

SPECIALE NETNUMMERS	
00	internationale nummers
01	netnummers
02	netnummers
07	mobiele-telefonietarief
080	gratis nummers
084	nummers met lokaal tarief
087	nummers met nationaal tarief
09	nummers met een toeslag

Voor informatie over tarieven kunt u de telefonist(e) bellen op 100.

Als u vanuit het buitenland naar Schotland wilt bellen, kies dan 00 44 en laat de eerste 0 van het netnummer weg.

te kopen voor £10 tot £20, waarmee u toegang krijgt tot een van de grote netwerken in het Verenigd Koninkrijk, zoals

GESPREKSKOSTEN	
Minimumtarief	20p
Binnenlandse gesprekken	11p per minuut
Bellen naar mobiele telefoons	Ma-vr 8–18 uur 63p per minuut, ma-vr 18–8 uur 38p per minuut, in het weekeinde 19p per minuut
Italië, VS en Canada	altijd 75p per minuut
België, Duitsland, Frankrijk, Nederland en Zweden	altijd 67p per minuut
Australië en Nieuw-Zeeland	altijd £1 per minuut
Gesprekstarieven	Deze zijn altijd lager op werkdagen na 18 uur en op za. en zo. de gehele dag. Lokale gesprekken zijn goedkoper dan interlokale en bellen naar mobiele telefoons is over het algemeen duurder dan andere gesprekken

PRAKTISCH

British Telecom (BT), Orange of Vodafone. U hebt dan een nieuw – Brits – telefoonnummer en betaalt het lokale tarief.

● Als u geen abonnement hebt, maar prepaid belt, kunt u in supermarkten en diverse andere soorten winkels een prepaidkaart kopen om uw beltegoed op te waarderen. Als u langere tijd in het Verenigd Koninkrijk verblijft kan het handig zijn om voor een abonnement te kiezen.

● Houd er rekening mee dat er in Schotland nog steeds 'zwarte gaten' zijn waar u met uw mobiele telefoon geen bereik hebt en dat deze per netwerk verschillen.

● Vergeet niet een universele stekker mee te nemen voor de oplader.

INTERNETTEN

Er worden door British Telecom in het hele land *multimedia web phones* (blauwe telefooncellen) geplaatst in winkelcentra, spoorwegstations, luchthavens en grote benzinestations langs snelwegen. Hiermee kunnen gebruikers toegang krijgen tot internet en e-mails of sms-berichten versturen. Voor de internetverbinding betaalt u 50p voor vijf minuten en 10p voor iedere volgende minuut. E-mails en sms-berichten kosten 20p per bericht.

● *Web phones* zouden wel eens de toekomst van de internetcafés in de grotere steden (waar u ongeveer £1–£2 per uur betaalt) in gevaar kunnen brengen.

● Ook in sommige gewone telefooncellen kunt u sms-berichten en e-mails versturen. Dit wordt met een bepaald logo aangegeven.

● Veel openbare bibliotheken bieden gratis toegang tot internet. Kijk voor meer informatie op www.peoplesnetwork.gov.uk.

● British Telecom heeft in het hele land meer dan 400 draadloze *hot spots* gerealiseerd op locaties als luchthavens, hotels en grote benzinestations. Deze bieden laptop- en pda-gebruikers binnen een straal van 100 m een draadloze breedbandinternetverbinding (Wi-Fi). De naam van dit staaltje draadloze technologie is BT Openzone. U hebt een laptop of pda nodig waarop Microsoft Windows XP, Windows 2000 of Microsoft Pocket PC 2002 is geïnstalleerd, en een draadloze LAN-kaart.

● Bedenk dat dit een weliswaar gemakkelijke, maar ook dure manier van internetten is.

EEN LAPTOP GEBRUIKEN

Als u van plan bent uw eigen laptop te gebruiken, vergeet dan niet een universele stekker mee te nemen voor het opladen (zie Elektriciteit blz. 292).

● Om te kunnen internetten hebt u ook een adapter voor de telefooncontactdoos nodig. Deze is in Groot-Brittannië verkrijgbaar bij het bedrijf als Teleadapt (www.teleadapt.com). Als u gebruikmaakt van een internationale provider, zoals Compuserve of AOL, is het goedkoper om een lokaal toegangsnummer te kiezen dan het nummer in eigen land.

● Draadloze technologie, zoals Bluetooth, biedt de mogelijkheid om met uw mobiele telefoon te internetten. Ga van tevoren na wat de kosten zijn. Schakeltoonfrequenties verschillen van land tot land, dus stel uw modem zo in dat hij schakeltonen negeert.

POST

● Bel voor informatie over postkantoren naar de klantenservice, tel. 0845 7740 740.

● Brievenbussen zijn felrood (behalve sommige bussen in postkantoren). Er zijn bussen in de muur en vrijstaande ronde *pillar boxes*. Op de brievenbus staat wanneer hij gelicht wordt.

● Postzegels zijn verkrijgbaar op het postkantoor en bij kiosken en supermarkten.

● Luchtpost naar andere landen

binnen Europa is ongeveer drie dagen onderweg en naar overige bestemmingen een of twee dagen langer. Als u grote pakketten moet versturen, bent u met zeepost aanmerkelijk goedkoper uit.

● Grote postkantoren bieden een poste restante-service. Dit betekent dat u post op uw naam naar het betreffende postkantoor kunt laten sturen onder vermelding van 'poste restante'. De post wordt op het postkantoor bewaard tot u hem ophaalt.

● Binnenlandse post die de volgende dag op zijn bestemming moet zijn, kunt u het best per expresse (*special delivery*) versturen. U kunt in dat geval uw post ook laten verzekeren.

POSTTARIEVEN		
Eerste klas binnen het	Tot 60 g	28p
Verenigd Koninkrijk	(komt meestal de volgende dag aan)	
Tweede klas binnen het	Tot 60 g	20p
Verenigd Koninkrijk	(komt meestal na twee dagen aan)	
Ontvangstbevestiging	Gratis	
Luchtpost		
Europa	Brief (100 g)	£1,01
	Ansichtkaart	38p
Amerika, Midden-Oosten,	Brief (100 g)	£2,16
Afrika, India, Zuidoost-Azië	Ansichtkaart	42p
Australië en de rest van Azië	Brief (100 g)	£2,44
	Ansichtkaart	42p

MEDIA

TELEVISIE

• Er zijn in het Verenigd Koninkrijk vijf grote nationale televisiezenders (zie rechts). Het aanbod in Schotland wordt voornamelijk bepaald door wat er ten zuiden van de Border wordt uitgezonden, met dien verstande dat de grote nationale zenders ook lokaal materiaal opnemen.

• De BBC is een publieke omroep en biedt geen reclamezendtijd aan.

• BBC1 en 2 zijn ook zonder kabel te ontvangen en BBC News 24 wordt 's nachts uitgezonden op BBC1.

• BBC4, met een culturele programmering, BBC News 24, BBC Parliament en BBC Choice, die langere versies uitzendt van programma's die op BBC1 en 2 te zien zijn, zijn beschikbaar via de kabel en via digitale televisie.

• Satelliet-tv, gedomineerd door Sky TV, brengt soms televisie naar gebieden die in het verleden problemen met de ontvangst hadden.

RADIO

Schotland wordt bediend door de Britse nationale radiozenders (BBC) en heeft ook een paar eigen zenders.

• BBC Radio Scotland heeft een trouwe aanhang en zendt een mengeling van nieuws-, discussie-, reis- en muziekprogramma's uit. Deze zender is handig voor weerberichten.

• Op bepaalde tijdstippen wordt de frequentie overgenomen door lokale zenders. Zo hoort u bijvoorbeeld op werkdagen om 7.50, 12.54 en 16.54 uur plaatselijke nieuwsbulletins van de regio waar u zich bevindt.

• Er zijn ook verscheidene lokale

commerciële zenders, zoals Radio Forth (voor Edinburgh) en Beat 106 FM (voor Glasgow en verder oostelijk).

• Digitale radio is buiten Glasgow, Edinburgh en de centrale Borders nog niet van de grond gekomen in Schotland.

KRANTEN EN TIJDSCHRIFTEN

• In het kwaliteitssegment van de markt wil The Scotsman, gevestigd in Edinburgh, de nationale krant van Schotland zijn, al aast ook The Herald, gevestigd in Glasgow, op die titel.

• Beide halen het qua oplage niet bij de schaamteloos regionale, haast als 'sufferdje' te betitelen Press and Journal uit Aberdeen. De centrale regio van Schotland wordt gedomineerd

door de wekelijks verschijnende Dundee Courier.

• De populaire roddelkrant van Schotland is de Daily Record.

• De zeer goed verkopende Sunday Post heeft het patent op een uniek soort conservatieve journalistiek voor het hele gezin en publiceert twee klassieke strips – 'Oor Wullie' en 'The Broons'.

• Scotland on Sunday is een zwaargewicht die zich richt op de serieuzere lezers, evenals de Sunday Herald.

• Schotland heeft ook tal van lokale weekbladen, van de radicale West Highland Free Press tot de Shetland Times — goed om eens in te kijken als u wilt weten wat er in uw vakantieplaats te doen is.

• The List is een uitstekend tweewekelijks magazine met informatie over wat er te doen is in Edinburgh en Glasgow.

• Kranten uit andere landen zijn te koop op luchthavens en grote spoorwegstations en bij zaken als WH Smith.

• Het maandelijks verschijnende Scots Magazine is een nationaal instituut, dat zich richt op 'mensen die van Schotland houden'. Door zijn kleine formaat en dikke rug valt het tussen andere bladen onmiddellijk op. Het kwam voor het eerst uit in 1739. Een rijke bron van Caledonische curiositeiten.

PRAKTISCH

TOERISTENINFORMATIE

VISITSCOTLAND

De officiële informatiebron voor toeristen, VisitScotland (vooheen de Scottish Tourist Board), steunt de uitgave van gratis brochures over onderwerpen variërend van waar je golf kunt spelen tot hoe je bij de Western Isles komt. VisitScotland publiceert verschillende accommodatie- en campinggidsen en stelt veel informatie beschikbaar op de uitstekende website, www.visitScotland.com

TOERISTENBUREAUS

De ongeveer 120 Tourist Information Centres (toeristen- bureaus) in Schotland zijn een vriendelijke bron van deskundig advies en gratis brochures, en van officiële publicaties en kaarten van de omgeving. Alle toeristenbureaus kunnen infor- matie geven over de accommo- datiemogelijkheden, en vaak zijn ze ook bereid accommodatie voor u te reserveren. De helft van de toeristenbureaus is alleen van Pasen tot en met oktober open. De vaste openingstijden zijn 9–5 uur (in de winter korter). Sommige zijn gevestigd bij benzinestations, zoals die bij afslag 13 van de M74, afslag 6 van de M90 en afslag 9 van de M9. Hiernaast ziet u adressen van grote vestigingen die het hele jaar geopend zijn.

ZUID-SCHOTLAND

Ayr
22 Sandgate, KA7 1BW
Tel. 01292 678100

Dumfries
64 Whitesands, Dumfries
DG1 2RS
Tel. 01387 253862

Melrose
Abbey House, Abbey Street
TD6 9LG
Tel. 0870 608 0404

North Berwick
Quality Street EH39 4HJ
Tel. 01620 892197

EDINBURGH

Edinburgh & Scotland
Information Centre,
3 Princes Street EH2 2QP
Tel. 0845 225 5121

MIDDEN-SCHOTLAND

Aberfoyle
Trossachs Discovery Centre,
Main Street FK8 3UQ
Tel. 08707 200604

Dundee
21 Castle Street DD1 3AA
Tel. 01382 527527

Perth
Lower City Mills,
West Mill Street PH1 5QP
Tel. 01738 450600

Pitlochry
22 Atholl Road PH16 5BX
Tel. 01796 472215/472751

St. Andrews
70 Market Street KY16 9NU
Tel. 01334 472021

GLASGOW

11 George Square G2 1DY
Tel. 0141 204 4400

HIGHLANDS EN EILANDEN

Aberdeen
23 Union Street AB11 5BP
Tel. 01224 288828

Aviemore
Grampian Road PH22 1PP
Tel. 01479 810363

Fort William
Cameron Centre, Cameron
Square PH33 6AJ
Tel. 01397 703781

Grantown on Spey
54 High Street, PH26 3AS
Tel. 01479 872773

Inverness
Castle Wynd IV2 3BJ
Tel. 01463 234353

Loch Lomond
Gateway Centre, Loch Lomond
Shores, Balloch G83 8QL
Tel. 08707 200631

Oban
Argyll Square PA34 4AR
Tel. 08707 200630

Skye
Bayfield House, Portree IV51 9EL
Tel. 01478 612137

Lewis
26 Cromwell Street, Stornoway
HS1 2DD
Tel. 01851 703088

Ullapool
Argyle Street IV26 2UB
Tel. 01854 612135

ORKNEY EN SHETLAND

Kirkwall
6 Broad Street, Orkney
KW15 1DH
Tel. 01856 872856

Lerwick
The Market Cross, Shetland
ZE1 0LU
Tel. 01595 693434

OPENINGSTIJDEN

Banken	Ma.-vr. 9.30-16.30 uur; grotere kantoren soms ook za. ochtend
Artsen/tandartsen	Ma.-vr. 8.30-18.30 uur; soms ook za. ochtend
Apotheken	Ma.-za. 9-17 of 17.30 uur
Postkantoren	Ma.-vr. 9-17.30, za. 9-12 uur
Pubs	Openingstijden variëren, maar meestal dag. 12-14.30 en 18-23 uur; sommige blijven de hele middag open
Restaurants	Openingstijden variëren, maar meestal dag. 12-14.30 en; 18-23 uur; veel restaurants zijn 1 of 2 dagen in de week gesloten
Winkels	Ma.-za. 9-17 of 17.30 uur. Kiosken en sommige andere winkels kunnen ook op zo. open zijn
Supermarkten/ convenience stores	Ma.-za. 8-18 uur of later; ook zes uur (bijvoorbeeld 10-16 uur) op zondag
Attracties	Openingstijden variëren, dus bel van tevoren. Meestal is toegang mogelijk tot een halfuur voor sluitingstijd

PRAKTISCH

BRITSE TOERISTENBUREAUS BUITEN HET VERENIGD KONINKRIJK

België:
Visit Britain Centre
Louizalaan 140,
1050 Brussel,
tel. 02 646 3510,
fax 02 646 3986
Openingstijden: ma.–vr. 10–16 uur
www.visitbritain.com/be
british.be@visitbritain.org

Nederland:
Visit Britain
Aurora Gebouw (5e etage),
Stadhouderskade 2
1054 ES Amsterdam,
tel. 020 689 0002,
fax 020 689 0003
Openingstijden: ma.–vr. 10–16 uur
www.visitbritain.com/nl
nl@visitbritain.org

Op de Nederlandse en Belgische website van Visit Britain vindt u uitgebreide informatie over accommodatie, attracties, evenementen, vervoer en praktische zaken. Ook treft u er een routeplanner en een wisselkoerscalculator aan. U kunt via deze sites gratis brochures aanvragen en kortingspassen bestellen. In de winkel van Visit Britain zijn kaarten, boeken en kortingspassen te koop.

HANDIGE WEBSITES

Reisinformatie
www.anwb.nl
www.visitScotland.com
www.undiscoveredscotland.co.uk

Kaarten en boeken
www.theAA.com
www.estate-publications.co.uk
www.ordnancesurvey.co.uk
www.ukho.gov.uk
www.amazon.com

Algemene informatie over Schotland
www.electricscotland.com
www.geo.ed.ac.uk/scotgaz

Scottish Executive (regering)/ Parlement
www.scotland.gov.uk

Gaelic cultuur
www.cnag.org.uk
www.ambeile.org.uk
www.smo.uhi.ac.uk
www.the-mod.co.uk

Monumentenzorg
www.nts.org.uk
www.historic-scotland.net

Weer
www.onlineweather.com
www.metoffice.com
www.bbc.co.uk/weather
www.onlineweather.com
www.sais.gov.uk/about_forecasts

Reislinks
www.traveline.org.uk
www.citylink.co.uk
www.nationalexpress.com
www.postbus.royalmail.com
www.scotrail.co.uk
www.nationalrail.co.uk
www.britrail.com
www.eurostar.com
www.baa.com
www.gpia.co.uk
www.hial.co.uk
www.calmac.co.uk
www.seacat.co.uk
www.stenaline.co.uk
www.poirishsea.com
www.superfast.com
www.smyril-line.com
www.jogferry.co.uk

Accommodatie
www.visitScotland.com
www.theAA.com
www.syha.org.uk
www.countrycottagesinscotland.com
www.forestholidays.co.uk
www.campingandcaravanningclub.co.uk

Evenementen
www.edinburgh-festivals.co.uk
www.eif.co.uk
www.edfringe.com
www.edintattoo.co.uk
www.edinburghshogmanay.org
www.the-mod.co.uk
www.celticconnections.co.uk
www.sffs.shetland.co.uk
www.shetland-music.com/musevent2.htm
www.spiritofspeyside.com
www.tinthepark.com
www.rhass.org.uk
www.stmagnusfestival.com
www.scottishtraditionalboatfestival.co.uk
www.jazzfest.co.uk
www.wigtown-booktown.co.uk/festival
www.braemargathering.com
www.cowalgathering.com

Sport
www.shinty.com
www.cycling.visitscotland.com
www.fish.visitscotland.com
www.scottishgolf.com
www.ridingscotland.com
www.nevis-range.co.uk
www.cairngormmountain.com
www.lecht.co.uk
www.ski-glencoe.co.uk
www.ski-glenshee.co.uk
www.heartsfc.co.uk
www.hibs.co.uk
www.celticfc.co.uk
www.rangers.co.uk
www.sru.org.uk

Bank- en postdiensten
www.postoffice.co.uk
www.travelex.co.uk
www.westernunion.com

Ambassades (Londen)
www.netherlands-embassy.org.uk
www.diplobel.org/uk/uk.htm

Diversen
www.bbc.co.uk
www.uk visas.gov.uk
www.ramblers.org.uk
www.royal.gov.uk
www.fiddlersbid.com

MONUMENTENZORG

Lid worden van de National Trust for Scotland (NTS) is lonend als u meer dan een of twee NTS-monumenten wilt bezoeken. Aanmelden via de website.
● National Trust for Scotland, 28 Charlotte Square, Edinburgh EH2 4ET, tel. 0131 2265922; www.nts.org.uk

Historic Scotland (HS) beheert ook honderden historische gebouwen, beelden en monumenten. Word lid bij een HS-gebouw voor gratis toegang.
● Historic Scotland, Longmore House, Salisbury Place, Edinburgh EH9 1SH, tel. 0131 668 8800; www.historic-scotland.net

BOEKEN, FILMS EN KAARTEN

ACHTERGRONDINFORMATIE

De *New Penguin History of Scotland* (2001), met foto's uit de nationale museumcollecties, biedt degelijke geschiedschrijving. Christopher Harvie geeft een beknopt portret vol scherpe obesrvaties in *Scotland—A Short History* (2002). Scoular Andersons *1745 And All That: The Story of the Highlands* (2001) is een uitstekende getekende inleiding op de Schotse geschiedenis, en niet alleen voor kinderen.

De dikke *Collins Encyclopaedia of Scotland* door John Keay en Julia Keay (1994) is een rijke bron van informatie over personen, gebeurtenissen en plaatsen.

PERSOONLIJKE VERSLAGEN

Er is elk jaar weer een nieuwe oogst van boeken waarin mensen hun persoonlijke ervaringen in Schotland beschrijven. Het begon allemaal met de publicatie van *Journey to the Western Isles of Scotland* (1775) van Samuel Johnson en James Boswell, nog steeds een feest om te lezen.

Meer recentelijk schilderde Adam Nicolson met *Sea Room* (2002) een memorabel portret van de Western Isles. Alison Johnsons *A House by the Shore* (1986) is een onderhoudend verslag van het opzetten van een hotel op Harris en Alasdair Macleans lyrische *Night Falls on Ardnamurchan* (1984) is een weemoedige en aangrijpende beschrijving van het verdwijnen van de *crofters* (kleine Schotse boeren).

The First Fifty (1991) van Muriel Gray is een oneerbiedige beschrijving van *Munro-bagging* (Schotse bergen beklimmen) en een goed tegenwicht voor meer zelfingenomen bergbeklimmers-

boeken. Mairi Hedderwick schrijft onderhoudend over haar tochten door Schotland en maakt daarbij haar eigen waterverfillustraties. Haar laatste boek, *Sea Change* (1999), gaat over een zeiltocht van zes weken over het Caledonian Canal en langs de westkust. Archie Camerons *Bare Feet and Tackety Boots* (1988) is een humoristisch verslag van een vroeg-20e-eeuwse kindertijd op Rum. In de autobiografie van de dichter George Mackay Brown, *For the Islands I Sing* (1997), wordt Orkney geportretteerd.

SCHOTSE FICTIE

Schotland heeft een grote verhalende traditie en heeft schrijvers voortgebracht als Walter Scott (de *Waverley*-romans), R.L. Stevenson (*Dr. Jekyll and Mr Hyde*), Neil Gunn (*The Silver Darlings*), Muriel Spark (*The Prime of Miss Jean Brodie*), Iain Crichton Smith (*Consider the Lilies*) en Irvine Welsh (*Trainspotting*). Een geval apart is de rijmelaar William McGonagall, 1830–1902, volgens sommigen de slechtste dichter ter wereld.

Rechts ziet u een aantal lichtere Schotse klassiekers en hedendaagse favorieten.

KAARTEN

Als u Schotland met de auto wilt verkennen, zorg dan dat u een recente wegenatlas bij u hebt, zoals de *Great Britain Road Atlas* van de AA, die in de meeste boekwinkels verkrijgbaar is, of te bestellen via internet.

● www.theAA.com

Bij de toeristenbureaus zijn ongeveer twintig gedetailleerde wegenkaarten van afzonderlijke Schotse regio's verkrijgbaar. Ze heten Official Tourist Maps. U kunt ze ook bestellen bij de uitgever, Estate Publications. Het zijn kaarten van 1:125.000, met goede toeristische informatie. Vooral aanbevolen voor de eilanden.

● Estate Publications, Bridewell House, Tenterden, Kent TN30 6EP, tel. 01580 764225; www.estate-publications.co.uk

Voor wandelaars zijn er kaarten in de Explorer-serie van de Ordnance Survey van 1:25.000. Ze zijn verkrijgbaar bij lokale toeristenbureaus en boekwinkels

of te bestellen via internet.

● www.ordnancesurvey.co.uk

Een nuttige aanvulling zijn de gratis brochures van de toeristenbureaus, waaronder thematische kaarten, zoals die van het Speyside Whisky Trail.

Navigatiekaarten van de kust zijn verkrijgbaar bij het Hydrographic Office (UKHO).

● UK Hydrographic Office, Admiralty Way, Taunton, Somerset TA1 2DN, tel. 01823 723366; www.ukho.gov.uk.

PRAKTISCH

SCHOTS SPREKEN

Engels is de officiële taal van Schotland en wordt overal gesproken, maar net als in andere delen van Groot-Brittannië houden de mensen in Schotland er hun eigen variaties op de taal en hun eigen uitspraak op na.

SCHOTS

Het Schots, dat is voortgekomen uit een oudere vorm van Lowland-Schots, varieert van een nauwelijks hoorbaar accent bij bepaalde woorden en uitdrukkingen tot een zwaar en particulier dialect zoals dat van het centrum van Glasgow en het noordoostelijke Aberdeenshire.

Het Schots heeft zijn eigen tradities op het gebied van literatuur, poëzie (denk aan Robert Burns) en liederen (zoals de Border-ballades). Aberdeen University Press heeft Schotse woordenboeken uitgegeven die een goed beeld geven van de rijkdom van de taal. Het duurde echter tot 1983 voordat de eerste complete vertaling van het *Nieuwe Testament* in het Schots verscheen – vooral het werk van William Laughton Lorimer (1885–1967).

NORN

In Orkney en Shetland wordt weer heel anders gesproken, met lange a's en allerlei ongewone woorden, die de invloed van de Scandinavische talen verraden. Soms lijkt het dialect hier meer verwant aan het Deens dan aan het Engels.

GAELIC

Het dialect van de Western Isles is nog weer anders en wordt wel omschreven als zacht en slepend, wat toe te schrijven is aan de invloed van een heel aparte taal – het Gaelic (in Schotland uitgesproken als Gaallic), dat nog door zo'n 65.000 mensen wordt gesproken.

Bezoekers zullen het Gaelic het eerst tegenkomen in plaatsnamen op de kaart – vooral namen van bergen – en op de tweetalige bewegwijzeringsborden in het westen. U kunt het horen spreken als eerste taal door bewoners van de Western Isles. Het is ook mogelijk om een Gaelic kerkdienst bij te wonen of liederen in het Gaelic te horen zingen. Als u 'ceud mile failte' ziet staan, wees dan verzekerd dat u 'duizendmaal welkom' bent.

De Gaelic taal en cultuur kwamen rond de 5e eeuw met de Ieren hiernaartoe. Het Gaelic was de belangrijkste taal van Noord- en West-Schotland tot de Highlands in de 18e eeuw na de Jacobietenopstanden werden ontsloten.

In de 20e eeuw werd er op de scholen verplicht in het Engels lesgegeven, ook al werd er hier en daar thuis nog Gaelic gesproken. De cultuur had helemaal kunnen uitsterven, maar mocht zich begin jaren zeventig opeens verheugen in een hernieuwde belangstelling (in het kielzog van de meer militante revival van het Welsh).

Nu er de laatste tijd meer aandacht is voor zoiets als een afzonderlijke Schotse identiteit – een ontwikkeling die niet los is te zien van de oprichting van het Schotse parlement in de jaren negentig – zit het Gaelic weer stevig in het zadel. Het aantal mensen dat opgroeit met het Gaelic als eerste taal neemt weliswaar gestaag af, maar de taal wordt nu wel onderwezen op scholen en universiteiten, en de cultuur bloeit op tijdens een jaarlijks festival, de Mod (blz. 159). Er verschijnen boeken en kranten in het Gaelic en er is zendtijd voor Gaelic-sprekenden op radio en tv (blz. 300). Zelfs in andere – met name Engelstalige – landen wordt het Gaelic bestudeerd, als onderdeel van een algemene belangstelling voor de eigen Keltische wortels.

Wie Gaelic wil leren, kan contact opnemen met de Gaelic College Sabhal Mór Osaig (Teangue, Isle of Skye IV44 8RQ, tel. 01471 888000; www.smo.uhi.ac.uk).

Comunn na Gàighlig is een door de overheid gesubsidieerde instantie die zich inzet voor de verbreiding van het Gaelic (5 Mitchell's Lane, Inverness IV2 3HQ, tel. 01460 234138; www.cnag.org.uk).

Am Baile (Gaelic Dorp) is een website gesponsord door de Highland Council met uitgebreide informatie over de Gaelic taal en cultuur (www.ambaile.org.uk).

UITSPRAAK VAN SCHOTSE PLAATSNAMEN

Hieronder ziet u een aantal bekende voorbeelden van Schotse plaatsnamen met daarachter de Engelse uitspraak. Deze is niet fonetisch weergegeven, maar volgt de Engelse spelling.

Ayr: Air
Breadalbane: Bred-al-bane
Cuillins: Cool-ins
Culross: Cure-oss
Culzean: Cull-ane
Edinburgh: Ed-in-burra
Eilean Donan: Ellen Donnan
Findochty: Fin-echty
Forres: Forr-es
Glamis: Glahms
Hebrides: Heb-rid-ees
Islay: Eye-la
Kirkcudbright: Kir-coo-bree
Kyleakin: Ky-lack-in
Kylerhea: Kyle-ree
Moray: Murr-ay
Roxburgh: Rox-burra
Scone: Scoon
Stac Pollaidh: Stack Polly
Sumburgh: Sum-burra
Tiree: Tye-ree
Wernyss: Weems

SCHOTSE WOORDEN

aye: altijd
bairn: baby, kind
ben: heuvel, berg
birle: draaien
bonny: mooi (aantrekkelijk)
brae: heuvel
braw: mooi (prachtig)
burn: beek, kreek
cairn: kegelvormige steenhoop
canny: slim
ceilidh: bijeenkomst, feest
croft: kleine boerderij
doocote: duiventil

dram: hoeveelheid whisky
een: ogen
factor: landgoedbeheerder
fash: last, ongemak
gae: gaan
gillie: gids voor de jacht
glaur: modder
glen: vallei
greet: huilen
kirk: kerk
laird: landeigenaar
loch: meer
machair: grasland aan zee

manse: pastorie
messages: winkelen
nicht: avond
och: o
partan: krab
piece: boterham
pinkie: pink
pirrie/peerie/peedy: klein
puffer: antieke stoomboot
Sassenach: Engelssprekende
stay: wonen
tattie-bogle: vogelverschrikker
wee: klein

ENGELSE WOORDENLIJST

Algemeen
goedemorgen — good morning
goedendag/hallo — hello
tot ziens — goodbye
hoe gaat het? — how are you?
goed, dank u — fine, thank you
alstublieft — please
dank u wel — thank you
ja/nee — yes/no
pardon — excuse me
waar is...? — where is...?
wanneer? — when?

Tijd
maandag — Monday
dinsdag — Tuesday
woensdag — Wednesday
donderdag — Thursday
vrijdag — Friday
zaterdag — Saturday
zondag — Sunday
feestdag — holiday
minuut — minute
uur — hour
dag — day
week — week
maand — month
jaar — year
vandaag — today
gisteren — yesterday
morgen — tomorrow
's morgens — in the morning
's middags — in the afternoon
's avonds — in the evening
voor/na — before/after
vroeg/laat — early/late

Noodgevallen
help! — help!
politie/dokter — police/doctor
ongeluk — accident
ik heb autopech — my car has broken down
ik voel me niet goed — I'm not feeling well

Onderweg
halte — stop
bus — bus/coach

kaartje — ticket
auto — car
uitgang — exit
rechts/links — right/left
rechtdoor — straight on
hier/daar — here/there
stadsplattegrond — street map
informatie — information
bank — bank
geld wisselen — change money
station — station
vliegveld — airport
geopend — open
gesloten — closed

In het hotel
pension — guesthouse
logies en ontbijt — bed and breakfast
kamer — room
eenpersoonskamer — single room
tweepersoonskamer — double room
badkamer — bathroom
douche — shower
sleutel — key
handdoek — towel
lift — elevator
bagage — baggage/luggage
paspoort — passport
kwitantie — receipt
receptie — reception desk
wekken — wake
prijs — price
rekening — bill
naam — name
voornaam — first name/christian name
aankomen — arrive
vertrekken — leave
parkeerterrein — car park

Belangrijke zinnen
Hoe kom ik in...? — How do I get to...?
Hoeveel kost dat? — How much is that?
Hoe vind ik? — Excuse me, where's...?
Ik heb... nodig. — I need...
Hebt u een kamer voor mij? — Have you got any vacancies?
Kunt u mij helpen? — Can you help me, please?

DE CLANS VAN SCHOTLAND

Niet alleen de Schotten zelf, ook de wereldwijd ongeveer 28 miljoen afstammelingen van Schotse voorouders zijn er vaak nog steeds trots op om te kunnen zeggen dat ze een Macleod of een MacKenzie, een Ferguson of een Forbes, een Cameron of een Lindsay zijn.
● Een fascinerende opsomming van clan-geschiedenissen en -verenigingen vindt u op **www.electricscotland.com**

SCHOTSE CLANS

Schotland heeft zijn traditionele clansysteem te danken aan de Saksische koningin Margaret (ca.1046–1093), aan wie de kleine kapel in Edinburgh Castle (blz. 70–73) is gewijd. Zij wist haar echtgenoot Malcolm III te bewegen tot het instellen van een feodaal systeem, waardoor voor het eerst in Schotland land werd toegewezen aan individuen, dat in leenbezit werd gehouden door hun nakomelingen.

In de Highlands regeerden de clanhoofden over hun mensen als koningen. Ze vormden bondgenootschappen met elkaar en brachten hun eigen legertjes op de been om lokale vetes uit te vechten wanneer dat nodig was. En die vetes waren bloedig. Zo werden bijvoorbeeld in 1577 bijna 400 Macdonalds door een groep Macleods levend verbrand in een grot op het eiland Eigg. Een van de bekendste vetes is die tussen de Campbells en de Macdonalds, die in 1692 een hoogtepunt bereikte in Glen Coe (blz. 127)

De Highland-clans kwamen door de verschillen in taal (Gaelic werd in het zuiden en oosten amper gesproken) en cultuur steeds verder af te staan van de Lowlanders. Bepaalde hoofden domineerde bepaalde regio's, zoals 'Macdonald of the Isles' en 'Campbell of Argyll'.

Binnen dit patriarchale systeem was een clanlid allereerst trouw verschuldigd aan zijn clanhoofd, daarna pas aan de koning. Het was een systeem dat de Jacobietenopstanden aan het begin van de 18e eeuw mogelijk maakte, maar dat uiteindelijk in 1746 zijn eigen ondergang bewerkstelligde in de slag bij Culloden, waar aan beide zijden clanleden vochten.

Nadat de koning de overwinning had behaald, moesten de hoofden trouw aan hem zweren of het anders met de dood bekopen. Bovendien moesten ze voortaan hun oudste zoon aan het Engelse hof laten opvoeden. Het dragen van de tartan (de Schotse ruit), die als jacobitisch symbool werd beschouwd, werd verboden.

Het clansysteem in de Highlands ging definitief ten onder met de 'Clearances' in de 19e eeuw, toen de keuze voor grootschalige schapenteelt in de Highlands leidde tot het gedwongen vertrek van vele duizenden mensen. Hierbij stonden de clanhoofden niet altijd aan de kant van hun clanleden — op Skye gaat bijvoorbeeld het verhaal over een *chief* die zijn mensen als slaven in de koloniën probeerde te verkopen. In deze periode werden tal van gemeenschappen uit elkaar gerukt en emigreerden duizenden Highlanders naar Nova Scotia in Canada.

Tegenwoordig bestaan de clans alleen nog maar in naam, maar dat neemt niet weg dat ze voor veel Schotten nog steeds een bron van trots zijn.

Veel Amerikaanse toeristen gaan in de Highlands op zoek naar hun wortels.

TARTANS

Het dragen van tartans — geweven geruite stoffen — als symbool van de clan of familie waartoe men behoort, is een betrekkelijk modern fenomeen. Het stamt uit de 19e eeuw, de tijd van de romantisering van de Highlands. Tot halverwege de 18e eeuw hield een bepaald patroon (*sett*) eerder verband met het gebied waar iemand vandaan kwam of met zijn sociale rang dan met zijn achternaam.

De schrijver Sir Walter Scott heeft het zijne bijgedragen aan de opwaardering van de tartan toen hij ervoor wist te zorgen dat koning George IV er van top tot teen in gekleed ging bij zijn bezoek aan Schotland in 1822.

Een achternaam is altijd verbonden met een bepaald patroon, waarvan verschillende kleurvarianten kunnen bestaan. Denk bijvoorbeeld aan het verschil tussen een in gedekte kleuren gehouden jachttenue en een opzichtige outfit voor feestelijke gelegenheden.

Er bestaan tegenwoordig honderden verschillende tartans en er komen er elk jaar meer bij. Nieuwe tartans worden ontworpen voor speciale gelegenheden of om in te spelen op de veranderende mode.

De kilt, die vroeger in de Highlands dagelijks werd gedragen, draagt men nu alleen nog maar bij officiële gelegenheden.

'MAC' EN 'NIC'

'Mac' (of 'Mc') als voorvoegsel in achternamen is een oude Gaelic aanduiding die 'zoon van' betekent. Macdonald is daarmee het Schotse equivalent van het Engelse Donaldson. Het vrouwelijke voorvoegsel 'nic' betekende 'dochter van'. Deze vorm komt men echter in namen niet tegen.

Familienamen die beginnen met 'Mac' of 'Mc' stammen doorgaans uit de Highlands, waar veel Gaelic werd gesproken. Andere typisch Schotse namen, zoals Lindsay en Kennedy, zijn eerder uit de Lowlands afkomstig.

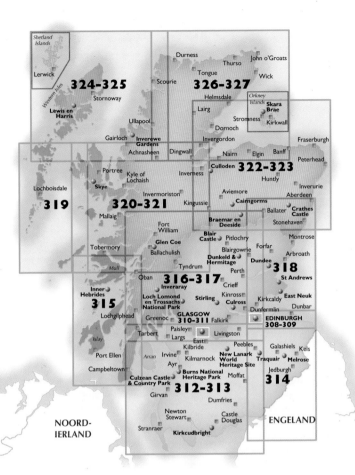

	Legenda
▬▬▬	Snelweg
➋ ●	Afslag snelweg met en zonder nummer
◆	Servicestation
▭▭▭	Hoofdweg
▭▭▭	Andere weg
———	Spoorlijn
- - - -	Langeafstandspad
▨▨▨	Landsgrens
———	Grens graafschap
▨	Stedelijk gebied
■	Plaats / Attractie
▨	Nationaal park / Landschappelijk mooi gebied
●	Bezienswaardigheid
✈	Luchthaven
⚓	Haven / Veerbootroute
621 ▲	Hoogte in meters

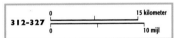

312-327   0 — 15 kilometer / 0 — 10 mijl

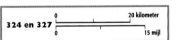

324 en 327   0 — 20 kilometer / 0 — 15 mijl

Kaarten

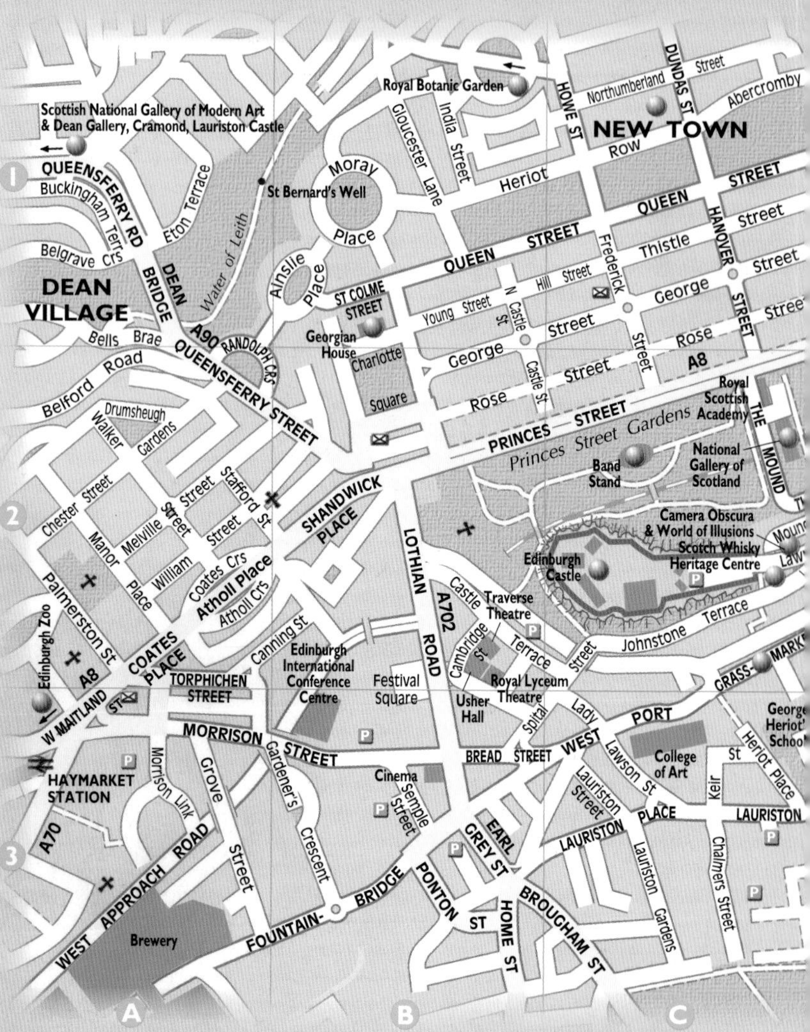

Map labels:

Scottish National Gallery of Modern Art & Dean Gallery, Cramond, Lauriston Castle

Royal Botanic Garden

NEW TOWN

QUEENSFERRY RD
Buckingham Terr
Belgrave Crs

DEAN VILLAGE

Bells Brae
Belford Road
Drumsheugh Gardens
Walker Street
Chester Street
Melville Street
Manor Place
William Street
Coates Crs
Atholl Place
Atholl Crs
COATES PLACE
Canning St
TORPHICHEN STREET
Palmerston St
Edinburgh Zoo
W MAITLAND ST
HAYMARKET STATION
Morrison Link
Grove Street
MORRISON STREET
Gardener's Crescent
Crescent
Semple Street
Cinema
FOUNTAIN-BRIDGE
Brewery
WEST APPROACH ROAD

St Bernard's Well
Eton Terrace
Ainslie Place
Moray Place
ST COLME STREET
Georgian House
Charlotte Square
George Street
Rose Street
DEAN BRIDGE
QUEENSFERRY STREET
RANDOLPH CRS
SHANDWICK PLACE
Stafford St
Edinburgh International Conference Centre
Festival Square
Usher Hall

Gloucester Lane
India Street
Howe St
Northumberland Street
DUNDAS St
Abercromby
ROW
Heriot Row
QUEEN STREET
Thistle Street
Young Street
N Castle St
Frederick Street
George Street
Castle St
Rose Street
PRINCES STREET
Princes Street Gardens
Band Stand
Edinburgh Castle
LOTHIAN ROAD
Cambridge St
Castle Terrace
Traverse Theatre
Royal Lyceum Theatre
Spittal St
BREAD STREET
GREY ST
EARL
PONTON ST
HOME ST
BROUGHAM ST

HANOVER STREET
A8
Royal Scottish Academy
National Gallery of Scotland
Camera Obscura & World of Illusions
Scotch Whisky Heritage Centre
Johnstone Terrace
WEST PORT
Lady Lawson St
College of Art
LAURISTON PLACE
George Heriot's School
Heriot Place
Keir St
Lauriston Gardens
Chalmers Street
GRASSMARKET
THE MOUND
Mound
Lawn

A
B
C

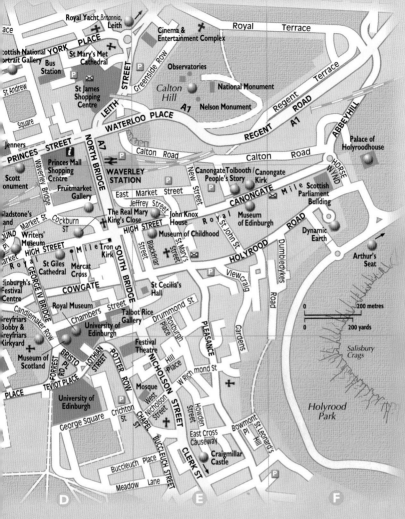

GLASGOW

Map 1 (top section):

A814 Victoria Park
VICTORIA PARK DRIVE SOUTH
A739
BROOMHILL
DOWANHILL
Botanic Garden
SOUTH STREET
BROOMHILL DRIVE
CROW RD
THORNWOOD AV
Hillhead
ROAD
A82
GREAT WESTE...
RENFREW ROAD
WHITEINCH
PARTICK
DUMBARTON ROAD
Kelvinhall
BYRES RD
KELVIN...
Kelvinbr...
Clyde Tunnel
Partick
Hunterian Museum & Art Gallery
CLYDESIDE EXPRESSWAY
BEITH ST
Clyde
Clydebuilt
SHIELDHALL
GOVAN ROAD
Museum of Transport
ARGYLE ST
Kelvingrove Art Gallery & Museum
RENFREW ROAD
Govan
Kelvingrove Park
SAUCHIEHA...
M8
SHIELDHALL ROAD
A739
A8
LANGLANDS ROAD
CROSSLOAN RD
GOVAN
GOVAN ROAD
YORKHILL
A814
CLYDESIDE EXPRESSWAY
Glasgow School o... Ar...
Exhibition Centre
DRUMOYNE
Scottish Exhibition & Conference Centre
KINGSLAND DRIVE
Cardonald
SHIELDHALL ROAD
CRAIGTON ROAD
HELEN STREET
BROOM LOAN ROAD
SUMMERTOWN ROAD
WHITEFIELD RD
Tall Ship at Glasgow Harbour
LANCEF...
QUAY
GOVAN ROAD
PAISL...
TWEEDSMUIR RD
BERRYKNOWES RD
Ibrox
EDMISTON DRIVE
Glasgow Science Centre
CRAIGTON
M8
Cessnock
WEST
SEAWARD
Cemetery
PAISLEY
Kinning Park
CARDONALD
A761
PAISLEY ROAD WEST
DRIVE
RD
Shields R...
SHIELDS...
DUNDEE DRIVE
MOSSPARK
House for an Art Lover
DRUMBRECK
MAXWELL DRIVE
DRIVE ROAD
LINTHAUGH ROAD
Bellahouston Park
Drumbreck
NITHSDALE
ANDREWS
ROAD
MOSSPARK
BELLAHOUSTON ROAD
BOULEVARD
DRUMBRECK RD
M77
POLLOKSHIELDS...
Mosspark DRIVE
MOSSPARK
Pollokshields West
LYONCROSS ROAD
CORKERHILL
Corkerhill MOSSPARK DRIVE
DRUMBRECK ROAD
Maxwell Park
STRAT...
POLLOK
BRAIDCRAFT ROAD
LEVERNSIDE ROAD
Pollok Country Park
HAGGS ROAD
CROSSMYLOOF
DARNLEY RD
BROCKBURN ROAD
BRAIDCRAFT ROAD
M77
Burrell Collection
TITWOOD ROAD
Crossmyloof
MINARD RD
A77
LANGSIL...
B763
Pollok House
Shawlands
POLLOKSHAWS ROAD
B769
AV
POLLOKSHAWS
Greenbank Garden
SHAWLANDS
LANGSIDE

A | B | C

1 | 2 | 3

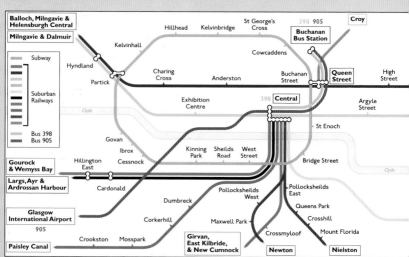

Transit map (bottom section):

Balloch, Milngavie & Helensburgh Central
Milngavie & Dalmuir
Subway
Suburban Railways
Bus 398
Bus 905
Gourock & Wemyss Bay
Largs, Ayr & Ardrossan Harbour
Glasgow International Airport
905
Paisley Canal

Hillhead · Kelvinbridge · St George's Cross · 398 · 905 · Croy
Kelvinhall · Cowcaddens · Buchanan Bus Station
Hyndland · Charing Cross · Anderston · Buchanan Street · Queen Street · High Street
Partick · Exhibition Centre · 398 · Central · Argyle Street
Clyde · St Enoch
Govan · St Enoch
Ibrox · Kinning Park · Sheilds Road · West Street · Bridge Street
Hillington East · Cessnock
Cardonald · Pollocksheilds West · Pollocksheilds East · Queens Park · Clyde
Dumbreck · Crosshill
Corkerhill · Maxwell Park · Crossmyloof · Mount Florida
Girvan, East Kilbride, & New Cumnock · Newton · Nielston
Crookston · Mosspark · Crossmyloof

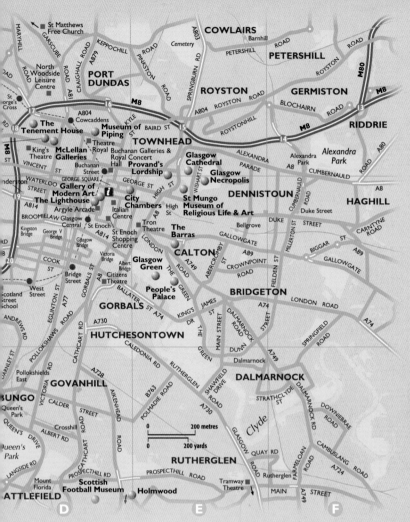

St Matthews Free Church
Cemetery
COWLAIRS
Barnhill
PETERSHILL ROAD
PETERSHILL
North Woodside Leisure Centre
PORT DUNDAS
ROYSTON
GERMISTON
RIDDRIE
M8
M80
Cowcaddens
The Tenement House
Museum of Piping
BAIRD ST
TOWNHEAD
ALEXANDRA PARADE
Alexandra Park
Alexandra Park
CUMBERNAULD
King's Theatre
McLellan Galleries
Theatre Royal
Buchanan Galleries & Royal Concert Hall
Glasgow Cathedral
Gallery of Modern Art
Provand's Lordship
Glasgow Necropolis
DENNISTOUN
HAGHILL
The Lighthouse
City Chambers
St Mungo Museum of Religious Life & Art
Duke Street
Argyle Arcade
Italian Centre
Bellgrove
Glasgow Central
St Enoch
Tron Theatre
The Barras
GALLOWGATE
St Enoch Shopping Centre
CALTON
Citizens Theatre
Glasgow Green
CROWNPOINT
BRIDGETON
LONDON ROAD
People's Palace
GORBALS
HUTCHESONTOWN
Dalmarnock
Pollokshields East
GOVANHILL
DALMARNOCK
STRATHCLYDE
Crosshill
Clyde
Queen's Park
RUTHERGLEN
Mount Florida
Scottish Football Museum
Holmwood
Tramway Theatre
Rutherglen
D   E   F

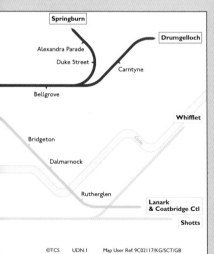

Springburn
Drumgelloch
Alexandra Parade
Duke Street
Carntyne
Bellgrove
Whifflet
Bridgeton
Dalmarnock
Rutherglen
Lanark & Coatbridge Ctl
Shotts

©TCS   UDN.1   Map User Ref: 9C02117/KG/SCT/GB

GLASGOW

311

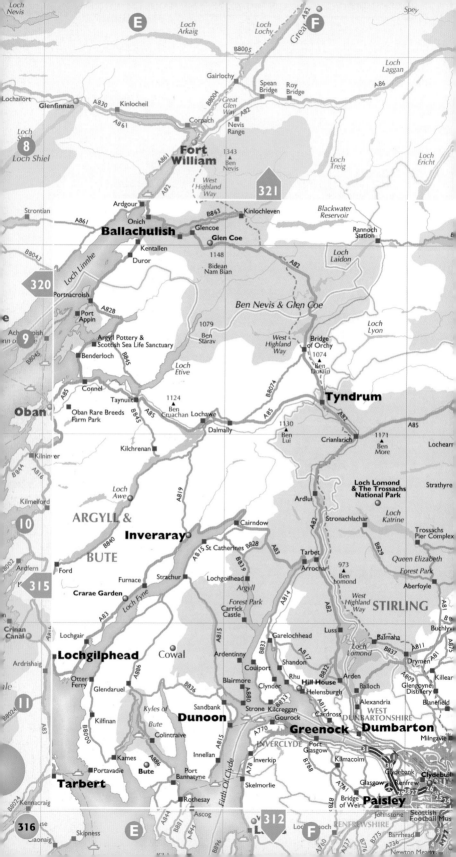

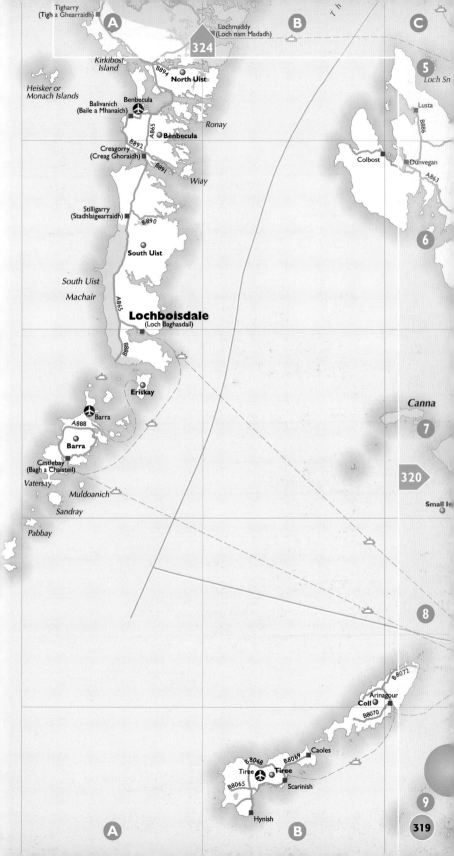

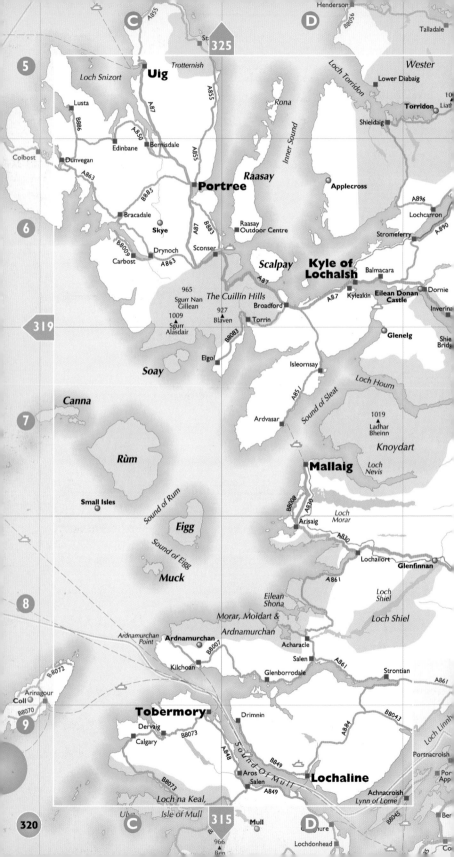

Herma
Ness

Baltasound
Haroldswick

Unst
Baltasound

Gutcher
Uyeasound

Yell

Fetlar

West
Sandwick

Mid
Yell

B9088

Ollaberry

A970

B9078

Ulsta
Burravoe

Hillswick

Scatsta
Toft

A970

A968

*Muckle
Roe*

Brae

B9071
Vidlin

Voe

B9075

*Out
Skerries*

Symbister

Whalsay

ndness

A971

Walls

Tingwall

B9071

A971

A970

Lerwick

Scalloway

Kirkabister

Bressay

Fladdabister

A970

**SHETLAND
ISLANDS**

Sandwick

Mainland

St Ninian's
Isle

Mousa Broch

B9122

**Jarlshof
Prehistoric
& Norse
Settlement**

Sumburgh

ABERDEEN

*Sumburgh
Head*

STROMNESS

Barvas
(Barabhas)

A858

A857

Carloway
(Carlabhagh)

*Great
Bernera*

Lewis

Breasclete
(Breascleit)

Miavaig
(Miabhig)

B8059

B8011

A858

Stornoway
(Steòrnabhagh)

A859

B8011

Balallan
(Baile Ailein)

Mealastal

WESTERN ISLES

B8060

A859

Scarp

*South Lewis,

Harris &

North Uist*

*Seaforth
Island*

B887

799

Clisham

Taransay

Tarbert
(Tairbeart)

Scalpay

A859

Harris

Pabbay

Leverburgh
(An T-ob)

Boreray

Berneray

Killegray

T h e   L i t t l e   M i n c h

Valley

A865

B893

A865

Lochmaddy
(Loch nam Madadh)

A867

*Kirkibost
Island*

B894

North Uist

A855

Loch Snizort

Uig

Balivanich

Benbecula

319

Mid Yell	324 B1
Midbea	327 K3
Millport	312 F12
Milnathort	317 J10
Milngavie	316 G11
Mintlaw	323 L6
Mochrum	312 F15
Moffat	313 H13
Moniaive	313 G14
Monifieth	318 K9
Monkton	312 F13
Montrose	318 K8
Monymusk	323 K7
Mossat	323 K7
Motherwell	313 G12
Moy	322 G6
Muchalls	318 L7
Muir of Ord	321 G6
Muirdrum	318 K9
Muirhead	318 J9
Muirkirk	313 G13
Munlochy	321 G5
Musselburgh	314 J11
Muthill	317 H10

N

Nairn	322 H5
Nethy Bridge	322 H6
New Abbey	313 H15
New Aberdour	323 L5
New Cumnock	313 G13
New Deer	323 L6
New Galloway	313 G14
New Luce	312 F15
New Pitsligo	323 L5
Newarthill	313 G12
Newbigging	313 H12
Newbridge	313 H14
Newburgh	323 L6
Newburgh	317 J10
Newcastleton	314 K14
Newmains	313 H12
Newmill	323 K5
Newport-on-Tay	318 K9
Newton Mearns	312 G12
Newton Stewart	312 F15
Newtongrange	314 J11
Newtonmore	322 G7
Newtyle	318 J9
North Berwick	318 K11
North Kessock	322 G6

O

Oban	315 E9
Ochiltree	312 G13
Old Deer	323 L6
Old Rayne	323 K6
Oldmeldrum	323 L6
Ollaberry	324 A2
Onich	316 E8
Otter Ferry	316 E11

P

Paisley	316 F11
Palnackie	313 H15
Patna	312 F13
Peebles	313 J12
Penicuik	313 J12
Pennan	323 L5
Perth	317 J10
Peterculter	323 L7
Peterhead	323 M6
Pierowall	327 K3
Pinwherry	312 F14
Pitcaple	323 K6
Pitlochry	317 H8
Pitmedden	323 L6
Pittenweem	318 K10
Polmont	317 H11

Poolewe	325 E5
Port Appin	316 E9
Port Askaig	315 C11
Port Charlotte	315 C12
Port Ellen	315 C12
Port Glasgow	316 F11
Port Henderson	325 D5
Port Logan	312 E15
Port Nis	325 D2
Port of Menteith	317 G10
Port of Ness	325 D2
Port William	312 F15
Portavadie	316 E11
Portgordon	323 J5
Portknockie	323 K5
Portlethen	323 L7
Portmahomack	322 H4
Portnacroish	316 E9
Portnahaven	315 B12
Portpatrick	312 E15
Portree	320 C6
Portsoy	323 K5
Preston	314 L12
Prestonpans	314 J11
Prestwick	312 F13

R

Rafford	322 H5
Rannoch Station	316 F8
Rapness	327 K3
Rathen	323 L5
Reay	327 H2
Renfrew	316 G11
Rhiconich	326 F2
Rhu	316 F11
Roberton	314 K13
Roberton	313 H13
Rockcliffe	313 H15
Romanno Bridge	313 J12
Rosehall	326 F4
Rosehearty	323 L5
Rosemarkie	322 G5
Rosewell	314 J11
Rosyth	317 J11
Rothes	322 J6
Rothesay	316 E11
Roxburgh	314 K13
Rumbling Bridge	317 H10
Rutherglen	313 G12

S

Saddell	315 D12
St. Abbs	314 L11
St. Andrews	318 K10
St. Boswells	314 K12
St. Catherines	316 E10
St. Cyrus	318 L8
St. Fergus	323 M5
St. Fillans	317 G10
St. John's Town of Dalry	313 G14
St. Margaret's Hope	327 K4
St. Mary's	327 K4
St. Monans	318 K10
Salen	320 D9
Salen	320 D8
Saline	317 H11
Saltcoats	312 F12
Sanaigmore	315 C11
Sandbank	316 F11
Sandhaven	323 L5
Sandhead	312 E15
Sandness	324 A2
Sandwick	324 A3
Sanquhar	313 G13
Scalasaig	315 C10
Scalloway	324 A2
Scarinish	319 B9

Scone	317 J9
Sconser	320 C6
Scourie	325 E3
Scrabster	327 H2
Selkirk	314 K13
Shandon	316 F11
Shiel Bridge	320 E7
Shieldaig	320 D5
Shotts	313 H12
Skipness	312 E12
Skirling	313 H12
Slamannan	317 H11
Smailholm	314 K12
Sorbie	312 F15
South Queensferry	317 J11
Southend	315 D13
Spean Bridge	321 F8
Spey Bay	322 J5
Spittal	327 J2
Spittal of Glenshee	317 J8
Springholm	313 H14
Stadhlaigearraidh	319 A6
Staffin	325 C5
Stanley	317 J9
Stenhousemuir	317 H11
Steornabhagh	324 C3
Stevenston	312 F12
Stewarton	312 F12
Stilligarry	319 A6
Stirling	317 H11
Stonehaven	318 L8
Stonehouse	313 G12
Stoneykirk	312 E15
Stornoway	324 C3
Strachan	318 K7
Strachur	316 E10
Straiton	312 F13
Stranraer	312 E15
Strathaven	313 G12
Strathblane	316 G11
Strathcanaird	325 E4
Strathdon	322 J7
Strathmiglo	317 J10
Strathpeffer	321 G5
Strathy	326 H2
Strathyre	316 G10
Strichen	323 L5
Stromeferry	320 E6
Stromness	327 J4
Stronachlachar	316 F10
Strone	316 F11
Strontian	320 D8
Struy	321 F6
Stuartfield	323 L6
Swinton	314 L12
Symbister	324 B2
Symington	312 F12
Symington	313 H12

T

Tain	322 G5
Tairbeart	324 B4
Talladale	325 E5
Tannadice	318 K8
Tarbert	316 E11
Tarbert	324 B4
Tarbet	316 F10
Tarbolton	312 F13
Tarland	323 K7
Tarves	323 L6
Tayinloan	315 D12
Taynuilt	316 E9
Tayport	318 K9
Tayvallich	315 D11
Temple	314 J12
Teviothead	314 J13
Thornhill	313 H1

Thornhill	317 G10
Thornton	318 J10
Thrumster	327 J3
Thurso	327 J2
Tigharry	324 A5
Tillicoultry	317 H10
Tobermory	320 C9
Todhills	318 K9
Toft	324 A2
Tolastadh	325 D2
Tolsta	325 D2
Tomatin	322 H6
Tomintoul	322 J7
Tomnavoulin	322 J6
Tongue	326 G2
Torbeg	312 E13
Torphichen	317 H11
Torphins	323 K7
Torrance	317 G11
Torridon	320 E5
Torrin	320 D6
Torryburn	317 H11
Torthorwald	313 H14
Town Yetholm	314 L13
Traquair	314 J12
Troon	312 F12
Tullibody	317 H10
Tummel Bridge	317 G8
Turnberry	312 F13
Turriff	323 K6
Twynholm	313 G15
Tyndrum	316 F9

U

Uig	320 C5
Ullapool	325 E4
Ulsta	324 A2
Unapool	326 F3
Upper Largo	318 K10
Uyeasound	324 B1

V

Vidlin	324 A2
Voe	324 A2

W

Walkerburn	314 J12
Walls	324 A2
Wanlockhead	313 H13
Wasbister	327 J3
Waterbeck	313 J14
Watten	327 J2
Weem	317 H9
West Calder	317 H11
West Kilbride	312 F12
West Linton	313 J12
West Sandwick	324 A1
Westruther	314 K12
Whauphill	312 F15
Whitburn	317 H11
Whitebridge	321 G7
Whitehills	323 K5
Whitehouse	315 D12
Whitekirk	318 K11
Whithorn	312 F15
Whiting Bay	312 E13
Wick	327 J2
Wigtown	312 F15
Wilsontown	313 H12
Wishaw	313 H12
Wormit	318 J9

Y

Yarrowford	314 J13
Yetts o' Muckhart	317 H10

330 REGISTER WEGENKAART

FOTOVERANTWOORDING

SCHOTLAND IN VOGELVLUCHT

4ml AA/Ronnie Weir; 4mr AA/Jim Henderson; 6br AA/Jamie Blandford; 6mr Britain On View; 6ml VisitScotland/Scottish Viewpoint; 6mr AA/Steve Day; 6or Britain On View; 7bl AA/Jim Henderson; 7ml AA/Stephen Whitehorne; 7mr Britain On View; 7ml AA/Stephen Whitehorne; 7mr Britain On View; 7ol The Trustees of the National Museums of Scotland; 8br AA/Douglas Corrance; 8mr Orkney Tourist Board; 8ml D Gowans/The National Trust for Scotland; 8mr AA/Jonathan Smith; 8or Burns National Heritage Park.

WELCOME!

9 AA/Ronnie Weir; 10ag AA/Stephen Gibson; 10bl John Lowrie Morrison; 10br WPL/Exclusive Card Co.; 10mr Mike Laye/Corbis; 10ol AA/Stephen Whitehorne; 11bl Colin McPherson/Scottish Viewpoint; 11bm Rex Features; 11br Greater Glasgow & Clyde Valley Tourist Board; 11ml Bloomsbury Publishing; 12ag AA/Steve Day; 12bl Stewart Buchanan; 12br VisitScotland/Scottish Viewpoint; 12cl Niall Benvie/The National Trust for Scotland; 12mr Scottish Power; 13om Elizabeth Massie; 13mm Glenturret Distillery; 13mr The Scottish Seabird Centre, North Berwick; 13or AA/Steve Day; 14ag AA/Jim Carnie; 14bl AA/Jonathan Smith; 14ml Walkers Shortbread Ltd; 14bm AA/Stephen Gibson; 14mr Neal Simpson/Empics; 14ml Angus & Dundee Tourist Board; 14ol AA/Ronnie Wier; 15bl AA/Jonathan Smith; 15br David Cannon/Getty Images; 15ml Tony Marshall/Empics; 15mr Barrs; 16ag Scottish Borders Tourist Board; 16bl Ross McDairmant/Scottish Parliamentary Corporate Body; 16bm Ann Stonehouse; 16br ScotRail/National Rail Museum Photographers; 16ml Scottish Borders Tourist Board; 17bl EMBT/RMJM; 17br Brian Rasic/Rex Features; 17mm D.C.Thomson & Co Ltd; 18ag AA/Stephen Whitehorne; 18bl James Wilson; 18br Hector Russell; 18mm AA/Stephen Whitehorne; 18ml Griselda Hill Pottery; 19bl Emma Nicholsby; 19br illustratie van Mairi Hedderwick uit The Second Katie Morag Storybook, overgenomen met toestemming van The Random House Group Ltd; 19mm Allstar/Cinetext Collection; 19mr AA/Jonathan Smith; 19or Orion Publishing; 20ag AA/Stephen Whitehorne; 20bm Catriona McKay/www.fiddlersbid.com; 20br AA/Stephen Whitehorne; 20ml Spirit of Speyside Whisky Festival; 20mr James Shuttleworth; 20b Shetland Islands Tourism.

GESCHIEDENIS

21 AA/Douglas Corrance; 22ag AA/Richard Elliot; 22mr Ann Stonehouse; 22bl, 22or AA/Eric Ellington; 23ml The Board of Trinity College Dublin; 23mm, 23mr, 23om The Trustees of the National Museums of Scotland; 23or AA/Richard Elliot; 24ag AA; 24ml AA/Steve Gibson; 24mr overgenomen met dank aan de National Archives of Scotland; 24ol Mary Evans Picture Library; 24or AA/Stephen Whitehorne; 25ml AA/Steve Day; 25mm AA; 25 middenstrook Allstar; 25om AA/Marius Alexander; 26ag/br AA/Jonathan Smith; 26mr AA; 26ml Nigel Hillyard/Sealed Knot; 26ol Glasgow Museums; 27ml AA; 27mm The Trustees of the National Museums of Scotland; 27mr overgenomen met toestemming van The Royal Bank of Scotland Group; 27om The Trustees of the National Museums of Scotland; 27or AA/Steve Day; 28ag/br AA/Stephen Whitehorne; 28ol The Trustees of the National Museums of Scotland; 28mm Scottish National Portrait Gallery; 29ml AA; 29mm The Adam Smith Institute; 29mr National Gallery of Scotland; 29om The Adam Smith Institute; 29or The Trustees of the National Museums of Scotland; 30ag/br AA/Jeff Beazley; 30mm Glasgow Museums; 30ol Dundee Heritage Trust, Verdant Works; 30om The Trustees of the National Museums of Scotland; 31mm The Trustees of the National Museums of Scotland; 31om Sandy Linton, Scottish National Photography Collection/Scottish National Portrait Gallery; 31mr University of Aberdeen; 32ag Illustrated London News; 32mr overgenomen met dank aan Glasgow University Archive Services; 32mm The Trustees of the National Museums of Scotland; 32bl overgenomen met dank aan Glasgow University Archive Services;

32or AA; 33ml gereproduceerd met toestemming van Unilever Bestfoods van een origineel in de Unilever Corporate Archives; 33mm AA; 33mr AA/Steve Day; 33om overgenomen met dank aan Glasgow University Archive Services; 34ag/mr BP p.l.c. 2004; 34mr overgenomen met toestemming van The Royal Bank of Scotland Group; 34mm Glasgow Museums; 34om Ealing/The Kobal Collection; 34ol overgenomen met toestemming van The Royal Bank of Scotland Group; 35ml IBM; 35mm AA/Stephen Whitehorne; 35mr AA/Stephen Gibson; 35or overgenomen met dank aan de erven/Bridgeman Art Library; 36ag/or British Waterways; 36mm Times/Rex Features; 36ml AA; 36mm Rex Features; 36om AA/Jim Carnie.

ONDERWEG

37 AA/Eric Ellington; 38–41b Digital Vision; 38m Britain On View; 39m Lothian Buses; 40m AA/Jonathan Smith; 41m AA/Jonathan Smith; 41o AA/Richard Elliott; 42b Strathclyde Passenger Transport; 43b AA/Peter Sharpe; 44b AA/Peter Sharpe; 44o AA/Jim Carnie; 45b AA/Jonathan Smith; 45o Loganair; 46b Stagecoach; 46m AA/Jonathan Smith; 47b Stagecoach; 47o AA/Jonathan Smith; 48–50b Digital Vision; 48o ScotRail; 50m AA/Stephen Gibson; 51–54b Digital Vision; 51m AA/Jim Carnie; 54c The National Trust for Scotland.

WAT TE ZIEN

55 AA/Jonathon Smith; 57bl AA/Ken Paterson; 57bm AA/Marius Alexander; 57br AA/Jamie Blandford; 58bm AA/Sue Anderson; 58ml AA/Ken Paterson; 58mm AA/Sue Anderson; 58mr AA/Sue Anderson; 58o AA/Peter Sharpe; 59b AA/Sue Anderson; 59or Burns National Heritage Park; 60bl AA/Sue Anderson; 60br AA/Sue Anderson; 61bl AA/Harry Williams; 61bm AA/Jamie Blandford; 61br AA/Sue Anderson; 62bl AA/Marius Alexander; 62br Harvey Wood/National Trust for Scotland; 62or AA/Sue Anderson; 63bl Logan Botanic Garden; 63or AA/Sue Anderson; 64bl AA/Derek Croucher; 64bm AA/Jamie Blandford; 64br AA/Jim Henderson; 65bl AA/Marius Alexander; 65br Britain On View; 66bl Scottish Seabird Centre; 66bm AA/Douglas Corrance; 66br AA/Jamie Blandford; 67bl AA/Jeff Beazley; 67br AA/Marius Alexander; 67o AA/Sue Anderson; 69bl AA/Jonathan Smith; 69br AA/Jonathan Smith; 70 AA/Jonathan Smith; 71bm AA/Jonathan Smith; 71ml AA/Jonathan Smith; 71mm AA/Jonathan Smith; 71mr AA/Ken Paterson; 72cl Britain On View; 72mm The Trustees of the National Museums of Scotland; 72mr Crown Copyright, overgenomen met dank aan Historic Scotland; 72bl The Trustees of the National Museums of Scotland; 74bl AA/Ken Paterson; 74br Dynamic Earth Enterprises; 75bl Fruitmarket Gallery/Peter Fink; 75bm AA/Ken Paterson; 75br AA/Jonathon Smith; 76bl AA/Ken Paterson; 76bm AA/Jonathan Smith; 76br AA/Douglas Corrance; 76om AA/Ken Paterson; 77bl AA; 77br Mary King's Close; 78 The Trustees of the National Museums of Scotland; 79bm The Trustees of the National Museums of Scotland; 79ml AA/Ken Paterson; 79mm The Trustees of the National Museums of Scotland; 79mr The Trustees of the National Museums of Scotland; 81b The Trustees of the National Museums of Scotland; 81mr The Trustees of the National Museums of Scotland; 82b AA/Ken Paterson; 82cl National Gallery of Scotland; 83bl AA/Ken Paterson; 83br AA/Jonathon Smith; 84bm AA; 84ml AA/Ken Paterson; 84mm AA/Ken Paterson; 84mr AA/Ken Paterson; 84ol AA; 85b Britain On View; 85or AA/Jonathan Smith; 86bl AA/Ken Paterson; 86br Britain On View; 87bl AA/Jonathan Smith; 87bm AA/Ken Paterson; 87br AA/Jonathan Smith; 88bl AA/Ken Paterson; 88br AA/Ken Paterson © ervan van Duane Hanson/VAGA, New York/DACS, London 2004; 90bl AA/Steve Day; 90br Britain On View; 91bl AA/Stephen Whitehorne; 91bm Deep Sea World; 91br AA/Sue Anderson; 92bl AA/Jim Carnie; 92or AA/Jonathan Smith; 93b Angus & Dundee Tourist Board; 93mr AA/Jonathan Smith; 94bl AA/Ken Paterson; 94br AA/Steve Day; 94or AA/Steve Day; 95bl AA/Steve Day; 95bm AA/Ken Paterson; 95br AA/Sue Anderson; 96bm AA/Steve Day; 96ml AA/Steve Day; 96mm, 96mr AA/Michael Taylor; 96ol AA/Steve

Day; 96or AA/Michael Taylor; 97mr AA/Steve Day; 97cb AA/Ken Paterson; 98b AA/Ronnie Weir; 98ol AA/Peter Sharpe; 99bl AA/Steve Day; 99bm AA/Jonathan Smith; 99br AA; 100b Kingdom of Fife Tourist Board; 100ol AA/Jonathan Smith; 101bl, 101bm AA/Steve Day; 101br AA/Jonathan Smith; 101ol Barrie Andrian; 102bl AA/Jonathan Smith; 102or AA/Stephen Whitehorne; 104bl AA/Marius Alexander; 104bm AA/Stephen Whitehorne; 104br AA/Marius Alexander; 105b Greater Glasgow & Clyde Valley Tourist Board; 105or, 106, 107bm Glasgow Museums; 107ml Britain On View; 107mm Glasgow Museums; 107mr Greater Glasgow & Clyde Valley Tourist Board; 108, 109br Glasgow Museums; 109m AA/Douglas Corrance; 110bl, 110bm AA/Stephen Gibson; 110br, 111bl,111br AA/Stephen Whitehorne; 112bl Britain On View; 112bm AA/Stephen Whitehorne; 112br Greater Glasgow & Clyde Valley Tourist Board; 113b Glasgow Museums; 113mr John Byrne/Glasgow Museums; 113or Glasgow Museums; 114bm AA/Stephen Gibson; 114ml Greater Glasgow & Clyde Valley Tourist Board; 114mm AA/Stephen Gibson; 114mr Greater Glasgow & Clyde Valley Tourist Board; 114ol Glasgow School of Art Collection; 115ml Hunterian Art Gallery/University of Glasgow; 115mr Glasgow Museums; 115or Glasgow School of Art Collection; 116bl AA/Stephen Gibson; 116br,117bl Greater Glasgow & Clyde Valley Tourist Board; 117br, 119bl AA/Stephen Whitehorne; 119bm AA/Eric Ellington; 119br Aberdeen and Grampian Tourist Board; 120b, 120ol AA/Jonathan Smith; 121bl AA/Ronnie Weir; 121bm AA/Stephen Whitehorne; 121br AA/Ronnie Weir; 122b AA/Sue Anderson; 122bl AA/Ken Paterson; 123bl AA/Jim Carnie; 123om AA/Jamie Blandford; 123br AA/Dennis Hardley; 124bl AA/Eric Ellington; 124br AA/Ronnie Weir; 125b Britain On View; 126bl AA/Stephen Whitehorne; 126bm AA/Sue Anderson; 126br AA/Steve Day; 127b AA/Jim Henderson; 127b, 128bl AA/Sue Anderson; 128br, 128cb AA/Steve Day; 129bl The Highland Folk Museum; 129bm Britain On View; 129br AA/Jim Henderson; 130bm AA/Stephen Whitehorne; 130ml AA/Richard Elliot; 130mm, 130mr Britain On View; 130o AA/Stephen Whitehorne; 131mr AA/Richard Elliot; 131o Britain On View; 132bl AA/Ronny Weir; 132br AA/Jim Carnie; 133b AA; 134bl AA/Derek Forss; 134bm AA/Stephen Whitehorne; 134br AA/Eric Ellington; 135b Britain On View; 136bl AA/Robert Eames; 136bm AA/Derek Forss; 136br AA/Sue Anderson; 137bl AA/Dennis Hardley; 137bm AA/Sue Anderson; 137br AA/Jim Henderson; 137o Lighthouse Museum, Fraserburgh; 138 AA/Stephen Whitehorne; 139bm Britain On View; 139ml AA/Ken Paterson; 139mm AA/Anthony Hopkins; 139mr Dunvegan Castle; 140bl The Highlands of Scotland Tourist Board; 140ml Susan Arnold; 140mm AA/Stephen Whitehorne; 140mr AA/Stephen Whitehorne; 141 AA/Ronnie Weir; 142bl AA/Eric Ellington; 142bm AA/Stephen Whitehorne; 142br AA/Michael Taylor; 144bl, 144br AA/Stephen Whitehorne; 145b Britain On View; 145b, 146bl AA/Eric Ellington; 146bm AA/Stephen Whitehorne; 146br AA/Eric Ellington; 146or AA/Stephen Whitehorne; 147bl, 147br AA/Eric Ellington; 148bl, 148br Britain On View; 148o AA/Eric Ellington.

WAT TE DOEN

149 Photodisc; 150b Photodisc; 151b Photodisc; 151ml Skye Batiks; 151mr AA/Marius Alexander; 152b Brand X Pictures; 152cl Anthony Brannan; 152mr Cine-UK Ltd; 153b Photodisc; 153mr Greater Glasgow & Clyde Valley Tourist Board; 153mm AA/Steve Day; 154b Photodisc; 154mr AA/Ronnie Weir; 154ml Steve Day; 155b Photodisc; 155o Greater Glasgow & Clyde Valley Tourist Board; 156b Photodisc; 156o International Purves Puppets; 157b Photodisc; 157mr Oban Rare Breeds Farm; 158b Digital Vision; 158mr T in the Park; 158ol Shetland Tourist Board; 159b Digital Vision; 159m AA/Jim Carnie; 160b AA/Jonathan Smith; 160ml AA/Jonathan Smith; 160mr AA/Jonathan Smith; 161b AA/Jonathan Smith; 161mr AA/Jonathan Smith; 161ml AA/Jonathan Smith; 162–198b AA/Steve Day; 162m Arran Distilleries; 163m Broughton Gallery; 164ml Dalton Pottery; 164mr AA/Marius Alexander; 165ml AA/Cameron Lees; 165mm R & M Turner Ltd; 165o Gretna Gateway Outlet Village; 166ol Jo Gallant; 166om Isobel Cameron/Forestry Commission; 167m The Crafters; 168mr G C Books; 168mm AA/Ken Paterson; 168ol AA/Peter Sharpe; 169mr Frasers; 169ml Ocean Terminal; 169or Harvey Nichols; 170mr Hector Russell; 170ml Jenners; 171ml Royal

Mile Whiskies; 171mr Dominion; 172o Douglas McBride; 173ml Usher Hall; 173mm Beluga; 173mr Bow Bar; 174ml Café Royal; 174om AA; 175ml Black Hart Entertainment; 175mr Witchery Tours; 176ml schilderij van Georgie Young; 176mm Highland Adventure Safaris; 177ml Griselda Hill Pottery; 177mr G1 Group plc; 178ml Dundee City Council; 178mr Kingdom of Fife Tourist Board; 179ml AA; 179mr Glengoyne Distillery; 179or Caithness Glass; 180mm Perth Theatre; 180ol Perthshire Visitor Centre; 181mm Edradour Distillery; 181mr Di Gilpin Design Studio; 181ml Pitlochry Festival Theatre; 181or Byre Theatre; 182mr Tolbooth; 183mr AA/Richard Elliot; 183mm AA/Stephen Whitehorne; 183or AA/Peter Sharpe; 185ml Centre for Contemporary Arts; 185mr Theatre Royal; 185om AA/Stephen Gibson; 186ml Tron Theatre; 186mm Burt Greener Communications Ltd; 186mr AA/Stephen Whitehorne; 187ml AA/Richard G Elliott; 187mr Stand Comedy Club; 188ml AA/Rich Newton; 188mm Greater Glasgow & Clyde Valley Tourist Board; 188mr Gerard O'Neill; 189or Aberdeen City Council; 190mr Jim Henderson; 190 br Loch Morlich Watersports; 191ml Bill Roberton; 191ol Argyll Pottery; 191om Black Isle Brewery; 192bl Sea Fari; 193ml Hebridean Jewellery; 193mm M Yule; 193mr AA/Jeff Beazley; 194mm Glenmorangie plc; 194mr Loch Insh Watersports; 195om Oban Highland Theatre; 196ol Skye Silver; 196mm Black & White; 196mr Highland Stoneware; 197ml Judith Glue; 197mm Ortak; 197mr Pier Arts Centre; 197or Roving Eye Enterprises; 198ml Anderson & Co; 198mm Garrison Theatre; 198om AA/Eric Ellington; 198or Highland Park.

WANDEL-/AUTOROUTES

199 AA/Sue Anderson; 200 AA/Marius Alexander; 201bl AA/Jamie Blandford; 201br AA/Cameron Lees; 201or AA/Jamie Blandford; 202 AA/Sue Anderson; 203bl Forest Life Picture Library; 203br AA/Sue Anderson; 203or AA/Sue Anderson; 204 AA/Cameron Lees; 205bl AA/Cameron Lees; 205bra AA/Cameron Lees; 205ol Britain On View; 206o Scottish Borders Tourist Board; 207bl Scottish Borders Tourist Board; 207br AA/Cameron Lees; 207o AA/Cameron Lees; 208om AA/Jonathon Smith; 208or AA/Stephen Whitehorne; 209ml Isla Love; 210 AA/Steve Day; 211bl AA/Harry Williams; 211br AA/Jim Henderson; 211ol AA; 211or AA/Steve Day; 212ol AA/Ken Paterson; 212or AA/Ken Paterson; 213bl Isobel Cameron/Forest Life Picture Library; 213br AA/Steve Day; 214 AA/Ken Paterson; 215bl Britain On View; 215br Britain On View; 215ol Britain On View; 216 AA/Stephen Whitehorne; 217bl Kingdom of Fife Tourist Board; 217br AA; 217or AA/Jonathan Smith; 218 Greater Glasgow & Clyde Valley Tourist Board; 219bl Doug Corrance/Still Digital; 219br AA/Rich Newton; 220 Crown Copyright, overgenomen met dank aan Historic Scotland; 221bl AA/Jim Carnie; 221br AA/Ken Paterson; 221mr AA/Jim Carnie; 221o AA/Jim Henderson; 222 AA/Ronnie Weir; 223b Brian Shuel/Collections; 223o Ken Paterson/Scottish Viewpoint; 224 AA/Jim Carnie; 225bl AA/Jim Carnie; 225br AA/Jim Carnie; 225ol AA/Steve Day; 225cb AA/Steve Day; 226 AA/Steve Day; 227b AA/Jim Henderson; 227ml Christine Spreiter; 228 AA/Ken Paterson; 229bl AA/Ronnie Weir; 229br AA/Ken Paterson; 229o AA/Eric Ellington; 230 AA/Eric Ellington; 231 AA/Jim Henderson; 232 AA/Anthony Hopkins; 233bl Highlands of Scotland Tourist Board www.highlandfreedom.com; 233br Steve Austin/Stockscotland.com; 233or AA/Stephen Whitehorne; 234 Charles Tait; 235b Colin Keldie; 235o Charles Tait; 236 AA/Ken Paterson.

ETEN EN SLAPEN

237 AA/Clive Sawyer; 238ml AA/Jonathon Smith; 238mm AA/Steve Day; 238mr Elizabeth Massie; 239, 240ml Britain On View; 242ml AA/Ronnie Weir; 242mm Britain on View; 242mr AA/Jonathon Smith.

PRAKTISCH

289 AA/Clive Sawyer; 294 Schotse bankbiljetten: overgenomen met toestemming van The Royal Bank of Scotland Group; 297 AA/Ken Paterson; 298 AA/Alex Kouprianoff; 299b AA/Jonathan Smith; 299o AA/James Tims; 304 AA/Richard Elliot.

Hulp gevraagd!
De informatie in deze reisgids is aan verandering onderhevig. Het kan dus wel eens gebeuren dat u
ter plaatse een andere situatie aantreft dan de auteur. Is de tekst niet meer helemaal correct,
laat ons dat dan even weten.
Ons adres is:
ANWB Uitgeverij Boeken, Buitenland
Postbus 93200
2509 BA Den Haag
buitenlandredactie@anwb.nl

AA Key Guide Scotland
Projectredacteur: Ann F. Stonehouse
AA Travel Guides vormgeving: David Austin, Glyn Barlow, Alan Gooch, Kate Harling,
Bob Johnson, Nick Otway, Carole Philp en Keith Russell
Beeldredactie: Liz Allen, Alice Earle, Serena Mellish en Chloe Butler
Reproductie: Ian Little, Michael Moody en Susan Crowhurst
Productie: Lyn Kirby en Helen Sweeney
Cartografie: afdeling cartografie AA Publishing
Auteurs: Christopher Harvie (welcome! en geschiedenis); Johanna Campbell, Gilbert Summers,
Fiona Wood (wat te zien); Isla Love (wat te doen); Kate Barrett, Rebecca Ford, Moira McCrossan,
Hugh Taylor, Ronald Turnbull, David Williams (wandel-/autoroutes); Jenny White (eten); Pam Stagg
(tekstredactie); David Halford, Nicholas Lanng, Jennifer Skelley (feitencontrole)

Uitgegeven door AA Publishing, een handelsnaam van Automobile Association Developments Limited,
gevestigd in Fanum House, Basing View, Basingstoke, Hampshire RG21 4 EA UK. Registered number
1878835

ANWB Navigator Schotland
Uitgever: Harry Schuring
Productie: ANWB Uitgeverij Boeken
Projectcoördinatie: Janneke Verdonk
Projectcoördinatie: ANWB Uitgeverij Boeken
Boekverzorging: de Redactie, Amsterdam
Vertaling: Catherine Smit, Hanneke Bos, Marten van de Kraats en Anne Römer
Bewerking: Theo Scholten

FOTO'S OMSLAG

Voorplat: Niall Benvie/Corbis; achterplat, b en o: AA/Jim Carnie; mb Eilean Donan Castle AA/Stephen Whitehorn;
mo Tower Restaurant, Museum of Scotland, Edinburgh